韓國姓氏寶鑑

＊한국성씨보감

도서
출판 은광사

머 리 말

한국인의 씨족사는 한 가정의 역사를 나타내는 것이며 한 가계의 연속을 실증하는 것이므로 가계의 영원한 존속을 존중하는 것은 당연한 일이라고 하겠읍니다. 더구니 조상 가운데 국가와 사회에 유공하여 숭앙을 받는 덕망있는 유능한 인물이 있을 때는 그 업적을 찬양하고 스스로 그 후손임을 자랑으로 여겨온 것이 사실이며 또한 족보는 개인의 권위나 영광보다도 가문이나 문중을 중심으로 여기는 협동 단결력을 함양하는데에 목적을 두었던 것입니다.

앞으로 우리들은 조상들의 훌륭한 업적을 길이 계승하는 동시에 각 성씨 문중간의 유대를 강화하고 각 문중의 번영은 물론 나아가서는 국가 민족의 발전에 기여할 수 있도록 상호 협력하고 노력하여 보다 올바른 민족관과 국가관을 정립하는데 기여 하여야 할것입니다.

과거에 편집 간행된 제 족보의 문헌들은 어려워 이해하기가 곤란한 점이 많고 한자로 되어 있어 해득이 어려웠으나 본 한국인의 씨족사는 우리가 꼭 필요로 하는 내용을 누구나 쉽게 찾아 볼 수 있도록 우리 한글로 표기하여 현대감각에 알맞게 엮었읍니다.

그리고 부록편으로 가승보를 첨가하여 개개인의 가정을 중심으로 한 가정의 사적을 직접 기록하여 둔다면 자기 당대의 편람이 될 뿐더러 자손들에게 물려줄 보감이 될 것입니다.

끝으로 내용면에서는 아직도 보완해야 할 것이 많은 것으로 사료되오나 그와 같은 문제등은 더욱 많은 연구와 노력으로 판을 거듭하면서 보완해 나가려고 합니다.

본 한국인의 씨족사는 누구나 없어서는 안될 가보적인 책으로서 손색이 없을 것으로 확신하여 마지 않습니다.

발 행 인

시조(성)의 유래와 족보의 상식

(1) 우리 나라 성의 유래

　　우리 나라 성은 모두 한자를 사용하고 있으므로 중국문화를 수입한 후 사용한 것이다. 삼국사기, 삼국유사등의 사적에 의하면 고구려는 장수왕시대 백제는 근초고왕시대 신라는 진흥왕 시대 부터 성을 쓴 듯하다. 그러나 고려 중기 문종(1055 년)때 부터 성이 보편화되어 일반 민중이 다 성을 쓰게 되었다.

(2) 각성의 본관

　　본관은 관향, 관적이라고 하는데 시조의 출신지나 정착세거지를 보통 말한다. 그 연원을 살펴보면 국가에 큰 공훈이 있어 ○ ○ **伯**(백) ○ ○ **君**(군)에 봉해졌으므로 봉군 받은 지명(식읍지)을 따라 후손들이 **본**관을 정한 가문이 있고 또 어느 지역에 시조로 부터 누대를 살았으므로 그 지명을 따라 후손들이 본관을 정한 집안도 있다. 선조가 받은 영화를 자손들이 자랑스럽게 여기며 그 위업을 계승하고 자기의 성과 본관을 지킴으로써 다른 성씨와 구별된 긍지를 갖는데 그 뜻이 있다 하겠다.

(3) 본관과 성씨와의 관계

　　① 동족 동본의 동성 …… 한 조상의 혈통을 이어 받은 성
　　② 이족 동본의 동성 …… 동성동본이면서 조상이 전혀 다른 성
　　③ 동족 이본의 동성 …… 시조는 달리하고 있으나 그 시조 윗대는 같은 혈손인 성
　　④ 이족 이본의 동성 …… 성은 같이 하고 있으나 이족이면서 이본이다.
　　⑤ 동족 동본의 이성 …… 성은 다르지만 한 혈손의 후예인 성

(4) 행렬과 행렬자

　　행렬이란 같은 혈족 사이의 관계를 표시한 계열을 말하며 행렬자란 같은 혈족에서 한 행렬을 표시하기 위해 이름자 가운데 한 글자를 공통으로 함께 쓰는 글자를 말한다. 행렬은 각 파마다 다르나 그 뜻은 대개 다음과 같은 원칙으로 정해진다고 할 수 있다.

　　첫째, 글자의 풀이가 甲, 乙, 丙, 丁으로 되면서 무궁무진하게 순환되어가는 것.
　　둘째, 음양오행설에 따라 자손의 번영과 부귀영화를 뜻하는 金, 水, 木, 火, 土의 글 자나 뜻이 들어 있는 글자를 이름으로 고르고 그 순서대로 무궁무진하게 순 화시켜 나가는 것
　　세째, 숫자적으로 一, 二, 三, 四를 포함시키는 것인데 이것도 또한 무궁무진하게 끝 이 없는 수효로서 자손의 창성을 축원하는 뜻
　　네째, 앞서 세가지 법을 **벗**어나 행렬자와는 관계없이 부모가 좋은 글자를 택하여 지어주는 수도 있다.

우리나라 씨족유래 / **목차**

鳳(봉)씨 / 111	孫(손)씨 / 122	延(연)씨 / 141	庾(유)씨 / 154
夫(부)씨 / 111	宋(송)씨 / 125	連(연)씨 / 141	陸(육)씨 / 155
丕(비)씨 / 112	松(송)씨 / 129	燕(연)씨 / 141	尹(윤)씨 / 155
彬(빈)씨 / 112	水(수)씨 / 129	濂(염)씨 / 141	殷(은)씨 / 160
賓(빈)씨 / 112	洙(수)씨 / 129	閻(염)씨 / 141	恩(은)씨 / 161
冰(빙)씨 / 112	舜(순)씨 / 130	廉(염)씨 / 141	陰(음)씨 / 161
史(사)씨 / 112	淳(순)씨 / 130	永(영)씨 / 142	應(응)씨 / 161
舍(사)씨 / 113	順(순)씨 / 130	影(영)씨 / 142	李(이)씨 / 161
謝(사)씨 / 113	荀(순)씨 / 130	芮(예)씨 / 142	(전주이씨 / 72)
司空(사공)/113	承(승)씨 / 130	吳(오)씨 / 143	異(이)씨 / 186
森(삼)씨 / 114	昇(승)씨 / 130	伍(오)씨 / 147	伊(이)씨 / 186
尚(상)씨 / 114	施(시)씨 / 130	玉(옥)씨 / 147	印(인)씨 / 187
徐(서)씨 / 114	柴(시)씨 / 131	溫(온)씨 / 147	任(임)씨 / 187
西(서)씨 / 117	申(신)씨 / 131	邕(옹)씨 / 148	林(임)씨 / 188
西門(서문)/117	辛(신)씨 / 133	雍(옹)씨 / 148	慈(자)씨 / 189
石(석)씨 / 117	愼(신)씨 / 133	王(왕)씨 / 148	張(장)씨 / 190
昔(석)씨 / 117	沈(심)씨 / 133	姚(요)씨 / 150	章(장)씨 / 199
碩(석)씨 / 118	阿(아)씨 / 135	龍(용)씨 / 150	蔣(장)씨 / 199
宣(선)씨 / 118	安(안)씨 / 135	禹(우)씨 / 150	莊(장)씨 / 199
先(선)씨 / 118	夜(야)씨 / 137	于(우)씨 / 150	全(전)씨 / 200
鮮于(선우)/118	楊(양)씨 / 137	芸(운)씨 / 151	田(전)씨 / 205
薛(설)씨 / 119	樑(양)씨 / 138	雲(운)씨 / 151	錢(전)씨 / 206
偰(설)씨 / 119	襄(양)씨 / 139	元(원)씨 / 151	占(점)씨 / 207
葉(섭)씨 / 120	魚(어)씨 / 139	袁(원)씨 / 152	鄭(정)씨 / 207
成(성)씨 / 120	嚴(엄)씨 / 139	韋(위)씨 / 152	丁(정)씨 / 217
星(성)씨 / 121	呂(여)씨 / 140	魏(위)씨 / 152	程(정)씨 / 217
蘇(소)씨 / 121	余(여)씨 / 140	俞(유)씨 / 152	諸(제)씨 / 218
邵(소)씨 / 122	汝(여)씨 / 140	劉(유)씨 / 154	諸葛(제갈)/218
			趙(조)씨 / 218

賈氏(蘇州)(소주 가씨)

가씨는 본래 중국 성씨이다. 요제가 그의 2자 공명을 가후에 봉해졌으므로 나라 이름을 따라 가씨를 성으로 하였다. 그의 후손 가유약(호·지백당)은 중국 소주 사람으로 명나라 신종때 추밀원사, 병부상서, 태자소부 등을 역임하고 1592년(선조 25) 임진난때 소원안찰사로 우리나라에 와서 안주 싸움에 공을 세우고 정유재란때 다시 아들 상 손자 찬과 함께 우리나라에 와서 공을 세우고 귀화하여 부산에서 정착 세거하였다. 그래서 후손들이 그를 시조로 하고 시조의 고향 소주를 본관으로 하여 세계를 계승하고 있다. 가씨는 단본이다. 묘소 경남 울산 서생진도 총동에 있다.

〈행렬표〉

세	행렬자	세	행렬자	세	행렬자
21	義 의	22	默 묵	23	基 기
24	鎬 호	25	漾 양	26	和 화
27	容 용	28	均 균		

簡氏(加平)(가평 간씨)

시조 및 본관의 유래

시조 簡筠(간균)의 호는 문산 시호는 상절이다. 1164년(의종 18) 문과에 급제하고 시중 평장사에 이르렀다. 그 후 1187년(명종 17) 관직을 그만두고 풍덕 백후동에(가평) 낙향하여 시문을 벗삼아 여생을 보냈다. 후손들이 그곳에 정착세거하면서 본관을 가평이라 하였다. 묘소는 풍덕 백후동에 있다.

〈행렬표〉

세	행렬자	세	행렬자	세	행렬자
21	培 배	22	鳴 명	23	能 능
24	昌 창	25	植 식	26	學 학
27	曄 엽	28	泳 영		

葛氏(南陽)(남양 갈씨)

시조 및 본관의 유래

〈남양제갈씨 세보〉에 의하면 제갈씨의 시조는 〈삼국지〉에 등장하는 제갈량(공명)의 아버지가 되는 제갈규라 하는데 그의 20대손 제갈공순이 신라흥덕왕때 신라에 귀화한 것이 제갈씨의 시초이며 그뒤 고려 고종 때 이르러 제갈홍 제갈영의 형제(세계 상으로 33세)가 복성을 각각 한자씩 나누워 쓰기로 하여 형 홍은 제씨로 아우 영은 갈씨로 분종하였다.

갈씨는 주요 본관 청주, 양주 외에 양근, 양성 충주, 청풍, 청산, 청안, 청당, 육창, 해남, 황원, 비안곡, 화원, 가조, 죽장, 평양, 분원, 하원, 대원, 서경 등 22본이 전하나 시조는 미상이다. 역사상 드러난 인물은 〈삼국사기〉에 고구려 장수왕 때의 장군으로 갈로라는 사람이 등장하는데 오늘의 갈씨와 동일계 인지는 확실치 않다.

甘氏(檜山)(회산 감씨)

시조 및 본관의 유래

감씨는 본래 중국의 성씨이다. 주왕이 그의 제 3자 숙대를 감후에 봉하였으므로 나라 이름을 따서 감씨라고 하였다. 우리나라에 감씨가 언제 들어왔는지는 상고 할 수 없으나 고려때 감계가 문하시랑평장사를 지내고 회산에 세거하였으므로 후손들이 그를 시조로 하고 본관을 회산으로 하여 세계를 계승하고 있다.

〈행렬표〉

세	행렬자	세	행렬자
35	鉉현泰태	36	泳영植식柱주
37	相상炅경炳병	38	炳병圭규垠은
39	東동	40	熙희
41	埰채	42	錫석
43	浩호	44	根근

姜氏 (晋州) (진주강씨)

시조 및 본관의 유래

　시조 姜以式(강이식)은 고구려조에서 도원수를 지내면서 많은 전공을 세운 공신이다. 597년(고구려 야양왕, 신라 진평왕19)에 수나라 문제가 침략의 야욕으로 무례한 국서를 보내오자 왕은 군신을 모아 놓고 이에 회답할 것을 논의할 때 그는 이와 같은 무례한 글은 붓으로 답할 것이 아니라 칼로 답해야 한다고 주장했다. 왕이 이에 수긍하고 곧 싸울것을 명하자 그는 도원수로서 정병 5만을 인솔하고 임유관을 정벌 수나라 군사 30만을 단번에 격퇴하고 개선했다. 603년에 수나라 양제가 다시 200만 대군으로 쳐들어올 때 중신회의에서는 역시 중과불적인 만큼 요동 일부를 떼어주고 강화할 것을 논의했으나 그는 이에 반대 끝까지 싸울 것을 주장하고 다시 수나라와 대전요동성 살수(청천강) 등지의 싸움에서 수군을 크게 격파했다. 그의 묘소는 번양현 원수림(지금 만주 봉길선 원수림역전)에 있으며 진주시 상봉서동 봉산사에서 매년 음4월 10일에 제사 지낸다.

　그리고 그의 후손인 진이 진양(진주)후에 봉해짐에 따라 본관을 진주로 하게 되었다. 후손 5파가 모두 도원수(이식)를 시조로 하고 있으며 그중 박사공파는 어사공파로 시중공파는 관서대장군공파로 부르기도 한다. 그러나 은열공파와 인헌공파는 어느대에서 분파되었는지 밝히지 못하고 인헌공파를 제외한 4파는 관행을 진주로 하고 있으며 각파조를 기1세하고 있다. 그러나 인헌공파는 이식의 후손이지만 본관을 긍천으로 그를 기1세하여 부르기도 한다.

〈 행 렬 표 〉

(박사공파 〈계용〉 후 사평공 〈학손〉파)

세	행렬자	세	행렬자	세	행렬자
25	大대	26	遠원中중	27	聲성鎬호
28	求구淳순	29	秉병來래	30	默묵熏훈

31	教교奎규	32	鉉현鐸탁	33	浩호漢한
34	模모杓표	35	炯형炅경	36	培배喆철
37	鍾종鎮기	38	泰태沅원	39	東동
40	烈열燮섭	41	吉길寔선	42	鎭진鎔용
43	泳영源원				

(소감공 〈위용〉후 어사공 〈사첨〉파)

세	행 렬 자	세	행 렬 자
25	熙희昌창	26	信신基기圭규
27	錫석鎬호鈺옥	28	求구澤택淳순
29	秉병根근	30	炳병顯현棋기
31	應응 教교奎규	32	鉉현鐸탁鉄수
33	浩호 俊준浩호	34	榮영相상柄병
35	燦찬炯형炅경	36	均균培배珏각
37	鍾종鎮기	38	洛락濟제汶문
39	柱주裁재桓환	40	烈열煜욱燁엽

(은열공민첨파〈기 1 〉)

세	행렬자	세	행렬자	세	행렬자
26	植식	27	熙희煥환	28	圭규瑞서
29	鈺옥鍊련	30	洙수淳순	31	柄병桂계
32	琰염壎훈	33	在재基기	34	鎔용鑪횡
35	洛락準준	36	模모來래	37	炳병然연
38	均균埰채	39	鉉현鎭진	40	源원潤윤
41	秀수杓표	42	燦찬變섭	43	周주奎규
44	錫석鐸탁	45	承승永영		

(은열공민첨파〈기 2 〉)

세	행렬자	세	행 렬 자	세	행렬자
26	植식	27	熙희煥환	28	圭규瑞서
29	錫석鍊련	30	洙수淳순	31	秉병東동
32	大대薰훈	33	周주基기	34	鍾종鎔용
35	永영浩호	36	來래模모	37	炳병炯형
38	均균埈준	39	鎭진鉉현	40	源원沂기
41	桓환榮영	42	然연燁엽	43	孝효奎규
44	銓전鈺옥	45	承승泰태		

세	행렬자	세	행렬자	세	행렬자	세	행렬자
27	致 치	28	錫 석	29	海 해	30	根 근
31	然 연	32	均 균	33	鎬 호	34	漢 한
35	秀 수	36	熙 희	37	基 기	38	鎭 진
39	植 식						

康氏 (信川) (신천강씨)

시조 및 본관의 유래

시조 강후 (康侯)는 중국 주나라 무왕의 아우 강숙봉의 둘째 아들로 기원전 198년에 기자와 함께 평양에 들어와 왕실의 교화를 조성한 공으로 기자가 그의 위적을 가상히 여겨 관정대훈 공신에 책록하고 그의 아버지인 강숙의 강자를 사성함으로써 모든 강씨의 득성 시조가 되었다. 그의 67세손인 호경은 태조의 외조이며 고려 건국의 기반을 닦는데 많은 공을 세워 국조대왕에 추재되고 가세를 크게 번창시켰다. 또한 후의 80세손인 지연이 신천에 세거하면서 고려 명종 때 신성부원군에게 봉해지면서 부터 후손들이 본관을 신천으로 하게된 것이다. 그래서 모든 강씨는 후를 득성시조 호경을 중시조 지연을 득관조로 분류하고 있다.
북제주 조천서원에 제향.

〈 행렬표 〉

세	행 렬 자	세	행 렬 자
46	善선佑우鍾종	47	洙수求구泳영
48	楽락根근相상	49	烈열勳훈夏자
50	載재起기致치	51	兌태鉉현鎬호
52	演연淳순浩초	53	秀수元인模모
54	熙희昌창憲헌	55	圭규均균培배

強氏 (忠州) (충주강씨)

강씨는 중국의 성씨로서 진나라의 대부 강일

의 후예로 전하는데 언제 동래하였는지는 확실치 않다. 한편 괴산을 본관으로 하는 강씨도 있으나 충주의 분파로 간주된다. 분포는 충북 괴산, 음성, 경북 상주, 충남 연기, 아산 예산, 경남 통영, 평남 평원 둥지에 수십 가구가 산재해 있다.

剛氏 (강씨)

시조와 본관등이 미상한 성씨로서 1930년국세조사 당시 충북 괴산군 장연면 방곡리에 강용용 1가구가 살고 있었는데 그에 의하면 1908년 (강희 2) 민적부에 기재 할때 強 (강)씨를 剛 (강)씨로 잘못 기재한 것이다.

介氏 (驪州) (여주개씨)

1930년 국세조사 당시 처음 나타난 성씨로서 당시 함북 종성군 행영면 행영동에 3가구가 살고 있었는데 그들의 말에 의하면 경기도 여주에서 9대조 때 이주했다고 하며 본관은 원향인 여주로 하고 있다.

堅氏 (川寧) (천녕견씨)

시조 견권은 고려개국 2등공신이며 태조 왕건이 후백제 신검을 토벌할 때 대상으로 출정하여 후백제를 멸망케 하는 전공을 세웠다. 그리하여 그의 후손들은 그를 시조로 하여 세계를 계승하면서 본관을 천령이라 하고있다.

甄氏 (黃磵) (황간건씨)

문헌에는 황간 견씨와 상주 견씨의 2본으로 되어 있으나 시조는 아자개를 시조로한 견씨와 견훤을 시조로 한 견씨가 본관을 각각 달리하고 있다.

慶氏 (淸州)(청주경씨)

시조 및 본관의 유래

시조 경진은 고려 명종때 벼슬이 중서시랑평장사에 이르렀다. 그후의 계대는 상고할 수 없기 때문에 후손인 경번을 1세조로 하고 있다. 경번은 고려조에서 호부상서를 지낸 뒤 청주에 세거하였으며 그의 4세손인 복흥이 진충동덕협보공신으로 청원 (청주) 부원군에 봉해짐으로써 후손들이 본관을 청주로 하게 된것이다. 묘소는 청주서산에 있으며 음 10월 10 일에 향사한다.

〈 행렬표 〉

세	행렬자	세	행렬자	세	행렬자
16	祥상休후	17	聖성來래	18	時시善선
19	來래履이	20	大대星성	21	再재
22	重중	23	錫석	24	浩호
25	箕기秀수	26	顯현文문	27	奎규匡광
28	九구允윤	29	濟제濬준	30	根근植식
31	普보益익				

景氏 (海州·泰仁)(해주태인경씨)

시조 및 본관의 유래

시조 경설정의 선계는 기자를 호종하여 은나라에서 동래한 경여송으로 평양에 세거했다고 전하고 있다. 그후 세계가 실전되었으며 고려조에 이르러 처음으로 벼슬을 지낸 차가 조정에 유공하여 태산군에 봉해졌으며 그의 후손들은 고려조에 요직을 역임하였고 상조, 상록 형제를 득관조로 하여 본관을 태인 해주로 분적 세계를 계승하고 있다.

〈 행렬표 〉

세	행렬자	세	행렬자	세	행렬자	세	행렬자
12	壽수	13	夢몽	14	德덕	15	弘홍
16	王왕	17	國국	18	錫석	19	章장
20	斗두彦언	21	仁인				

桂氏 (遂安)(수안계씨)

시조 및 본관의 유래

시조 계석손 (桂碩遜)은 원래 중국 천수 출신으로 성양태수 경횡의 세째 아들이다. 그는 중국에서 예부시랑을 지내고 려말에 우리나라에 들어와 귀화 수안백에 봉해 짐으로써 수안을 본관으로 삼게된 것이다.

〈 행렬표 〉

세	행렬자	세	행렬자	세	행렬자	세	행렬자
7	榮영	8	千천	9	明명	10	德덕
11	惟유			12	龍용		
13	自자南남			14	瑞서元원		
15	國국德덕永영			16	文성聖성		
17	南남瑞서廷정						
18	錫석元원顯현德덕學학澤택						
19	岳악永영孝효奎규文문榮영 錫석						
20	榮영建건常상龍용秀수應응鴻홍						
21	培배昌창淳순熙희英영冀기觀관						
22	集집敎교柄병龍용昇승						

高氏 (濟州)(제주고씨)

시조 및 본관의 유래

고씨 양씨 부씨와 함께 본래 탐라 (제주) 의

지배씨족으로서 이들 세성의 시조 탄생에 대하여는 삼성혈 전설이 널리 알려져 있다. 제주목전 치연혁조에 의하면 " 본 탐라국 …… 초유칭 고을라, 양을라, 부을라 삼인 분처기지" …… 했다 하고 굴초에는 사람과 만물이 없었는데 삼신인 (고을라, 부을라, 양을라)이 할라산 북쪽 기슭 모흥혈에서 솟아나왔다고 한다.. 이들 삼신은 사냥으로 피의육식하고 살았는데 하루는 동쪽으로부터 상자 하나가 바다로 떠 내려와서 건져 열어보니 그 속에는 세 미녀와 오곡종자와 망아지 송아지가 들어 있었다. 삼신은 세 미녀를 배필로 맞아 목축과 농사를 짓고 살았으니 이것이 곧 탐라개국설화로 전해 오는 것이다. 그중 고을라가 고씨의 연원을 이루었으므로 후손들이 그를 시조로 하고 고씨의 발상지 제주를 본관으로 하여 세계를 계승하고 있다. 그후 후손들의 번창으로 세거지 또는 조상의 작호에 따라 15개본으로 분적되었는데 시조 을라의 45세손 자견왕의 태자 말로 (제주고씨) 말로의 증손자 공익 (청주고씨) 말로의 증손 령신 (개성고씨) 말로의 10세손 복림 (장흥고씨) 말로의 후손 종필 (연안고씨) 말로의 16세손 응섭 (안동고씨)를 중조 1세로 하여 각각 분관되었고 이외에 용담, 옥강, 횡성, 담양, 의령, 고봉, 금화, 회령, 안동 등 제고씨가 있었으나 다 같은 혈손이라는 신념으로 대동단합 고을라를 도시조로 하고 제주 고씨로 환적하였다. 각 파계를 망라하여 고씨중앙 종문회를 구성한 대동합보를 편찬했다.

〈 행렬표 〉

세	행렬자	세	행렬자	세	행렬자	세	행렬자
26	謙 겸	27	時 시	28	鎭 진	29	濟 제
30	桂 계	31	光 광	32	在 재	33	鍾 종
34	潤 윤	35	秉 병	36	烈 열	37	基 기
38	鉉 현	39	漢 한	40	根 근	41	然 연
42	培 배	43	錫 석	44	淳 순	45	禎 정

46	爛 혁	47	圭 규	48	鎔 용	49	淵 연
50	東 동	51	熙 희	52	重 중	53	鎬 호
54	泳 영	55	樂 락	56	燮 섭	57	載 재
58	鐸 타	59	泰 태	60	權 권	61	燦 찬
62	均 균	63	銀 은	64	求 구	65	榮 영
66	烜 원	67	俊 준	68	鍊 련	69	浩 호
70	松 송	71	炯 형	72	增 증	73	鈺 옥
74	源 원	75	炳 병	76	董 동	77	報 보
78	鏞 용	79	淑 숙	80	林 임	81	奐 환
82	埻 순	83	鋭 예	84	澤 택	85	桁 항
86	燁 엽	87	堯 요	88	鎰 일	89	海 해
90	橄	91	炫 현	92	裁 재	93	銘 명
94	淡 담	95	相 상	96	熒 형	97	坨 타
98	健 건	99	河 하	100	業 업		

曲氏 (龍宮・沔川)(용궁면천곡씨)

곡씨는 당나라의 귀환인으로 전한다. 인물로는 고려 태종 때 곡근회가 평찰이라는 벼슬을 역임한 것으로 전한다. 분포는 경기, 충북, 경북, 경남 등지에 20여 가구가 살고 있다. 주요 본관은 용궁, 면천 두본이다.

曲阜孔氏 (곡부공씨)

시조 및 본관의 유래

공씨는 곡부 (중국산동성)를 본관으로 삼고 공자 탄강이래 2528년간 그를 시조로 하고 단일본으로 하여 계승해 왔다. 공자는 대성, 지성, 문선왕으로 세계 삼성인의 한분이다. 공자의 제53

대손 완의 장자 사회는 중화에서 세거하였고 차자 소가 원나라 순제 때 한림학사로 노국대장공주를 수행하며 고려에서 문하시랑평장사로 회원군에 봉해지고 창원으로 사적받아 우리나라 공씨의 중시조가 되었다. 그후 노국의 공씨와 동원이므로 위관할 수 없다하여 1794년에 곡부로 개관하였다. 중시조 소의 초명은 소였는데 고려 4대왕 광종의 이름이 소였으므로 紹(소)로 개명하였다. 중시조 묘소는 경남 창원군 서면 두눙리 두척산에 있다. 음10월 1일에 향사한다.

〈 행 렬 표 〉

세	행렬자	세	행렬자	세	행렬자	세	행렬자
74	東 동	75	烈 열	76	在 재	77	錫 석
78	泳 영	79	植 식	80	熙 희	81	培 배
82	鍾 종	83	浩 호	84	權 권	85	爕 섭
86	圭 규	87	鎔 용	88	洛 락		

公氏 (공씨)

공씨는 문헌에 8본으로 나타나 있으나 김포 문천 2본을 제외한 나머지 6본은 미상이다. 김포 공씨는 당나라 18학사의 한사람인 공윤보의 후손인 공명례를 시조로 하고 있으며 문천 공씨는 윤보의 후손으로 전하는 공보언을 시조로 하고 고려조에 정승을 지낸 공의를 시조로 하는 창원 공씨가 있다.

金浦公氏 (김포공씨)

시조 및 본관의 유래

시조 공명례의 선대는 당나라 18학사의 한 사람인 공윤보이다. 그는 안록산의 난을 피해 우리 나라에 망명한 후 김포에 세거하였으나 후대는 상고 할 수 없다. 다만 그의 후손인 명례가 이조성

종 때 계공랑에 재직중 김포 천능 사건으로 인하여 평안북도 벽동군으로 쫓겨난 뒤 그곳에 세거하였음으로써 그의 후손들이 그를 시조로 하고 김포틀 본관으로 삼았다.

〈 행 렬 표 〉

세	행렬자	세	행렬자	세	행렬자	세	행렬자
9	道 도	10	衡 형	11	儉 검	12	榮 영
13	興 흥	14	玉 옥	15	基 기	16	鳳 봉
17	尚 상	18	炳 병	19	俊 준		

文川公氏 (문천공씨)

시조 및 본관의 유래

지조 공보언의 선세계는 18학사의 한 사람으로 신라 경덕왕때에 안록산 난을 피해 우리 나라에 귀화하였다고 한다. 그후 세계가 실전되었으며 조선 세종때 그는 함경도 문천으로 유배되어 그곳에 정착 세거 하였으며 후손들이 본관을 문천이라 하고 세계를 계승하고 있다.

〈 행 렬 표 〉

세	행렬자	세	행렬자	세	행렬자	세	행렬자
9	載 재	10	尚 상	11	柄 병	12	思 사
13	永 영	14	昌 창	15	炯 형	16	在 재

淸州郭氏 (청주곽씨)

시조 및 본관의 유래

시조(중시조 1세) 곽원의 선조는 신라 헌강왕 때 시중을 역임한 곽상인데 그후 세계가 실전되었다. 곽원(시호문성)은 고려 성종때 등과하여 우산기상시, 중추원사, 형부상서를 역임했다. 그리고 그의 10세손인 곽연준(시호충헌)이 광정대

부판개성부윤, 통헌전법판사를 지내고 청원군에 봉해지고 청주에 낙향 세거하면서 본관을 청주로 하여 세계를 계승하고 있다.

〈 행 렬 표 〉

세	행렬자	세	행렬자	세	행렬자
22	鎭진	23	濟제	24	林임
25	默묵	26	致치	27	鍾종鉉현
28	漢한潤윤	29	榮영根근	30	魯노熙희
31	信신基기	32	鎬호鏞용	33	淳순澈철
34	采채來래	35	燮섭燁엽	36	周주圭규
37	敏민善선	38	泰태海해	39	權권杓표
40	南남丙병	41	重중瑞서	42	鍵건鈞균
43	浩호洙수	44	相상柱주	45	熏훈烈열
46	址지載재				

세		세		세		세	
25	士(변)	26	鎭진	27	河하	28	東동
29	魯노	30	華화	31	錫석	32	昌창
33	鳳봉	34	植식	35	大대		

玄風郭氏 (현풍곽씨)

시조 및 본관의 유래

시조 곽경(郭鏡)은 원래 송나라 관서홍농인으로 1133년(고려인종 11)에 래사하여 평장사문하시중에 이르렀고 금자광록대부의 작위와 포산군에 봉해짐으로써 본관을 포산으로 하였다. 이조에 이르러 포산현이 현풍현으로 개편됨에 따라 현풍이라 개칭하게 되었으나 종전의 포산을 그대로 쓰고 있어 양관을 병용하게 되었고 그외에도 선산 해미 봉산 등 여러 본관이 있으나 1976년에 현풍으로 통일되었다. 묘소는 경기도 파주군 저성면 무건리에 있으며 매년 11월 제2 일요일에 향사한다.

〈 행 렬 표 〉

(전 리 공 파)

세	행렬자	세	행렬자	세	행렬자	세	행렬자

(우 장 군 파)

세	행렬자	세	행렬자	세	행렬자	세	행렬자
25	弼필	26	泰태	27	處처	28	鎭진
29	源원	30	柱주	31	熙희	32	基기
33	金(변)						

(교 리 공 파)

세	행렬자	세	행렬자	세	행렬자	세	행렬자
25	重중	26	時시	27	鍾종	28	漢한
29	相상	30	燮섭	31	基기	32	鎭진
33	泰태						

(주 보 공 파)

세	행렬자	세	행렬자	세	행렬자	세	행렬자
23	萬만	24	鎭진	25	瑞서	26	潤윤
27	根근	28	炯형	29	圭규	30	鍾종
31	準준	32	求구				

(현 령 공 파)

세	행렬자	세	행렬자	세	행렬자	세	행렬자
25	宗종	26	尚상	27	基기	28	守수
29	浩호	30	根근	31	燮섭	32	喆철
33	鍾종	34	海해	35	鎬호		

(목 사 공 파)

세	행렬자	세	행렬자	세	행렬자	세	행렬자
19	翰한	20	萬만	21	思사	22	泰태

23	寧 녕	24	性 성	25	東 동	26	燮 섭
27	基 기	28	鏞 용	29	永 영	30	根杓杓표

구 거 당 공 파

세	행렬자	세	행렬자	세	행렬자	세	행렬자
22	壽 수	23	玄 현	24	國 국	25	漢 한
26	基기이이	27	鎭 진	28	기 (변)	29	相성鍾종
30	燮 섭	31	東 동	32	煥 환	33	海 해

충 익 공 파

세	행렬자	세	행렬자	세	행렬자	세	행렬자
24	鎭 진	25	柱 주	26	燦 찬	27	址 지
28	坤 곤	29	鍾 종	30	濚 영	31	東 동
32	燮 섭	33	在 재				

具氏 (구씨)

구씨는 문헌에 32본으로 나타나 있으나 릉성 창원 두본을 제외하고 나머지 30본은 미고이다. 릉성 구씨는 구존유를 시조로 하고 있으며 창원 구씨는 본래 창원 仇(구)씨 였으나 이조 정조때 구씨로 사성받아 창원 구씨가 되었다.

綾城具氏 (릉성구씨)

시조 및 본관의 유래

시조 구존유의 장인인 청계가 송나라 한림 학사로 있을때 송나라가 몽고와의 대전에서 패망하자 1224년(송희정 17년)에 엽공제 진조순 주세현 유응규 계행수 조창 도성하등 7학사와 같이 송나라를 떠나 전남 금성현(현 나주)에 망명하였다. 그 당시 몽고는 국력이 강성하여 국호를 원이라 개칭하고 망명객 8학사를 추적 탐색하므로

주청계는 적덕으로 변명하고 릉주 노정리에서 웅거하다가 삼별초난으로 인하여 용담으로 이거하였다. 난이 평정된 후 다시 릉성으로 이거하였으며 2남1녀를 두었는데 딸이 릉성 구씨 시조 존유에게 출가했고 주씨 부인과 생활근거를 두게 된 고호현명에 따라 관성을 릉성 구씨로 한 것이라 추정된다. 관직은 검교상 장군에 이르고 묘소는 화순군 한천면 정리에 있었으나 실전되었다.

〈행렬표〉

세	행렬자	세	행렬자	세	행렬자	세	행렬자
22	喜 회	23	祖 조	24	然 연	25	書 서
26	會 회	27	滋 자	28	本 본	29	謨 모
30	敎 교	31	祐 우	32	齋 제	33	林 임
34	熙 회	35	奎 규	36	鍾 종	37	洙 수
38	相 상	39	燮 섭	40	均 균	41	鎭 진
42	泳 영	43	根 근	44	炳 병	45	重 중
46	庚 경	47	澤 택	48	樂 락	48	煥 환
50	起 기	51	宰 재	52	承 승	53	柱 주

昌原具氏 (창원구씨)

시조 및 본관의 유래

〈창원구씨세보〉에 의하면 원성은 仇(구)씨로 중국 송나라 대부 구목의 후예이다. 동래한 연대는 미상이나 구성길(자 완지)이 945년(혜종 2) 서경에서 공을 세워 의창군에 봉해지고 가세를 일으켰으므로 후손들이 그를 시조로 하고 본관은 창원으로 하였다. 그후 세계가 실전되어 설을 1세조로 하고 조선 세종때 홍문관 직제학을 지낸 종길을 중시조로 하여 세계를 이어왔는데 1791년(정조 15) 具氏(구씨)로 개성했다 한다. 그후 1797년부터 1924년에 이르도록 127년간 수보를 못했으므로 개성한 사유와 수보를 못한 사유는 밝혀지지 않고 다만〈정조실록〉과 〈승정

원일기〉에 사성의 기록이 있을뿐 당시의 상황으로 미루어 仇〈구〉성을 못쓰게 하는 교시였으므로 창원 구씨 구보가 수거되고 세전되지 못해 수보를 못했던 것으로 짐작되며 1924년 수보 할 때 구보를 비장한 가문은 창원으로 관적했고 일부는 릉주, 회산둥 구씨로 향관 했으나 같은 혈손이므로 호종하고 있다. 중시조 구종길의 묘소는 창원군 둥면 남산리 구천동에 있고 음 10월 첫째 일요일에 향사한다.

〈 행 렬 표 〉

세	행렬자	세	행렬자	세	행렬자	세	행렬자
21	東 동	22	煥 환	23	在재載재	24	鎭진鈺옥
25	永 영	26	根 근	27	炳 병	28	孝 효
29	鍾 종	30	洙 수	31	相 상	32	烈 열

丘氏 (平海)(평해구씨)

시조 및 본관의 유래

시조 구대림 (丘大林)은 원래 당나라 사람으로 663년 사신으로 일본에 가다가 동해에서 풍랑을 만나 평해 월송정 근처에 표착 세거하였고 고구려조에 좌복사상서에 이르렀다. 그후 세계가 실전되어 공민왕 때 민부전서를 지낸 선혁을 1세조로 하고 평해를 본관으로 하여 계세한다. 시조의 묘소는 경북 울진군 기성면에 있다.

〈 행 렬 표 〉

세	행 렬 자	세	행 렬 자
25	冀기東동鉉현	26	完완永영俊준
27	南남容용根근	28	寧녕衍연衡형
29	義의成성	30	熙희起기範범

邱氏 (恩津)(은진구씨)

구씨는 옛날 중국의 구씨 가운데 공자의 휘가

丘〈구〉인것을 피해 邱〈구〉씨로 개성한 사람이 더러 있다고 전할뿐 유래는 미상이다. 경북과 강원도에 1～2가구씩 살고 있다.

鞠氏 (潭陽)(담양국씨)

시조 및 본관의 유래

담양 국씨 세보에 의하면 시조 鞠樑 (국양)의 선대는 원래 중국 송나라 출신이라고 하나 우리나라에 들어온 사실과 계대는 상고할 수 없다. 다만 국양이 고려조에서 벼슬이 병부상서에 이르렀고 치사한 뒤 담양에 거주하면서 비로소 본관을 담양으로 하였기 때문에 그의 후손들은 국양을 시조로 세계를 계승하였다.

〈 행 렬 표 〉

세	행렬자	세	행렬자	세	행렬자	세	행렬자
35	煥 환	36	重 중	37	鎬 호	38	承승潤윤
39	根 근	40	炳 병	41	均 균	42	鏞 용
43	洙 수	44	榮 영	45	燮 섭		

國氏 (국씨)

국씨는 백제시대의 8대성인 사(沙), 연(燕) 리(刕), 해(解), 진(眞), 국(國), 목(木), 백(苩)의 하나이다. 역사상의 인물로는 611년(백제무왕 12)에 대신으로 수나라에 들어가 조공하고 고구려 정벌을 의논한 국지모와 신라때의 명승국교와 고려 태조 때에 원익랑을 여읜 국현이 있는데 오늘날의 국씨와 관련이 있는지는 상고하기 어렵다. 분포는 1930년 국세조사 당시 평남 강서군에 담양국씨 4가구 함남 영흥군에 풍천국씨 3가구와 함남 서천군에 전주국씨 1가구가 살고 있다. 본관은 이외에 현풍 영양 금성 대명둥이 있다.

菊氏(국씨)

1960년도 국세조사때 비로서 나타난 성씨로서 본관과 유래는 미상이다. 분포는 경기도, 강원, 충북, 충남, 전북 등지에 몇가구씩 산재하고 있다.

君氏(군씨)

본관 및 유래등 미상한 성씨로서 1930년 국세조사 당시 경남 김해군 진영읍 진영리에 군점득 1가구가 있다.

弓氏 (兎山)(토산궁씨)

시조 및 본관의 유래

시조 弓欽(궁흠)은 중국태원 사람으로 기자가 동래 할때 태사로 수행하였다고 한다. 은나라 말엽, 주나라 초 래조하여 도의교육에 힘써 토산군에 봉해졌다. 그후 세계가 실전되어 후손인 계신을 기 1세 하여 계대를 계승함으로써 후손들은 본관을 토산이라 하였다.

〈 행렬표 〉

세	행렬자	세	행렬자	세	행렬자
17	在재培배	18	鎬호鎰일	19	淵연澄형
20	植식模모	21	熙희夏하	22	桓환均균
23	鉉현鎭진	24	澈철洙수	25	進진達달
26	奎규斗두				

權氏(권씨)

권씨는 문헌에 56본으로 나타나 있으나 안동 예천 2본을 제외하고 54본에 대하여는 미상이다. 안동권씨 시조 權幸(권행)은 원래는 신라종성인 김행이었다. 고려창업에 수훈을 세우고〈능병기달권〉하다는 뜻으로 권성을 하사받아 권행으로 되었고 예천권씨는 원래의 성은 昕(흔)씨였는데 고려 충목왕의 휘가 흔이여서 국휘를 범한다 하여 나라에서 외가의 성을 따르게 했다. 예천권씨의 시조 권섬의 부 흔승단은 안동권씨 권백서의 사위임으로 모성을 따라 개성하게 되었다고 한다.

安東權氏(안동권씨)

시조 및 본관의 유래

시조 權幸(行)(권행)은 원래 신라 왕실의 후예로 본명은 김행이다. 경애왕을 살해한 후백제의 견훤을 토벌하는데 공을 세웠고 김선평 장정필과 함께 왕건을 도와 고려건국에 큰 공을 세웠으므로 고려 태조가 이 세사람에게 삼한벽상아부공신으로 삼중대광태사의 벼슬을 내렸다. 특히 김행에게는 〈능병기달권〉이라 하여 권성을 하사했다. 그는 앞서 신라 경애왕때 고창(안동)군의 별장을 지내며 안동부를 식읍으로 받았기 때문에 후손들은 본관을 안동으로 하게된 것이다. 묘소는 경북 안동군 서후면 성곡동 천둥산에 있다.

〈 행렬표 〉

세	행 렬 자	세	행 렬 자
31	丙병大대萬만友우	32	重중宗종仁인武무
33	泰태春춘龍용正정	34	寧령憲헌鐸탁爵작
35	五오肅숙悟오珆	36	赫혁寄기景경英영
37	純순宅택處처虞우	38	容용俊준説설益익
39	九구塾숙軌궤藝예	40	升승協협士사斗두
41	一일百백	42	元원完완
43	全전長장	44	澤택署서
45	書서梧오	46	溟명兌태

醴泉權氏(예천권씨)

시조 및 본관의 유래

시조 權暹(자 . 명종)은 昕(흔)적신의 후손으로 본래성이 昕(흔)이였는데 고려 명종의 이름이 흔이므로 휘를 범한다 해서 그의 외가성인 권씨로 고치게 했다한다. 그의 선대는 예천지방의 호족으로 호장을 세습했으며 권섬은 충목왕때 예빈경을 역임했다. 그래서 후손들이 그를 시조로 하여 세계를 계승하고 있으며 본관을 예천으로 하고 있다.

〈 행렬표 〉

세	행렬자	세	행렬자	세	행렬자	세	행렬자
17	煥 환	18	載 재	19	鉉 현	20	承 승
21	植 식	22	光 광	23	壽 수	24	鎭 진
25	求 구						

斤氏(근씨)

본관 유래 등은 미상이며 1930년 국세조사 때 충남 부여군 세도면 청송리에 1가구가 있었다.

琴氏(奉化)(봉화금씨)

시조 및 본관의 유래

봉화(봉성) 금씨는 기자와 함께 동래한 금용에게서비롯되나 금용으로 부터 금용식 (삼한공신 태사) 까지와, 금용식의 6세손은 실전되어 7세손 의와 부를 중시조로 삼아 계대하고 있다. 금의(시호 영열)는 고려 명종 고종 사이의 명신이었다. 문장에 뛰어나 금학사라는 별칭을 가졌고 시관으로서 많은 인재를 등용케 하였으며 관직은 평장사에 이르렀다. 묘소는 김포군 봉황산

에 있으며 3 . 9월중 정일에 향사한다.

〈 행렬표 〉

세	행 렬 자	세	행 렬 자
26	基기	27	鉄수錫석鏞용
28	淵연洛락洙수	29	秉병東동
30	夏하昌창燮섭	31	重중教교在재
32	謨모鎬호	33	道도漢한
34	休휴植식	35	晋진炳병
36	喆철	37	鍾종
38	永영	39	相상
40	榮영		

奇氏(幸州)(행주기씨)

시조 및 본관의 유래

시조 奇友誠(기우성)은 기자 조선의 시조왕 서여(기자)의 49세손으로 백제 온조왕 때 시중으로 입사했다 한다. 기자조선의 마지막 왕인 준왕의 후손인 마한원왕에게 세형제가 있었는데 우평은 선우씨, 우성은 기씨, 우경은 한씨로 득성하였다 하는데 우성의 후손들은 본관을 행주로 하여 세계를 계승하고 있다.

〈 행렬표 〉

세	행렬자	세	행렬자	세	행렬자	세	행렬자
90	宇 우	91	度 도	92	老 노	93	舒 서
94	浩 호	95	幹 간				

箕氏 (幸州) (행주기씨)

기씨는 기자의 후예라고 전해지고 있다. 奇(기)씨와 동원인 것으로도 전해지고 있다. 분포는

경북 영일, 강원도 인제, 평남 덕천 등지에 각 한 가구씩 살고 있다.

吉氏(海平·善山)(해평선산길씨)

비조 길당은 당나라 사람으로 고려 문종때 우리 나라에 기화한 8학사의 한 사람이다. 그는 고려조에 벼슬이 정당문학에 이르렀으며 해평(선산)백에 봉해짐으로써 후손들이 본관을 해평으로 하게 되었다. 그러나 그후 계대를 상고할 수 없으므로 그의 후손인 시우(성균생원)를 1세조로 삼아 세계를 계승하고 있다.

〈행 렬 표〉

오행상생자 즉 金(금) 水(수) 木(목) 火(화) 土(토)순으로 순환사용하여 일정 자한이 없다.

金氏(김씨)

김씨의 본관은 〈조선씨족 통보〉에 623 본으로 나타나 있다. 그러나 본서에는 112본만 수록하고 나머지 성씨에 대하여는 미고이다. 김씨는 이를 크게 나누어 가락국 수로왕을 시조로 하는 수로왕계와 신라왕실의 박, 섭, 김 3성중의 하나인 김알지계로 볼 수 있는 바, 그 내용은 다음과 같다. 〈수로왕계〉(가락국기)(삼국유사)에 의하면, 가락에는 본래 아도간, 여도간, 파도간, 오도간, 유수간, 유천간, 오천간, 신귀등 9간(촌장)이 있어 각 지방을 다스렸는데 서기 42년 9간들이 구지봉에 올라 신탁에 의하여 가락을 다스릴 군장을 얻고자 의식을 행하였더

니 마침내 하늘에서 6개의 해만한 황금알을 담은 금합이 내려왔다. 이튿날 이 여섯 알이 동자로 화하여 그중 먼저 나온 수로를 가락(본가야)의 왕으로 삼고 나머지 다섯 동자도 각기 5가야의 수장을 삼았다고 한다.

이와같은 란생설화는 비단 수로왕 뿐만이 아니고 고주몽 박혁거세 석탈해등의 경우에서도 찾아볼 수 있으나 수로왕의 경우는 황금알이 6개나 된다는데에 흥미를 더해준다. 이 수로왕을 시조로 연면세계하고 이 성씨가 바로 김해 김씨인 바 수로의 후손 중에는 모성을 따르는 허씨도 있다. 수로왕의 비허황옥은 본래 야유타국(인도의 일국)의 공주로서 서기 48년 배를 타고 와서 왕비가 되었는데 그녀가 가야국에 상륙한 곳은 주포촌 비단비지를 벗어 산령에게 제사지냈던 곳은 릉현 붉은기를 꽂고·들어오던 바닷가는 기출변이라고 불리고 있다. 수로왕은 허왕후 몸에서 아들 10명을 두었는데 장자 거등은 김씨로 왕통을 잇게 하고 두 아들은 허왕후의 간곡한 요청으로 모성을 따라 허씨가 되었으며 나머지 7아들은 불가에 귀화하여 하동 7불이 되었다고 한다. 또 허씨에서 갈려나간 인천 이씨가 있는데 허기라는 사람이 신라의 사신으로 당나라에 갔다가 그곳 천자로부터 이씨로 사성 받았다고 하며 뒤에 그 후손 이허겸이 소성후에봉해지면서부터 이허겸을 시조로 하고 본관을 인천으로 하였다고 한다. 그리고 근원이 다른 김해 김씨가 있다. 임진왜란 때 왜장 가릉청정의 좌선봉으로 왜병 삼천명을 이끌고 왔다가 조선의 문물을 흠모한 나머지 우리 나라에 귀화한 김충선(본 성명은 사야가)를 시조로 하는 김해 김씨를 말한다. 김충선은 기화한 후 이괄의 난과 병자호란 때 전공을 세우고 자헌대부에 올랐으며 권율장군의 진청으로 성명을

하사받았다. 수로왕계의 김해 김씨는 유구한 역사를 가졌으면서도 분적된 사례는 없으나 분파된 수는 본서에 기록된 것만도 155파에 이른다. 〈김알지계〉알지계는 경주 김씨를 주종으로 하고 신라 고려 이조에 걸쳐 600여 본관으로 분적되었으나 본서에는 110본을 기록하고 나머지 본관에 대하여는 미고이다. 김알지의 탄생에 대하여 삼국유사 삼국사기에 재미있는 이야기가 보인다. 신라 4 대 탈해왕 9 년 봄 어느날 새벽 경주의 계림에서 기이한 닭울음소리가 들려왔다. 그곳에 가 보았더니 울창한 송림 높은 가지에 금빛 찬란한 작은 궤가 걸려 있고 그 밑에서 흰 수닭이 울고 있었다. 그 궤를 가져와 열어 보니 뜻밖에도 용모가 단정한 비범한 사내아이가 들어 있는지라 『하늘에서 내리신 아들』이라하여 기뻐하며 길렀다. 이가 곧 알지이며 금궤에서 나왔다하여 성을 김씨라 하고 이를 기특히 여겨 왕으로부터 태자를 책봉하였으나 사양했다고 한다. 신라의 왕실계보를 보면 역대 56왕 중에 박씨가 10왕 석씨가 8왕 나머지 38왕이 김씨이다. 그러나 김씨가 왕위에 오른 것은 알지의 7세손이며 신라 13 대 왕인 미추왕이 시초가 된다. 그리고 본서에 수록한 110본 중에서 신라 제29대 무열왕의 5세손 김주원을 시조로 하는 강릉김씨와 신라 제45대 신무왕의 제3자 김광흥을 시조로 하는 광산김씨 그리고 신무왕의 후예인 김령이를 시조로 하는 영산(영동)김씨를 제외한 그 나머지는 거의가 신라 56 대 경순왕의 후손이라 할 수 있다. 경순왕은 927 년 후백제 견원의 침공으로 경애왕이 죽은 뒤에 왕위에 오른 신라의 마지막 왕이다. 그가 재위하는 동안 군웅이 각처에 할거하여 국력이 쇠퇴하고 특히 뻔질나게 침공하여서는 약탈을 자행하는 견원 때문에 국가 기능이 완전히 마비되었다. 고려 태조는 그에게 유화궁을 하사하고 자기 딸 랑랑공주를 하가시켰으며 정승을 봉하고 경주를 식읍으로 하사하였는데 경순왕의 9 아들 중 마의 태자로서 널리 알려진 장자일과 계자 굉을 제외한 나머지 7곱 아들은 랑랑공주의 몸에서 태어났다고 한다. 또한 알지계에서는 타성으로 갈려나간 후손이 있는데 김행은 안동권씨로 김순식은 강릉왕씨로 헌안왕자 후손 순백은 광산이씨로 헌안왕자 17 세손 세광은 김천문씨로 경순왕자 온설의 13 세손 영규는 수성최씨로 각각 개성하였다. 김씨는 우리나라 성씨 중에서 그 인구수에 있어서 제1위를 차지하고 있다.

1930 년 국세조사에 따르면 김씨의 호구수는 74 만 9190 세대로서 제2 위의 이씨보다 22만 2716 세대나 많다. 제3위는 박씨로서 26만 1357 세대 제4위가 최씨로 17 만 1262 세대 제5위는 정씨로 10 만 6082 세대였다. 흔히 명문을 말할 때 연안이씨 광산김씨 대구서씨 순으로 손꼽히고 있는데 이는 그 많은 김씨 가운데서 광산김씨가 으뜸가는 명문임을 말해주고 있다. 이 밖에도 김판자가 서말이라는 안동김씨(세칭 장김)를 비롯하여 청풍김씨 정안김씨 경주김씨들도 지난날 쟁쟁한 명문 벌족이었다.

江陵金氏(강릉김씨)

시조 김주원은 신라 무열왕의 5세손으로 785년 선덕왕이 죽고 후사가 없자 군신회의 끝에 그가 왕으로 추재되었으나 갑자기 큰 비가 내려 알천을 건너갈 수가 없어 입궐을 못하게 되자 이는 하늘의 뜻이라 생각하고 즉위를 포기했다. 비가 개인 다음 그가 대궐에 들어가자 원성왕은 그에게 즉위할 것을 권유하였으나 굳이

사양하고 강릉에 내려간 후 끝내 돌아오지 않았다. 그래서 원성왕은 그에게 명주(강릉) 군왕을 봉하고 명주 익령, 근울어 (평해)등 삼군을 다스리게 하여 그 땅을 식읍으로 하사하였다. 그래서 그의 후손들이 본관을 강릉으로 하게 되었다. 묘소는 강원도 명주군 성산면 삼왕에 있다.

〈 행 렬 표 〉

세	행렬자	세	행렬자	세	행렬자	세	행렬자
22	學 학	23	泳 영	24	秉 병	25	烈 열
26	在 재	27	鉉 현	28	澯 형	29	模 모
30	熙 희	31	培 배	32	鍾 종	33	淵 연

(숙 천 파)

세	행렬자	세	행렬자	세	행렬자
21	得득湜제	22	學학英영	23	熙희煜욱
24	敬경埰채	25	泰태鉉현		

開城金氏(개성김씨)

시조 및 본관의 유래

개성 김씨는 신라 경순왕의 4째아들 金錫(김석)이 의성군에 봉해짐으로써 본관을 의성으로써 오다가 석의 8세손 公瑀(공우)의 제 3자 龍珠(용주) (시호충의)가 고려 문종때 문과에 급제한 후 四朝에 걸쳐 누차 여진 정벌에 공을 세워 추충공신으로 지개성부사 평장사를 거쳐 개성군에 봉해짐으로써 그의 후손들이 용주를 1세조로 하고 본관을 개성으로 이적하게 된 것이다. 묘소는 개성 용종산 중봉에 있다.

〈 행 렬 표 〉

세	행 렬 자	세	행 렬 자
20	.在 재	21	錫석鉉현鐸탁
22	洙수溫온潤윤	23	根근植식權권
24	煥환炳병	25	基기圭규
26	鎬호鉉현鍾종	27	泰태浩호泳영
28	柱주相상榮영	29	熙희煥환勳훈
30	均균培배		

江華金氏(강화김씨)

시조 및 본관의 유래

강화 김씨는 신라 경순왕의 후손으로 분적계보와 계대소목은 상고 할 수 없고 동본 3파로 분류계세한 것으로 생각된다. 그중 한 파는 경순왕의 3자 명종의 7세손으로 고려 명종때 삼지성사로 하음군(강화의 고호)에 봉해진 晟(성)을 1세조로 하여 개성파라 하였고 다른 한 파는 명종의 18세손으로 연산군때 병조참판을 지내다가 무호사화 때 숙천으로 유배된 光을 1세조로하여 숙천파라 하였고 또 다른 한 파는 光의 4세손으로 조선조에 훈련원주부를 지낸 松鶴(송학)을 1세조로 하여 의주파라 하여 각각 계대하고 있는데 성이 하음백(강화)에 봉해졌으므로 그 후손들이 본관을 강화로 하게 된 것이다.

〈 행 렬 표 〉

(개 성 파)

慶山金氏(경산김씨)

시조 및 본관의 유래

경산김씨는 신라 김알지의 28세손이며 경순왕의 제4자 殷説(은설)의 후손인 金育和(김육화)를 시조로 게대하고 있다. 김육화는 고려조에 은좌광록대부 사공이부상서 좌복사겸상장군을지냈고 경산군에 봉해졌다. 그래서 후손들이 경산을 본관으로 하게 되었다.

〈 행 렬 표 〉

세	행렬자	세	행렬자	세	행렬자	세	행렬자
19	培 배	20	樂 락	21	潤윤淳순	22	振 진
23	鍾 종						

慶州金氏(경주김씨)

시조 및 본관의 유래

경주김씨는 신라왕실의 삼성(朴, 昔, 金) 가운데 하나이다. 시조 金閼智(김알지)는 65년 (탈해왕9) 금성 서쪽 시림(계림)의 나무 끝에 걸려있던 금궤에서 태어났다. 하여 성을 김으로 하사했고 하늘이 내리신 아들이라 하여 길렀다. 그의 7세손인 미추왕에 이르러 비로소 신라 왕위에 오르게 됨으로 부터 신라 마지막 왕인 경순왕(알지의 28세손)에 이르기까지 38왕이 연면상계하여 선원세계를 계승하였고 935년 경순왕이고려태조 왕건에게 손 국하자 그의 아들 9형제 중 1자 일은 망국의 한을 안고 입산 하였고 2자 鍠(굉)은 나주김씨 3자 명종은 경주김씨 영분공파 4자 은설은 경주김씨 은설공파 5자 錫(석)은 의성김씨 6자 건은 강릉김씨 7자 선은 언양김씨 8자 추는 삼척김씨 9자 덕예는 울산김씨 등의 1세조가 되어 각각 세계하고 있다.
이상에서 본바와 같이 경주김씨는 경순왕의 제3자 명종과 제4자 은설로 부터 기원이 되었고 그 후손들이 번성해짐에 따라 현달하는 인물 또는 세거지역을 중심으로 분파되었는데 그 대표적인 파는 영분공파(1세조명종) 대안군파 (1세조은설) 병판공파(1세조은설의 14세손 덕재) 백촌공파(1세조 은설의 17세손 문기) 정백공파(1세조 은설의 후손 정백) 판도판서공파(1세조 은설의 후손 장유) 태사공파 (은설의 후손 인관) 장사랑공파(은설의 16세손 존일) 그리고 상계가 미상하여 소목 계통을 밝히지 못하지만 경순왕의 후손으로 전해진 순웅을 1세조로 한 순웅공파 순웅의 13세손 곤을 1세조로 한 계림군파 등으로 나누어져 있다. 그밖에 다른 문헌에는 위영으로 부터 비롯하여 김부식으로 이어져 온 호장공파가 있다고 전하나 공주, 부여, 일대에 거주하는 언양김씨 일파 이고 실존하지 않는다.

〈 행 렬 표 〉

(두계공〈충유〉파)

세	행렬자	세	행렬	세	행렬	세	행렬
35	孝 효	36	◯	37	泳 영	38	柄 병
39	熙 회	40	基 기	41	鍾 종	42	河 하
43	桂 계	44	然 연	45	圭 규	46	鎬 호

(수은공〈충한〉파후 쌍향당〈구〉파)

세	행 렬 자
34	烈열杰걸
35	種종萬만重중奎규孝효
36	燮섭欽흠秀수旭욱九구
37	泳영洪홍會회柄병南남
38	相상秀수永영行행宇우
39	柄병勳훈成성宰재茂무
40	重중坤곤弼필起기
41	康강庸용
42	宰재翊익達달
43	廷정憲헌任임

(판도판서공〈서건〉파)

세	행렬자	세	행 렬 자	세	행렬자

34	熙희烈열	35	址지圭규	36	鎬호鎔용
37	淳순	38	東동	39	炳병

（ 월성부원군〈천서 〉파 ）

세	행 렬 자	세	행 렬 자
38	基기相상東동	39	鐸탁燮섭
40	雨우圭규在재	41	根근錬련鍾종
42	烈열源원洙수	43	圭규東동

（ 충선공〈요〉파 ）

세	행렬자	세	행렬자	세	행렬자
27	礎진岳악	28	甫보鳳봉	29	漢한
30	模모	31	炳병	32	在재基기
33	鍾종	34	濟제	35	東동
36	燮섭				

（ 병조판서공〈덕재〉파 ）

세	행 렬 자	세	행 렬 자
21	喆철基기在재圭규赫혁	22	鍾종鎭진錫석錬련
23	永영泰태求구	24	植식根근林임
25	煥환炳병炯형燦찬	26	周주培배均균埈준
27	鎬호鍾종鎔용鉉현	28	洙수淑숙源원淵연
29	模모相상格격桂계	30	列열喜희熏훈

（ 익화군〈인찬〉파·백촌공〈문기〉파 ）

세	행 렬 자	세	행 렬 자
21	基기在재圭규鎭진	22	鍾종錫석鉉현浩호
23	泳영洛락演연東동	24	根근模모柱주烈열炳병
25	炯형炅경勳훈載재	26	埈훈垠은志지鉉현
27	鎔용鉦정銀은永영洛락	28	求구河하漢한根근
29	相상格격桂계容용	30	均균

（ 계 림 군 파 ）

세	행 렬 자	세	행 렬 자
20	植식經경	21	學학冠관知지
22	鍾종鐸탁基기式식	23	洙수浩호鎭진榮영是시
24	東동柱주洙수浩호友우	25	煥환炫현相상胃위
26	奎규致치煥환勳훈韶소	27	鎭진鎬호奎규在재迎영道도
28	泳영淳순鉉현厚후	29	海해根근杰걸泰태

（ 장군공〈순웅〉후 봉익대부〈남기〉공파 ）

세	행렬자	세	행렬자	세	행렬자
17	東동柄병	18	烈열杰걸	19	奎규孝효
20	鉉현欽흠	21	泳영洪홍	22	植식秀수
23	炳병勳훈	24	重중坤곤	25	鍾종鍵건
26	洛락泰태				

（ 판도판서〈장유〉공파 ）

세	행 렬 자	세	행 렬 자
17	泰태鼎정	18	秀수
19	熙희	20	基기在재敎교
21	九구鉉현鎬호	22	洪홍永영漢한
23	植식模모桓환	24	應응炳병
25	圭규	26	鎭진

（ 태사공〈인관〉후 상촌공〈자취〉파 ）

세	행 렬 자	세	행 렬 자
24	載재喜희秀수	25	商상容용
26	濟제浩호遠원	27	東동元원欽흠
28	煥환烈열冀기鴻홍	29	基기周주執집植식
30	鎬호鍾종	31	淵연澤택寧녕
32	植직義의	33	丙병範범

高靈 金氏(고령김씨)

시조 및 본관의 유래

시조 金南得(김남득)은 의성군 (김석)의 11세 손으로 후의성군의 장손이며 김의의 장남이다. 그는 1340년에 진사가 되어 감찰집의가 되고 공민왕때 양광도안염사를 거처 판판개성부사문하평리가 되었다. 1364년 원제가 최유의 간계에 속아 왕을 폐하고자 어사 뉴인을 보내어 사실을 조사할 때 김남득이 접반시랑이 되어 무고임을 역설 하였던바 원제가 크게 감회하고 계속 재위케 했다. 그가 사은사로 원나라에 가 예부상서를 명받고 환국하자 왕이 익재공신 고양부원군을 봉하였다. 그래서 후손들은 본관을 고령(고양)으로 하게 되었다. 묘소는 고령군 쌍림면에 있다.

〈행렬표〉

세	행렬자	세	행렬자	세	행렬자
18	東동相상	19	烈열顯현	20	在재圭규用용
21	鎬호鉉현鍊련	22	泳영海해永영	23	植식桓환
24	燕연	25	堅견	26	鎭진
27	河하	28	榮영	29	炳병

高山金氏(고산김씨)

고산은 현재 전북 완주군의 속면이다. 시조 金(김환)의 아버지 윤옥 자는 중소로 1510년(중종 5) 식년문과에 병과로 급제하고 벼슬이 전적에 이르렀다. 1930년의 조사에 의하면 그 후손이 황해도 연백군 김산면 일곡리에 29호가 살고 있다.

固城金氏(고성김씨)

시조 및 본관의 유래

시조 김말로왕은 김수로왕과 함께 구지봉에서 탄강한 6동자중 제일 막내라 한다. 소가야국을 창전하고 도읍을 고성에 정했기 때문에 본관을 고성으로 했다. 묘소는 경남 고성군 회화면 금봉산간좌에 있다.

〈행렬표〉

세	행렬자	세	행렬자	세	행렬자
53	炳병性성	54	喜희奎규	55	善선庚경
56	求구洙수	57	榮영東동	58	燦찬煥환
59	重중在재	60	鎔용鎬호	61	洪홍永영
62	植식根근	63	炫현炅경	64	載재培배
65	錫석鍾종				

公州金氏(공주김씨)

시조 및 본관의 유래

비조 김알지의 후손 지대 (청도김씨 시조)의 8세손 의손(공주백)의 여덟 아들중 용, 구, 溢 3인이 북선에 이거하고 선고의 작위로 관을 삼아 3인이 다 공주김씨의 시조가 되었다.

〈행렬표〉

세	행렬자	세	행렬자	세	행렬자
16	敬경	17	河하鼎정	18	相상煥환
19	燕도洛락	20	斑정益익	21	鎬호烈열
22	永영如여	23	秀수喆철	24	炳병基기
25	圭규	26	錫석	27	淵연
28	根근	29	煥환	30	埈준

光山金氏(광산김씨)

시조 및 본관의 유래

시조 金興光(김흥광)은 신라 신무왕의 세째 아들이다. 그는 장차 국난이 있을 것을 미리 알고 광주 서일등에 자리를 잡고 그곳에서 살았다. 그리하여 그 후손들이 본관을 광산으로 하게 되었고 후손 가운데 평장사가 계속 8명이 배출되자 세상 사람들이 그곳을 평장동이라 불렀다.

〈 행 렬 표 〉

세	행렬자	세	행렬자	세	행렬자	세	행렬자
30	萬 만	31	鎭 진	32	澤 택	33	相 상
34	箕 기	35	在 재	36	鉉 현	37	永 영
38	洙 수	39	容 용	40	中 중	41	善 선
42	淳 순	43	東 동	44	煥 환	45	奎 규
46	鎔 용	47	海 해	48	植 식	49	炯 형

廣州金氏 (광주김씨)

시조 및 본관의 유래

시조 金禄光(김록광)은 경순왕 부의 제5자 錫(석)의 7세손으로서 고려때 광주군에 봉해지고 광주를 식읍으로 하사 받았다. 그래서 그의 후손들이 본관을 광주로 하게 되었다.

〈 행 렬 표 〉

세	행렬자	세	행렬자	세	행렬자
20	相상東동	21	煥환燮섭	22	在재基기
23	鎭진鎬호	24	泰태漢한	25	柱주根근
26	炳병熙희	27	坤곤均균	28	銖수鉉현
29	洪홍淳순	30	楨정秉병		

交河金氏 (교하김씨)

시조 및 본관의 유래

시조 金孟貞(김맹정)은 신라 종실의 후예로 선세계는 나주김씨이다. 고려 인종때 장군으로 1135년 묘청의 난을 토평한 공으로 교하군에 봉해졌다. 그래서 그 후손들이 본관을 교하로 삼았다.

세	행렬자	세	행렬자	세	행렬자
55	是시鍾종	56	魯노允윤	57	玉옥履이
58	學학元원	59	良양基기	60	垕후澤택
61	鍵건春춘				

金寧金氏 (금녕김씨)

시조 및 본관의 유래

시조 金時興(김시흥)은 대보대왕 김알지의 39세손이다. 그는 고려조에서 공을 세우고 금녕군에 봉해졌는데 금녕은 김해의 고호이기 때문에 그의 후손들이 본관을 김해로 하면서 선김(김수로 계 : 김해김씨)과 후김(김시흥 계 : 김령김씨)으로 각각 분별해 왔다. 그러나 오랜 세대가 흐르고 후손들이 번창 함에 따라 양김의 후손들 간에는 혹은 자기 자신도 선김의 자손인지 후김의 자손인지 조차 분별치 못한 폐단이 있게 되자 헌종때에 이르러 이조일관의 혼잡을 피하기 위해 김녕군의 후예는 다시 김해의 고호인 금녕으로 이관하게 되었다.

〈 행 렬 표 〉

(영돈령공〈존〉파)

세	행렬자	세	행렬자	세	행렬자	세	행렬자
23	廷 정	24	季 계	25	炯 형	26	基 기
27	錫 석	28	永 영	29	彬 빈	30	炳 병
31	均 균	32	鍾 종	33	汶 문	34	東 동
35	炫 현	36	重 중	37	鍊 련	38	洪 홍

(충의공〈문기〉파)

세	행 렬 자	세	행 렬 자
23	溶용洸광	24	權권模모柱주

세	행렬자	세	행렬자
25	炯형炳병炫현	26	圭규基기培배
27	鎭진鍾종鍊연	28	淵연洙수泰태
29	植정東동秉병	30	燁엽燮섭烈열
31	埰채在재祉지	32	鉉현鎬호鍵건
33	浚준泳영浩호	34	柄병根근相상
35	煥환熺희熙희	36	埈준坤곤均균
37	銅동鏞용鈺옥	38	漢한洛락永영

(대사성공〈지〉파)

세	행렬자	세	행렬자	세	행렬자
23	港홍翼익	24	秉병柱주	25	烈열
26	奎규	27	欽흠鐥선	28	雨우永영
29	休휴杓표	30	勳훈熙희	31	均균坤곤
32	鎬호鍊련	33	淵연洙수	34	來래相상
35	炫현燮섭	36	老로載재	37	鎔용鍊련
38	永영溶용				

(도순찰사공〈문제〉파)

세	행렬자	세	행렬자	세	행렬자	세	행렬자
23	溶용	24	權권	25	炯형	26	圭규
27	鎬호	28	種종	29	熙희	30	均균
31	銖수	32	洪홍	33	休휴	34	根근
35	性성	36	基기				

(익화군〈인찬〉파)

세	행렬자	세	행렬자	세	행렬자	세	행렬자
23	廷정	24	學학	25	朝조	26	稙직
27	顯현	28	遠원	29	鎬호	30	泳영
31	秉병	32	煥환	33	載재	34	鍾종
35	泰태	36	相상	37	容용	38	圭규

(진주목사공〈형〉파)

세	행렬자	세	행렬자	세	행렬자	세	행렬자
23	培배	24	鍾종	25	準준	26	秉병
27	容용	28	志지	29	鍊련	30	承승
31	述술	32	鳴명	33	圭규	34	銖수

(충간공〈경의〉파)

세	행렬자	세	행렬자	세	행렬자	세	행렬자
23	永영	24	鼎정	25	榮영	26	炅경
27	栽	28	鍾종	29	洙수	30	秉병
31	煥환	32	重중	33	鎬호	34	河하
35	柱주	36	炳병	37	基기		

(충전공〈준영〉파)

세	행렬자	세	행렬자	세	행렬자
26	相상秉병	27	燮섭煥환	28	喆철基기
29	鍾종鎬호	30	洙수淳순	31	植식東동
32	炯형南남	33	培배均균	34	鎔용錫석
35	浩호淵연	36	營영柱주	37	烈열熙희

(충경공〈경세〉파)

세	행렬자	세	행렬자	세	행렬자	세	행렬자
23	煥환	24	會회	25	鎭진	26	淇기
27	來래	28	然연	29	珏각	30	允태
31	壬임	32	震진	33	南남	34	正정
35	善선	36	海해	37	柱주	38	炳병

(만은공〈길상〉파)

세	행렬자	세	행렬자	세	행렬자	세	행렬자
23	聖성	24	浩호	25	鉉현	26	淵연
27	權권	28	炳병	29	圭규	30	鎭진
31	淳순	32	柱주	33	晙준	34	在재
35	鎬호	36	源원	37	桓환	38	熙희
39	增증	40	錫석				

(상서공〈문희〉파)

세	행렬자	세	행렬자	세	행렬자	세	행렬자

23	溶 용	24	權 권	25	炯 형	26	圭 규
27	銑 선	28	沐 수	29	桂 계	30	煥 환
31	垠 은	32	鎬 호	33	浚 준	34	東 동
35	炳 병	36	坤 곤	37	鎭 진	38	泳 영

(송암공〈질〉파)

세	행렬자	세	행렬자	세	행렬자	세	행렬자
23	錫 석	34	永 영	35	稙 직	36	奐 환
27	周 주	28	鍾 종	29	昨 오	30	朝 조
31	溶 용	32	相 상	33	變 섭	34	建 건

(선교랑공〈구야〉파)

세	행렬자	세	행렬자	세	행렬자	세	행렬자
23	培 배	24	鍾 종	25	準 준	26	秉 병
27	容 용	28	志 지	29	鍊 련	30	承 승
31	述 술	32	鳴 명	33	圭 규	34	銖 수

錦山金氏 (금산김씨)

시조 및 본관의 유래

시조 김선(金先)은 김알지의 42세손이며 정보의 13세손으로 자는 윤직 호는 낙천제 시호는 충간이다. 그는 요양성참정을 지내고 귀국해서 금주(금산)군에 봉해졌기 때문에 후손들이 기 1세 하여 시조로 삼고 본관을 금산이라 하였다. 묘소는 전북 무주군 안성면 공진리에 있다.

〈 행렬표 〉

세	행렬자	세	행렬자	세	행렬자	세	행렬자
22	赫 혁	23	鉉 현	24	漢 한	25	植 식
26	炳병炯형	27	培배圭규	28	鎬호鎭진		

金堤金氏 (김제김씨)

시조 및 본관의 유래

시조 金天瑞(김천서)는 고려때 문하시중으로 월성부원군에 봉해졌으며 김제에 세거하고 있었다. 그의 7세손 김정걸이 이태조를 도와 개국3등 공신이 되었고 태종 원년에는 다시 공을 추증받아 김제군이 되었다. 그래서 후손들이 본관을 김제로 하였다.

〈행렬표〉

세	행렬자	세	행렬자	세	행렬자
21	啓계正정	22	圭규	23	仁인鍾종
24	麟린河하	25	珍진榮영	26	銘명煥환

金海金氏 (김해김씨)

시조 및 본관의 유래

중국 한나라 광무황제 18년에 가락국의 구간(신귀등 9촌장)이 함께 수대에서 놀다가 구지봉에 금합을 발견 곧 그를 열어보자 여섯개의 알이 들어 있었고 그 알속에서 나온 여섯 동자가 나왔다고 그 가운데 제일 먼저 나온 수로를 가락국의 왕으로 추대하고 나머지 다섯 사람은 각각 오가야에 봉했다. 수로는 금합에서 태어났다 하여 성은 金으로 여섯 사람 가운데 제일먼저 나왔다 하여 이름을 수로라 하였다. 그는 뒤에 하유타국(인도의 일국)의 공주인 허황옥(성은 허 이름은 황옥)을 비로 맞아 10명의 아들을 낳았는데 맏아들인 거등은 수로왕의 후사로 삼았고 허씨부인(수로왕비) 의 부탁으로 허씨 성을 세상에 전하기 위해 거등의 아우인 두 아들에게는 모후의 성인 허성을 주었다. 이때부터 허씨성이 세상에 전해짐으로써 오늘날 허씨의 근원이 된 것이다. 그리고 김해김씨 본관의 연혁을 보면 가락의 고도는 곧 지금의 경남 김해이다. 오랜 세월이 흐름에 따라 지명도 여러가지로 변했으나 가락국을 금관국으로 또는 금관군 금관소경 임해현 김주 김녕부 김주목 등으로 여러 차례 고쳐 불려오다가 고려 충선왕 때에 이르러 김해부가 설치됨으로써 가락왕(수로)의 후손들은 본관을 김해로 하게 된 것이다. 후손들이 남달리 번창 함에 따라 금령군파를 비롯하여 142개 파로 분파하여 그 계대를 계승하고 있다. 그 가운데 목경계의 경4파(영견,, 영서, 영정, 영순)가 제일 많은 수를 점하고 있으며 목경의 아우되는 익경계의 4군파(극조, 완, 여수세기)와 관계의 3현파(극일, 일손, 대유)가 주류를 이루고 있다.

〈 행 렬 표 〉

(금령군 〈 목경 〉 파)

세	행렬자	세	행렬자	세	행렬자
20	顯현	21	培배	22	錫석鍾종
23	洙수泰태	24	榮영	25	謙겸爕섭
26	載재在재	27	鎭진	28	浩호
29	根근	30	炳병性성	31	坤곤用용
32	鎬호	33	淳순	34	東동
35	烈열煥환	36	重중	37	善선鎔용
38	洛락	39	相상	40	炯형
41	奎규基기				

(감무공 〈 익경 〉 파)

세	행렬자	세	행렬자	세	행렬자	세	행렬자
19	相현	20	炫현	21	堉8在재	22	鎬호
23	永영	24	植식	25	炯형	26	奎규
27	鎔용	28	淳순	29	東동	30	勳훈
31	重중	32	會회	33	源원	34	柱주
35	燦찬	36	基기	37	鍾종	38	涉섭

(판도 판서공 (관)파)

세	행렬자	세	행렬자	세	행렬자
21	溶용	22	坤곤	23	鎭진鍾종
24	泰태洙수	25	東동相상	26	熙희煥환
27	奎규基기	28	錫석鎬호	29	洛락永영
30	柱주植식	31	熹희	32	壎훈在재
33	善선錡기	34	洪홍	35	東동
36	夏하				

(문경공 〈 탁 〉 파)

세	행렬자	세	행렬자	세	행렬자
20	寬관煥환	21	永영喜희	22	棋기鉉현
23	熙희漢한	24	載재植식	25	鏞용炅경
26	泰태坤곤	27	來래鉦정	28	燮섭洪홍
29	奎규秉병	30	鍊련勳훈	31	洪홍圭규

(부사공 (근)파)

세	행렬자	세	행렬자	세	행렬자
17	鎰일	18	澤택洙수	19	東동相상
20	炯형爕섭	21	均균奎규	22	鍾종
23	洛락	24	相상	25	烈열
26	載재	27	鉉현		

(충정공 (구)파)

세	행렬자	세	행렬자	세	행렬자	세	행렬자
20	梓지	21	炫현	22	性성	23	錫석
24	浩호	25	柱주				

(도총관공 (경신)파)

세	행렬자	세	행렬자	세	행렬자	세	행렬자
21	履이	22	燮섭	23	堯요	24	鍊련

25	漢 한	26	錫 석	27	海 해	28	孝 효
29	忠 충	30	東 동	31	龍 용		

(판서공 (불비) 파)

세	행렬자	세	행렬자	세	행렬자	세	행렬자
20	洙 수	21	秉 병	22	變 섭	23	圭 규
24	鎭 진	25	浩 호	26	榮 영	27	炯 형
28	載 재	29	鎬 호	30	洪 홍	31	權 권
32	熙 희	33	柱 주				

(판도판서 (첨힘) 파)

세	행렬자	세	행렬자	세	행렬자	세	행렬자
21	永 영	22	柱 주	23	炳 병	24	圭 규
25	錫 석	26	洙 수	27	東 동	28	變 섭
29	基 기	30	鍾 종				

(부정공 (평) 파

세	행렬자	세	행렬자	세	행렬자
19	淵연泰태	20	榮영秉병	21	變섭煜욱
22	圭규吉길	23	鍾종鎔용	24	泰태永영
25	相상	26	炳병	27	均균

(사성공 (이형) 파)

세	행렬자	세	행렬자	세	행렬자	세	행렬자
	炳 병		圭 규		錫 석		湜 제
	東 동		烈 열		孝 효		鎭 진
	泳 영		樂 라		南 남		基 기

(울은공 (손) 파

세	행렬자	세	행렬자	세	행렬자
18	相상柄병	19	斗두	20	基기時시
21	善선鍾종	22	浩호淳순	23	榮영根근
24	煥환變섭	25	載재圭규	26	德덕鉉현

27	求구洛락	28	植식東동	29	熙희勳훈
30	若약堯요	31	鍵건鎭진	32	洙수大대
33	樂락柱주	34	煥환	35	均균用용
36	欽흠錫석	37	泰···	38	杰걸模모
39	烈열煜욱	40	聖성坤곤	41	承승鍍도

(참봉공 (인서) 파)

세	행렬자	세	행렬자	세	행렬자	세	행렬자
20	泳 영	21	東 동	22	熹 희	23	圭 규
24	錫 석	25	源 원				

(승사랑공 (지서) 파)

세	행렬자	세	행렬자	세	행렬자	세	행렬자
18	致 치	19	錫 석	20	永 영	21	秉 병
22	煥 환	23	在 재				

(부호군공 (거공) 파)

세	행렬자	세	행렬자	세	행렬자
16	泳영洛락	17	柄병相상	18	變섭烈열
19	圭규在재	20	錫석鉉현	21	源원泰태
22	榮영植식	23	炯형顯현	24	埰채培배

(판결사공 (용만) 파)

세	행렬자	세	행렬자	세	행렬자	세	행렬자
10	鍊 련	11	淙 종	12	植 식	13	炳 병
14	珉민基기	15	洙수浩호	16	相 상	17	熙 희
18	圭 규						

(운은공 (대진) 파)

세	행렬자	세	행렬자	세	행렬자	세	행렬자
12	澤 택	13	柄 병	14	烈열煥환	15	圭 규
16	鍾 종	17	永 영	18	杓 표	19	熙 희
20	海 해	21	東 동	22	炫현變섭	23	在 재

(진사공 (건) 파)

세	행렬자	세	행렬자	세	행렬자
12	基기	13	鉉현	14	濟제
15	植식柱주	16	煥환	17	均균坤곤
18	鍾종鎭진	19	洛락	20	秉병
21	炯형				

(대제학공 (득하) 파)

세	행렬자	세	행렬자	세	행렬자	세	행렬자
16	斗두	17	煥환	18	鎭진	19	永영
20	根근	21	熙희	22	基기	23	錫석
24	海해						

(부호근공 (천익) 파)

세	행렬자	세	행렬자	세	행렬자
12	賢현	13	載재榮영	14	圭규
15	銖수	16	泓홍	17	林임
18	炳병	19	基기	20	錫석
21	河하	22	相상東동	23	熙희變섭
24	在재均균	25	鎔용鍾종	26	泰태浩호
27	根근模모	28	永영瀨	29	坤곤培배
30	鎭진鎬호	31	洛락		

(문천공 (귀존) 파)

세	행렬자	세	행렬차	세	행렬자
14	鍊련淵연	15	泰태	16	榮영根근
17	熙희	18	圭규	19	鎭진
20	浩호	21	東동	22	烈열
23	在재	24	鍾종	25	洙수

(유수공 (예) 파)

세	행렬자	세	행렬자
15	在재	16	廷정

(충순위공 (극제) 파)

세	행렬자	세	행렬자	세	행렬자	세	행렬자
9	在재	10	鎭진	11	永영	12	植식
13	炯형	14	圭규	15	鎔용	16	淳순
17	東동	18	煥환	19	用용	20	鎬호
21	泰태	22	根근	23	炫현	24	均균
25	鍊련	26	洙수	27	柄병	28	烈열

(통정공 (창수) 파)

세	행렬자	세	행렬자	세	행렬자	세	행렬자
14	鍾종	15	泰태	16	榮영	17	變섭
18	在재	19	鎭진	20	浩호	21	根근
22	性성	23	用용				

(판서공 (진업) 파))

세	행렬자	세	행렬자	세	행렬자	세	행렬자
8	濟제	9	植식	10	顯현	11	培배
12	鍾종	13	泰태	14	榮영	15	變섭
16	在재	17	鎭진	18	浩호	19	根근

(통사랑공 (여구) 파)

세	행렬자	세	행렬자	세	행렬자	세	행렬자
13	植식	14	顯현	15	培배	16	鍾종
17	泰태	18	榮영	19	變섭	20	在재
21	鎭진	22	浩호	23	根근	24	益익

(문헌공 (유) 피)

세	행렬자	세	행렬자	세	행렬자	세	행렬자
17	奎규	18	勳훈	19	基기	20	鎭진
21	洛락	22	東동	23	容용	24	在재
25	商상	26	泰태	27	杓표	28	炯형
29	培배	30	兌태	31	永영	32	秉병

(생원공(현중) 파)

세	행렬자	세	행렬자	세	행렬자
15	培배	16	鍾종	17	泰태
18	榮영	19	燮섭	20	載재
21	鎭진	22	浩호		

(판전공(명택) 파)

세	행렬자	세	행렬자	세	행렬자
16	鎭진章장	17	周주柱주	18	致치炳병
19	祚조	20	鍾종	21	泰태
22	相상	23	烈열	24	圭규
25	鎔용	26	海해	27	植식
28	炳병	29	埈준	30	鉉현
31	洛락				

(숭정공(종정) 파)

세	행렬자	세	행렬자	세	행렬자
11	律윤	12	基기	13	鎬호
14	永영	15	柱주		

(참의공(진시) 파)

세	행렬자	세	행렬자	세	행렬자
9	植식	10	顯현	11	培배
12	鍾종	13	泰태	14	榮영
15	燮섭	16	在재	17	鎭진
18	浩호	19	根근	20	性성

(수성백공(방) 파)

세	행렬자	세	행렬자	세	행렬자
9	植식	10	顯현	11	培배
12	鍾종	13	泰태	14	榮영
15	燮섭	16	在재	17	鎭진錫석
18	浩호永영	19	根근東동	20	炯형

(학생공(락서) 파)

세	행렬	세	행렬	세	행렬자
7	元원	8	塡진	9	鈺옥
10		11	柱주	12	炳병
13	均균	14	鏑청	15	洽흡
16	東동				

(부호군공(우유) 파)

세	행렬자	세	행렬	세	행렬자
6	植식	7	顯현	8	培배

9	鍾종	10	泰태	11	榮영
12	謙겸	13	在재	14	鎭진
15	浩호	16	根근	17	炳병

(좌정승공(만희) 파)

세	행렬자	세	행렬자	세	행렬자
	顯현熙		培배		鎭진鍾종
	澤택海해		根근柱주		炫현勳훈
	在재圭규		鎬호銓전		淳순潤윤
	杓표模모		炯형炅경		均균根근
	錫석鏞용		濚형淡담		東동柱주

金海金氏 (김해김씨)

시조 및 본관의 유래

시조 김충선은 본래 일본인으로 본 성명은 사야가이다. 그는 1592년(선조 25) 임진왜란 때 가등청정의 좌선봉장으로 우리나라 침공에 앞장서 나왔다. 그러나 그는 조선의 문물을 흠모한 나머지 경상도 병마절도와 박진에게 귀화하였다. 기화후 이괄의 난과 병자호란때 전공을 세우고 자헌대부에 올랐으며 권율장군의 진청으로 성명을 하사받아 김충선이 되고 김해김씨의 시조가 되었다.

金化金氏 (금화김씨)

시조 및 본관의 유래

시조 金景言(김경언)의 선세계는 신라 종실의 후예이며 그가 평장사로 금화군에 봉하여졌기 때문에 후손들이 본관을 금화로 하였다. 시호는 충장이다.

〈행렬표〉

세	행렬자	세	행렬자	세	행렬자	세	행렬자
65	益익	66	儀의	67	應응	68	榮영
69	重중						

羅州金氏 (나주김씨)

시조 및 본관의 유래

시조 金雲發(김운발)은 신라 56대 경순왕의 손자이다. 그는 벼슬이 문하시중에 이르고 나주군에 봉해짐으로써 그의 후손들이 본관을 나주로 하게 된 것이다. 묘소는 개성시 북쪽 오룡산에 있다.

세	행렬자	세	행렬자	세	행렬자
33	基기用용	34	鐸탁九구	35	禹우昞병
36	衡형宇우	37	晟성載재	38	起기熙희
39	秉병度도	40	彰창宰재	41	致치程정
42	模모昊호				

樂安金氏 (낙안김씨)

시조 및 본관의 유래

라안김씨는 신라 경순왕 김부(金傳)의 제3자 명종계에서 분적한 계통이다. 명종의 11세손 영고의 제2자 수징(락선당)이 고려 명종때 감무로 있으면서 국난을 평정한 공으로 락안군에 봉해졌으므로 경주김씨에서 분적 본관을 락안으로 하여 세계를 이어오고 있다. 묘소는 실전되고 전북 고창군 성내면 당덕리 암동에 락흥단을 설단하고 매년 음 2월 13일에 제사 지낸다.

〈 행 렬 표 〉

세	행렬자	세	행렬자	세	행렬자
26	永영準준	27	植식楨정	28	炳병煌황
29	基기培배	30	鍾종鎭진	31	洙수沅원
32	東동權권	33	烈열煥환	34	圭규載재
35	鉉현鈺옥	36	浩호源원	37	相상杓표

南陽金氏 (남양김씨)

시조 및 본관의 유래

시조 金頔(김　)의 선세계는 가락국 김수로왕의 후예이라고 한다. 그는 고려 의종때 나라에 변란이 있을 것을 미리 알고 일가가 남양 산곡에 이사하여 정착 세거 하였다. 그래서 계대가 실전되었고 그의 후손으로 약해가 조선 태조를 .도와 공을 세워 남양백이 되었다. 그의 아들인 김계는 1436년(세종)에 출생 성종때 성균진사가 되었는데 무오사화로 인해 정주로 유배되었다. 그래서 그곳에 정착세거 하면서 후손들이 본관을 남양으로 했다. 묘소는 박천군 용계면 은봉리에 있다.

〈 행 렬 표 〉

세	행렬자	세	행렬자	세	행렬자
16	鉉현鎰일	17	濬준源원	18	稷직
19	燦찬燾도	20	垕후均균	21	鍾종鎭진
22	河하洛락	23	相상裁재	24	薰훈熙희
25	基기奎규	26	錫석鎬호	27	潤윤濟제
28	杓표植식	29	炳병文문	30	圭규培배
31	鍊련鉄수				

藍浦金氏 (람포김씨)

시조 및 본관의 유래

시조 金忠吉(김충길)의 선세계와 사적은 병화로 실전되어 미상하나 그의 증손 김성일은 1729년(영조)에 문과에 급제하고 후손인 김봉서는 1741년(영조)에 문과에 급제한 사족으로 후손들은 김충길을 시조로 하여 세계를 계승하고 본관을 람포로 하고 있다. 평북 철산군 일원에 수십세대가 살고 있다.

棠岳(海南)金氏 (당악해남김씨)

시조 및 본관의 유래

시조 金忍(김인)은 조선 태종때의 원종공신으로서 남병의 좌막으로 있으면서 나주 마산 구엽리에 살았고 본관의 유래에 대해서는 미고이나 해남의 고로들의 전언에 의하면 고려말에 병부상서를 지낸 김모가 난을 피하여 해남으로 내려와 살았으므로 그의 후손들이 본관을 당악(해남)으로 삼았다고 한다. 묘소 영암군 금정면 남산리 반지곡에 있고 매년 음3월 21일에 향제한다.

〈행렬표〉

세	행렬자	세	행렬자	세	행렬자
11	相상	12	汝여	13	命명
14	禎정	15	國국	16	榮영
17	圭규	18	鎭진	19	澤택
20	東 柱주	21	炳병煥환炫현	22	載재基기孝효

唐岳金氏 (당악김씨)

시조 및 본관의 유래

시조 金樂(김락)은 신라 46대 문성왕의 5세손으로 왕건을 도와 개국공신 2등이 되었다. 927년(태조) 원보 재충과 함께 대량성(합천)을 쳐서 장군 허조등을 사로 잡았다. 이해 공산에서 견훤과 싸우다가 포위된 태조를 구하고 전사했다. 그 공으로 태조는 지묘사를 세워 명복을 빌고 당악군을 식읍으로 하사 하였다. 그래서 그의 후손들이 본관을 당악으로 하였다. 평남 대동 중화 평원군 일원과 평북 삭주군 일원에 수백호가 살고 있다.

大邱金氏 (대구김씨)

시조 및 본관의 유래

시조 金達(김달) 〈관직 병조참의〉은 신라경순왕의 제4자 김은설의 후손인 김방경의 제4자 김론의 4세손이다. 김달은 원래 경북 대구 도화촌에 거주하였으나 1400년(정조) 1월 제2차 왕자의 난때 함경도 길주로 유배되었다. 그 후손들이 배소를 따라 정착세거 함으로부터 개전의 세거지인 대구를 본관으로 삼았다. 그후 후손이 번창하여 함경도 명천 지방과 평안도 용천 의주 둥지에 거주하면서 많은 문무현신을 배출 하였다. 그러나 계대소목과 곤계관계를 상고할 수 없으므로 평안도에 거주한 계통은 浩堅(호견)을 입만중조(1세)로 하여 세계한 것으로 본다. 이외에 대성을 1세조로 하여 계대하는 함경도계 분파가 있어 3파가 각각 계대하고 있다.

〈행렬표〉

세	행렬자	세	행렬자	세	행렬자
15	弘홍碩석	16	時시志지	17	基기應응
18	湜제潚준會회	19	尙상	20	坤곤一일
21	聖성道도				

德水金氏 (덕수김씨)

시조 및 본관의 유래

시조 金泥(김니)는 부사를 역임했으며 그의 후손들이 덕수에 토착한 사족이어서 본관을 덕수라 하였다.

道康金氏 (도강김씨)

시조 및 본관의 유래

도강김씨는 김알지의 35세손 김희조(도강백 도성부원군)를 1세조로 삼아 계대하고 있다. 시조 김희조는 호를 강성이라 하며 시호는 문효이다. 그는 고려때 문하시중으로 병부상서를 지내고 도성부원군이 되었다. 그러나 도강백을 수봉 하였기에 그 후손들이 도강을 본관으로 삼았다. 고려 신종 기미(1199)에 ·죽었고 향사일은 음3월 상정일이다.

〈행렬표〉

세	행 렬 자	세	행 렬 자
23	士사赫혁	24	欽.흠錫석
25	永영泳영	26	述술柱주柄병
27	煥환燮섭	28	基기奎규在재載재
29	鎬호鉉현鍾종鎭진	30	洙수濟제
31	相상植식杓표桓환	32	熙희炯형
33	載재垌경均균	34	鈺옥鉉현
35	漢한泰태		

東萊金氏 (동래김씨)

시조 및 본관의 유래

시조 金興濤(김흥도)는 조선 중종때 동래 부사로 재직중 기묘사화(1519년)에 화를 입고 안변 지방에 이사하여 은거 생활을 하게 되었다. 그 후손들이 시조가 재임하였던 동래를 본관으로 삼았다.

〈행렬표〉

세	행렬자	세	행렬자	세	행렬자
10	宗종	11	彦언	12	安안
13	鳳봉	14	性성	15	鍾종
16	翰한澈철	17	集집采채		

登州金氏 (등주김씨)

시조 및 본관의 유래

시조 金長生(김장생)은 중국 명나라 한림학사로 래조하여 등주(안변)에 세거하니 그의 후손들이 본관을 등주로 하였다.

〈행렬표〉

茂長金氏 (무장김씨)

시조 및 본관의 유래

무장김씨는 선계를 달리하는 두 계통이 있다. 그중 하나는 가락국 수로왕의 원손인 金璇(김선)이 고려때 충훈한 공으로 장사군에 봉해졌으며 1375년 공민왕이 죽은후 관직을 버리고 장사로 낙향 세거하니 후손들이 본관을 무장이라고 하였다하며 또 다른 계통은 김알지의 후예로 선대의 유적이 상실되어 상계를 밝히지 못함으로 제주목사를 지낸 김자무를 1세조로 하여 계대하고 있다. 그는 사육신 박팽년의 사위로 장인의 피화에 연류하여 황해도 장단에 은거하면서 본관을 무장으로 하였다.

〈행렬표〉

세	행렬자	세	행렬자	세	행렬자	세	행렬자
17	釘 정	18	淇 기	19	楨 정	20	炯 형
21	在 재	22	鎔 용	23	永 영	24	東 동
25	熙 희	26	圻 기	27	銖 수	28	汶 문
29	柱 주	30	薰 훈	31	址 지		

文化金氏 (문화김씨)

시조 및 본관의 유래

시조 金檢達(김검달)은 경주김씨의 후예이나 선세계의 문적이 병화로 실전되어 분파계대가 미상이며 유주(문화의 고호)에 세거하여 후손들은 그를 중조 1세로 세계를 계승하고 본관을 문화라 하고 있다.

〈 행 렬 표 〉

세	행렬자	세	행렬자	세	행렬자	세	행렬자
19	星 성	20	大 대	21	傑 걸	22	炳 병
23	燻 훈	24	鍾 종	25	洙 수		

〈 행 렬 표 〉

세	행렬자	세	행렬자	세	행렬자	세	행렬자
15	珠 주	16	采 채	17	用 용	18	瑞 서
19	麟 린	20	祚 조	21	炳 병	22	國 국

密陽金氏 (밀양김씨)

시조 및 본관의 유래

시조 金承祖(김승조) 〈호: 홍의제 관직: 사직)는 신라 경순왕의 4째 아들안 온설(대안군)의 13세손이다. 그는 고려조에서 1272 년(원종 13) 김방경의 막하장이 되어 삼별초의 난을 평정하는데 공을 세우고 밀성(밀양의 고호)군에 봉해짐으로써 그의 후손들이 본관을 밀양으로 하게 된 것이다. 묘소는 경기도 개성시 용산동에 있으며 매년 3월 20일 송정사에서 제향.

〈 행 렬 표 〉

세	행렬자	세	행렬자	세	행렬자	세	행렬자
23	在 재	24	錫 석	25	洪 홍	26	植 식
27	燦 찬	28	培 배	29	基 기	30	錫 석
31	永 영	32	東 동	33	烈 열	34	基 기
35	鈺 옥	36	洙 수	37	根 근	38	炯 형
39	遠 원	40	圭 규				

白川金氏 (백천김씨)

시조 및 본관의 유래

시조 金善(김선)은 신라 대보대왕 김알지의 후예이다. 그는 조선 성종때 전라좌수사로 있으면서 화를 입어 1476 년(성종 7) 의주로 유배되었다. 그의 후손들이 백천으로 이주 세거하면서 안악김씨에서 분적 그를 시조로 하고 본관을 백천으로 하여 세계를 계승하고 있다. 매년 음 9월 9 일에 향사한다.

保寧金氏 (보령김씨)

시조 및 본관의 유래

시조 金億積(김억적)은 병조정랑을 역임했으며 보령에 세거한 사족으로 후손들이 본관을 보령으로 하여 세계를 계대하고 있다.

扶安金氏 (부안김씨)

시조 및 본관의 유래

부안김씨는 경순왕(부)의 태자 일(鎰)이 국운이 쇠퇴하자 처자를 거느리고 개골산(금강산)에 들어 갔다가 5 대손 경수에 이르러서 비로소 세상에 나와 고려 선종때 문과에 급제 이부상서까지 지냈으며 그의 아들 춘이 부안부원군에 봉해져 본관을 부안으로 하고 일을 시조 경수를 1세조 구를 중조로 계대한다. 중조 구는 자를 차산 호를 지표라 하고 시호는 문정이다. 1211 년(회종 7)에 출생 1278 년(충렬왕 4)에 죽었다. 향사일은 음 10월 1 일 묘소는 전북 부안군 산내면 운산리 지지표에 있다.

〈 행 렬 표 〉

세	행렬자	세	행렬자	세	행렬자	세	행렬자
27	洛 락	28	述 술	29	炯 형	30	喆 철
31	鍾 종	32	源 원	33	秉 병	34	性 성
35	在 재	36	銖 수	37	淳 순	38	根 근

泗川金氏 (사천김씨)

시조 및 본관의 유래

안동김씨에서 분파했다. 시조 金阜(김부)는 고려 공양왕때 사람으로 자는 유돈 시호는 정의이다. 정란 공신으로 사성(사천별호) 부원군에 봉해져 그의 후손들이 본관을 사천으로 하였다.

〈행 렬 표〉

세	행렬자	세	행렬자	세	행렬자	세	행렬자
15	洙 수	16	桓 환	17	烈 열	18	載 재
19	欽 흠	20	洛 락	21	植 식	22	暎 영
23	瑄 선	24	鎬 호	25	漢 한	26	東 동
27	熙 희	28	圭 규	29	鎭 진	30	淙 종
31	杓 포	32	炳 병	33	均 균	34	鐸 탁

三陟金氏(삼척김씨)

시조 및 본관의 유래

시조 金渭翁(김위옹)은 신라 경순왕의 제8자인 추(일선군)의 아들이다. 그는 고려조에서 삼한벽상공신으로 벼슬이 검교사농겸어사부상주국 좌승상에 이르고 실직(삼척) 군왕에 봉해졌다. 그래서 그의 후손들이 본관을 삼척으로 하게되었다. 시조의 묘소는 삼척군 삼척읍 성내리 갈야산에 있으며 향사일은 음 3월 25일이다.

〈행 렬 표〉

세	행렬자	세	행렬자	세	행렬자
26	興 흥	27	鎬호鎭칭	28	源원淑숙
29	榮영植식	30	炯 형	31	壽수基기
32	鎭진鍊련	33	泰 태	34	東동根근
35	炫현煥환	36	在재圭규	37	鎔용錫석
38	洙수洛락	39	楷개極극	40	炳병熙희
41	赫혁喆철	42	鍾종鈺옥	43	淳순澤택
44	相상桂계	45	魯노烈열	46	善선重중
47	錄록鎰일	48	永영漢한	49	桓환來래
50	然연南남	51	埈준均균	52	鏡경鉦정
53	求구溶용				

商山金氏(상산김씨)

시조 및 본관의 유래

시조 김수(金需)는 신라종실(알지계)의 후예로서 고려의 보윤으로 벼슬이 시중에 이르렀으나 그 선계를 고증할 수 없어 후손들이 그를 시조로 하였으며 누대 상주(상산)에 세거하였고 5세비궁이 상산부원군 9세 일이 상락(상주)군 10세 록이 상성군에 봉해져 본관을 상산으로 하였다. 후손들은 경북 상주읍 신봉리 구월산에 시조의 단을 설치 제를 세워 매년 음력 3월 15일에 향사하고 있다. 그리고 고려조에 보문각제학을 지낸 김조를 시조로 하고 본관을 상산으로 하는 씨족이 있는데 김조의 딸이 김수의 9세손 일(상락군)의 처였다고 하니 김수계와는 동본동성이면서 완전한 이족인 것이다. 또 김수계의 선치(락성군파조)의 후손 김효련을 1세조로 하는 파가 있다.

〈행 렬 표〉

(김 수 계)

세	행렬자	세	행렬자	세	행렬자	세	행렬자
27	容 용	28	起 기	29	鎬 호	30	源 원
31	相상秉병	32	熙 희	33	均 균	34	鎭 진
35	淳 순	36	根 근	37	燮 섭	38	壽 수
39	鎔 용	40	漢 한	41	柄 병	42	默 묵
43	仕 새	44	鉉 현	45	永 영	46	秀 수

(김 효 련 계)

세	행렬자	세	행렬자	세	행렬자	세	행렬자
30	五 오	31	海 해	32	鶴 학	33	履 이
34	實 실	35	炳 병	36	星 성	37	俊 준

瑞興金氏 (서흥김씨)

시조 및 본관의 유래

서흥김씨는 김알지의 34세손으로 고려조에 김오위정용중랑장을 지낸 김보를 시조로 한다. 그의 손자인 김천록은 일찌기 상장군으로서 일본정벌에 종군한 공으로 서흥군에 봉해졌다. 그래서 그의 후손들은 본관을 서흥으로 하였다.

〈행렬표〉

세	행렬자	세	행렬자
20	暄훤繼계世세 國국韻운	21	漢한濟제載재 坤곤宗종澤택
22	範범運운德덕 權권白백	23	燮섭奎규修수
24	坤곤東동熙희 昌창基기	25	錫석熙희基기
26	洙수埴식炳병 洛락	27	植식兌태衡형 鍾종模모
28	煥환永영鉉현 燦찬	29	載재秉병沿연 均균
30	鏞용容용鍾종	31	淳순在재洙수
32	模모相상	33	炯형烈열

善山(一善)金氏 (선산일선김씨)

시조 및 본관의 유래

시조 金宣弓(김선궁) 〈시호: 순충〉은 김알지의 30세손이며 문성왕의 8세손이다. 어렸을때 아버지에게 상해를 입힌자의 목을 베고 처벌을 자청하여 투옥된후 조정에 의해 효자라고 석방되어 표창을 받았다. 그는 고려 태조가 후백제를 정벌 할때 선산군에 이르러 모병하였는데 종군할것을 희망하니 태조가 크게 기뻐하여 친히 어궁을 하사하고 선궁이라 사명했다. 그로부터 왕건을 도와 후삼국의 통일에 공을 세워 정란보국공신에 오르고 벼슬이 문하시중에 올랐으므로 그후손들은 그를 시조로 하고 본관을 일선으로 하였는데 조선 태종때 일선이 선산으로 개칭됨에 따라 선산으로 개관했다.

善山金氏 (선산김씨)

시조 및 본관의 유래

시조 金錘(김추)는 김알지의 28세손 경순왕부의 제8자이다. 그는 고려태조의 외손으로 고려조에서 일선(선산의 고호)군에 봉해졌으므로 그의 후손들이 본관을 선산으로 하였다.

〈행렬표〉

세	행렬자	세	행렬자	세	행렬자
17	遠원秉병	18	東동容용	19	黙묵載재
20	教교鎬호	21	祚조承승	22	思사集집
23	九구	24	雨우	25	寧녕
26	誠성	27	記기	28	宰재

雪城金氏 (설성김씨)

시조 및 본관의 유래

시조 金之宣(김지선)은 신라 경순왕의 제5자 김석의 혈손이다. 그는 의성김씨에서 분적한 개성김씨 시조 용주의 증손으로서 설성에 세거하면서 고려때 보문각 대제학을 지내고 가세가 크게 번창 해졌으므로 후손들이 그를 시조(1세)로하고 개성김씨에서 분적 본관을 설성으로 하여 계대하고 있다.

〈행렬표〉

세	행렬자	세	행렬자	세	행렬자	세	행렬자
21	鍾종	22	泰태	23	東동	24	熙희
25	周주	26	鎔용	27	淵연	28	秉병
29	烈열	30	孝효	31	鎬호	32	濟제

33	植 식	34	炳 형	35	基 기	36	鏞 용
37	洙 수	38	榮 영	39	勳 훈	40	瑞 서
41	鉉 현	42	洛 락	43	權 권	44	燦 찬
45	培 배	46	鎭 진	47	淳 순	48	相 상

73	光 광	74	圭 규	75	鎭 진	76	承 승
77	相 상	78	大 대	79	教 교	80	鎬 호
81	潤 윤						

遂安金氏 (수안김씨)

시조 및 본관의 유래

시조 金愃(김선)은 경순왕 부의 4자 대안군 (온설)의 8세손 방경 (상락군)의 장자이다. 고려조에 원충단려안사보정공신으로 벼슬이 부지밀직사사, 전법판서, 상장군에 이르고 수안군에 봉해져서 그의 후손들이 본관을 수안으로 하게 되었다.

〈 행 렬 표 〉

세	행렬자	세	행렬자	세	행렬자
21	壽수圭규	22	鉉현鎔용	23	洛락淳순
24	穆목東동	25	在재址지	26	炯형烋휴
27	鎭진錫석				

水原金氏 (수원김씨)

시조 및 본관의 유래

시조 稟言(품언)은 고려 현종때 충순적덕정란공신으로서 은자광록대부문하시랑평장사태자소보를 지냈으며 계단을 통평한 공에 의해 수성군에 봉해지고 식읍을 하사 받았다. 그래서 후손들이 수성 (수원)에 세거하면서 본관을 수원으로 한 것이다.

〈 행 렬 표 〉

세	행렬자	세	행렬자	세	행렬자	세	행렬자
61	揆 규	62	根 근	63	忠 충	64	成 성
65	康 강	66	求 구	67	秉 병	68	燮 섭
69	中 중	70	欽 흠	71	雨 우	72	東 동

順天金氏 (순천김씨)

시조 및 본관의 유래

시조 金摠(김총)은 신라 종실의 후예이다. 그는 헌안왕때 인가별감으로 많은 공을 세워 평양 (순천의 고호)군에 봉해짐으로써 그 후손들이 본관을 순천으로 하게된 것이다. 시조의 묘소는 전남 승주군 주암면 장촌에 있고 매년 10월 1일에 향사한다.

〈 행 렬 표 〉

세	행렬자	세	행렬자	세	행렬자	세	행렬자
30	碩 석	31	興 흥	32	龜 구	33	俊 준
34	錫 석	35	敏 민	36	禧 회	37	章 장
38	祐 우	39	翼 익	40	鎭 진	41	源 원
42	相 상						

信川金氏 (신천김씨)

시조 및 본관의 유래

시조 金得秋(김득추)의 선계는 신라 종성이다. 그가 황해도 신천으로 옮겨 복거하면서 가세가 번성해졌다. 그래서 후손들이 그를 1세조로하여 본관을 신천으로 하였다.

〈 행 렬 표 〉

세	행렬자	세	행렬자	세	행렬자	세	힝렬자
54	漢 한	55	泌 필	56	承 승	57	鳳 봉
58	鉉 현	59	仁 인	60	明 명		

安東金氏(舊)(안동김씨 (구))

시조 및 본관의 유래

안동김씨(구)는 대보대왕 김알지의 28세손 경순왕(김부)의 손자인 김숙승(평장사)을 시조로 하고 있으며 또한 고려조의 명장으로서 삼별초와 왜구 등을 섬멸하여 정란정국공신으로 벼슬이 도첨의중찬, 판전리사사, 도원수에 이르고 상락군개국공에 봉해진 김방경을 중시조(1세)로 하고 있다. 그리고 시조를 전혀 달리하면서도 본관을 안동으로 하는 김씨가 있기때문에 서로 혼잡을 피하기 위하여 본관을 구안동과 신안동으로 각각 판별하고 있다.

〈 행 렬 표 〉

세	행렬자	세	행렬자	세	행렬자	세	행렬자
21	源 원	22	榮 영	23	默 묵	24	在 재
25	會 회	26	泰 태	27	植 식	28	容 용
29	教 교	30	鍾 종	31	雨 우	32	秉 병
33	熙 희	34	基 기	35	鉉 현	36	洙 수

安東金氏(新)(안동김씨 (신))

시조 및 본관의 유래

시조 金宣平(김선평)은 신라말에 고창(안동의 고호)의 성주로서 후백제의 견훤을 격파한 후 고려 태조 왕건에게 귀부하여 개국공신이되고 벼슬이 대광태사에 이르렀다. 이리하여 그의 후손들은 본관을 안동으로 하였으며 이조 중기에 도정을 지낸 김극효를 중시조로 하고 있다. 그리고 혈연계보와 상계를 상고할 수 없는 지철파, 원수파, 열파 등 3파가 있다. 안동김씨는 본관이 같으면서도 시조를 달리하는 두 계통이 있으므로 신안동, 구안동으로 구별한다.

〈 행 렬 표 〉

세	행렬자	세	행렬자	세	행렬자	세	행렬자
22	淳 순	23	根 근	24	炳 병	25	圭 규
26	鎭 진	27	漢 한	28	東 동	29	顯 현
30	年 년	31	鎰 일	32	求 구	33	模 모
34	然 연	35	培 배	36	銑 선	37	源 원
38	榮 영	39	思 사	40	埈 준	41	善 선
42	澤 택	43	植 식	44	煥 환	45	喆 철

安老金氏(안로김씨)

시조 및 본관의 유래

시조 金之敬(김지경)은 경순왕의 후손이나 상세계가 실전되었으나 누대 안로(나주속현) 지방에 세거한 사족이다.. 그의 원손인 김득장은 호장을 지냈으며 아들 김극순은 대장군을 역임했다. 일선에는 경순왕의 손자 운발(나주김씨 시조)의 후예 또는 호장중윤 우발의 아들이라고도 한다.

安山金氏(안산김씨)

시조 및 본관의 유래

시조 金肯弼(김긍필)은 신라 종실의 후예이며 아들 은부는 고려 성종때 추충수절창국 공신으로 개부의동삼사수 사공상주국에 이르러 안산개국후에 봉해졌으나 그후 세계가 실전되어 상고 할 수 없기때문에 그의 후손인 위를 1세조로 하여 세계를 계승하고 있으며 위의 증손인 정경은 조선조에 태조, 정종, 태종, 세종 4조에 걸쳐 벼슬하였고 추충분의익재좌명공신으로 연성(안산고호)군에 봉해짐으로써 그의 후손들은 본관을 안산으로 하게된 것이다. 시조 긍필의 묘소는 경기도 시흥군에 있다.

〈 행 렬 표 〉

세	행렬자	세	행렬자	세	행렬자	세	행렬자
17	源 원	18	樂 락	19	燮 섭	20	基 기
21	鎭 진	22	濟 제	23	采 채	24	應 응
25	在 재	26	義 의	27	泰 태	28	裁 재

安城金氏 (안·성김씨)

시조 및 본관의 유래

득관조 김재영은 신라 종실의 후예로 진덕여왕 때 백제와의 싸움에서 공을 세워 안성군에 봉작되니 신하에게 군을 봉하는 법으로는 처음이다. 그러나 오랜 세월이 흐름에 따라 세계가 실전되어 고려 고종때에 이르러 시조 김돈을 기일세로 계대하게 되었다. 김돈은 안성군의 후예로 안성현에서 출생 고려 고종때에 문과에 급제 예·부시랑, 한림학사, 김자광록대부 상서좌복사를 역임하였다.

〈 행 렬 표 〉

세	행렬자	세	행렬자	세	행렬자	세	행렬자
21	淳 순	22	相 상	23	炯 형	24	基 기
25	善 선	26	永 영	27	根 근	28	炳 병
29	在 재	30	鍾 종	31	潤 윤	32	東 동
33	熙 희	34	教 교	35	錫 석	36	泰 태
37	植 식	38	然 연	39	奎 규	40	銓 전

安岳金氏 (안악김씨)

시조 및 본관의 유래

시조 金瑩 (김영)은 경주김씨 시조 김은설의 후손이다. 그는 단종조에 봉사직장으로 있으면서 단종을 영월로 호종하고 권신들의 참소로 강화에 유배되었다. 그후 성종때 신원되고 안악군에 봉해졌으므로 후손들이 본관을 안악으로 하여 계대하고 있다.

〈 행렬표 〉

세	행렬자	세	행렬자	세	행렬자	세	행렬자
62	金(변)	63	水(변)	64	木(변)	65	火(변)
66	土(변)	67	金(변)	68	水(변)	69	木(변)
70	火(변)	71	土(변)				

野城金氏 (야성김씨)

시조 및 본관의 유래

시조 金就磷 (김취린)의 선세계는 신라 경순왕의 4자 은설(대안군)의 14세손으로서 그는 고려조에 호장중윤으로 계단이 침범했을때 격퇴한 공으로 시중시랑이 되고 야성군에 봉해졌다. 그래서 그의 후손들이 본관을 야성 (영덕)이라 하였다.

〈 행 렬 표 〉

세	행렬자	세	행렬자	세	행렬자	세	행렬자
27	之 지	28	浩 호	29	東 동	30	熙 희
31	在 재	32	鎭 진				

楊根金氏 (양근김씨)

시조 및 본관의 유래

김알지의 43세손인 시조 金仁賛 (김인찬)의 자는 의지, 호는 의암, 시호는 충민이다. 이태조를 도와 계충분의좌명 일동공신 대광보국숭록대부의 정부좌찬성으로 익화군에 봉해지고 양근을 식읍으로 받음으로써 후손들이 김령김씨에서 분적 그를 1세조로 하고 본관을 양근이라 하여 세계를 계승하고 있다.

〈 행 렬 표 〉

세	행렬자	세	행렬자	세	행렬자
17	泳 영	18	秉 병	19	烈 열

20	在재珍진	21	鍾종錫석	22	洪홍永영
23	植식樂락	24	容용然연	25	圭규採채
26	會회鉉현	27	源원漢한	28	東동桂계
29	燮섭丙병	30	基기教교	31	鎭진
32	海해				

梁山金氏(양산김씨)

시조 및 본관의 유래

시조 金衍(김연)은 고려때 통사사인을 지냈으며 본관의 유래는 미고이다. 다만 그의 손자 김맹을 고려사열전에는 양주 의춘현인이니 조는 연인데 평양에 도거하였다고 하였으니 이 기록으로 보아서 시조부터 양산을 본관으로 사용한 것이다.

〈 행 렬 표 〉

세	행렬자	세	행렬자	세	행렬자
16	斗두	17	淳순	18	權권
19	煥환	20	在재喆철		

楊州金氏(양주김씨)

시조 및 본관의 유래

시조 金元寶(김원보)는 경순왕 부의 제4자 은설(대안군)의 9세손으로 고려 고종때 예부상서 영돈령판추밀부사로 양주백에 봉해졌으므로 그 후손들이 본관을 양주로 하게 되었다. 7세손 남걸(호조판서)이 황해도 서흥으로 낙향 이거하였는데 그의 부인 지식을 기1세로 하는 평양파와 양주백의 8세손 견을 중시조로 계대하는 개천파로 대종을 이루고 있다.

〈 행 렬 표 〉

세	행렬자	세	행렬자	세	행렬자
17	鼎정永영	18	國국採채	19	俊준炯형
20	正정均균				

彦陽金氏(언양김씨)

시조 및 본관의 유래

시조 金鐥(김선)은 대보공 김알지의 28세손 경순왕 부의 제7자이다. 그의 7세손인 就礪(취려)가 고려 고종때 계단군의 침입을 격퇴하고 한순, 다지 둥의 반란을 평정하는 둥 많은 공을 세워 수태위, 중서시랑평장사, 판이부사에 이르러 언양군에 봉해졌다. 그래서 그의 후손들이 본관을 언양으로 한 것이다.

〈 행 렬 표 〉

세	행렬자	세	행렬자	세	행렬자	세	행렬자
22	甲갑	23	九구	24	昺병	25	寧녕
26	成성	27	熙회	28	康강	29	宰재
30	廷정	31	揆규	32	愚우	33	元원
34	會회	35	殷은	36	義의	37	起기
38	庸용	39	新신	40	奎규	41	夏하

延安金氏(연안김씨)

시조 및 본관의 유래

시조 金暹漢(김섬한)의 선계는 김알지의 후손으로 형제(미상)가 왕에게 직간하다가 형은 북빈경(강릉) 아우는 고염성(현연안)으로 각각 유배되었는데 섬한은 연안으로 간 아우의 후손이라고 전할뿐 혈연계보를 상고 할수 없다. 후손들이 그를 시조로 하고 본관을 연안이라 하여 계대하고 있다. 묘소는 실전되고 경남 통영군 도산면 원산리에 설단 매년 10월 13일에 향사한다.

〈행 렬 표 〉

세	행렬자	세	행렬자	세	행렬자	세	행렬자
12	安안	13	男남	14	玉(변)	15	錫석
16	水(변)	17	相상	18	火(변)	19	載재

20	金(변)	21	淵연	22	秀수
23	思사	24	基기變섭	25	鍾종煥환
26	泳영持지	27	柱주銓전	28	性성濟제
29	重중植식	30	鉉현熙희	31	源원在재
32	植식鐽전	33	憲헌淳순	34	圭규東동
25	鎭진	36	澤택	37	根근
38	·熙희	39	培배	40	鈞균
41	澈철	4	杓표	42	恒항

燕州金氏 (연주김씨)

연주는 연기의 별호이며 시조 김준손은 경순왕의 아들 은설의 후손으로 아버지는 턱의은 1454년(단종 2)생이며 자는 자언 호는 주헌이다. 1486 (성종 17) 식년문과에 병과로 급제하고 1506년 9월 중종 반정때 공이 있어 병충의결책 익운정국공신 4등으로 연성군에 봉해졌으며 벼슬이 지중추에 이르렀다.

靈光金氏 (영광김씨)

시조 및 본관의 유래 〈기 1〉

시조 金審言 (김심언) (시호: 문안)은 신라 경순왕의 4째아들 은설의 4세손으로 고려 성종때 문과에 급제 현종때 예부상서내사시랑 평장사를 역임하고 오성군에 봉해져 본관을 영광으로 하여 아들 윤보 손자 극검으로 세계를 이어 오다가 누차의 병화로 문헌이 실전되어 소목계통을 밝히지 못하고 후손 정부(경파) 연(영광파) 태용 (장흥파) 효빈 (무정파) 광찬 (양사파) 교경 (강계파) 중보(용강파) 愼 修 (용강서정파)를 각각 파조 (1세)로 하여 세계를 계승하고 있다.

〈 행 렬 표 〉

세	행렬자	세	행렬자	세	행렬자
18	綱강必필	19	尚상重중	20	昌창錫석
21	曄엽浩호	22	基기秀수	23	鎭진煥환

永山(永同)金氏 (영산영동김씨)

시조 및 본관의 유래

시조 金令貽 (김령이)는 신라 제 31 대왕인 신무왕의 후예이다. 그는 고려조에서 전객사령을 지내고 뒤에 추충동덕보사공신으로 검교도첨의 찬성사에 추증 영산군에 추봉되어있으며 아들 김길원은 공민왕때 판도판서에 이르렀다. 특해흥전적을 토평한 공으로 영산 부원군에 봉해졌다. 그래서 그의 후손들은 본관을 영산으로 하게 된 것이다. 시조의 묘소는 충북 영동군 남기산에 있다.

〈 행 렬 표 〉

세	행렬자	세	행렬자	세	행렬자	세	행렬자
24	洛 락	25	相 상	26	應 응	27	均 균
28	商 상	29	承 승	30	榮 영	31	熙 희
32	敎 교	33	善 선	34	泳 영	35	植 식
36	熏 훈	37	墩 돈	38	欽 흠		

靈山金氏 (영산김씨)

영산은 현재 경남 창령군 속면이다. 시조 김순은 경순왕의 아들 은설의 후손으로 아버지는 석아요 시호는 회헌이다. 1432년(세종 14) 식년문과에 올과로 급제하여 벼슬이 대사헌에 이르렀다. 〈국조방목〉에 시조 김순의 본관이 의성으로 되어 있는 것을보면 아마도 그 후손들이 의성 김씨에서 분적 그를 시조로 하여 본관을 영산으로 한것 같다.

靈巖金氏 (영임김씨)

시조 및 본관의 유래

시조 金淑 (김숙)은 고려 명종때에 호남염찰사로 영암에 침입한 왜적을 토평하는데 유공하여 영암군에 봉해졌다. 그리하여 후손들이 본관을 영암으로 하였다.

〈행렬표〉

세	행렬자	세	행렬자	세	행렬자	세	행렬차
20	鉉 현	21	宗 종	22	珩 형	23	履 이
24	鎰 일	25	永 영	26	權 권	27	光 광

英陽金氏(영양김씨)

시조 및 본관의 유래

영양김씨의 원조 金忠(김충)은 중국 봉양부여남 출신으로서 당조에서 형주자사겸안염사를 지냈는데 당의 외교관으로 일본에 가다가 심한 풍랑을 만나 신라 유린지(금축산)에 표착되었다. 신라 경덕왕이 이를 알고 영양을 식읍으로 하사하고 남씨로 사성하였으며 사후에 영의라 사시하였으니 일신양성이 되었다. 그러나 충의 장자 석중은 구성 김을 쓰게 되었고 영양에 정착세거 하면서 김씨의 혈통을 이어 왔다. 그후 누대가 실전되어 계대를 밝히지 못함으로 그를 원조로 후손 충황(첨의참리, 상호군)을 시조로 하고 본관을 영양으로 하여 세계를 계승하고 있다.

〈행렬표〉

세	행렬자	세	행렬자	세	행렬자	세	행렬자
22	聲 성	23	在 재	24	鉉 현	25	永 영
26	植식述술	27	炳 병	28	瓚 찬	29	鎰 일
30	洛 락	31	東 동	32	思 사	33	載 재

寧越金氏(영월김씨)

시조 및 본관의 유래

시조 金麗生(김려생)은 신라 경순왕의 제8자 추의 후손이다. 그에 대한 연대와 사적은 실전되어 상고 할수 없고 다만 전옥서 봉사를 지내면서 화를 입어 영월로 유배되어 그곳에서 세거하였다

고 전할뿐이다. 그후 세계가 실전되어 소목을 밝히지 못하고 후손 복중이 명천으로 이사하여 살면서 부터 기 1세하고 본관을 조상의 세거지인 영월로 하였다.

〈행렬표〉

세	행렬자	세	행렬자	세	행렬자	세	행렬자
11	時 시	12	常 상	13	八 팔	14	斗 두
15	允 윤	16	銀은河하京경	17	應응龍용珖용		

永川金氏(영천김씨)

시조 및 본관의 유래

영천김씨는 본관을 같이 하면서도 상계의 소목을 밝힐수 없어 1세조를 달리하는 4파가 있다. 경순왕 부의 제3자 명종의 17세손 철일을 1세조로 하는 파와 영천에 세거하다가 온에 이르러 평북 가산으로 이거하면서 조상의 세거지 였던 영천을 본관으로 하여 기 1세하는 파가 있고 경순왕의 후예인 지식을 1세조로 하는 파가 있다. 그리고 김알지의 후예로 검교 한성부윤을 지낸 영장을 1세조로 하는 파가 있는데 후손들이 영천에서 황해도 평산으로 이거하면서 조상의 세거지였던 영천을 본관으로 삼았던 것이다. 영장의 묘소는 황해도 평산군 남천읍 두무리에 있다.

〈행렬표〉

(김 온 계)

세	행렬자	세	행렬자	세	행렬자	세	행렬자
17	燉 돈	18	載 재	19	鏽 용	20	泳 영
21	幹 간						

(김 영 장 계)

세	행렬자	세	행렬자	세	행렬자	세	행렬자
11	坤 곤	12	應 응	13	周 주	14	根 근
15	炳 병	16	範 범					

寧海金氏 (영해김씨)

시조 및 본관의 유래

시조 金億敏(김억민)은 신라 경순왕의 4째 아들 은설의 14세손이며 고려말에 중랑장을 지내고 조선개국에 공을 세워 개국공신으로 안동군에 봉해진 김철의 손자이다. 그는 진사시에 합격한 후 병조정랑을 거쳐 영해부사를 역임함으로써 그의 후손들이 본관을 영해로 하게된 것이다. 묘소는 함경북도 학성군 학남면 금산동 동막촌 사율포산에 있다.

〈 행 렬 표 〉

세	행 렬 자	세	행 렬 자
12	英영玉옥	13	源원恒항權권
14	垕후基기	15	鏞용龍용弼필錫석
16	洪홍成성國국福복	17	根근興흥
18	煐	19	相상

禮安金氏 (예안김씨)

시조 및 본관의 유래

시조 金尙(김상)은 고려조의 호장이며 예안에 세거한 사족으로 그의 후손들이 본관을 예안이라 하였다.

〈 행 렬 표 〉

세	행 렬 자	세	행 렬 자
29	默묵杰걸光광必필	30	基기在재中중坤곤
31	鍾종九구兌태錘추	32	求구淵연濡유濩확
33	根근林임模모寅인	34	炳병薰훈熙희昌창
35	均균培배載재淳순	36	錫석鐸탁銑선鎰일
37	河하泰태洛락澤택	38	柄병桓환柔유樞추
39	思사時시忠충憲헌	40	埴황壎상埼육壎훈

烏川金氏 (오천김씨)

시조 및 본관의 유래

시조 金叙興(김서흥)은 경순왕의 제2자 황의 7세손으로 고려 인종때 문림랑 예빈승동정을 지내고 오천군에 봉해졌으며 그의 4세손 예직이 고려 원종때 공을 세워 오천군에 봉해졌으므로 분적하여 본관을 오천이라 하여 계대를 계승하고 있다. 묘소는 경기도 장단군 선거산에 있다.

〈 행 렬 표 〉

세	행렬자	세	행렬자	세	행렬자	세	행렬자
14	應응	15	源원	16	東동	17	熙희
18	在재	19	銖수	20	泳영	21	植식
22	烈열	23	圭규				

龍宮金氏 (용궁김씨)

시조 및 본관의 유래

시조 金存中(김존중)의 호는 지암 시호는 정열이다. 고려 인종때 문명이 널리 알려져 태자시학이 되고 문과에 급제한후 첨사부록사가 되었다. 의종이 즉위한뒤 기거주 보문각동제거를 거쳐 태자소보에 이르러 용궁군에 봉해졌고 뒤에 수충내보동덕공신으로 이부상서 수문전태학사 정당문학에 추증되었다. 그래서 그의 후손들이 본관을 용궁으로 하였다.

〈 행 렬 표 〉

세	행 렬 자	세	행 렬 자
14	景경基기奎기	15	萬만鉉현
16	尙상雨우	17	致치東동
18	世세烈열	19	宅택孝효
20	瑞서鏞용	21	永영泰태
22	植식權권來래	23	炳병烘홍榮영

24	基기圭규培배	25	鎭진鍾종鉉현錫석
26	雨우浩호澤택	27	東동相상

龍潭金氏(용담김씨)

시조 및 본관의 유래

시조 金順瑞(김순서)는 수원김씨의 시조 김품언의 제4자로 고려조에 예부랑을 지냈다. 그의 후손인 김덕생은 이태조의 원종공신으로 병조참의를 역임 그가 명천으로 낙향하여 세거하면서부터 후손들이 명천, 길주, 경성등에 많이 정착 세거하였다.

〈 행 렬 표 〉

세	행렬자	세	행렬세	세	행렬자	세	행렬자
15	商 상	16	斗 두	17	植 식	18	昌 창
19	榮 영	20	鍾 종				

牛峰金氏(우봉김씨)

시조 및 본관의 유래

중조 金澳(김욱)은 신라 경순왕의 제3자 명종의 아들이다. 그는 고려 성종때 시어사로 군공을 세워 수지의후에 봉해지고 다시 우음(우봉의 고호)군에 봉해졌으므로 그 후손들이 본관을 우봉이라 하고 시조(득성조)김알지 중시조(분파조)김명종 중조(관행조)욱으로 하여 계세하고 있다. 다른 일설에는 욱의 5세손 원길이 고려 원종때 도위로 공을 세워 우봉군에 봉해졌으므로 그를 관향조라고도 한다.

〈 행 렬 표 〉

세	행렬자	세	행렬자	세	행렬자	세	행렬자
62	相 상	63	炯 형	64	基 기	65	鎭 진
66	泰 태	67	杓 표	68	炅 경	69	埰 채
70	鎮 영	71	濟 제				

蔚山金氏(울산김씨)

시조 및 본관의 유래

시조 金德摯(김덕예)는 신라 경순왕의 아들이다. 935년에 아버지인 경순왕이 고려 태조에게 투항하려 할때 이를 극력 간하였으나 뜻을 이루지 못하자 처자를 버리고 마의태자를 따라 개골산에 들어갔다고도 하나 그의 행방에 대해 자세하지 않다. 그의 14세손인 환은 고려조에서 벼슬이 삼중대광영도첨의사에 이르고 학성(울산)군에 봉해짐으로서 그의 후손들이 본관을 울산으로 하게 되었다.

〈 행 렬 표 〉

세	행렬자	세	행렬자	세	행렬자	세	행렬자
32	煥 환	33	堯 요	34	中 중	35	洙 수
36	相 상	37	炳 병	38	裁 재	39	九 구

熊川金氏(웅천김씨)

시조 및 본관의 유래

신라말 견훤이 후고구려를 침범하자 웅천김씨의 시조 웅신백이 격퇴했다. 그 공으로 웅신(웅천)현을 식읍으로 하사받아 그 후손들이 그 곳에 세거하였다. 그러나 병화로 인해 선계에 대한 문헌이 소진되어 시조의 이름이 전하지 않고 있으며 다만 김중재의 기록만이 남아있어 그를 1세로 세계를 계승하여 본관을 웅천으로 삼았다. 그는 관직이 수의부위에 올랐으며 묘소는 개성 龍岫山에 있다.

〈 행 렬 표 〉

세	행렬자	세	행렬자	세	행렬자	세	행렬자
15	勳 훈	16	均 균	17	鍾 종	18	淳 순
19	林 임	20	烈 열	21	圭 규		

原州(原城)金氏(원주·원성김씨)

시조 및 본관의 유래

시조 金巨(김거)는 김알지의 37세손으로 그는 고려 의종때 이부상서를 거쳐 지추밀원사, 판삼사사, 지문하성사, 호부상서 등을 역임하고 원성(원주의 고호) 백에 봉해짐으로서 후손들이 본관을 원주로하게 된 것이다.

〈 행 렬 표 〉

세	행렬자	세	행렬자	세	행렬자
17	遇우	18	鳳봉	19	英
20	行행	21	成성	22	基기起기
23	鎬호光광	24	泳영達달	25	植식鳳봉
26	炳병英영	27	培배行행	28	鍾종成성
29	淵연	30	相상	31	燮섭
32	重중				

月城金氏(월·성김씨)

시조 및 본관의 유래

월성김씨는 경순왕의 후예로서 계대를 달리하는 두계통이 있다. 그중 한계통은 경순왕의 3자 명종(영분공)의 17세손인 이진을 1세조로 하는 파가 있고 역시 경순왕의 4자 은설(대안군)의 15세손인 광우를 1세조로 하여 계대를 이어왔는데 월성(경주의 고호)에서 세거하던 사족이었다. 그는 세종때 덕천군수로 있으면서 조정에 직간하나가 싱천으로 유배되어 그곳에 세거하였는데 후손들이 조상의 록고지인 월성을 본관으로 하고 있다.

〈 행 렬 표 〉

세	행렬자	세	행렬자	세	행렬자	세	행렬자
46	灌관	47	秀수	48	希희	49	世세

50	應응	51	諧해	52	宇우	53	是시
54	汝여	55	慶경	56	萬만	57	載재
58	東동	59	洪홍	60	玟민	61	河하
62	濟제	63	柱주	64	炳병	65	基기
66	鎭진	67	源원	68	模모	69	煥환
70	圭규	71	錫석	72	淳순	73	榮영

殷栗金氏(은율김씨)

시조 및 본관의 유래

시조 金尙銅(김상동)은 조선 명종때 사직으로 누차 시정을 간하다가 은율로 유배되었다. 사면이 되어 환경하는 도중에 해상의 풍랑으로 서북지방 정주로 표류되어 다시 출사하지 못하고 정주에 정착세거 하였으며 본관을 은율이라 하였다. 묘소는 평북 정주군 입표면 삼대산봉에 있다.

恩津金氏(은진김씨)

시조 김전개의 자는 백윤이요 아버지는 사원이다. 1553년(명종8) 별시 문과에 을과로 급제하고 벼슬이 판관에 이르렀다. 평복 박천군 용계면 고창동에 36호가 살고 있다.

義城金氏(의성김씨)

시조 및 본관의 유래

의성김씨의 시조 錫(석)은 김알지의 28세손인 경순왕 부의 제5자이다. 그는 고려 태조의 외손으로 의성군에 봉해졌기 때문에 그의 자손이 본관을 의성으로 삼게 된 것이다. 부의 몇째 아들인가에 대해서는 약간의 이설이 있다. 1974년 5월에 간행된 의성김씨 청계공파세적〈경사유방〉에는 제4자로 기록되어 있고 다른 문헌에는 제5자로 되어 있는데 여기서는 제5자로 기록하였다.

〈 행 렬 표 〉

세	행 렬 자
31	洛락永영浩호泳영淵연漢한
32	模모秉병東동植식林임相상
33	煥환衡형大대燮섭昌창魯노
34	時시奎규達달在재聲성重중
35	鍾종鎬호鏞용銖수善선熙희鉉현
36	洙수源원澤택泰태淳순河하
37	權권穆목根근來래稷직榮영
38	憲헌燁엽炯형勳훈熙희德덕應덕
39	圭규赫혁珪규周주裁재垠은
40	鍵건鈺옥鎰일銓전鍊련
41	溶용濟제海해浚준洪홍
42	柄병禎정和화秀수彬빈
43	榮영炳병燁엽文문道도
44	建건培배均균達달中중

伊川金氏(이천김씨)

시조 및 본관의 유래

시조 金順傑(김순걸)의 세계와 사적은 미상이다. 아들 춘과 언남은 통정으로 이천에 토착한 사족이다. 그래서 후손들이 본관을 이천으로 하여 세계를 계대하고 있는 것이다.

〈 행 렬 표 〉

세	행렬자	세	행렬자	세	행렬자	세	행렬자
10	致치	11	心심	12	鳳봉	13	珏옥
14	斗두	15	洙수						

義州金氏(의주김씨)

시조가 구산군 김성잡으로 되어 있을뿐 계대를 상고할 수 없을뿐 더러 시조의 생존 연대도 미상

이다. 다만 1930 년의 조사에 의하면 그 후손들이 경북 안동군 임하면 천전동에 1백여호가 살고 있다.

長淵金氏(장연김씨)

시조 김정신은 경순왕의 후손으로 시호는 문정이다. 1047 년(고려문종 1) 문과에 장원하고 벼슬이 시중에 이르렀다. 1930 년 국세조사에 의하면 그 후손들이 평남 대동군 청용면 삼합리에 22 호 평북 정주군에 62호 평북 선천군 수청면 고읍동에 23 호가 살고 있다.

積城金氏(적성김씨)

적성은 경기도 파주군의 속면이다. 시조 김상환의 자는 문원이며 1636 년 (인조 14) 생으로 평양에서 살았다. 아버지는 몽입으로 그는 1669 년(현종 10) 년식문과에 병과로 급제하고 벼슬이 감찰에 이르렀다. 1930 년 조사에 의하면 그 후손들은 평북 평원군 공덕면 송매리에 21 호 평북 의주시 탑산동에 10 호가 살고 있다.

全州金氏(전주김씨)

시조 및 본관의 유래

시조 金台瑞(김태서)는 경순왕의 9세손(경순왕 4 자 은설의 8세손)으로 경주김씨와 동원이다. 1254 년(고려 고종 41)몽고의 침입으로 식읍 경주를 버리고 전주로 이주하였다. 그는 삼사수태위 추밀원부사, 상장군, 이부상서, 문하시랑평장사, 보문각, 대제학 등의 벼슬을 역임하였으며 전주(완산)군으로 봉해졌기 때문에 그의 후손들이 본관을 전주로 삼은 것이다. 그는 1257 년(고종 44) 6월에 죽었으며 시호는 문장이다. 묘소는 전북 완주군 구이면 원기리에 있다.

세	행 렬 자
28	永영琪기洛 락麗려若약
29	喜희俊준澤택鉉현甲갑
30	稷직承승鳳봉益익冕원
31	淳순炳병坤곤致치奎규
32	洛락均균聖성錫석
33	鎭진政정郁욱

貞州金氏(정주김씨)

시조 및 본관의 유래

시조 金守(김수)의 선세대와 사적은 병화로 인해 문적이 소진되어 미상하나 누대를 정주 (개성의 고호) 풍덕에 정착세거하면서 1785 년(을사) 1828 년(무자) 1939 (기묘)에 세보를 개간하였다. 관적을 얻은 년대는 미상하나 후손들이 세거지인 정주를 본관으로 하고 있다.

〈 행 렬 표 〉

세	행렬자	세	행렬자	세	행렬자	세	행렬자
15	烈열	16	基기	17	鍾종	18	洪홍
19	楨정	20	炳병	21	坤곤	22	鎭진
23	淵연	24	柱주				

珍島金氏(진도김씨)

시조 및 본관의 유래

시조 金國償(김구빈)고려때 군정사에 이르렀으며 그의 후손들이 진도에 토착세거 함으로써 본관을 진도라고 하였다.

〈 행 렬 표 〉

세	행렬자	세	행렬자	세	행렬자	세	행렬자
46	永영	47	守수	48	福복	49	春춘

50	宗종	51	元원	52	鳳봉	53	聖성
54	恒항	55	鼎정	56	聲성	57	坤곤
58	錫석	59	河하				

振威金氏(진위김씨)

시조 김기문은 礦 의 아들로 1535 년(중종 30)생이며 자는 금숙이다. 1567 년(명종 22) 식년문과에 병과로 급제하고 명천현감을 지냈다. 1930 년의 조사에 의하면 그 후손들이 함남 단천군 수하면 하운승리에 36 호 함남 단천군 북두일면 대흥리, 신덕리, 용천리에 47 호가 살고 있다.

鎭岑金氏(진음김씨)

시조 및 본관의 유래

중조 김극복은 신라 경순왕의 후예로 그의 선조가 국가에 유공하여 진음군에 봉해졌으므로 본관을 진음이라하여 분적하였는데 누차의 병화로 선대의 문헌과 유적이 상실되어 계대를 밝히지 못하고 세종때 통정대부로 도승지를 지낸 김극복(자 호경)을 중조로 하고 소목이 확실한 김회로 부터 기 1세하여 계승한다.

〈 행 렬 표 〉

세	행렬자	세	행렬자	세	행렬자
15	鎬호錫석	16	淵연淳순	17	秉병東동
18	熙희煜욱	19	在재時시	20	鉉현鎔용
21	治치泰태	22	柱주根근	23	燦찬勳훈
24	基기培배				

晋州金氏(진주김씨)

시조 및 본관의 유래

진주김씨는 시조를 달리하는 두계가 있다. 한

계통은 김알지의 28세손 경순왕 8자인 추를 시조로 하여 세계를 이어오고 있는데 그는 고려초에 진성군(진주의 고호)에 봉해졌으므로 후손들이 본관을 진주로 하고 있다. 그리고 가락국 김수로왕의 13세손 김유신 장군의 2째아들인 원술을 시조로 하여 세계를 이어오고 있는데 그는 672년(문무왕 12) 당군과 싸움에서 패하자 왕명을 욕되게 하고 가훈을 더럽힌 죄로 부모에게 버림을 받고 태백산에 웅거하였다. 뒤에 매소성(양주) 싸움에 당군을 대파 많은 공을 세우고 표상을 받았으나 부모에게 용서받지 못한 것을 한탄하며 끝내 벼슬에 나가지 않고 진주에 살았으므로 그의 후손들은 본관을 진주로 하였다.

鎭川金氏(진천김씨)

시조 및 본관의 유래

시조 金斯革(김사혁)은 강릉김씨에서 분적되었다. 그는 1320년 1월 16일 진천에서 출생했으며 자는 문위 호는 절정 시호는 충절이다. 1359년(고려 공민왕) 동북면행영병마부사가 되었고 1379 에는 판추밀원사가 되었다. 양광도상원수로 있을때 공훈으로 병부상서 판추밀원사겸 익위공신지문하부사가 되었다. 1382년 12월 20 그가 죽자 충북 진천군 백곡면 와곡에 장례 했다. 그래서 후손들이 진천에 세거하면서 본관을 진천으로 하였다.

〈 행 렬 표 〉

세	행렬자		세	행렬자		세	행렬자		세	행렬자	
37	振	진	38	起	기	39	南	남	40	來	래
41	東	동	42	猷	유	43	成	성	44	玄	현
45	元	원	46	世	세	47	鎬	호	48	泰	태
49	模	모	50	炳	병	51	在	재	52	鎔	용
53	萬	만	54	九		55	命	명	56	寧	녕
57	茂	무	58	紀	기	59	庚	유	60	宰	재

昌原金氏(창원김씨)

시조 및 본관의 유래

시조 金乙軫(김을진)은 신라 경순왕의 18세손으로 초명은 광준이다. 벼슬은 금자광록대부태자첨사를 지냈고 홍건족을 토벌한데 유공하여 회원(창원의 고호)군에 봉해짐으로써 그의 후손들은 본관을 창원으로 하였다.

〈 행 렬 표 〉

(전 북 부 안)

세	행렬자		세	행렬자		세	행렬자		세	행렬자	
	洛	락		植	식		炳	병		吉	길
	鍾	종		浩	호		相	상		烈	열
	在	재		鎰	일		漢	한		述	술

(경 북 상 주)

세	행렬자		세	행렬자		세	행렬자		세	행렬자	
	泰	태		榮	영		炫	현		奎	규
	鎭	진		洛	락		根	근		炯	형

昌平金氏(창평김씨)

시조 및 본관의 유래

시조 金錫奎(김석규)는 조선초기에 창평에 토착한 사족으로서 주부를 지냈다. 그리하여 창평에 세거하게 된 후손들이 창평을 본관으로 세계를 계대하고 있다.

〈 행 렬 표 〉

세	행렬자		세	행렬자		세	행렬자		세	행렬자	
23	儒	유	24	緖	서	25	敏	민	26	憲	헌
27	啓	계	28	範	범	29	載	재	30	行	행
31	建	건	32	聖	성	33	奎	규	34	善	선
35	源	원	36	植	식	37	熙	회	38	基	길

39	鎭진鎬호	40	洙수	41	秉병
42	列열裕유				

清道金氏(청도김씨)

시조 및 본관의 유래

시조 金之岱(김산대)는 1219년(고종6)문과에 급제하고 보문각교감, 진주목사, 경상도 안찰사, 정당문학, 이부상서를 거쳐 금자광록대부 중서시랑평장사를 지내고 오산(청도 고호)군에 봉해졌기 때문에 후손들이 본관을 청도라 하였다. 시호는 영헌이며 묘소는 경북 청도군 청도읍에 있다.

〈 행 렬 표 〉

세	행 렬 자	세	행 렬 자
21	萬만	22	熙희
23	時시	24	鎭진
25	浩호承승	26	載재在재植식東동
27	善선鎭진燦찬昌창	28	永영潤윤勳훈
29	植식鍾종	30	丙병大대淳순
31	基기純순相상秉병	32	鍾종魯노杰걸
33	淳순恭공在재	34	東동程정鉉현
35	燮섭	36	喜희

清州金氏(청주김씨)

시조 및 본관의 유래

청주김씨는 본관을 같이 하면서 시조를 달리하는 3계통이 있다. 이를 계통별로 분류하면 그중 한 계통은 김알지의 원손 성을 다른 한 계통은 김방경의 6세손 하통을 또 다른 한 계통은 신라 경순왕의 제 7자 김선의 15세손 사지를 각각 시조로 하고 있다. ① 김정계의 세보에 의하면 시조 김정은 신라 경순왕의 제 6자로서 공이 있어 청주군에 봉해지고 청주를 식읍으로 받았으므로 후손들이 본관을 청주로 하였다고 한다. ②

시조 김하통의 아버지 사의는 고려말에 벼슬하다가 이성계가 개국하자 절의를 지켜 조선에 벼슬하지 않고 청주에 온거하였다. 그후 하통이 함경도 함흥으로 이거하여 세거함으로써 후손들이 조상의 원주지 청주를 본관으로 하고 하통을 시조로 하여 세계를 계승하고 있다. ③ 시조 김사지는 청주에 도착한 사족의 후예로 문과에 급제 좌랑, 전적을 거쳐 연산군때 참의에 이르렀는데 1498년(연산군 4) 무오사화때 함경도 홍원으로 유배되어 그곳에 세거하면서 조상의 세거지 청주를 본관으로 하였다 한다.

〈 행 렬 표 〉

(김 정 계)

세	행렬자	세	행렬자	세	행렬자	세	행렬자
32	元원	33	亨형	34	利이	35	貞정
36	仁인	37	義의	38	礼예	39	智지

(김 하 통 계)

세	행렬자	세	행렬자	세	행렬자
57	斗두烈열	58	鍾종敎교	59	求구鎬호
60	禎정永영	61	容용集집	62	時시熙희
63	鉉현均균	64	河하善선		

(김 사 지 계)

세	행렬자	세	행렬자	세	행렬자	세	행렬자
11	遠원	12	大대	13	行행	14	彦언
15	圭규	16	鍾종	17	在재		

清風金氏(청풍김씨)

시조 및 본관의 유래

金大猷(김대유)는 김알지의 45세손이며 신라 경순왕의 아들 김은설의 장자 김정구의 17세손이다. 그는 고려조에 벼슬이 문하시중에 이르렀고 청성(청풍) 부원군에 봉해졌으므로 그의 후손들이 본관을 청풍으로 하게 되었다. 묘소는 충북 제천군 청풍면 백사에 있다.

〈 행 렬 표 〉

세	행렬자	세	행렬자	세	행렬자	세	행렬자
26	周 주	27	九 구	28	昞 병	29	寧 녕
30	成 성	31	紀 기	32	庸 용	33	宰 재
34	重 중	35	揆 규					

春陽金氏(춘양김씨)

춘양은 안동속현이다〈조선씨족 통보〉나〈전고대방〉등 제문헌에는 고려 총선왕때의 공신으로 첨의중찬을 지낸 김이가 시조라 하였을뿐 그 선계나 후계에 대해선 언급된바가 없다. 시조 김이의 초명은 지정 또는 정미며 자는 열심, 온지, 시호는 광정이다. 그는 나이 불과 10여세에 도평의사서이가되고 1288년(충렬왕14) 23세의 젊은 몸으로 장흥부수령이 되었다. 1290년 합단이 침공하였을때 조정에서 농사를 짓지말고 요충지에서 방위에 주력하라는 명이 내려졌는데도 이를 어기고 부민에게 농사를 짓게 하여 인근 주군까지 굶주림을 면케 하였다. 1298년에는 충선왕을 시종하여 원나라에 들어갔었고 왕의 부자를 이간 시키려는 간신배를 제거하는데 공이 컸다. 1313년(충선왕5) 지밀직사사를 거쳐 첨의평리에 수성보절공신이 되고 1320년 찬성사에 경산군으로 봉해졌으며 1326년 첨의정승에 올랐다가 이듬해 중찬이 되고 추충보절동덕공신이 더해졌다. 그는 1265년(원종6)에 나서 1327년에 죽었다.

忠州金氏(충주김씨)

시조 및 본관의 유래

시조 金南吉(김남길)의 상계연대 및 문헌이 실전되어 상고 할수 없고 다만 그가 국가에 유공하여 충원(충주 고호)군에 봉해졌다는 사실만 전할

뿐이다. 그의 후손 종해의 4세손 영익이 절충장군행용양위부호군을 지내고 한성에서 황해도 백천으로 이주한 후 남길을 시조로 종해를 1세조로 하고 본관을 충주로 하여 세계를 계승하고 있다.

〈 행 렬 표 〉

세	행렬자	세	행렬자	세	행렬자	세	행렬자
13	熙 회	14	培 배	15	鎭 진	16	源 원
17	東 동	18	煥 환	19	達 달	20	鎬 호
21	潤 윤	22	相 상	23	炳 병	24	圭 규
25	鍾 종	26	河 하	27	桂 계	28	烈 열
29	基 기	30	鎔 용	31	洪 홍	32	柱 주

漆原金氏(칠원김씨)

시조 및 본관의 유래

시조 金永哲(김영철)은 칠원에 도착해 살던 사사족으로 문과에 급제하여 호조참판 등을 역임했다. 그래서 그의 후손들이 칠원에 세거하면서 본관을 칠원이라고 하고 그를 시조로 계대하고 있는 것이다.

〈 행 렬 표 〉

세	행렬자	세	행렬자	세	행렬자	세	행렬자
16	興 흥	17	鎭 진	18	徹 철	19	栢 백
20	烈 열	21	圭 규	22	鏞 용	23	準 준

太原金氏(태원김씨)

시조 및 본관의 유래

시조 金學曾(김학증)은 명나라 신종때 복건성 도어사로 요동에서 공을 세워 한림태원백에 봉해졌다. 그의 아들 평은 기주태원 사람으로 한림시강을 역임하고 명나라가 망한후 1626년 우리나라 김해 대종산 아래로 이주하여 정착세거 하였다. 이후 후손들이 본관을 태원이라고 하였다. 숙

종때 호조참판을 추증 하였다.

〈 행렬표 〉

세	행렬자	세	행렬자	세	행렬자
11	相상榮영	12	煥환炯형	13	圭규在재
14	鍾중鉉현	15	泳영澤택	16	東동穆목
17	炳병熙희	18	基기珣순		

通川金氏 (통천김씨)

시조 및 본관의 유래

시조 金較(김교)는 경순왕 부의 장자 일(마의 태자)의 후손으로 고려 광종때 통천군에 봉해졌으므로 그의 후손들이 본관을 통천으로 하였다. 그리고 그의 12세손 원동을 1세조로 하여 계대를 하는 파도 있다.

〈 행렬표 〉

세	행렬자	세	행렬자	세	행렬자	세	행렬자
15	基 기	16	昌 창	17	源 원	18	柄 병
19	煥 환	20	重 중	21	鉉 현		

坡平金氏 (파평김씨)

시조 및 본관의 유래

시조 金長壽(김장수)의 호는 포제 시호는 충간 이라 한다. 그는 경술의 일인자로 고려 공민왕때에 홍건적을 격퇴한 공으로 상장군에 승진되고 1363년 김용의 난이 일어나자 이를 평정하려다 순국했다. 평정후 충절로 일등공신파평군에 추봉되었다. 그래서 후손들은 본관을 파평으로 하고 있다.

〈 행렬표 〉

세	행렬자	세	행렬자	세	행렬자	세	행렬자
23	鉉 현	24	泳 영	25	模 모	26	燦 찬
27	基 기	28	鍾 종	29	源 원	30	相 상

平壤金氏 (평양김씨)

시조 김려하는 1411 (태종11) 식년 문과에 급제하고 서천군수를 지냈다. 1930년조사에 의하면 그 후손들이 강원도 철원군 근북면 유곡리에 20여호가 살고 있는 것으로 밝혀졌으나 그 세계는 상고할 길이 없다.

平海金氏 (평해김씨)

시조 김맹철은 준례의 아들로 호는 지지이다. 1466년(세조12) 강원도 고성별시에 삼등으로 급제하고 판관에 이르렀다. 일설에 경순왕의 후손(세계 미상) 숙흥을 시조라고도 하는데 상고할 길이 없다.

豊基金氏 (풍기김씨)

시조 및 본관의 유래

시조 金崇元(김숭원)의 선세계는 풍기에 세거한 호족이었다. 그의 호는 입석이며 벼슬은 가선대부, 한성부우윤겸, 오위도총부부총관을 역임했다. 벽동으로 낙향하여 사족으로 정착세거 하면서 전향지인 풍기를 본관으로 하였다. 묘소는 평북 벽동군 가별면 별하동에 있다.

豊德金氏 (풍덕김씨)

시조 金于昷(김우앙)은 고려 공민왕때 선공서령을 지냈다. 1930녀도 국세조사에 의하면 평남 평원군 용호면 연교리에 30호 평남 평원군해소면 승정리에 16호 함남 고원군 상산면 도내리 16호가 살고 있다.

豊山金氏 (풍산김씨)

시조 및 본관의 유래

시조 金文迪(김문적)은 신라 시조왕 김알지의 후예로 그의 선계는 문헌이 유실되어 상고 할 수 없으나 그가 풍산현(연가부의서현 현안동군) 에 시거하면서 고려조에 벼슬을 하였고 공을 세워좌리공신으로 판사사에 올랐으며 풍산백에 봉해졌으므로 후손들이 그를 시조로 하여 기세하고 본관을 풍산이라 하였다.

〈 행 렬 표 〉

세	행렬자	세	행렬자	세	행렬자
21	相상	22	宗종	23	重중
24	奎규欽흠	25	洛락	26	秉병秀수
27	燮섭	28	在載재裁재	29	鉉현
30	淵연	31	東동柱주	32	煥환

河陰金氏 (하음김씨)

시조 및 본관의 유래

하음김씨는 시조를 달리하는 두 계통이 있다. 한 계통은 하음(강화의 고호)에 세거한 사족으로 문과에 급제하여 벼슬이 공조판서에 이른 김희정을 1세로 하는 계통이 있고 또 다른 계통은 경순왕의 제 4 자 은설(대안군)의 후예인 김효일을 1세조로 하는 계통이 있다.

〈 행 렬 표 〉

세	행렬자	세	행렬자	세	행렬자	세	행렬자
13	元원	14	昌창	15	鎬호	16	植식
17	炳병						

咸昌金氏 (함창김씨)

시조 및 본관의 유래

시조 고령가야왕은 41년 김해부 구지봉에서 수로왕과 함께 금합에서 태어났다 하여 김씨가 되었으며 고령가야국은 지금의 함창이기 때문에 그의 후손들이 시조의 발상지라 하여 본관을 함창이라 하게 된것이다. 그러나 이후 세계를 상고

할수 없으므로 후손인 종제(덕원군)을 중시조로 하고 있으며 그후 세순(의산군)을 1세조로 하는 파 균(검교소감어사)을 1세조로 하는 파동 양파로 나뉘어 있으며 경순왕의 후손인 김선을 시조로 하는 계통이 있다.

〈 행 렬 표 〉

세	행렬자	세	행렬자	세	행렬자
25	汝여	26	相상	27	榮영烈열
28	遠원泰태	29	錫석夏하	30	洙수 一일
31	東동植식	32	容용俊준	33	在재中중
34	欽흠瑞서	35	承승源원		

海州金氏 (해주김씨)

시조 및 본관의 유래

중조(1세) 金孟(김맹)의 선세계는 신라 경순왕의 후손이다. 6 대조 金巚은 병조판서로 남한산성 축성때 화를 입어 해주로 유배되었는데 그때 후손들이 해주로 이사하여 정착세거 하였다. 그러다가 안국의 6 세손인 맹이 다시 평안도로 이주하여 정착하면서 세계를 계승하여 본관을 해주로 하였다. 그리고 또 한계통은 고려말기에 좌사간을 지낸 김사겸(호 노은)을 원조로 하고 전라도사를 지낸 김문동을 중조로하여 기 1 세로 승습하고 있는 계통이 있다.

〈 행 렬 표 〉

(김 문 동 계)

세	행렬자	세	행렬자	세	행렬자	세	행렬자
19	鍾종	20	洛락	21	柱주	22	炳병
23	在재	24	鎭진				

(김 맹 계)

세	행렬자	세	행렬자	세	행렬자
66	植식勳훈	67	炳병坤곤	68	厚후鎬호
69	鎭진泳영	70	濬준根근	71	相상炳병
72	烈열燻훈	73	基기錫석	74	銖수源원
75	永영相상	76	柱주杰걸		

海平金氏(해평김씨)

시조 및 본관의 유래

시조 金萱述(김훤술)시호 장열은 고려 태조때의 개국공신으로 시중이 되었으며 해평군에 봉해졌다. 그리고 원손인 김수가 조선왕조때 예조판서로 해평군에 봉해짐으로써 후손들이 본관을 해평(선산의 고호)이라하고 태를 1세조로 하여 계대하고 있다.

〈행 렬 표〉

세	행렬자	세	행렬자	세	행렬자	세	행렬자
25	錫 석	26	永 영	27	在 재	28	顯 현
29	禧 희	30	鎭 진				

海豊金氏(해풍김씨)

시조 및 본관의 유래

시조 金崇善(김숭선)은 고려조에서 벼슬이 예부상서에 이르렀고 해풍부원군에 봉해짐으로써 그의 후손들이 본관을 해풍으로 하게 되었다. 또한 동원 가운데 덕수, 정주 등을 본관으로 쓰는데도 있다.

〈행 렬 표〉

세	행렬자	세	행렬자	세	행렬자	세	행렬자
10	然 연	11	圭 규	12	鎭 진	13	溶 용

14	植 식	15	熙 희	16	在 재	19	鍾 종
18	漢 한	19	植 식				

洪州金氏(홍주김씨)

시조 및 본관의 유래

시조 金仁義(김인의)는 신라 경순왕의 제6자 김건의 후손으로 선세계는 문헌이 유실되어 소목계통을 밝히지 못하나 홍천에서 세거하던 사족이다. 그가 덕천군수가 되어 임지로 갈때 자손들이 따라가서 용천과 철산에 정착세거 하면서 조상의 록고지인 홍주를 본관으로 하고 김인의를 1세조로 하여 계세하였다. 그리고 경순왕 제4자 은설(대안군)의 후예로 전하는 순을 1세조로하여 계대하는 태천파가 있다.

〈행 렬 표〉

세	행렬자	세	행렬자	세	행렬자
15	英영赫혁	16	有유得득	17	西서昌창
18	濟제元원	19	根근燮섭	20	洙수

和順金氏(화순김씨)

시조 김익구는 두문의 아들로 1645년 (인조 23)생이며 평양에서 살았다. 그의 자는 사겸으로 1975년(숙종 1)식년문과에 병과로 급제하고 벼슬이 현감에 이르렀지만 그 전후 세계는 상고할 수 없다.

熙川金氏(희천김씨)

시조 및 본관의 유래

시조 金佑(김우)는 경순왕의 제8자 추(一 선군)의 아들이다. 고려 강종 때 토적에 공을 세워 신호위대장이 되고 온양군에 봉해졌다. 그의 7세손 용이 온양군 용의 7세손 우(시 호 양정)가 병조판서로 1400년(정종2)내란 을 평정한 공으로 희천군(위성의 고호)에 봉 해졌으므로 그의 후손들이 우를 1세조로 본관 을 희천으로 하였다.

羅氏(나씨)

나씨는 문헌에 46본으로 나타나 있으나 금 성 나씨와 나주나씨를 제외한 그 나머지 44 본에 대하여서는 미고이다. 금성 나씨는 나총 례를 시조로 하고 나주나씨는 나부를 시조로 하여 세계를 계승하고 있다.

錦城羅氏(금성나씨)
시조 및 본관의 유래

금성나씨는 원래 중국 축융씨 후예인 성 이였으나 춘추시(주평왕2)에 나국에 봉해짐 으로써 나씨가 되었다. 그후 주공이 한고조에 게 공이있어 예장군에 봉해진 뒤 예장나씨가 되었다가 당태종때에 이르러 상서좌복사 나지 강이 고구려를 정벌하자는 정의를 반대하고 우 리나라에 망명하여 발라현(나주)에 정착한 후 신라조에서 벼슬이 좌승상에 이르렀다. 그때부

터 그의 후손이 나주에 세거하다가 신라 효공 왕때 나경이 나주사손으로 봉해지고 관을 나주 로 하였으나 고증이 유실되어 소목계통을 밝히 지 못하고 고려초에 삼한벽상 일등공신인 나총 례를 시초로 하여 계세하고 있다.

나주에는 나성을 쓰는 양족이 있는데 나총례를 시조로 하는 나씨 외에 나부를 시조로 하는 나씨 가 있다. 나부를 시조로 하는 나씨는 원래 여황 (본량의 고호) 나씨라 하였는데 고려 성종때 여황 현이 나주에 혁속되면서 나주로 개관하여 관을 같 이한 이종이 한주에서 수백년 세거하다가 나총례 를 시조로 한 나주나씨는 영조때 무신홍변의 화 를 면하려고 나주의 고호가 금성이고 또한 시조 가 금성부원군에 봉해졌음을 연유로하여 금성으로 이관하였다. 그러나 나총례의 후손이면서도 나주 와 용이했던 각처에 산거한 나씨 가운데 지금도 관을 나주로 쓰는 계통이 있고 안정 군위 수성등 으로 분관하여 계세하는 계통도 있다.

〈 행 렬 표 〉

금 성 파

세	행 렬 자	세	행 렬 자
21	彦언德덕用용	22	緒서
23	友우漢한	24	重중以이萬만
25	載재聖성	26	壽수應응景경
27	纘찬佐좌	28	弼필得득
29	元원彦언根근	30	成성秉병
31	煥환植식	32	運운基기

안 정 파

세	행렬자	세	행렬자	세	행렬자
22	基기	23	欽흠錫석	24	浩호泓홍
25	杓표植식	26	炳병	27	載재遠원

28	鍾종	29	澈철	30	東동
31	憲헌遇우				

군 위 파

세	행렬자	세	행렬자	세	행렬자	세	행렬자
25	東동	26	炳병	27	赫혁	28	鎬호
29	濟제	30	柱주	31	熙회	32	在재

羅州羅氏 (나주 나씨)

시조 및 본관의 유래

나씨는 원래 중국 백익의 후예로서 우나라에
서 벼슬을 하다가 주나라 때에 대나씨가 되었고
성왕때에 이르러 국가에 공훈을 세워 나 땅에 봉
해짐으로써 나씨가 되었다. 그후 굴씨의 멸한 바
가 되어 예장 나씨가 되었다가 당태종때에 이
르러 수선관을 지낸 나부가 정란을 피하여 우리
나라에 들어와 나주(회진)에 육상한 후 자손이
세거하면서 부터 그의 후손들은 나부를 시조로
하고 본관을 나주로 하였다. 그러나 그후 세계가
실전되어 나득규를 중조로 기 1세하여 계대하고
있다. 시조의 제단은 전남 나주군 나주읍 송월리
에 있다. 매년 3월 15일에 향사한다.

〈 행 렬 표 〉

세	행 렬 자	세	행 렬 자
23	集집	24	燾도
25	均균圭규基기	26	鍾종鈺옥錠정
27	永영洙수澈철	28	相상榮영植식
29	燁엽熙회然연	30	重중玹현在재
31	善선鐸탁鎰일	32	汶문浩호洪홍
33	杓포根근柱주	34	容용燦찬
35	培배坤곤起기	36	銀은鐵철鎔용
37	泳영泰태浬제	38	柄병枰평采채
39	烋휴烈열杰걸		

固城南氏 (고성 남씨)

시조 및 본관의 유래

고성남씨의 중시조인 광보는 시조 민 (시호영
의)의 후손으로 홍보 군보 광보 세형제가 고려
충렬왕조에 모두 유공하여 홍보는 영양군, 군보
는 의령군, 광보는 고성군에 봉해져 각기 세관의
중시조가 되었다. 고성남씨의 후손들은 중시조
광보(자는 군용, 철성 (고성) 부원군)를 1세조
로 하여 세계를 계승하고 있다.

〈 행 렬 표 〉

세	행렬자	세	행렬자	세	행렬자	세	행렬자
26	基기	27	鉉현	28	承승	29	根근
30	思사	31	中중	32	鎭진	33	求구
34	榮영	35	薰훈	36	載재	37	欽흠
38	浴용	39	和화	40	忠충	41	喜회
42	商상	43	永영	44	極극	45	應응
46	重중	47	鎔용	48	泰태	49	秉병

英陽南氏 (영양 남씨)

시조 및 본관의 유래

남씨 시조의 본성은 김씨이며 이름은 충이다.
본래는 중국 봉양부 여남인으로서 755년(당나라
현종 신라 경덕왕) 에 안염사로 일본국에 다녀오
다가 태풍을 만나 구사일생으로 영덕군 축산도에
상륙하게 되었다. 이에 그가 신라에 영주하기를
청원하니 왕이 남에서 왔다하여 남이라 사성하
고 민이라 개명하여 영양을 식읍으로 하사하고
뒤에 〈영의〉로 증시하여 남씨의 시조가 되었다.
그후 고려왕조에 이르러 그의 후손 홍보, 군보,
광보 삼형제가 모두 공이 있어 홍보는 영양군 군

보는 의령군, 광보는 고성군에 봉해져 각기 3관의 중시조가 되었다. 영양남씨의 후손들은 중시조 남홍보(중대광)를 1세조로 하여 계승하고 있다.

〈 행 렬 표 〉

세	행렬자	세	행렬자	세	행렬자	세	행렬자
26	守 수	27	佑 우	28	禎 정	29	旭 욱
30	章 장	31	世 세	32	元 원	33	圭 규
34	寧 녕	35	正 정	36	喆 철	37	鎬 호
38	泳 영	39	杓 표	40	丙 병	41	培 배
42	銖 수	43	漢 한	44	和 화	45	杰 걸
46	在 재	47	鎔 용	48	河 하	49	榮 영

宜寧南氏 (의령남씨)

시조 및 본관의 유래

의령 남씨의 중시조인 군보는 시조 민(시호영의)의 후손으로 남홍보, 남군보, 남광보 3형제가 고려 충렬왕 때에 모두 유공하여 홍보는 영양군 군보는 의령군, 광보는 고성군에 봉해져 각기 3관의 중시조가 되었다. 의령남씨의 후손들은 중시조 군보(호 : 백천 관직 : 밀직부사)를 1세로 하여 세계를 계승하고 있다.

〈 행 렬 표 〉

세	행렬자	세	행렬자	세	행렬자	세	행렬자
26	基 기	27	鉉 현	28	潤 윤	29	植 식
30	炳 병	31	均 균	32	鎭 진	33	求 구
34	柱 주	35	燮 섭	36	圭 규	37	鎬 호
38	淳 순	39	根 근	40	榮 영	41	璨 찬
42	鍾 종	43	洙 수	44	禎 정	45	燁 엽
46	周 주	47	鎰 일	48	永 영	49	杓 표
50	炯 형						

南宮氏 (咸悅) (함열남궁씨)

시조 및 본관의 유래

남궁씨는 원래 중국 주나라 문왕때 남궁자의 후예로서 고조선시대에 남궁씨가 우리나라에 들어와 세거하였으나 그후 계대는 전하지 않고 있다. 다만 991년(고려성종 10) 남궁원청(관직 평장사)이 대장군으로서 여진족을 백두산 이북에까지 몰아낸 공으로 감물아(함열의 고호)백에 봉해짐으로써 그의 후손들이 본관을 함열로 하게 된 것이다. 그러나 원청 이후의 세계가 또한 실전되어 계대를 상고할 수 없기 때문에 그의 후손인 득회를 1세조로 계승하고 있다. 시조의 묘소는 충남 보령군 청라면에 있다.

浪氏 (낭씨)

시조의 이름은 알수 없고 다만〈낭충정공〉이라는 사실만 전하고 있다. 여러 문헌에 의하면 중국에서 귀화한 씨족임에 틀림없으며 일설에는 명나라의 낭초란 사람이 삼백여년전 인조 때 황해도 옹진 부근에 배를 타고 건너왔다고 한다. 1930년 국세조때 서울 경기도 예산 충주 등지에 40여호가 분포해 있는 것으로 나타나 있다.

乃氏 (開城) (개성내씨)

서울 마포구 용강동에 내원길의 고증에 따르면 내씨는 본원이 개성왕씨로서 고려 왕족 이였는데 고려가 망하고 조선이 개국되자 왕씨족은 가차없이 살해당하게 되었다. 그때 공민왕조의 재상이었던 왕씨(개성내씨 시조) 한사람도 생명을 보전기 위하여 밍명하는 도중 임진강 나루터에서 건문포졸이 성이 뭐냐 묻는 말에 당황한 왕씨는 네? 하고 반문하자 포졸은 내씨로 성을 기재하여 비로소 乃(내)씨로 창성 되었다 하며 본관은 본래 왕씨 본관인 개성을 통용하여 마침내 개성 내씨가 되었다 한다. 한편 노일전쟁때 명성을 날렸던 일본 내목대장도 왕씨(즉 내씨)의 망명족이라고 하나 문헌상 고증은 미고이다 개성내씨는 경기도 파주에 30호 서울에 20호등 전국에 50호가 분포되어 있다한다.

奈氏 (羅州)(나주내씨)

옛문헌에 보이지 않던 성으로 1930년 국세조사때 충남 서천과 황해도 수안군 등지에 모두 4가구가 있는 것으로 밝혀졌다. 본관은 나주 단본이다.

盧氏(노씨)

노씨는 문헌에 137본으로 나타나 있으나 11본만을 수록하고 나머지는 미고이다. 노씨성은 주나라 건국공신 강태공의 후예가 제나라 노현에 봉해짐으로 연유하여 비롯되었고 우리나라 노씨의 도시조 노수(부: 익주자사 진순, 조부: 서주자사 홍표)는 중국 법양 사람으로 755년 (신라 효성왕 14) 안록산의 난을 피하여 아들 9형제를 데리고 동래 우리나라에 정착하게 되었다. 그의 아들 9형제가 광산(해),교하(오),풍천(지), 장연(구), 안동(만), 안강(곤), 연일(증), 평양(판), 곡산(원)으로 각각 봉작된 바에 따라 본관을 삼고 각기 분관하였다. 그런데 이 9형제 중 광산노씨가 큰집으로 알려져 있으나 교하, 풍천노씨도 각기 자기가 큰집이라고 보첩에 나타나 있어 다소 의견이 있는것 같다.

谷山盧氏(곡산노씨)

시조 및 본관의 유래

곡산 노씨의 근원은 광산노씨의 근원과 동일하고 본관은 노수의 제9자인 원이 신라때에 입사하여 곡산 백에 봉해졌기 때문에 그의 후손들이 본관을 곡산으로 하였다. 또한 원의 후손 조는고려 충숙왕때 영동정판도판서를 지냈으며 시호는 문경인데 곡산노씨는 그를 1세조로 하여 세계를 계승하고 있다.

〈 행 렬 표 〉

세	행렬자	세	행렬자	세	행렬자	세	행렬자
21	鎬 호	22	永 영	23	杓 포	24	丙 병
25	圭 규	26	鍾 종	27	洙 수	28	根 근
29	煥 환	30	在 재	31	鉉 현	32	淳 순
33	模 모	34	炫 현	35	培 배	36	錫 석
37	源 원	38	東 동	39	燦 찬	40	垠 은

光山盧氏(광산노씨)

시조 및 본관의 유래

시조 盧穗(노수)는 중국 범양 사람으로 755년 안록산의 난을 피해 아홉아들을 데리고 우리나라에 귀화 그의 아들 垓(해)가 신라조에 벼슬하여 공이 있어 광산백에 봉해짐으로써 후손들은 노수를 시조로 해를 득관조로 하고 본관을 광산으로 하였다.

〈 행 렬 표 〉

〈 좌로부터 상주파, 화순파, 장흥파, 삼용방, 사용방, 만파의 순 〉

세	행 렬 표
28	澤택東동權권東동采채。
29	東동煥환煥환煥환然연。
30	煥환奎규　형奎규均균。
31	埈준鎬호鉉현鉉현鍾종。
32	錫석永영源원溶용浩호。
33	永영柱주彩채彩채根근永영。

34	植식然연熙희炯형煥환柄병
35	炯형聖성載재載재奎규變섭
36	在재鏞용　기　기錫석基기
37	鉉현。淳순。源원鉉현
38	源원。秉병。秀수淳순
39	杜두。變섭。烈열柱주
40	熙회。　정。培배光광
41	基기鎰일。鎭진。均균

交河盧氏 (교하노씨)

시조 및 본관의 유래

교하노씨의 근원은 광산노씨의 근원과 동일하고 본관은 노수의 아들 오의 후손인 강필이 기계에 세거하면서 본관을 장산으로 하였으나 고려초에 태조를 도와 개국공신이 되었고 의성부원군에 봉해진 다음 교하로 적을 옮겼다. 그래서 후손들이 다시 교하로 개관하게 된것이다. 묘소는 개성 동서증산에 있다.

〈 행 렬 표 〉

세	행렬자	세	행렬자
27	錫석	28	洙수
29	秉병	29	愚우
31	載재	32	鎬호善선鉉현
33	承승海해滋자	34	來래相상模모
35	熙회大대炯형	36	喆철培배奎규
37	鍾종欽흠鎭진	38	求구淳순濟제
39	榮영菜채寅인	40	煥환變섭炅경
41	基기吉길廷정	42	鏞용錄록會회
43	泳영漢한泰태	44	東동根근柱주
45	憲헌應응容용	46	重중均균赫혁

萬頃盧氏 (만경노씨)

시조 및 본관의 유래

만경 노씨는 평양 노씨와 동원이며 광산 노씨의 근원과 동일이다. 노수의 아들 판(평양백)이 신라조에 문과에 등제하여 진충왕때 요동회군의 공으로 평양백에 봉해졌기에 평양을 본관으로 하였다가 그후 판의 후손인 극청이 고려 명종조 때에 평장사를 지내고 만경군에 봉해짐으로써 그의 후손들이 본관을 만경으로 삼았다. 극청의 묘소는 전북 김제군 만경면에 있다.

〈 행 렬 표 〉

세	행렬자	세	행렬자	세	행렬자
11	世세	12	應응	13	玉옥
14	守수瑞서	15	水(변)	16	彦언
17	以이	18	德덕	19	鎭진炳병
20	基기淳순	21	鉉현柄병	22	源원煥환
23	木(변)	24	變섭善선	25	壽수
26	鍾종	27	永영	28	根근
29	容용	30	喜희	31	錫석
32	洙수	33	相상	34	烈열
35	重중	36	欽흠	37	承승

安康(慶州)盧氏 (안강경주노씨)

시조 및 본관의 유래

안강 노씨의 근원은 광산 노씨의 근원과 동일하고 본관은 노수의 아들 곤이 고려조에 입사하여 안강(경주고호) 백에 봉해졌기 때문에 그 후손들이 본관을 안강으로 한 것이다.

〈 행 렬 표 〉

세	행렬자	세	행렬자	세	행렬자	세	행렬자
16	泰태	17	杓표	18	勳훈	19	達달

安東盧氏(안동노씨)

시조 및 본관의 유래

득관조 만은 동래시조 노수의 이들이다. 그는 신라조에 벼슬하여 공을 세워 안동백에 봉해지고 안동 노씨의 시조가 되었다. 그후 누대가 실전되어 세계를 갖추지 못하다가 후손 우가 고려때 이부상서 동평장사를 지내고 안동에 세거하였으므로 그를 1세조로 하였고 그의 손자 영길이 고려조에서 안동부원군에 봉해졌으므로 본관을 안동이라 하였다.

〈 행렬표 〉

세	행 렬 자	세	행 렬 자
23	鎭진 錫석 鍾종 鉉현	24	湜제 河하 澤택 永영
25	東동 相상 桓환 秉병	26	熙희 烈열 煥환 黙묵
27	在재 奎규 培배 基기	28	鎬호 銀은 鉉현 錫석
29	洪홍 浩호 永영 淳순	30	根근 栢백 植식 杬원

延日盧氏(연일노씨)

시조 및 본관의 유래

득관조 중은 동래시조 노수의 아들이다. 그는 신라조에 벼슬하여 공을 세워 연일백에 봉해지고 연일 노씨가 되었다. 그러나 그후 누대가 실전되었으므로 후손 경령을 1세조로 하여 계대하고 있다.

長淵盧氏(장연노씨)

시조 및 본관의 유래

장연 노씨는 광산 노씨의 근원과 동일한데 노수의 제4자 구가 장연백에 봉해졌기 때문에 그

후손들이 장연으로 본관을 삼았다.

〈 행렬표 〉

세	행 렬 자
40	泰태漢한泳영海해浚준
41	東동秀수根근柱주杓표
42	大대思사然연性성憲헌
43	坤곤奎규均균培배域역

豊川盧氏(풍천노씨)

시조 및 본관의 유래

풍천 노씨의 근원은 광산 노씨의 근원과 동일하고 상계가 실전되어 노수의 아들 지의 후손인 유를 1세조로 하였으며 지는 신라조에 봉사하여 풍천백에 봉해졌기 때문에 그의 후손들이 풍천으로 본관을 삼았다. 유는 고려조의 국자진사로서 풍천노씨의 1세조가 되었다.

〈 행렬표 〉

세	행렬자	세	행렬자
23	鉉현	24	漢한泳영海해源원
25	相상植식秉병	26	燮섭炳병煥환
27	致치時시奎규	28	鐸탁鍾종鈺옥
29	泰태洙수	30	東동根근

海州盧氏(해주노씨)

시조 및 본관의 유래

해주 노씨는 광산 노씨의 1세조 서의 8세손인 덕기의 7세손이 되는 시헌이 조선 태종때 해주에 이사하여 정착 세거하였으므로 후손들이 시헌을 1세조로 하고 광산 노씨에서 분적 본관을 해주라 하여 세계를 계승하고 있다.

〈 행렬표 〉

세	행렬자	세	행렬자	세	행렬자
14	宗종	15	尚상處처	16	東동述술
17	德덕英영	18	根근植식	19	炳병熙희
20	圭규均균				

魯氏 (노씨)

노씨는 문헌에 64본으로 나타나 있으나 본서에는 강화, 광주, 함평, 밀양등 4본을 제외한 나머지 본관에 대하여는 미상이다. 노씨는 본래 중국 주 나라 때 백리가 노에 봉해짐으로써 그 후손들이 노를 성씨로 삼게 되었다 한다. 강화노씨는 고려 명종때 이부상서를 지낸 노용신을 시조로 하고 광주노씨는 노필상을 시조로 하며 밀양노씨는 노중연을 함평노씨는 노목을 시조로 하여 각각 세계를 계승하고 있다.

江華魯氏 (강화노씨)

시조 및 본관의 유래

시조 용신(시호 충양)의 선세계는 주나라 백리의 원손으로 고려 고종때 강화현령으로 몽고군이 침입했을때 강화 천도에 공을 세워 강화군에 봉해지고 토지를 하사 받았다. 그래서 후손들이 강화에 정착 세거 하면서 본관을 강화라 하였다.

〈 행 렬 표 〉

세	행렬자	세	행렬자	세	행렬자	세	행렬자
53	仁인	54	誠성	55	柱주	56	參삼
57	碩석	58	文문	59	走주	60	博박
61	曾증						

廣州魯氏 (광주노씨)

시조 및 본관의 유래

시조 필상은 광주에 토착한 사족으로 품계는 통정대부에 이르렀고 그의 후손들이 광주에 세거하면서 본관을 광주라 하고 세계를 계승하고 있다.

密陽魯氏 (밀양노씨)

시조 및 본관의 유래

주무왕의 아우 주공단이 곡부에 봉해져 노나라를 창건하였고 뒤에 그 아들 백리에게 물려 주었으며 노나라가 망한 뒤에 후손들이 나라 이름을 따서 노씨라고 했다. 시조 노중연은 주나라 사람으로 진시왕을 수출하는데 공이 컸으며 기자가 조선에 봉해졌을때 그의 손자 계가 시신으로 따라와 정착 세거 되었다고 한다. 그리고 그의 원손인 형권이 공민왕때 공조판서로서 흥건적을 토평한 공으로 밀산(밀양의 고호)군에 봉해짐으로써 그 후손들이 그를 기일세하여 본관을 밀양으로 삼았다.

〈 행 렬 표 〉

세	행렬자	세	행렬자	세	행렬자	세	행렬자
21	箕기	22	熙희	23	培배	24	鎭진
25	潤윤	26	業업	27	炳병	28	周주
29	錫석	30	演연	31	榮영	32	燁엽
33	在재	34	鉉현				

咸平魯氏 (함평노씨)

시조 및 본관의 유래

시조 목의 선세계는 기자를 따라 우리 나라에 들어온 계라고 하나 문헌이 실전되어 혈연계보를 상고할 수 없다. 목(시호 문충)은 고려 인조때 이자겸의 난을 평정한 공으로 문하시중에 오르고 평난공신으로 함풍(함평의 고호)군에 봉해졌으므로 후손들이 그를 시조로 하고 본관을 함평으로 하여 세계를 계승하고 있다.

세	행 렬 자
29	甲갑萬만用용鍾종輔보
30	乙을九구旭욱允윤完완
31	丙병會회禹우南남雨우
32	丁정宇우行행寧녕衍연
33	戊무義의載재咸함茂무
34	己기選선起기熙희範범
35	庚경康강庸용庠양度도
36	辛신宰재章장澤택新신
37	壬임聖성廷정重중勳훈
38	癸계揆규天천泰태澄징

路氏(노씨)

고대 중국 황제의 후예라 하며 노땅에 봉해져 노씨가 되었다 한다. 언제부터 우리나라에 와서 살게 되었는지는 분명하지 않고 1930년 국세조사 때 개성 개풍군 일대의 22 가구등 모두 40여 가구가 살고 있었다. 본관은 개성 태원, 북청 대원 등이 있다.

開城路氏(개성노씨)

시조 및 본관의 유래

시조 노은경(路闇儆)은 원나라 한림학사로서 고려 공민왕때 노국대장 공주를 배종하여 래조 개성에 정착하여 세거하게 되었다. 그래서 후손 늘이 본관을 개성이라 하였다.

〈 행 렬 표 〉

세	행렬자	세	행렬자	세	행렬자	세	행렬자
15	聖 성	16	博 박	17	東 동	18	鎬 호
19	泳 영						

雷氏(喬桐)(교동뇌씨)

본관 교동은 강화도에 딸린 작은 섬으로 연산군이 귀양갔던 곳이기도 하다. 그런 점으로 미루어 보아 옛날 그곳에 귀양갔던 선비의 후예가 아닌가 싶다. 1930년 국세조사 당시 수안 황주동 황해도 일대에 30여 가구등 40여 가구가 있었으며 1960년 국세조사 당시에는 50여명이 각지에 분포되어 있는 것으로 되어있다.

賴氏(뇌씨)

옛 문헌에 나타난 성씨이나 1960년 국세조사 당시 충북에 1가구 경기도에 1명 등 모두 5명이 살고 있는 것으로 나타나 있다.

江陰段氏(강음단씨)

시조 및 본관의 유래

시조 희상은 본래 중국 강음현 사람으로 1598년(선조31) 명나라의 구원병으로 우리나라에 와 공을 세우고 그대로 귀화해서 동래시조가 되었다고 한다. 그래서 본향인 강음을 본관으로 세계 하고 있다.

〈 행 렬 표 〉

세	행렬자	세	행렬자	세	행렬자	세	행렬자
9	顯 현	10	基 기	11	致 치	12	浩 호
13	柱 주	14	熙 희	15	培壽수	16	鎬 호
17	澤 태						

延安段氏(연안단씨)

시조 유인은 이조때 현감을 지냈다. 상계는 고사에 나타나는 백제때 유학자 단양이(오경박사)가 있을 뿐 그 외에는 상고 할바 없어 미상이다.

본관은 연안단씨 외에 강음단씨가 나타났고 그 외에도 풍덕, 전주, 고산, 강릉, 황주, 가음, 화산 등이 있으나 미고이다. 단씨는 1960년도 국세조사에 의하면 346명으로 나타나 있다. 또한 현대 재벌의 한사람으로 단사천(해성산업, 계양상사 사장)이 있는데 그밖에 뚜렸하게 나타난 인물은 찾아 볼 수 없다.

單氏(延安)(연안단씨)

우리나라 문헌은 물론 중국에도 없던 성씨로 보인다. 연안을 본관으로 하는 憚씨가 문헌에 보이고 연안단씨가 있는 것을 보아 혹시 동음에서 나온 표기의 잘못이 아닌가 하나 1930년 국세조사 당시 1가구가 경기도 부천군에 살고 있는 것으로 나타나 있다.

端氏(韓山)(한산단씨)

옛 문헌에 보이는 성씨이나 1930년 국세조사 때 경남 동래에 1가구가 살고 있는 것으로 나타나 있다. 본관은 한산단씨 단본이다.

唐氏(密陽)(밀양당씨)

시조 및 본관의 유래

시조 성은 중국 절강성 명주 사람으로 그의 선세계는 송나라 징종때의 승상 각의 6세손이라 한다. 원나라 말기에 병난을 피해 우리나라에 귀화하여 고려조에서 사평순위부평사 등을 역임하고 조선 왕조 개국원종 공신으로 호조, 병조, 공조의 전서를 역임했다. 태종때에 밀양이란 관을 하사 받았기 때문에 후손들이 밀양을 본관으로 삼았다.

大山大氏(대산대씨)

대씨는 본래 발해를 세운 대조영의 성씨이다.

발해가 망하자 그의 후손 광현이 926년에 고려 태조에게 투화하여 왕씨를 사성받았다는 것은 알려지고 있으나 오늘날에 전하는 대산대씨와 발해대씨와 어떤 관계가 있는지는 상고 할 수 없다. 1930년 국세조사때 밝혀진 것을 보면 전남 영광에 10여 가구등 12가구가 있는 것으로 안다.

密陽大氏(밀양대씨)

시조 및 본관의 유래

시조 중상은 원래 당나라 무장으로서 당왕으로 부터 진국공에 봉해졌다. 그의 초명은 걸걸 중상이었는데 걸걸은 우리말로 걸지다. 걸걸하다는 뜻으로 한자로 풀이하여 대자를 붙여 비로소 대씨성이 되었다. 그의 아들 조영이 발해국을 건국 태조가 된후 16세 걸친 228년 동안 왕권을 유지해 오다가 그의 17세손인 연림왕

마지막으로 발해국이 망하자 연림왕의 아들 대탁이 자손들을 거느리고 지금은 경남 밀양에 망명 정착 세거함으로써 대씨들은 본관을 밀양으로 하게 되었다.

〈 행 렬 표 〉

세	행렬자	세	행렬자	세	행렬자	세	행렬자
14	泰 태	15	東 동	16	炳 병	17	均 균
18	鎬 호	19	煉 련	20	圭 규	21	錫 석

都氏(도씨)

도씨는 문헌에 15본으로 나타나 있으나 서제 성주 전주의 3본을 제외한 나머지는 미고이다. 서제 도씨는 문헌에는 찾아 볼 수 없는 성씨로서 경북 달성군 수성면 대명동에 25세대

가 살고 있을 뿐이며 성주도씨는 중국에서 동래 귀화한 씨족으로서 도순을 시조로 하여 세계를 계승하고 있고 전주도씨는 강원도 홍천군 주익면 남당리에 25세대가 살고 있을 뿐 그의 유에 대하여는 상고하지 못하였다.

西齊 都氏(서제도씨)

1930년 국세조사 때 경북 달성군 수성면 대명동에 25가구가 살고 있는 것으로 나타나 있으나 옛 문헌에서는 상고되지 않는 성씨이다.

星州都氏(성주도씨)

시조 및 본관의 유래

시조 순의 선세계는 중국 려양 사람이다. 한무제 때의 시는 수성의 시조이며 조는 고구려 유리왕때 공신이며 미는 한나라 환제 때 백제에서 정승을 지냈으며 진온 고려 태조때 정승으로 성산부원군에 봉해졌다 한다. 그러나 상세계가 실전되었기 때문에 순 때부터 세계가 계승되고 있다. 그는 전리상서를 역임했으며 손자인 유덕은 고려조에 명경진사로 종부판사에 증직되고 성산(성주의 고호)군에 봉해졌다. 그래서 그의 후손들이 본관을 성주로 한 것이다.

〈 행 렬 표 〉

세	행렬자	세	행렬자	세	행렬자	세	행렬자
29	煥 환	30	基 기	31	鍾 종	32	法 법
33	格 격	34	爀 혁	35	塾 숙		

全州都氏(전주도씨)

문헌에 보이는 도씨는 대종인 성주도씨 이외에도 몇몇 본관이 나타나 있다. 1930년 국세조사 당시 강원도 홍천군 주익면 남당리에 전주 도씨 일족 25가구가 살고 있는 것으로 나타나 있으나 1960년 국세조사에는 나타나지 않았다.

道氏 (固城)(고성도씨)

〈증보문헌비고〉〈전고대방〉등 문헌에도 보이지 않는 성이다. 1930년 국세조사 당시 제주도에 1가구가 살고 있는 것으로 나타나 있다가 1960년 국세조사 때는 인구가 400여명으로 불어난 것을 보면 그 1가구 말고도 다른 곳에 몇 가구가 있었던 것으로 추측된다. 도씨는 고성 단본으로 되어 있다.

陶氏 (豊壤)(풍양도씨)

풍양 도씨는 여러 문헌에 가끔 보이는 성씨로 고려 충렬왕 때 성기가 환신으로 있었다는 기록을 보면 상당히 오랜 성씨로 보인다. 1930년 국세조사 당시 전국에 1백여 가구가 있었는데 대부분이 김포, 개풍군 일때와 황해도에 분포되어 있었다. 도씨로 문헌에 보이는 남양 청주 순천 등 10여 본관이 된다.

獨孤氏 (南原)(남원독고씨)

시조 및 본관의 유래

일세소 신의 신세계는 고려 중엽에 중국하남에서 8학사의 한사람으로서 우리 나라에 들어와 세거한 공손인데 그외의 자세한 세계는 알 수 없다. 그의 손자 향이 고려 축숙왕때 원나라에 가서 공주를 배종한 공으로 남원군에 봉해졌다. 그리고 후손 신(자.성의)이 경향에 널리 알려진 학자로 남원군에 봉해졌다.

그리고 후손 신(자.성의)이 경향에 널리 알려진 학자로 남원군에 봉해짐에 따라 본관을 남원이라 하였다. 묘소는 평북 의주군 영삭면 천마동에 있다.

〈행 렬 표〉

세	행렬자	세	행렬자	세	행렬자	세	행렬자
13	言(변)	14	人(변)	15	木(변)	16	火(변)
17	士(변)	18	金(변)	19	水(변)	20	木(변)
21	火(변)	22	土(변)	23	金(변)		

頓氏 (木川) (목천돈씨)

〈동국여지승람〉에 의하면 고려 태조가 후삼국을 통일하고 고려를 전국하자 목천지방의 백성들이 특히 따르지 않고 자주 소요를 부리므로 그곳 사람들에게 豚(돈), 象(상), 牛(우) 등 동물의 이름을 성으로 갖게 했는데 그 후 이 성을 받은 사람들이 다시 頓(돈), 尙(상), 禹(우)로 개성했다고 되어 있다. 1930년 국세조사 당시 평남 대동 강서 황해도 안악 황주 등 의북에 36가구가 분포해 있는 것으로 나타나 있다.

敦氏 (淸州) (청주돈씨)

옛 문헌에 보이는 성씨로 1960년 국세조사 당시 서울 충남 경북 등지에 6가구 30여명이 분포되어 있는 것으로 나타나 있는데 본관은 청주 돈씨 단본이다.

董氏 (廣川) (광천동씨)

시조 및 본관의 유래

시조 중서는 한나라 무왕 (BC..150~87) 때의 대유이다. 그의 묘소는 장안에 있는데 그 앞을 지날때의 누구를 막론하고 반드시 하마

하였다.하여 그 묘명을 하마능이라 했다. 그 이후의 계대는 실전되어 상고할 수 없으나 그의 후손 승선의 영귀에 의해 그는 조선태종때 광천백에 추봉되고 문묘에 배향 되었다. 그의 후손 박晉에게 3형제 (계선 승선 인선)가 있었는데 계선은 중국에서 벼슬을 하였고 승선은 명나라 홍무 (1368~1398) 년간에 안위사로 우리 나라에 와 영천군에 봉해 지고 영천군에 살게 되었으며 인선은 홍무초에 부의 절의지간인 서달이 태조에게 천거하여 지휘사가 되어 태조를 따라 전공을 세움으로써 이부상서가 되었다. 그리하여 후손들은 중서를 시조로 그리고 승선과 인선을 1세조로 하고 본관을 광천으로 삼아 세계를 이어오고 있다.

〈행 렬 표〉

세	행렬자	세	행렬자	세	행렬자	세	행렬자
21	萬만	22	宗종	23	進진	24	秉병
25	穆목模모	26	熙희				

東方氏 (晋州) (진주동방씨)

동방씨는 중국 고대의 복의씨의 후예라 하며 우리 나라 동방씨의 중시조는 1792년 (선조16) 문과에 급제하고 전적을 지낸 숙으로 알려지고 있다. 1930년 국세조사 당시 전국에 50여 가구가 주로 평북 안주 박천 등지 이북에 분포해 살고 있었으며 대구 장단 등지에도 몇 가구가 있었다.

杜氏 (杜陵) (두릉두씨)

시조 및 본관의 유래

(경 령 계)

시조 경령은 송나라 두릉사람으로 송 태종 때 병부상서로 진종의 옹립을 반대하다' 실패

소주자사로 좌천되자 그의 두째 아들 중서사인 지건을 데리고 정처없이 배를 타고 가다가 풍랑을 만나 우리 나라 궁지현 (만경) 에 표착하였다. 고려 목종이 이를 이미 알고 좌사관의 벼슬을 내리고 궁지 (만경) 를 식읍으로 하사하고 두릉군을 봉하였다. 후손들이 그곳에 정착 세거하면서 본관을 두릉이라 하였다. 묘소는 전북 부안군 하서면 석불산에 있다.

〈 교 림 계 〉

시조 교림은 명나라 사람으로 기주자사를 지냈으며 아들 사충은 명나라 상서를 지낸다. 임진왜란 때 우리나라에 원군으로 와서 귀하대구에 정착세거하였으므로 후손들이 그를 시조로 하고 그의 본향인 두릉을 본관으로하여 계대하고 있다.

〈 행 렬 표 〉

세	행렬자	세	행렬자	세	행렬자	세	행렬자
23	基기	24	鍾종	25	洪홍	26	秀수
27	炳병	28	均균	29	鎭진	30	洙수
31	東동	32	熙회	33	在재	34	陸육
35	鉉현	36	淳순	37	杓표	38	煥환
39	赫혁	40	錫석	41	浩호	42	相상
43	燁엽	44	圭규					

梁氏(량씨)

시조 양을라는 태고에 한라의 모흥혈 (삼성혈) 이 터지고 그곳에서 모라천하에 처음 인간으로 화생한 삼을라의 장인데 그 강생연대는 요사이전에 속하여 고증할 수 없다. 그 무렵 현 강진일대에 세워진 벽랑왕국이 서해가운데 신인이 강생하여 장차 개국할 것이라 예언하고 딸을 보내니 양을라가 그를 취하여 탐라국을 개국 왕과 왕비로 즉위하여 양성의 원천을 이루었고 세손이 900여년 향국했다. 그의 원손으로 탐라의 귀족인 양탕이 광순사의 직함으로 신라에 입조하니 국왕이 예절을 갖

추어 국빈대우를 하고 성주왕자의 작호를 내리고 의관을 주어 신라의 조복을 갖추게 했다. 그 때 『良』을 『梁(양)』으로 기록한것이 양씨로 고쳐진 연유가 되었고 탕의 후손 순과 우경이 신라 말기에 제주와 남원으로 각각 득관하여 분적하였다.

南原梁氏(남원량씨)

〈시조 및 본관의 유래 〉

시원은 양을라 (良乙那) 이며 중조 양우경 (梁友諒) 은 양탕의 후손으로 757 년 (신라경덕왕) 대공을 세워 남원백에 봉하여지고 포상이 가사되어 남원으로 득관하게 되었다. 그리고 양능량 (병부공) 양능길 (예성군) 양성준 (청주파) 양수정 (대방군) 양주운 (용성군) 양윤위 (장영공) 을 각각 파조로 하여 계대하고 있다.

濟州梁氏(제주량씨)

〈시조 및 본관의 유래 〉

중조 양순은 682 년 (신라 신문왕 2) 신라에 입국하여 왕에게 표문을 올려 국학에 입학하였고 한림학사로 초탁되었다. 그러나 대신들이 외국인 고관을 꺼려 승진을 못하게 되자 국왕이 한라군을 봉합으로써 득관한 중조가 되고 본관을 제주로 하게 되었고 5개파로 크게 나누어 양보숭 (유격 장군파) 양중덕 (천호공파) 양유침 (사직공파) 양홍 (중랑장공파) 양의 (서두봉판파) 를 각각 파조로 하여 계대하고 있다.

〈 행 렬 표 〉

(양씨대동보) (세수는 상고 할 수 없음)

세	행 렬 자	세	행 렬 자
	水수泰태漢한淵연		木목集집根근來래
	火화性성魯노悳덕		土토中중培배周주

金금兌태韻진義의	水수康강澤택漢한
木목槿근極극本본	火화憲헌榮영炫현
土토孝효教교堯요	金금庚경銓전銖수

柳氏 (류씨)

류씨는 문헌에 131본으로 나타나 있으나 주요 본관은 고려 동합삼한익찬공신 류차달을 시조로 하는 문하류씨 고려조에 좌우위상장군으로 진강부원군에 봉해진 류정을 시조로 하는 진주류씨 신라말에 국운이 쇠퇴함을 예견하고 고흥으로 낙향하여 고려에 불복하고 호장을 지낸 영을 시조로 하는 고흥류씨가 주축을 이루고 있다. 그외에 문하류씨에서 분적한 풍산, 서산, 전주, 진주 등 류씨가 있었으나 모두 문하류씨와 동원분파이므로 이 책에서는 문하류씨의 한 파로 다루었고 그 외의 류씨는 미고이다.

문하류씨는 연안차씨와 이성동족으로 같은 조상의 혈손이라고 한다. 시조 류차달은 차무일의 38세손으로 그의 6세손 차승색이 신라 애장왕 때 좌상으로 애장왕을 죽이고 왕이 된 헌덕왕을 죽이려다 실패하고 유주구 월산에 은거하면서 조모의 성인 楊(양)씨를 모방하여 류씨라고 변성하였다.

高興柳氏 (고흥류씨)

시조 및 본관의 유래

시조 영(英) 본래 신라의 호족으로 신라말에 정치가 혼란하자 흥양(고흥의 고호)으로 이주 고려 개국후 호장을 지냈다. 그리고 그의 7세손 청신이 고려 충선왕 때 도첨의 정승을 지내고 고흥부원군에 봉해짐에 따라 후손들이 본관을 고흥으로 해서 세계를 계승하고 있다. 묘소는 경기도 개풍군 미록산에 있으며 제사일은 음 10월 상정이다.

〈행렬표〉

세	행렬자	세	행렬자	세	행렬자
27	錫석	28	濟제海해	29	相상植식
30	然연熙희	31	圭규均균	32	鍾종鉉현
33	洗세永영	34	來래東동	35	烈열燮섭
36	在재時시	37	鈺옥會회	38	泰태浩호
39	根근杰걸	40	光광炅경	41	培배基기
42	鎔용韻진				

文化柳氏 (문화류씨)

〈시조 및 본관의 유래〉

시조 柳車達(류차달)은 차무일(車無一)의 38세 손이다. 그의 5대조인 승색은 신라 애장왕 때 벼슬이 좌상에 이르렀는데 애장왕 10년에 왕의 서숙인 언승(헌덕왕)이 조카 애장왕을 시해하고 왕위를 찬탈하자 승색은 교목세신의 도리로서 아들 공숙과 함께 전왕의 복수를 위해 헌덕왕을 죽이려고 획책하다가 사전에 탄로 되어 체포령이 내리므로 아들 공숙을 데리고 도피하여 유주(문화의 고호) 구월산 목방동에 들어가 은거하면서 조모의 성인 楊(양)씨를 모방하여 류씨로 변성하고 이름을 색으로 고쳤으며 아들 공숙은 숙으로 개명하여 살아 왔다. 그후 그곳에서 정착 세거하였고 차달에 이르러 그 지방 호부가 되었다. 그는 고려 개국 당시 태조 왕건이 견훤을 정별할 때 군량보급이 어려움을 알고 차 1천량을 제작 사고를 털어 군량을 보급해 준 공으로 익찬벽상공신에 서훈되고 벼슬이 대승에 올랐다. 그의 조상에서 변성한 사실을 안 태조가 차씨의 공을 잊을 수 없고 또한 류씨로 변성한지 6세가 지났으니 이도 역시 폐할 수 없다하며 차달의 장자인 효전에게는 조상의 구성인 차씨를 계승케 하고 본관을 연안으로 하여 오늘날 연안 차씨의 시조가 되었고 차자인 효금에게는 유주에 살면서 류씨를 계승토록 하였는데 뒤에 유주가 문화현으로 개칭됨에 따라 후손들이 본관을 문화로 하여 세계를 이어왔다. 그후 후손들이 번성하여 6개 본관으로 분적되어 10세손 자성(풍산류씨)10세손 인자(진주류씨) 10세손 성간(서산류씨) 13세손 해(선산류씨) 10세손 양자(전주류씨)를 각각 1세조로 하여 계대하고 있으나 모두 류차달의 혈손이라는 신념으로 대승장학회를 구성하는 등 친목을 돈독히 하고 있다.

(문 화 파)

세	행 렬 자	세	행 렬 자
31	根근寅인柄병裁재	32	烈열杰걸薰훈城성
33	志지在재廷정柾정	34	善선鉉현錄록壃강
35	濟제浩호洹원楠남	36	桓환幹서植식堣우
37	榮영煌황炅경桑상	38	坤곤憲헌圻기垠은
39	鍾종鏞용銀은桔길	40	泳영承승沃옥圭규
41	來래采채森모材재	42	熙희烋휴擔단坦탄
43	膺응增증幸행株주	44	鎬호錄구釘정基기
45	溫온濬준洪홍椿춘	46	檍억樂락柾정玎정
47	炳병炯형營영棟동	48	璣기裁재坪평塘당
49	會회澮회鈺옥杬원	50	雨우河하滋현均균
51	本본彬빈模모柄서	52	然연勳훈炤소坰경
53	壽수垂수士사奈내	54	鐸탁鉀갑釗소埈준
55	漢명瀚한源원柱주	56	東동秉병業업報보
57	寧령應응燾도相상	58	周주堯요執집圳훈
59	針침銓전鉅거槙정	60	沂기泰태汪왕壯장

(전 주 파)

세	행 렬 자	세	행 렬 자
31	人(변)植식	32	泳영希희
33	植식秀수璟경	34	熙희熙희鍾종
35	奎규基기洙수	36	鍾종錫석柄병
37	泰태漢한熹희	38	木목相상孝효
39	烈열 榮영鎬호	40	在재載재永영
41	鎔용鍾종東동	42	承승淳순炯형
43	杓표秉병埰채	44	炯형燮섭鉉현
45	基기遠원		

(풍 산 파)

세	행 렬 자	세	행 렬 자
36	道도達달	37	榮영植식東동
38	佑우默묵勳훈	39	時시壽수在재
40	夏하信신文문	41	漢한浩호海해
42	根근相상桓환	43	炳병應응克극
44	志지正정基기	45	升승建건珍진
46	洛락洙수求구	47	秉병來래昌창

(서 산 파)

세	행 렬 자	세	행 렬 자	세	행 렬 자
35	秉병	36	容용	37	時시
38	鉉현	39	浩호	40	權권
41	炯형	42	圭규	43	鍾종
44	澤택	45	桓환	46	勳훈

(선 산 파)

세	행 렬 자	세	행 렬 자
27	泰태慶경慶경	28	松송奎규植식
29	大대大대基기	30	元원元원迪적
31	鍾종鍾종鍾종	32	洙수署서洙수

(진주〈인자〉파)

세	행 렬 자	세	행 렬 자
30	冀기揆규南남	31	九구培배錫석奎규
32	炳병成성浩호洙수	33	衡형寧녕來래根근
34	成성茂무燮섭熙희	35	紀기基기載재
36	圭규鉉현	37	會회泰태
38	澤택植식	39	秉병炳병

晋州柳氏(진주류씨)

시조 및 본관의 유래

시조 (정)은 원래 진주에 세거한 사족의 후예로 고려조에서 벼슬이 좌우위상장군에 이르고 진강부원군에 봉해짐으로써 그의 후손들이 본관을 진주로 하게 된것이다. 그리고 혹칭 진주류씨의 근원이 문화유씨에서 분파된 것이라는 설이 있으나 이에 대한 문헌상 고증인 명백치 않다. 이에 대해서는 류문통 (사간공) 청천유고에서 변증했다.

〈행 렬 표〉

세	행 렬 자	세	행 렬 자
24	遠원道도	25	秀수
26	海해致치	27	馨형馥복
28	承승永영	29	相상模모植정
30	炳병煥환濟제	31	基기均균球구
32	鍾종鎭진恭공	33	淳순浩호休휴
34	東동柱주河하	35	熙희燮섭
36	在재敎교	37	鉉현欽흠
38	澈철泰태		

李氏 (全州)(전주리씨)

〈시조 및 본관의 유래〉

시조 李翰 (이한) 〈호견성〉은 덕망이 높고 문장이 탁월하여 신라 문성왕 때에 사공벼슬을 지냈으며 그후 대대로 신라조에 벼슬해 오다가 그의 6세손 극휴에 이르러 고려조에 벼슬하게 되어 사공을 지냈다. 18세손 안사(목조)는 대대로 전주에 살아온 호족이었는데 당시 전주에 새로 부임해온 지주가 탐학하고 오만하여 그를 규탄하니 지주가 군사를 휘동하여 보복하러 드는지라 이를 피해 강원도 삼척으로 이거했다. 그 후 전주 지주가 안염사가 되어 삼척으로 온다는 소문을 듣고 그 보복을 꺼려 다시 함경도로 옮겼다가 원 나라 간동으로 가 그곳에서 5천호의 다루하치 벼슬을 지냈고 안사의 아들 행리 (익조) 행리의 아들 춘 (도조) 춘의 아들 자춘 (환조)등이 천호 벼슬을 계승해 왔는데 자춘은 공민왕때 고려에 공을 세워 대중대부에 오르고 벼슬이 사복경에 이르렀다. 그리고 시조 한의 22세손인 성계 (자 : 군진, 호 : 송헌)에 이르러·어지러운 국정을 바로 잡고 민심을 수습하여 좌시중 배극렴 등 52인의 추재에 의해 왕위에 오르게 됨으로써 조선 왕조를 창전하고 전주이씨의 중시조가 되었으며 그후 정종.태종, 세종 등 열성조를 거쳐 27왕이 연면상계하여 향국이 519년으로 종지부를 맺었다. 이리하여 각 계통을 살펴보면 왕이 되기 이전 선대를 선원선계라 하고 역대왕조를 선원세계라 하는데 이는 태조 (이성계)가 왕위에 오른뒤 4조 (목.익.도.환)를 대왕에 추존함으로써 목조로부터 이조말까지의 왕계를 말한 것이다. .파계의 유래를 말하자면 제왕은 불감조기조라 하여 조상이지만 조상으로 칭할 수 없기 때문에 왕자인 대군 (왕후소생)이나 군 (후궁소생)을 파조로 하여 이어온 계통을 계파라 하는데 이를 선원파계라 한다. 한편 분파된 파계를 살펴 보면 목조이전의 선계에서 갈려간 파 즉 시조 한의 15세손인 단신을 파조로 하는 시중공파 16세손인 거를 파조로 하는 평장사공파 18세손인 영습을 파조로 하는 주보동정공파등 세파가 있고, 목, 익, 도, 환 등 4조의 자손 가운데 18파가 있으며 태조이후 왕자파가 98파로서 모두 합하면 116파가 되나 간혹 입양관계로 두파가 한파가 된 경우도 있어 사실상 그 수가 줄어 든다. 본관의 유래를 상고해 보면 시조의 묘소도 전주에 있고 또한 시조로 부터 18세손인 안사에 이르기 까지 전주에서 호족으로 세거하였기 때문에 본관을 전주로 하게 된 것이다.

(시 중 공 파)

세	행 렬 자	세	행 렬 자	세	행 렬 자
15	瑞信서신	16	作山작산	17	公直공직
18	開개	19	埮염	20	培배
21	輿여	22	文挺문정	23	蒙몽
24	伯由백유	25	栗율	26	俶喜숙희
27	浚준	28	友點우점	29	世璉세연
30	鎔용	31	麟趾인지	32	悦열
33	纘宗찬종	34	墀지	35	景眈경담
36	震진	37	德麟덕인	38	斌무
39	春完춘완	40	琳임	41	昌浩창호
42	★根근	43	炳병	44	圭규
45	鎭진	46	淳순	47	榮영
39	容용	40	圭규	41	會회
42	淵연	43	秉병	44	勳훈
45	教교	46	鍾종	47	浩호
48	桂계	49	性성	50	均균
51	錫석	52	永영	53	相상
54	烈열	55	在재	56	鉉현
57	海해				

(평 장 사 공 파)

세	행 렬 자	세	행 렬 자	세	행 렬 자
16	琚거	17	陽翼양익	18	安仁안인
19	行典행전	20	善味선미	21	永旽영돈
22	巻柱권주	23	珍實진실	24	軾식
25	由仁유인	26	彭錫팽석	27	元貞원정
28	守宇수우	29	曄엽	30	哲철
31	好馨호형	32	基興기흥	33	穗헌
34	廷鵬정붕	35	四德사덕	36	必復필복
37	命臣명신	38	仁醇인순	39	奎植규식
40	★炳병	41	基기		

(주 보 공 파)

세	행 렬 자	세	행 렬 자	세	행 렬 자
18	英襲영습	19	荳지	20	允卿윤경
21	世芬세분	22	仲培중배	23	包포
24	紹生소생	25	演연	26	孟華맹화
27	光哲광철	28	巨忠거충	29	楷해
30	以恭이공	31	昌完창완	32	漢相한상
33	時茂시무	34	德垕덕후	35	珏각
36	台鎭태진	37	河綸하륜	38	★植식

(안 천 대 군 파)

세	행 렬 자	세	행 렬 자	세	행 렬 자
19	於仙어선	20	光粹광수	21	貞守정수
22	陽生양생	23	昇祐승우	24	春同춘동
25	碩剛석강	26	德龍덕용	27	春茂춘무
28	仁傑인걸	29	安敏안민	30	雲鶴운학
31	天雄천웅	32	進衡진형	33	賛世찬세
34	宗彬종빈	35	大郁대욱	36	福晩복만
37	★錫석	38	淳순		

(안 원 대 군 파)

세	행 렬 자	세	행 렬 자	세	행 렬 자
19	珍진	20	施시	21	文문
22	秀수	23	成성	24	根重근중
25	亨孫형손	26	培陽배양	27	銀東은동
28	承碩승석	29	允弼윤필	30	彦熙언희
31	明吉명길	32	枝蕃지진	33	元直원직
34	雲亨운형	35	盛集성집	36	達蕃달번
37	觀白관백	38	宅源택원	39	壁英벽영
40	★炳병	41	在재		

(안 풍 대 군 파)

세	행 렬 자	세	행 렬 자	세	행 렬 자
19	精정	20	環환	21	哲철
22	得恒득항	23	陽發양발	24	貞奇정기
25	處遜처손	26	之杞지기	27	彦春언춘
28	景禄경록	29	好仁호인	30	俊文준문
31	尙白상백	32	材재	33	泰胤태윤
34	信京신경	35	繼宗계종	36	元昇원승
37	百碩백석	38	★根근	39	煥환
40	欽흠	41	河하	42	東동

43 炳병
(안 창 대 군 파)

세	행 렬 자	세	행 렬 자	세	행 렬 자
19	梅拂매불	20	栢백	21	賢현
22	天천	23	成佑성우	24	碩老석노
25	奉孫봉손	26	謹亨근형	27	忠善충선
28	守根수근	29	謨從모종	30	夢麟몽인
31	繼立계입	32	友堅우견	33	麗光려광
34	東白동백	35	應林응림	36	世龍세용
37	哲煥철환	38	元燮원섭	39	培健배건
40	星彬성빈	41	炳璿병선		

(안 흥 대 군 파)

세	행 렬 자	세	행 렬 자	세	행 렬 자
19	球壽구수	20	大嘉대가	21	天祐천우
22	乙仲을중	23	義山의산	24	順達순달
25	弼碩필석	26	天枝천지	27	吐蘭토란
28	以南이남	29	山奉산봉	30	松立송립
31	元善원선	32	正賛정찬	33	春尙춘상
34	時位시위	35	守福수복	36	八根팔근
37	用幹용간	38	允植윤식	39	允佖윤필
40	仁德인덕	41	學觀학관	42	五賢오현
43	有逸유일	44	宅成택성		

(함 령 대 군 파)

세	행 렬 자	세	행 렬 자	세	행 렬 자
20	安안	21	賢현	22	萬守만수
23	天鳳천봉	24	枝孫지손	25	南生남생
26	碩根석근	27	仁良인양	28	希霖희림
29	承倫승윤	30	春逢춘봉	31	夢吉몽길
32	敏達민달	33	千世천세	34	英才영재
35	就明취명	36	東炫동현	37	文碩문석
38	正秀정수	39	應淳응순	40	昌模창모
41	鳳吉봉길	42	★仁인	43	珍진

(함 창 대 군 파)

세	행 렬 자	세	행 렬 자	세	행 렬 자

세	행 렬 자	세	행 렬 자	세	행 렬 자
20	長장	21	干阿大간아대	22	江강
23	興淑흥숙	24	得利득리	25	春吉춘길
26	挨斗애두	27	文문	28	正栢정백
29	大明대명	30	成立성립	31	厚康후강
32	英赫영혁	33	昌林창림	34	光秀광수
35	達允달윤	36	★承승	37	命명
38	鼎정				

(함 원 대 군 파)

세	행 렬 자	세	행 렬 자	세	행 렬 자
20	松송	21	尙상	22	進진
23	貴順귀순	24	英根영근	25	建孫건손
26	彦陽언양	27	希世희세	28	厚福후복
29	汝成여성	30	重吉중길	31	技華기화
32	春海춘해	33	文甲문갑	34	鶴林학림
35	簿禄부록	36	★德덕	37	壎훈
38	壽수	39	鷹응	40	欽흠
41	浩호				

(함 천 대 군 파)

세	행 렬 자	세	행 렬 자	세	행 렬 자
20	源원	21	守수	22	결缺
23	雲芳운방	24	相玉상옥	25	有孫유손
26	一元일원	27	夢安몽안	28	應成응성
29	秀邦수방	30	鶴信학신	31	永發영발
32	完弼완필	33	泰昌태창	34	俊成준성
35	弘得홍득	36	廷禄정록	37	★觀관
38	朝조	39			

(함 릉 대 군 파)

세	행 렬 자	세	행 렬 자	세	행 렬 자
20	古泰고태	21	悦열	22	助조
23	貴仝귀동	24	義勳의훈	25	桂崇계숭
26	於桐어동	27	仁蕃인번	28	益守익수
29	思㴐사함	30	舜芳순방	31	萬만
32	九泰구태	33	根근	34	光一광일
35	承業승업	36	應鳳응봉	37	其禄기록

(함양대군파)

세	행렬자	세	행렬자	세	행렬자
20	腴전	21	延연	22	神佑신우
23	卿경	24	枚매	25	孝貞효정
26	承林승림	27	仁福인복	28	枝茂지무
29	鳳楨봉정	30	稷직	31	壽楠수남
32	新英신영	33	汝奎여규	34	載元재원
35	光國광국	36	宗碩종석	37	應白응백
38	化俊화준	39	★炳병	40	奎규
41	鍾종	42	淳순	43	秀수

(함성대군파)

세	행렬자	세	행렬자	세	행렬자
20	應巨응거	21	岀필	22	源원
23	珊산	24	哲東철동	25	繼宗계종
26	世傑세걸	27	萬頃만경	28	甲春갑춘
29	昇승	30	啓元계원	31	應先응선
32	明達명달	33	泰華태화	34	貴成귀성
35	興郁흥욱	36	芳俊방준	37	文珏문각
38	弘홍	39	壁벽		

(완창대군파)

세	행렬자	세	행렬자	세	행렬자
21	子興자흥	22	天桂천계	23	蘭란
24	陽德양덕	25	恂순	26	榮根영근
27	慶膺경응	28	起기	29	源원
30	道도옵	31	荷福하복	32	龜奉구봉
33	大春대춘	34	昌徽창휘	35	華一화일
36	聖中성중	37	★鉉현	38	泰태
39	模모	40	性성	41	均균
42	銓전	43	泳영	44	秉병
45	魯노	46	奎규	47	鍾종
48	源원	49	杓표	50	炅경
51	教교	52	善선	53	演연
54	秀수	55	薰훈	56	重중

(완원대군파)

세	행렬자	세	행렬자	세	행렬자
21	子宣자선	22	元원	23	春춘
24	起生기생	25	良孫양손	26	哲堅철견
27	殷錫은석	28	三福삼복	29	彦陽언양
30	得仁득인	31	興禮흥례	32	壽彬수빈
33	益令익령	34	參순삼	35	義甲의갑
36	昌伯창백				

(완천대군파)

세	행렬자	세	행렬자	세	행렬자
21	平평	22	天輔천보	23	英영
24	仲孫중손	25	因東인동	26	世都세도
27	元根원근	28	熙明희명	29	仁澤인택
30	大元대원	31	爾世이세	32	昌寬창관
33	禮衡예형	34	陽春양춘	35	膺林응림
36	★燮섭	37	秉병	38	鉉현
39	濬준				

(완성대군파)

세	행렬자	세	행렬자	세	행렬자
21	宗종	22	和尙화상	23	龍용
24	明達명달	25	朴同낙동	26	尙仲상중
27	仁厚인후	28	春景춘경	29	繼生계생
30	起善기선	31	東齡동령	32	元伯원백
33	萬宰만재	34	應三응삼	35	弘淡홍담
36	寅觀인관	37	★烈열	38	教교
39	鐸탁	40	漢한	41	秀수
42	丙병	43	基기	44	鎭진
45	源원	46	相상	47	熙희
48	喆철	49	鉉현	50	洙수

(완풍대군파)

세	행렬자	세	행렬자	세	행렬자
22	元桂원계	23	良祐양우	24	興發흥발
25	繼仁계인	26	勤生근생	27	世根세근
28	奉永봉영	29	益完익완	30	亮輔량보
31	克五극오	32	義昌의창	33	必章필장
34	時泰시태	35	檍억	36	得夏득하
37	★秉병	38	容용	39	在재

세	행렬자	세	행렬자	세	행렬자
40	鍾종	41	洙수	42	柱주
43	燮섭	44	善선	45	鎬호
46	雲운	47	相상	48	熙희
49	教교	50	鐸탁	51	永영

(의 안 대 군 파)

세	행 렬 자	세	행 렬 자	세	행 렬 자
22	和화	23	之崇지숭	24	壽수
25	承胤승윤	26	繼祖계조	27	完貞완정
28	枝琇지수	29	鴻遇홍우	30	德誠덕성
31	澡심	32	益文익문	33	瑜유
34	鳳弼봉필	35	宗恢종회	36	★垣원
37	呂여	38	周주	39	翼익
40	輔보	41	微휘	42	圭규
43	鏞용	44	浩호	45	相상
46	熙희	47	範범	48	鍾종
49	淳순	50	秉병	51	煥환

(신 안 대 군 파)

세	행 렬 자	세	행 렬 자	세	행 렬 자
23	芳雨방우	24	福根복근	25	碩석
26	銀生은생	27	瑀우	28	技幹기간
29	義宗의종	30	輪윤	31	德崇덕숭
32	廷卨정설	33	震禮진담	34	衡
35	胤錫윤석	36	★源원	37	柱주
38	烈연	39	坤곤	40	義의
41	浩호	42	榮영	43	尙상
44	在재	45	鍾종		

(익 안 대 군 파)

세	행 렬 자	세	행 렬 자	세	행 렬 자
23	芳毅방의	24	石根석근	25	仁인
26	伯規백규	27	從善종선	28	信彦신언
29	星斗성두	30	昌榮창영	31	弘載홍수
32	錫禧석희	33	萬俊만준	34	鼎熙정희
35	時雨시우	36	★白백	37	之지
38	重중	39	濟제	40	純순
41	來래	42	九구	43	喜희
44	孝효	45	豊풍	46	準준

47	勳훈	48	五오	49	翼익
50	載재	51	權권	52	馨형
53	世세				

(회 안 대 군 파)

세	행 렬 자	세	행 렬 자	세	행 렬 자
23	芳幹방간	24	孟衆맹중	25	溫온
26	克宗극종	27	世亨세형	28	漆칠
29	碩석	30	逸楠일남	31	夢砬몽립
32	彦尙언상	33	柱東주동	34	廷禮정례
35	貴瑞귀서	36	重漸중점	37	★春춘
38	炯형	39	教교	40	鍾종
41	求구	42	義의	43	魯노
44	重중	45	鉉현	46	準준
47	植식	48	炳병	49	均균
50	錫석	51	淳순	52	根근

(의 안 대 군 파)

세	행 렬 자	세	행 렬 자	세	행 렬 자
26	讚당	27	鋼강	28	抗
29	好仁호인	30	先立선입	31	旭욱
32	尙濂상염	33	休禎휴정	34	博박
35	聃年담년	36	志淵지연	37	撤철
38	熙寅희인	39	述堯술요	40	鍾大종대
41	★鎬호	42	洙수	43	柱주
44	煥환	45	南남	46	錫석

(의 평 군 파)

세	행 렬 자	세	행 렬 자	세	행 렬 자
24	元生원생	25	孝孫효손	26	晟성
27	玉明옥명	28	堰건	29	德福덕복
30	洛락	31	尙哲상철	32	珍진
33	春榮춘영	34	格격	35	道興도흥
36	爀혁	37	溟大명대	38	用憲용헌
39	★燦찬	40	基기	41	錫석
42	源원	43	柱주	44	烈열
45	在재	46	鏞용	47	洪홍
48	桓환	49	丙병	50	坤곤
51	鍾종	52	淵연	53	東동

(순 평 군 파)

세	행렬자	세	행렬자	세	행렬자
24	羣生군생	25	伯平백평	26	伸階신계
27	彭孫팽손	28	義老의노	29	濯탁
30	亨吉형길	31	彦成언성	32	震華진화
33	聖元성원	34	昌會창회	35	壽檍수억
36	★圭규	37	鍾종	38	漢한
39	根근	40	夏하	41	圭규
42	用용	43	凡범	44	命명
45	衡형	46	成성	47	起기
48	康강	49	宰재	50	聖성
51	癸계	52	學학	53	秉병

(진 남 군 파)

세	행렬자	세	행렬자	세	행렬자
24	終生종생	25	復복	26	○
27	○	28	○	29	○
30	○	31	偉위	32	推추
33	邦胃방위	34	仁錫인석	35	洙수
36	貫性관성	37	養林양림	38	衡馥형복
39	寧一영일	40	鼎정	41	淳순
42	秀수	43	熙희	44	在재
45	鍾종	46	泰태	47	東동
48	南남	49	基기	50	鎔용
51	浩호	52	相상	53	烈열

(선 성 군 파)

세	행렬자	세	행렬자	세	행렬자
24	茂生무생	25	貴孫귀손	26	繼孫계손
27	瑊감	28	遵道준도	29	埔육
30	濟運제운	31	榑부	32	振完진완
33	繻수	34	師顔사안	35	鐔심
36	孝逐효축	37	★鎭진	38	源원
39	和화	40	應응	41	信신
42	商상	43	海해	44	相상
45	忠충	46	在재	47	鎬호
48	雲운	49	柱주	50	光광
51	培배	52	銓전	53	洪홍

(수 도 군 파)

세	행렬자	세	행렬자	세	행렬자
24	德生덕생	25	儉검	26	淑祚숙조
27	嶾은	28	憲忠헌충	29	大壽대수
30	好文호문	31	三樂삼락	32	陽生양생
33	聖時성시	34	之麟지인	35	夏昌하창
36	★東동	37	容용	38	奎규
39	善선	40	承승	41	秀수
42	丙병	43	基기	44	鍾종
45	漢한	46	柱주	47	煥환
48	時시	49	鎬호	50	泰태
51	植식				

(종 의 군 파)

세	행렬자	세	행렬자	세	행렬자
24	貴生귀생	25	衍연	26	均균
27	仲善중선	28	鵬봉	29	獻邦헌방
30	大樹대수	31	沃옥	32	東榮동영
33	誼의	34	萬垓만해	35	光垕광후
36	德祚덕조	37	蓂명	38	元根원근
39	坤곤	40	★鉉현	41	淵연
42	柄병	43	煥환	44	基기
45	鏞용	46	濬준	47	相상
48	思사	49	珪규	50	鍾종
51	洙수				

(임 언 군 파)

세	행렬자	세	행렬자	세	행렬자
24	禄生록생	25	孝慈효자	26	長孫장손
27	萬年만년	28	如晦여회	29	克蕃극번
30	聖根성근	31	必壽필수	32	春茂춘무
33	彦國언국	34	慶麟경린	35	昌運창운
36	允中윤중	37	裕植유식	38	纘夏찬하
39	★教교	40	善선	41	濟제
42	懋	43	炳병	44	周주
45	兌태	46	一일	47	寅인
48	煥환	49	載재	50	會회

(석 보 군 파)

세	행 렬 자	세	행 렬 자	세	행 렬 자
24	福生복생	25	勅칙	26	驥기
27	繼同계동	28	珪규	29	英豪영호
30	華화	31	恒默항묵	32	汝誠여성
33	春茂춘무	34	聖來성래	35	東爀동혁
36	萬贍만담	37	昌運창운	38	憲厚헌후
39	光澤광택	40	★容용	41	基기
42	鎭진	43	源원	44	植식
45	丙병	46	奎규	47	鎬호
48	淵연	49	相상	50	燮섭
51	重중	52	善선	53	泳영

(도 평 군 파)

세	행 렬 자	세	행 렬 자	세	행 렬 자
24	末生말생	25	昌창	26	嬅지
27	明龜명구	28	芮예	29	希芬희분
30	馥복	31	棣榮체영	32	基胃기위
33	壽邦수방	34	廷馨정향	35	德良덕양
36	★翊익	37	秉병	38	鎬호
39	濟제	40	植식	41	熙희
42	圭규	43	鍾종	44	洙수
45	根근	46	炫현	47	坰경
48	鏞용	49	浩호	50	桓환
51	夏하	52	憲헌		

(덕 천 군 파)

세	행 렬 자	세	행 렬 자	세	행 렬 자
24	厚生후생	25	孝伯효백	26	貴丁귀정
27	繼性계성	28	宗胤종윤	29	德男덕남
30	景敏경민	31	弘紀홍기	32	榮發영발
33	貞吉정길	34	雄年웅년	35	宗孝종효
36	勉學면학	37	達遠달원	38	★象상
39	建건	40	夏하	41	殷은
42	周주	43	鎔용	44	淵연
45	植정	46	煥환	47	重중
48	銓전	49	洵순	50	東동
51	炳병	52	埈준	53	昊호

(장 천 군 파)

세	행 렬 자	세	행 렬 자	세	행 렬 자
24	普生보생	25	焜혼	26	彭祖팽조
27	龜壽구수	28	麒기	29	振文진문
30	磊뢰	31	國馨국형	32	綱강
33	命天명천	34	溶용	35	文彦문언
36	仁英인영	37	民中민중	38	可臣가신
39	★洙수	40	秉병	41	烈열
42	載재	43	鉉현	44	潤윤

(임 성 군 파)

세	행 렬 자	세	행 렬 자	세	행 렬 자
24	好生호생	25	金孫김손	26	孝元효원
27	珪규	28	希義희의	29	冲충
30	堯臣요신	31	泰賢태현	32	義錫의석
33	東白동백	34	彦彬언빈	35	光文광문
36	★周주	37	鎌겸	38	濟제
39	植식	40	愚우	41	在재
42	九구	43	淳순	44	秉병
45	熙희	46	圭규	47	鎭진
48	洙수	49	相상		

(정 석 군 파)

세	행 렬 자	세	행 렬 자	세	행 렬 자
24	隆生륭생	25	燧수	26	堅견
27	賢현	28	焉언	29	堯臣요신
30	榮垈영대	31	長壽장수	32	柱尙주상
33	元立원입	34	世運세운	35	宗春종춘
36	昌根창근	37	建中건중	38	思觀사관
39	★燁화	40	基기	41	鉉현
42	海해	43	榮영	44	炳병
45	圭규	46	鏞용	47	海해
48	相상	49	燦찬	50	在재
51	錫석	52	泰태		

(무림군파)

세	행렬자	세	행렬자	세	행렬자
24	善生선생	25	終孫종손	26	克昌극창
27	義年의년	28	希福희복	29	楨정
30	慶胤경윤	31	昱옥	32	東亮동량
33	檍익	34	震夏진하	35	道重도중
36	漢錫한석	37	浚明준명	38	★漢한
39	秉병	40	默묵	41	基기
42	鎬호	43	海해	44	根근
45	熙희	46	均균	47	鎔용
48	澤택	49	東동	50	勳훈
51	載재	52	鎭진		

(성녕대군파)

세	행렬자	세	행렬자	세	행렬자
24	禫종	25	宜의	26	偕해
27	珹성	28	元春원춘	29	夢寅몽인
30	舳	31	之賁지비	32	柱주
33	顯耆현지	34	寅圭인규	35	厚冕후면
36	俊永준영	37	正發정발	38	丙容병용
39	★喜희	40	錫석	41	淳순
42	根근	43	榮영	44	均균
45	鉉현	46	澤택	47	秉병
48	煥환	49	在재	50	鎭진
51	海해	52	集집		

(양녕대군파)

세	행렬자	세	행렬자	세	행렬자
24	提제	25	誧포	26	鎭진
27	繼男계남	28	義孫의손	29	祥상
30	彭年팽년	31	一曾일증	32	守謙수겸
33	炯형	34	漢輔한보	35	齊衡제형
36	★東동	37	容용	38	奎규
39	善선	40	承승	41	秀수
42	丙병	43	基기	44	鍾종
45	漢한	46	柱주	47	煥환
48	時시	49	鎬호	50	泰태
51	植식				

(경녕군파)

세	행렬자	세	행렬자	세	행렬자
24	裶비	25	秩질	26	楨정
27	擇택	28	元凱원개	29	益壽익수
30	有善유선	31	始秀시수	32	慶長경장
33	萬壽만수	34	尙謙상겸	35	遇震우진
36	瑜方유방	37	★秉병	38	容용
39	喜희	40	鍾종	41	永영
42	根근	43	燮섭	44	圭규
45	鏞용	46	泰태	47	東동
48	忠충	49	在재	50	鎬호
51	洙수	52	集집	53	烈열

(효녕대군파)

세	행렬자	세	행렬자	세	행렬자
24	補보	25	寀채	26	恮전
27	任임	28	承元승원	29	昌仁창인
30	淑숙		思益사	32	應吉응길
33	聖民성민	34	蕙혜	35	世亨세형
36	★遇우	37	凡범	38	會회
39	宇우	40	儀의	41	起기
42	康강	43	宰재	44	廷정
45	揆규	46	學학	47	庸용
48	演연	49	卿경	50	振진
51	範범	52	年년	53	來래

(함녕군파)

세	행렬자	세	행렬자	세	행렬자
24	袖수	25	敏민	26	淨정
27	敷부	28	碩석	29	琦기
30	賢현	31	榮春영춘	32	庭英정영
33	連澤연택	34	國善국선	35	美弼미필
36	春章춘장	37	亨楫형접	38	★秀수
39	思사	40	圭규	41	鍾종
42	浩호	43	秉병	44	烈열
45	在재	46	會회	47	承승
48	東동	49	憲헌	50	均균

(온녕군 파)

세	행렬자	세	행렬자	세	행렬자
24	揕정	25	鍾종	26	挺정
27	淮회	28	敏민	29	成立성립
30	昌基창기	31	時茂시무	32	珏각
33	仁浹인협	34	桨	35	宗顯종현
36	致聲치성	37	★冕	38	弼필
39	義의	40	載재	41	紀기
42	鏞용	43	鍾종	44	柱주
45	善선	46	雲운	47	穆목
48	憲헌	49	中중	50	章장
51	宅택	52	林임	53	旭욱

(근녕군 파)

세	행렬자	세	행렬자	세	행렬자
24	禮농	25	際제	26	擢탁
27	諭유	28	元絃원굉	29	策책
30	重福중복	31	斑정	32	義一의일
33	奎규	34	彦明언명	35	敬熙경희
36	昌瑀창우	37	行純행순	38	★淵연
39	承승	40	相상	41	炳병
42	宰재	43	鍾종	44	漢한
45	東동	46	默묵	47	喆철
48	兌태	49	源원	50	杓표

(혜녕군 파)

세	행렬자	세	행렬자	세	행렬자
24	祉지	25	洙수	26	孝植효식
27	萬年만년	28	允寬윤관	29	球구
30	繼壽계수	31	德源덕원	32	藎邦진방
33	文偉문위	34	益三익삼	35	寅英인영
36	勖	37	★載재	38	錫석
39	澤택	40	東동	41	熙희
42	基기				

(희녕군 파)

세	행렬자	세	행렬자	세	행렬자
24	祐타	25	堪감	26	德혜
27	壽眞수진	28	大鵬대붕	29	孝彦효언
30	光溢광일	31	泰榮태영	32	時梡시완

세	행렬자	세	행렬자	세	행렬자
33	海齡해령	34	思恭사공	35	錫一석일
36	始春시춘	37	在慶재경	38	知文지문
39	★喆철	40	鎭진	41	淳순
42	根근	43	熙희	44	圭규
45	鍾종	46	洙수	47	相상
48	默묵	49	載재	50	善선
51	泳영	52	桓환	53	魯노

(후녕군 파)

세	행렬자	세	행렬자	세	행렬자
24	杆우	25	緝집	26	範범
27	賢孫현손	28	孝男효남	29	仁重인중
30	時習시습	31	電전	32	碩華석화
33	後綱후강	34	海中해중	35	維英유영
36	吉培길배	37	★鎭진	38	洙수
39	植식	40	煥환	41	在재
42	鎬호	43	承승	44	秀수
45	炳병	46	敎교	47	重중
48	澤택	49	來래	50	燮섭

(익녕군 파)

세	행렬자	세	행렬자	세	행렬자
24	袳치	25	承恩승은	26	壽長수장
27	千年천년	28	麟린	29	金男김남
30	起中기중	31	斗文두문	32	后晟후성
33	太望태망	34	東郁동욱	35	★煥환
36	時시	37	鎭진	38	淵연
39	根근	40	炳병	41	圭규
42	鍾종	43	浩호	44	柱주
45	默묵	46	載재	47	鉉현
48	泰태	49	權권	50	容용
51	基기	52	銘명	53	永영

(임영대군 파)

세	행렬자	세	행렬자	세	행렬자
25	璿	26	淳순	27	孜자
28	玉貞옥정	29	瑾근	30	德英덕영
31	煜옥	32	震傑진걸	33	濆흠
34	彦鼎언정	35	楗건	36	宗漢종한
37	★海해	38	秀수	39	思사
40	圭규	41	鍾종	42	浩호

43	元원	44	烈열	45	厚후
46	會회	47	承승	48	東동
49	憲헌	50	均균	51	鎬호
52	淵연	53	相상	54	燮섭

(광평대군파)

세	행렬자	세	행렬자	세	행렬자
25	여	26	簿부	27	崎기
28	築영	29	義蕃의번	30	坦탄
31	成章성장	32	諫간	33	克善극선
34	邱	35	國英국영	36	綻정
37	★始시	38	義의	39	淵연
40	寅인	41	夏하	42	範범
43	鍾종	44	揆규	45	杓표
46	忠충	47	善선	48	雨우
49	東동	50	煥환		

(금성대군파)

세	행렬자	세	행렬자	세	행렬자
25	瑜유	26	孟漢맹한	27	連長연장
28	仁인	29	希堯희요	30	澮회
31	時輝시휘	32	樟장	33	碩漢석한
34	濟說제설	35	益秀익수	36	貞奎정규
37	若元약원	38	始燁시엽	39	★錫석
40	浩호	41	柄병	42	熙희

(영응대군파)

세	행렬자	세	행렬자	세	행렬자
25	琰염	26	源원	27	禮단
28	敬祥경상	29	仁恢인회	30	夢弼몽필
31	從律종률	32	東顯동현	33	柱漢주한
34	恒春항춘	35	奎彩규채	36	完復완복
37	箕燁기엽	38	景勗	39	★增증
40	鍾종	41	洙수	42	相상
43	烈열	44	址지	45	善선
46	泰태	47	植식	48	容용
49	坤곤	50	義의	51	渙환
52	仁인	53	杰걸	54	信신

(화의군파)

세	행렬자	세	행렬자	세	행렬자
25	瓔영	26	輹원	27	級급

28	麒기	29	成志성지	30	漢龜한구
31	萬葉만엽	32	聖遠성원	33	文錫문석
34	持敬지경	35	明五명오	36	泰奎태규
37	商俊상준	38	★承승	39	正정
40	煥환	41	在재	42	善선
43	浩호	44	模모	45	憲헌
46	壽수	47	鉉현	48	求구
49	根근	50	夏하	51	基기
52	鎮진	53	淳순	54	榮영

(계양군파)

세	행렬자	세	행렬자	세	행렬자
25	珝증	26	禮례	27	轍철
28	壽甲수갑	29	文衡문형	30	應龍응용
31	澤民택민	32	宗先종선	33	夢錫몽석
34	善英선영	35	命華명화	36	敬天경천
37	復誠복성	38	弘健홍건	39	碩和석화
40	★淵연	41	穆목	42	炳병
43	愚우	44	九구	45	南남
46	寧녕	47	盛성	48	紀기
49	康강	50	宰재	51	聖성
52	揆규				

(의창군파)

세	행렬자	세	행렬자	세	행렬자
25	玒공	26	灝호	27	詢순
28	祺기	29	聃年담년	30	績적
31	孝伯효백	32	文袗문진	33	以顯이현
34	惟寯유유	35	希華희화	36	百裕백유
37	得魯득노	38	正養정양	39	碩驥석기
40	★淵연	41	東동	42	熙희
43	愚우	44	九구	45	南남
46	寧녕	47	盛성	48	紀기
49	康강	50	宰재	51	聖성
52	揆규				

(하남군파)

세	행렬자	세	행렬자	세	행렬자
25	琬	26	象生상생	27	玉根옥근
28	植식	29	獻慶헌경	30	彦斌언무
31	弘幹홍간	32	松齡송령	33	世模세모
34	得宗득종	35	儀亨의형	36	相殷상은

37	魯洙노수	38	炳一병일	39	★凡범
40	柄병	41	宇우	42	成성
43	起기	44	康강	45	章장
46	重중	47	發발		

(밀성군파)

세	행렬자	세	행렬자	세	행렬자
25	琛침	26	誠성	27	鐸청
28	灝호	29	彪표	30	楊양
31	東馨동형	32	붗	33	斗相두상
34	炫현	35	能祥능상	36	英稷영직
37	憲元헌원	38	★秉병	39	容용
40	重중	41	鎬호	42	洙수
43	愚우	44	九구	45	南남
46	寧녕	47	盛성	48	紀기
49	康강	50	宰재	51	聖성
52	揆규				

(수춘군파)

세	행렬자	세	행렬자	세	행렬자
25	砝현	26	讚당	27	欽흠
28	孝篤효독	29	元禎원정	30	天賚천뢰
31	修林수임	32	舜翊순익	33	世冑세위
34	道恒도항	35	彦晢언절	36	★達달
37		38	秉병	39	容용
40	重중	41	鍾종	42	洙수
43	模모				

(익현군파)

세	행렬자	세	행렬자	세	행렬자
25	璉	26	潰지	27	譜해
28	植정	29	彦亨언형	30	淨정
31	星吉성길	32	抧진	33	文材문재
34	燦찬	35	徵垕징후	36	鐸탁
37	★淳순	38	東동	39	容용
40	周주	41	會회	42	泰태
43	愚우	44	九구	45	南남
46	寧녕	47	盛성	48	紀기
49	康강	50	宰재	51	聖성
52	揆규				

(녕해군파)

세	행렬자	세	행렬자	세	행렬자
25	瑭당	26	仁인	27	禧희
28	灟	29	德基덕기	30	壽宗수종
31	象震상진	32	時規	33	星老성노
34	日章일장	35	亨躋형제	36	昌闓창온
37	華鼎 정	38	光默광묵	39	★教교
40	器기	41	壽수	42	錫석
43	愚우	44	九구	45	南남
46	寧녕	47	盛성	48	紀기
49	康강	50	宰재	51	聖성
52	揆규				

(담양군파)

세	행렬자	세	행렬자	세	행렬자
25	琢거	26	潚숙	27	輔보
28	璟경	29	孝元효원	30	麤암
31	命弼명필	32	震錫진석	33	春齡춘령
34	齊孟제맹	35	玄慶현경	36	廷洽정협
37	海鎭해진	38	守觀수관	39	鼎采정채
40	熙濬희준	41	昌用창용	42	鎬東호동
43	★愚우	44	九구	45	南남
46	寧녕	47	盛성	48	紀기
49	康강	50	宰재	51	聖성
52	揆규				

(덕원군파)

세	행렬자	세	행렬자	세	행렬자
26	曙서	27	적渭	28	植정
29	龍壽용수	30	弘憲홍헌	31	馨國형국
32	是昌시창	33	元弼원필	34	徵祖징조
35	德謙덕겸	36	道天도천	37	勉東면동
38	敏用민용	39	★演연	40	根근
41	愚우	42	在재	43	鎬호
44	永영	45	相상	46	燮섭
47	圭규	48	鉉현	49	海해
50	桓환	51	炳병	52	遠원
53	鍾종	54	漢한	55	東동

(창 원 군 파)

세	행렬자	세	행렬자	세	행렬자
26	晟성	27	濊	28	仁武인무
29	渭위	30	汝龍여용	31	제
32	馨老형노	33	興冑흥위	34	元郁원욱
35	東賢동현	36	★載재	37	鎭진
38	漢한	39	植식	40	鼎정
41	奎규	42	鍾종	43	永영
44	根근	45	勳훈	46	致치
47	善선	48	海해	49	林임
50	熙희				

(월 산 대 군 파)

세	행렬자	세	행렬자	세	행렬자
27	婷정	28	恀이	29	珦주
30	誠성	31	好仁호인	32	希孟희맹
33	碩蕃석번	34	綱강	35	夏奭하석
36	師興사흥	37	尙訥상눌	38	★熙희
39	圭규	40	錫석	41	淳순
42	柱주	43	燮섭	44	在재
45	鎬호	46	澤택	47	東동
48	炳병	49	熔용	50	乾건

(계 성 군 파)

세	행렬자	세	행렬자	세	행렬자
28	恂순	29	瑠유	30	諟시
31	得仁득인	32	惟馨유형	33	粹蕃수번
34	慶祖경조	35	殷復은복	36	燧
37	明會명회	38	南老남노	39	庭濂정염
40	秉德병덕	41	昌輝창휘	42	★薰훈
43	九구	44	雨우	45	珩형
46	成성	47	起기	48	庸용
49	宰재	50	廷정	51	揆규
52	洙수	53	柄병	54	烈열
55	基기	56	鉉현	57	永영

(안 양 군 파)

세	행렬자	세	행렬자	세	행렬자
28	㤋	29	億壽억수	30	貴仁귀인
31	玹현	32	應禧응희	33	斗興두흥

세	행렬자	세	행렬자	세	행렬자
34	挺胤정윤	35	時夏시하	36	天規천규
37	德孫덕손	38	栽坤재곤	39	晩赫만혁
40	翼魯익노	41	鶴善학선	42	★勳훈
43	九구	44	雨우	45	珩형
46	成성	47	起기	48	庸용
49	宰재	50	廷정	51	揆규
52	洙수	53	柄병	54	烈열
55	基기	56	鉉현	57	永영

(완 원 군 파)

세	행렬자	세	행렬자	세	행렬자
28	悏수	29	壽剛수강	30	億억
31	夢龍몽룡	32	瑋위	33	惟宗유종
34	績빈	35	世茂세무	36	恒항
37	健燮건섭	38	在實재실	39	範錫범석
40	雲慶운경	41	遇根우근	42	★薰훈
43	九구	44	雨우	45	珩형
46	成성	47	起기	48	庸용
49	宰재	50	廷정	51	揆규
52	洙수	53	柄병	54	烈열
55	基기	56	鉉현	57	永영

(회 산 군 파)

세	행렬자	세	행렬자	세	행렬자
28	恬념	29	壽誠수성	30	銓전
31	塏준	32	茂立무입	33	光燕광연
34	命載명재	35	益方익방	36	喜徵희징
37	東植동식	38	元相원상	39	楹
40	尙旻상민	41	根天근천	42	★薰훈
43	九구	44	雨우	45	珩형
46	成성	47	起기	48	庸용
49	宰재	50	廷정	51	揆규
52	洙수	53	柄병	54	烈열
55	基기	56	鉉현	57	永영

(봉 안 군 파)

세	행렬자	세	행렬자	세	행렬자
28	悭봉	29	璚경	30	俔견
31	興胤흥윤	32	濟제	33	震亨진형
34	梔	35	世雄세웅	36	紳신
37	春永춘영	38	鍾燁종엽	39	元培원배

세	행렬자	세	행렬자	세	행렬자		세	행렬자	세	행렬자	세	행렬자
40	秉德병덕	41	雲夏운하	42	★薰훈		40	鎭진	41	淳순	42	薰훈
43	九구	44	雨우	45	珩형		43	九구	44	雨우	45	珩형
46	成성	47	起기	48	庸용		46	成성	47	起기	48	庸용
49	宰재	50	廷정	51	揆규		49	宰재	50	廷정	51	揆규
52	洙수	53	柄병	54	烈열		52	洙수	53	柄병	54	烈열
55	基기	56	鉉현	57	永영		55	基기	56	鉉현	57	永영

(견성군파)　　　　　　　　　　　　(경명군파)

세	행렬자	세	행렬자	세	행렬자		세	행렬자	세	행렬자	세	행렬자
28	悙돈	29	壽誠수성	30	欽흠		28	忱침	29	壽齡수령	30	鎰일
31	洛락	32	楗건	33	文炯문형		31	大麟대린	32	曄엽	33	有愰유황
34	聖榮성경	35	明珍명진	36	春茂춘무		34	塤구	35	永錫영석	36	興寬흥관
37	鼎相정상	38	熙重희중	39	弘喆홍철		37	仁相인상	38	烜훤	39	炳玄병현
40	會秀회수	41	潤伍윤오	42	★薰훈		40	祚承조승	41	根근	42	★薰훈
43	九구	44	雨우	45	珩형		43	九구	44	雨우	45	珩형
46	成성	47	起기	48	庸용		46	成성	47	起기	48	庸용
49	宰재	50	廷정	51	揆규		49	宰재	50	廷정	51	揆규
52	洙수	53	柄병	54	烈열		52	洙수	53	柄병	54	烈열
55	基기	56	鉉현	57	永영		55	基기	56	鉉현	57	永영

(익양군파)　　　　　　　　　　　　(전성군파)

세	행렬자	세	행렬자	세	행렬자		세	행렬자	세	행렬자	세	행렬자
28	懷회	29	壽鵬수	30	傑걸		28	忭변	29	壽麒수기	30	俶숙
31	慶胤경윤	32	瀟숙	33	行健행건		31	愼胤신윤	32	柟남	33	益昌익창
34	之白지백	35	聖翊성익	36	喜泰희태		34	世茂세무	35	光運광운	36	德基덕기
37	樨정	38	宜贇의	39	宗國종국		37	弘鎭홍진	38	夏相하상	39	根培근배
40	碩顯석현	41	斗文두문	42	★薰훈		40	錫永석영	41	秉병정	42	★薰훈
43	九구	44	雨우	45	珩형		43	九구	44	雨우	45	珩형
46	成성	47	起기	48	庸용		46	成성	47	起기	48	庸용
49	宰재	50	廷정	51	揆규		49	宰재	50	廷정	51	揆규
52	洙수	53	柄병	54	烈열		52	洙수	53	柄병	54	烈열
55	基기	56	鉉현	57	永영		55	基기	56	鉉현	57	永영

(이성군파)　　　　　　　　　　　　(무산군파)

세	행렬자	세	행렬자	세	행렬자		세	행렬자	세	행렬자	세	행렬자
28	慣관	29	壽環수환	30	耆구		28	悰종	29	龜壽구수	30	秀芳수방
31	應祚응조	32	欽흠	33	雲漢운한		31	枢추	32	敬義경의	33	錫耆석기
34	㮈	35	晩煜만욱	36	埴식		34	鼎興정흥	35	遂大수대	36	民獻민헌
37	仁錫인석	38	㦤룡	39	★載재		37	一鎭일진	38	宜祿의록	39	柱聃주담

세	행렬자	세	행렬자	세	행렬자
40	炳祚병조	41	晃春원춘	42	★薰훈
43	九구	44	雨우	45	珩형
46	成성	47	起기	48	庸용
49	宰재	50	廷정	51	揆규
52	洙수	53	柄병	54	烈열
55	基기	56	鉉현	57	永영

세	행렬자	세	행렬자	세	행렬자
40	仁教인교	41	根祐근우	42	★薰훈
43	九구	44	雨우	45	珩형
46	成성	47	起기	48	庸용
49	宰재	50	廷정	51	揆규
52	洙수	53	柄병	54	烈열
55	基기	56	鉉현	57	永영

(녕산군파)

세	행렬자	세	행렬자	세	행렬자
28	㤗전	29	祥상	30	鏡義경의
31	琦기	32	元麒원기	33	檜익
34	時郁시욱	35	信著신저	36	秉儉병검
37	基煥기환	38	鉉駿현준	39	★鍾종
40	承승	41	采채	42	薰훈
43	九구	44	雨우	45	珩형
46	成성	47	起기	48	庸용
49	宰재	50	廷정	51	揆규
52	洙수	53	柄병	54	烈열
55	基기	56	鉉현	57	永영

(운천군파)

세	행렬자	세	행렬자	세	행렬자
28	慎	29	壽禮수례	30	傅부
31	瑞서	32	時亨시형	33	元楨원정
34	夢錫몽석	35	重翼중익	36	廷郁정욱
37	恒燮항섭	38	在慶재경	39	桂宗계종
40	鉉邦현방	41	茂永무영	42	★薰훈
43	九구	44	雨우	45	珩형
46	成성	47	起기	48	庸용
49	宰재	50	廷정	51	揆규
52	洙수	53	柄병	54	烈열
55	基기	56	鉉현	57	永영

(양원군파)

세	행렬자	세	행렬자	세	행렬자
28	慎희	29	壽璿수선	30	佺
31	世憲세헌	32	최정	33	文碩문석
34	棋홍	35	命萬명만	36	興祚흥조
37	允協윤협	38	正英정영	39	鍾華종화

(해안군파)

세	행렬자	세	행렬자	세	행렬자
29	嶠	30	銛섭	31	夢虎몽호
32	宗植종식	33	萬根만근	34	重昌중창
35	囿普유보	36	尙周상주	37	仁鏡인경
38	述祖술조	39	東植동식	40	★炳병
41	基기	42	鎬호	43	泳영
44	根근	45	熙희	46	埈준
47	鍾종	48	洙수	49	相상
50	炫현				

(금원군파)

세	행렬자	세	행렬자	세	행렬자
29	嶺령	30	鏻	31	錫齡석령
32	澳오	33	斗漢두한	34	弘集홍집
35	益熙익희	36	堯哲요철	37	★鍾종
38	濂염	39	來래	40	應응
41	載재	42	鎔용	43	海해
44	柱주	45	愚우	46	基기
47	義의	48	雲운	49	種종
50	熙희	51	教교		

(영양군파)

세	행렬자	세	행렬자	세	행렬자
29	岠거	30	秀수	31	潛잠
32	傅희	33	夏番하번	34	泰亨태형
35	彦哲언철	36	宗遂종수	37	翼傅익부
38	世永세영	39	★穆목	40	應응
41	載재	42	鎔용	43	海해
44	柱주	45	愚우	46	基기
47	義의	48	雲운	49	種종
50	熙희	51	教교		

(덕양군파)

세	행렬자	세	행렬자	세	행렬자
29	岐기	30	宗麟종린	31	瞻담
32	炯胤형윤	33	全지	34	箕相기상
35	氵微시징	36	觀濟관제	37	東馥동복
38	敬熙경희	39	★周주	40	鉉현
41	承승	42	林임	43	爕섭
44	圭규	45	鍾종	46	海해
47	根근	48	容용	49	壽수
50	鎭전	51	一일	52	寅인
53	心심	54	中중	55	白백
56	泰태				

(봉성군파)

세	행렬자	세	행렬자	세	행렬자
29	岏완	30	健건	31	世俊세준
32	格격	33	齊夏제하	34	鳳錫봉석
35	胤器윤기	36	亨植형식	37	日煒일위
38	喜教희교	39	★鎭진	40	泰태
41	秀수	42	容용	43	在재
44	鍾종	45	泳영	46	相상
47	熙희	48	均균	49	鉉현
50	承승	51	林임		

(덕흥대원군파)

세	행렬자	세	행렬자	세	행렬자
29	嶭소	30	鋥정	31	引齡인령
32	激돈	33	挺漢정한	34	弘逸홍일
35	世禎세정	36	明佐명좌	37	亨宗형종
38	禮예	39	★植식	40	應응
41	載재	42	鎔용	43	海해
44	柱주	45	愚우	46	基기
47	義의	48	雲운	49	種종
50	熙희	51	教교		

(임해군파)

세	행렬자	세	행렬자	세	행렬자
31	珒진	32	儆경	33	凍동
34	杓표	35	廷燁정엽	36	洸광
37	惟春유춘	38	種杓종표	39	道恒도항
40	★應응	41	載재	42	鎔용
43	海해	44	柱주	45	愚우
46	基기	47	義의	48	雲운
49	種종	50	熙희	51	教교

(신성군파)

세	행렬자	세	행렬자	세	행렬자
31	珝후	32	佅	33	澤택
34	稷직	35	廷煌정황	36	埮염
37	惟命유명	38	觀洙관수	39	彦相언상
40	益應익응	41	★載재	42	鎔용
43	海해	44	柱주	45	愚우
46	基기	47	義의	48	雲운
49	種종	50	熙희	51	教교

(순화군파)

세	행렬자	세	행렬자	세	행렬자
31	珏각	32	億억	33	沉
34	扔	35	益煥익환	36	復圭복규
37	鍾淑종숙	38	文沼문소	39	★秀수
40	應응	41	載재	42	鎔용
43	海해	44	柱주	45	愚우
46	基기	47	義의	48	雲운
49	種종	50	熙희	51	教교

(인성군파)

세	행렬자	세	행렬자	세	행렬자
31	珙공	32	佶길	33	潭장
34	構구	35	益炫익현	36	白圭백규
37	★鍾종	38	沼소	39	秀수
40	應응	41	載재	42	鎔용
43	海해	44	柱주	45	愚우
46	基기	47	義의	48	雲운
49	種종	50	熙희	51	教교

(의창군파 … 낙성군이 후계)

세	행렬자	세	행렬자	세	행렬자
31	珖광	32	○	33	潚숙
34	桓환	35	爐수	36	增증

37	韶九소구	38	鍾永종영	39	楗重건중
40	★應응	41	載재	42	鎔용
43	海해	44	柱주	45	愚우
46	基기	47	義의	48	雲운
49	種종	50	熙희		

(경 창 대 군 파)

세	행 렬 자	세	행 렬 자	세	행 렬 자
31	瑈	32	儁준	33	洼
34	槐	35	廷煜정욱	36	在재
37	惟秀유수	38	述初술초	39	道本도본
40	★應응	41	載재	42	鎔용
43	海해	44	柱주	45	愚우
46	基기	47	義의	48	雲운
49	種종	50	熙희		

(경 평 군 파)

세	행 렬 자	세	행 렬 자	세	행 렬 자
31	功	32	傑	33	濮집
34	模모	35	彦衡언형	36	澤遂택수
37	後傅후부	38	錫永석영	39	駿相준상
40	★應응	41	載재	42	鎔용
43	海해	44	柱주	45	愚우
46	基기	47	義의	48	雲운
49	種종	50	熙희		

(인 흥 군 파)

세	행 렬 자	세	행 렬 자	세	행 렬 자
31	瑛영	32	偀	33	濶
34	椀완	35	彦燽언숙	36	遠원
37	書九서구	38	蕃永 영	39	定仁정인
40	★應응	41	載재	42	鎔용
43	海해	44	柱주	45	愚우
46	基기	47	義의	48	雲운
49	種종	50	熙희		

(녕 성 군 파)

세	행 렬 자	세	행 렬 자	세	행 렬 자
31	琫	32	倫윤	33	泓홍

34	欞강	35	命杰명걸	36	周憲주헌
37	鼎寬정관	38	日永일영	39	季謙계겸
40	★應응	41	載재	42	鎔용
43	海해	44	柱주	45	愚우
46	基기	47	義의	48	雲운
49	種종	50	熙희		

(릉 원 대 군 파)

세	행 렬 자	세	행 렬 자	세	행 렬 자
32	俌보	33	澅	34	橪
35	炳병	36	厚遠후원	37	德鉉덕현
38	濟應제응	39	健和건화	40	★應응
41	載재	42	鎔용	43	海해
44	柱주	45	愚우	46	基기
47	義의	48	雲운	49	種종
50	熙희	51	教교		

(릉 창 대 군 파…린 평 대 군 이 세 승)

세	행 렬 자	세	행 렬 자	세	행 렬 자
32	洤전	33	滀	34	栯옥
35	煥환	36	垓	37	鼎錫정석
38	秉淵병연	39	季重계중	40	★應응
41	載재	42	鎔용	43	海해
44	柱주	45	愚우	46	基기
47	義의	48	雲운	49	種종
50	熙희	51	教교		

(소 현 세 자 파)

세	행 렬 자	세	행 렬 자	세	행 렬 자
33	㙉	34	柏백	35	滉황
36	堪감	37	泰錫태석	38	源慶원경
39	庭堅정견	40	★應응	41	載재
42	鎔용	43	海해	44	柱주
45	愚우	46	基기	47	義의
48	雲운	49	種종	50	熙희
51	教교				

(용 성 대 군 파)

세	행 렬 자	세	행 렬 자	세	행 렬 자

33	滾곤	34	禩인	35	燦찬
36	壎	37	鎭奎진규	38	秉漢병한
39	相重상중	40	★應응	41	載재
42	鎔용	43	海해	44	柱주
45	愚우	46	基기	47	義의
48	雲운	49	種종	50	熙희
51	教교				

(숭선군파)

세	행렬자	세	행렬자	세	행렬자
33	激	34	杭항	35	炤소
36	絅경	37	鎭岳진악	38	秉洙병수
39	馨重형중	40	★應응	41	載재
42	鎔용	43	海해	44	柱주
45	愚우	46	基기	47	義의
48	雲운	49	種종	50	熙희
51	教교				

(연령군파…은신군이 후계)

세	행렬자	세	행렬자	세	행렬자
36	穪헌	37	○	38	禛
39	球구	40	★應응	41	載재
42	鎔용	43	海해	44	柱주
45	愚우	46	基기	47	義의
48	雲운	49	種종	50	熙희
51	教교				

(은언군파: 은전군파)

세	행렬자	세	행렬자	세	행렬자
40	應응	41	載재	42	鎔용
43	海해	44	柱주	45	愚우
46	基기	47	義의	48	雲운
49	種종	50	熙희	51	教교

馬氏 (木川·長興)(목천·장흥마씨)

시조 및 본관의 유래

도시조 馬藜 (마려)는 온조왕의 좌보로서

오간동 10신과 함께 온조왕을 따라 고구려에서 솔병남하하여 위례성에 십제국(후에 백제로 개칭)을 세워 온조를 초대왕으로 추재하고 십제원훈에 보익되었으며 형 마신은 고구려에 잔유하여 동명왕을 보필하였다한다. 그러나 긴 세월이 흐르는 동안 문헌과 고증이 유전되어 누대에 걸쳐 계통을 밝히지 못하고 백제가 나당연합군에 패한 후 조종의 세거지인 목지국의 변방 대목악군에 웅거하여 십제국 복구를 도모했던 마육황을 중시조로 하고 그의 8세손 순흥이 고려정종 때 벼슬하여 문하시중평장사에 오르고 목천군에 봉해졌으며 아들 점중이 문종 때 이부상서를 지내고 또한 목주군에 봉해졌으므로 본관을 목천으로 하였다. 그리고 점중에게는 현, 혁인 형제가 있었는데 현은 목천마씨의 1세조 혁인은 장흥마씨의 1세조가 되어 각각 계세하고 있다. 장흥 마씨는 원래 조종이 세거했던 마사량현이 고려 때 회령으로 개칭되었기 때문에 본관을 회령이라 하였는데 그 후 11세손 마천목이 조선초기 왕자의 난때 방원(태종)을 봉재하여 좌명공신에 서훈되고 판우군부사 병조판서에 올랐으며 상흥부원군에 봉해졌고 회령이 장흥도호부의 속현이므로 장흥으로 개관하게 되었다. 그런데 1971년 6월 27일 마씨대종회에서 전국 마씨의 복고대종을 결의하고 단일 혈통의 신념으로써 복고를 추진하고 있다.

〈행렬표〉 (목천마씨)

세	행렬자	세	행렬자	세	행렬자
28	鍾종	29	一일	30	相상
31	昌창	32	善선	33	錫석
34	永영	35	桓환	36	光광
37	中중	38	鎭진	39	泰태
40	左좌	41	九구	42	貞정
43	杓표	44	明명	45	茂무

세	행렬자	세	행렬자	세	행렬자
28	錫호錫석	29	淑숙河하	30	相상樂락
31	煌황烈열	32	埰채在재	33	銓전鎔용
34	永영洪홍	35	權권根근	36	燦찬炳병
37	圭규教교	38	鎔용鉉현	39	洙수浩호
40	柄병桂계	41	炅경熹훈	42	孝효載재
43	鎭진銀은				

麻氏(永平·烈山)(영평·열산마씨)

　마씨는 영평 열산 2본이 전하나 유래는 모두 미상이다. 고려 태조 때 개국공신에 오른 麻煖(마난)은 영평마씨이고 경남 협천에 살고 있는 마씨는 1597년 (선조 30) 정유재란 때 명나라 제독으로 래원했던 마관장군의 증손 마순상이 귀화한 후예라고 전한다. 분포지는 경남 협천, 함안, 창원, 거창, 함양과 전북 진안 둥인데 도합 10여 가구가 된다.

萬氏(開城·江華)(개성·강화만씨)

　만씨는 신라 진평왕 때 대내마 벼슬을 지낸 만세 경덕왕 때 상대둥 벼슬을 지낸 만종 고려 태조 때 최충헌의 사노로 노예 해방을 부르짖은 만적 둥의 이름이 보이나 상고 할 바 없고 일반적으로는 1592년 (선조 25년)입진란 때 원병으로 우리 나라에 나왔던 명나라의 경리사 만세덕의 후예로 알려져 있다. 분포는 1930년도 국세조사 자료에 의하면 전국에 39가구가 있는데 그 중 35가구가 북한에 있고 남한에는 경기, 충남에 각각 2가구가 있다. 주요본관은 개성 강화 두본이다.

梅氏(忠州)(충주매씨)

　〈대동운부군옥〉에 의하면 충주 매씨는 그 조상이 중국 산동성 제남부에서 와서 매씨로 사성받고 충주에 세거하여 충주로 창관하였다고 나와 있다. 인물로는 이조 중종 때 황간 사람으로서 아버지의 병환에 단지로 효성을 다해서 후일 정문이 세워졌던 효자 매한손이 있다. 분포지는 경기도 부천, 시흥, 안성, 전북의 김제, 충남 논산, 황해, 서흥, 함북, 청진 둥지이고 도합 16가구이다.

孟氏(新昌)(신창맹씨)

시조 및 본관의 유래

　신창 맹씨는 맹자의 후예이다. 우리 나라에 들어온 연대는 상고 할 수 없으나 맹자의 50세손 우현이 고려 원종 때 국자감을 지냈고 그의 세째 아들 리가 시중을 지내고 신창백에 봉해졌으므로 맹가를 시조로 리를 1세조로 하고 본관을 신창으로 하여 계세하고 있다. 리의 향사일은 음력 10월 1일이다.

〈 행 렬 표 〉

세	행렬자	세	행렬자	세	행렬자
13	世세	14	瑞서	15	萬만
16	淑숙	17	大대	18	遠원
19	欽흠鎭진	20	淳순	21	逸金植식
22	燮섭	23	在재教교	24	錫호
25	一일永영	26	柱주秀수	27	烈열煥환
28	奎규				

明氏(西蜀)(서촉명씨)

시조 및 본관의 유래

　시조 옥진은 원나라 말 촉땅에 웅거하여 1363년 성도에서 황제가 되고 국호를 대하라하여 선정을 베풀다가 1366년에 죽고 아들 승이 왕위를 계승했으나 당시 새로이 건국한 명나라에 의해 나라를 빼앗기고 1372년 (공민왕 21) 고려에 귀화 공민왕이 그에게 양현을 주고 송도에 살게 하였으므로 우리 나라에 명씨의 연원이 이루어졌다. 그후 조선개국후 태조가 예의를 갖추어 손님으로 대우하여 화촉 군에 봉했고 태종때 충훈세록을 내리고 송경에 사우를 세우도록 하였는데 선조 때 연안으로 이건하여 숭봉하였다. 그 후손들은 옥진을 시조로 하고 그가 황제로 자립했던 본거지 서촉을 본관으로 하여 세계하고 있다. 한편 본관을 연안으로 하는 계통도 있으나 다같은 옥진의 후예이다.

〈 행 렬 표 〉

세	행 렬 자	세	행 렬 자	세	행 렬 자
22	楨식	23	魯노	24	在재
25	鎬호	26	淳순	27	柱주
28	熙희	29	基기	30	鍾종
31	洙수	32	相상	33	燁엽

牟氏 (咸平) (함평모씨)

시조 및 본관의 유래

시조 경은 중국 관서 홍농사람으로서 슨나라 흠종 때 이부상서를 지내고 대사마대장군에 올랐다. 고려 17대 인종 4년 이자겸의 난이 일어나자 사신으로 고려에 와서 난을 평정하는 데 공을 세워 일등공신에 서훈되었으며 그 무렵 김군의 송경 침입으로 귀국할 길이 막히게 되자 그대로 고려에 머물러 평장사의 직첩을 받아 모평 (함평의 고호) 군에 봉해졌으므로 후손들이 본관을 함평이라 하였다.

〈 행 렬 표 〉

세	행 렬 자	세	행 렬 자
25	漢한永영浩호	26	權권模모秉병
27	大대煥환衡형	28	基기時시奎규
29	鍾종鉉현鎬호	30	源원洙수澤택
31	相상根근權권	32	煥환烈열炫현
33	培배圭규基기		

毛氏 (모씨)

삼국사기나 삼국유사등에는 백제의 장군으로 신라의 대야성 (경남협천) 을 함락시킨 모척 고구려 보장왕의 시의였던 모치 고구려에서 처음

들어온 모사문 묵호자를 숨겨준 모례 원성왕때 집사자 벼슬을 지낸 모초 궁예의 휘하에서 활략한 모흔등이 나타나지만 오늘의 모씨와의 관련은 상고할 자료가 없다. 한편 〈 조선씨족 총보 〉에는 모씨는 중국 서하에서 계출된 씨족으로서 주나라 문왕이 아들을 모에 봉하여 성을 모로 삼게 된것으로 나타나 있다. 그리고 현재 우리 나라의 모씨 대부분이 광주 (중국) 가 본관인 것으로 보아 모씨는 중국에서 귀화한 성씨로 보인다. 본관은 광주외에 공산 (공주고호) 서산, 김해등이 있다.

睦氏 (泗川) (사천목씨)

시조 및 본관의 유래

시조 효기는 고려조에서 랑장 동정을 지냈으며 선대부터 사천에 세거하고 있었다. 그 형제간의 우애가 어찌나 돈목하였던지 성을 목씨라하고 그 후손들이 본관을 사천으로 하여 세계를 계승했다.

〈 행 렬 표 〉

세	행 렬 자	세	행 렬 자	세	행 렬 자
22	源원沅원	23	相상信신	24	榮영然연
25	圭규均균	26	鎭진	27	洙수永영
28	楨정東동	29	燦찬熙희	30	喜희在재
31	鎬호鎔용	32	泰태淳순	33	秉병植식

墨氏 (묵씨)

묵씨는 문헌에 단본으로 나타나 있으며 묵서를 시조로 한 광령묵씨와 중국에서 귀화한 성씨로 본관을 요동으로 한 묵씨가 있다. 요동 묵씨의 시조 유래는 미상이나 강원도 금화등지에 10세대 서울에 5세대 충북 청주, 전남 보성, 완도 등지에 3세대가 살고 있다 한다.

廣寧墨氏 (광녕묵씨)

시조 및 본관의 유래

시조 사는 중국 양주 사람으로 명나라에서 병부상서를 지내다가 화를 입어 우리 나라에 귀화 정착하면서 일문을 이루었으므로 후손 들이

그를 시조로 하고 **본관**을 광녕(양주)으로 하여 세계를 계승하고 있다.

〈 행 렬 표 〉

세	행렬자	세	행렬자	세	행렬자
15	源원	16	根근	17	熙희
18	俊준	19	鍾종	20	洙수
21	相상	22	煥환	23	基기
24	鉉현	25	淳순	26	稷직

遼東墨氏 (요동묵씨)

요동 묵씨는 중국에서의 귀화족으로 알려져 있다. 본래 중국의 성씨로서 묵자로 불리는 묵적은 춘추전국시대에 사회겸애설을 주장한 대사상가로 유명했고 명나라 혜종때의 묵인은 부사를 지냈다. 분포지는 금화, 청주, 보성, 완도 등지이고 가구수는 24 가구로 알려져 있다.

文氏 (문씨)

문씨는 문헌에 131본으로 나타나 있으나 남평, 감천, 정선 3본을 제외한 128본에 대하여는 미고이다. 감천 문씨의 시조 문원길의 선대에서 중국에 들어갔다가 문장으로 이름을 날려 문성을 사성받아 문씨로 개성했다 한다. 남평문씨는 신라 20 대 자비왕 때의 사람인 문다성을 시조로 하고 있다. 문다성의 출생에 대해서는 재미있는 전설이 전해지고 있다. 전남 나주군 남평면 동쪽에 장자지란 큰 못이 있고 그 못가에는 큰 바위가 솟아 있다. 하루는 당시의 도주가 그 바위 아래에서 놀고 있는데 그 바위 위에서 갑자기 오운이 감돌면서 문득 갓난아이의 울음소리가 은은히 들려왔다. 이상히 여긴 군주는 사다리를 가져오게 하여 바위 위에 올라가 보니 석함이 놓여 있는데 그 속에는 피부가 백설같이 맑고 용모가 아름다운 갓난 아이가 들어 있었다. 이에 그 군주가 거두어 기르니 나이가 불과 5세에 문사에 저절로 통달하고 무략이 뛰어날 뿐 아니라 사물의 이치를 스스로 깨닫는 총기가 있는지라 문을 성으로 삼게 하고 이름을 다성이라 지어 주었다는 것이다. 지금도 전남 나주군 남평면 소재지에서 동쪽으로 3마장쯤 가면 장자지라 불리는 큰못이 있고 그곁에는 우뚝 솟은 바위가 있어 남평 문씨의 발상지로 유명하다. 바위 높이

는 6미터쯤 되는데 바위 위에는 그 후손들이 문암이라는 비석을 세워 놓아 문씨 시조의 탄강지임을 말해주고 있다. 그곳 주민들의 말에 의하면 장자지는 아무리 가물어도 물이 마르는 법이 없고 못가에 있는 문다성을 모신 장연서원에서 매년 음 9월에 향사한다. 정선문씨의 시조 문림간은 본래 전씨였는데 중국에 들어가 문명을 날리므로써 문성을 사성받고 문씨로 개성했다한다.

甘泉文氏 (감천문씨)

감천 문씨의 선대는 본래 경주 김씨였는데 중국에 들어가 문장으로 이름을 떨쳐 문씨로 사성받아 개성하였다고 한다. 그러나 당대에 무자하여 경북 영주에 살고 있는 외손이 봉사하고 있다고 한다.

南平文氏 (남평문씨)

시조 및 본관의 유래

시조 다성(자 : 명원, 호 : 삼광, 시호 : 무성)은 472년(신라자비왕 15) 2월에 남평현동쪽 장자지에서 자색의 서기가 있어 왕이 현주를 시켜 가보게 했더니 대암위에 석함이 있고 그 속에 아이가 있었는데 함면에 『문』자가 씌어 있어서 문씨로 사성하였다고 한다. 그후 500년(지증왕 1) 중시아랑이 되고 540년(진흥왕 1) 대국사 577년(진지왕 2) 대아랑대국사가 되어 식읍 3000호를 받았다. 대광보국상주국삼한벽상공신대사마대장군태사태전에 추증되고 남평개국백에 추봉되었다. 묘소는 전남 나주군 남평면 덕용산 능사동에 있었다고 전하나 실전 전남 나주군 남평의 장연서원에서 매년 음 9월에 향사한다.

〈 행 렬 표 〉

세	행렬자	세	행렬자
32	鎬호 鉉현 欽흠	33	濟제 承승 鴻홍
34	植식 模모 相상	35	熙희 炯형 炳병
36	周주 基기 均균	37	鍾종 鎔용 鍊동
38	泳영 洙수 洽흡	39	東동 學학 桓환
40	魯노 燮섭 勳훈	41	在재 時시 圭규
42	銑선 鎰일 錫석	43	澤택 泰태 海해
44	杓표 根근 穆목		

旌善文氏 (정선문씨)

정선 문씨의 시조 임간은 본래 전씨였는데 중국에 들어 갔다가 문장으로 이름을 날려 문성을 사성받아 문씨로 개성했다고 하며 귀국 후 벼슬이 문하시랑평장사에 이른 것으로 전한다. 그렇다면 정선 문씨는 정선 전씨의 분종으로 생각된다.

門氏 (문씨)

문씨는 인천, 송림, 인동 등 여러 본관으로 전하고 있으나 1930 년 국세조사 통계에는 나타나지 않았다. 인천 문씨의 시조는 감문랑장을 지낸 필대이며 그의 후손이 고려에서 시어사를 지낸 사명이 있다.

米氏 (載寧) (재령미씨)

재령미씨의 세보에 따르면 1771 년 (영조 47) 에 창씨하였고 본관의 유래는 미상이다. 시조 영성은 연대는 미상이나 백호장을 지내고 합북 종성군 행영의 도총사로 국경경비에 참여하고 그후 경성에서 세거하였다 한다. 문헌이 실전되어 계통을 밝힐 수 없고 세손 병제부터 계대하고 있다.

閔氏 (驪興) (려흥민씨)

시조 및 본관의 유래

민씨는 본래 공자의 제자 가운데 10 철중 일인인 자건의 후예로서 그 후손이 고려 때 사신으로 우리나라에 왔다가 려흥 (여주의 고호) 에 정착세거하였다. 시조는 고려에서 상의봉어를 지낸 稱道 (칭도) 이다. 여흥 민씨는 단본으로 고려 충숙왕조에서 수정승을 지낸 학자 지를 시조로 하는 문인공파와 같은 시기에 대제학을 지낸 적을 시조로 하는 문순공파로 나뉘어진다. 민씨는 역사상 세차례에 걸처 크게 나타났는데 첫번째는 고려말 이조

초기 두번째는 이조 숙종 영조에 이르는 100 여년간 세번째는 한말 고종조였다.

〈 행 렬 표 〉

(대 동 행 렬)

세	행렬자	세	행렬자	세	행렬자
24	百백	25	赫혁顯현	26	致치
27	鎬호鏞용	28	泳영	29	植식
30	丙병	31	基기圭규培배	32	庚경
33	泓홍源원	34	東동	35	熙희
36	馨형在재	37	錫석	38	準준
39	權권	40	容용	41	範범
42	善선	43	淳순	44	相상
45	榮영	46	遠원	47	鍾종
48	泰태	49	柱주	50	陽양

朴氏 (박씨)

박씨는 문헌에 314 본으로 나타나 있으나 강릉박씨를 비롯하여 44 본을 제외한 270본에 대해서는 미고이다. 박씨는 모두 신라 박혁거세왕을 시조로 한 혈손이며 가장 순수한 성씨이다. 박혁거세의 탄생에 대하여는 〈삼국사기〉나 〈삼국유사〉에 재미있는 전설이 전하고 있나. 신라가 이룩되기 전에 원시부족사회인 사 노육촌 촌장이 모여 나라를 다스릴 군장을 추대할 것을 의논하고 하늘에 제례를 올리고 있을 때 홀연히 멀리 양산아래 라정 수풀 사이에 오색이 영롱한 서기가 뻗치는 용마 한필이 큰 소리를 지르고 한 선인이 서기를 향하여 꿇어 절하는 모습이 육촌장들에게 보였다. 고허촌장 소벌도리공이 친히 가보니 알의 형상 같기도 하고 박의 형상 같기도 한 포가 있어 신기하게 여겨 포를 헤쳐보니 그 속에서 한

사내아이가 나왔다. 때는 기원전 69 년의 일이다. 뒷날 기원전 57 년에 그를 왕으로 추대하여 모셨다. 왕호는 거서우이라 하였고 국호를 서라벌이라 했다. 그리고 국호를 신라라 고친것은 신라 지증왕 때라 한다. 진한 사람들의 말에 박을 朴(박)이라 부르는 고로 박에서 나왔다하여 박으로 성을 삼고 혁연히 당세에 살아 있다는 뜻에서 혁거세라 하였다 한다. 그리고 또 하나의 설이 있다. 하루는 혁거세의 꿈에 신인이 와서 김척을 전해 주면서 이 자로써 금구를 바로 잡게 하라고 하였다. 혁거세는 꿈을 깨어보니 완연히 김척이 수중에 있었다. 그 뒤 혁거세가 병자들을 김척으로 자질하면 죽은 자는 살아나니 모든 백성들은 그의 신덕을 자자하게 칭송하였다고 한다. 나중에 중국에서 김척의 신령함을 듣고 김척을 요구했다. 그러나 주지 않고 국도 서편 30 리밖 조산속에 비밀히 감춰 두었는데 지금의 금척촌이 곧 그곳이라 한다. 또한 혁거세왕의 비 알영은 용의 오른쪽 옆구리에서 태어났다는 등 전설이 있다. 이러한 전설은 이미 널리 알려져 있으나 전설로서 접어둘 일이라 하겠다.

박씨의 선원은 혁거세왕이 초대왕이 되었고 2 대 남해왕은 혁거세왕의 적자이며 3 대 유리왕은 남해왕의 적자이고 4 대왕 석 타래왕 5 대 파사왕은 유리왕의 두째아들이며 6 대 지마왕은 파사왕의 적자이고 7 대 일성왕은 유리왕의 적자이며 8 대 아달라왕은 일성왕의 적자이었으며 53 대 신덕왕은 아달라왕의 후손으로 혁거세왕의 28 세손이고 54 대 경명왕은 신덕왕의 적자이며 55 대 경애왕은 신덕왕의 2 째 아들로서 박씨는 신라 박, 석, 김 세성 중 초대왕으로 부터 55 대 경애왕까지 모두 10 명이 왕위에 올랐다.

江陵朴氏 (강릉박씨)

시조 및 본관의 유래

시조 (1 세) 순 (시호 문충) 은 파사왕의 14 세손 유의 18 세손으로 명종 4 년 (1174 년)과거에 급제 보문각시어를 거쳐 남경유수로 병부상서가 되어 석인의 모반을 제거한 공으로 보정정국공신이 되어 정당문학 검교태부가 되고 좌복사중서시랑평장사를 제수 받고 계림군에 봉해졌으나 관직을 버리고 강릉에 내려서 야인으로 일생을 마치니 그의 후손들이 강릉에 정착세거하면서 본관을 강릉이라 하였다. 묘소는 강릉 용岾산 서강경좌에 있다.

〈 행 렬 표 〉

세	행렬자	세	행렬자	세	행렬자
24	東동	25	容용	26	均균奎규
27	鍾종	28	澈철	29	相상
30	烈열	31	教교	32	善선
33	濟제	34	極극	35	炳병
36	重중	37	銖수	38	浩호
39	根근	40	熙희	41	裁재
42	錫석	43	泳영	44	柱주

高靈朴氏 (-고령박씨)

시조 및 본관의 유래

신라 시조 박혁거세의 29 세손 경명왕 (54 대) 의 제 2 자 고양대군 (박언성) 을 시조로 하고 본관은 본래 고양과 영천 두 지명을 합쳐 고령이라 하게 되었다. 고녕 박씨는 고양대군의 후손에 섭 (사인공파) 환 (부창정공파) 연 (주부공파) 을 각각 중조로 하는 세파가 있다.

〈 행 렬 표 〉

세	행렬자	세	행렬자

세	행렬자	세	행렬자
26	履이羽우奎규	27	永영覃담賢현
28	彬빈大대英영	29	熙희仁인河하
30	在재煥환仁인	31	鏞용培배烈열
32	浩호遇우在재	33	九구胤윤欽흠
34	炳병南남	35	河하來래
36	成성載재	37	起기弘홍
38	慶경康강	39	新신宰재
40	重중秉병		

固城朴氏 (고성박씨)

시조 및 본관의 유래

시조 서(호 : 죽계. 시호 : 충정)는 신라
박혁거세의 29세손 경명왕의 8대군 중의 제
사자인 죽성대군언립의 11세손이다. 그는 고
려 고종 때 구주병마사 겸 문하평장사로
1231년(고종 18) 몽고병이 침입할 때 구
주싸움에서 공을 세워 철성(고성의 고호)백
에 봉해졌다. 그래서 후손들이 고성을 본관으
로 하여 세계를 계승하고 있다.

〈 행 렬 표 〉

세	행렬자	세	행렬자	세	행렬자
22	林임茂무	23	尙상	24	基기
	性성				
25	鎭진	26	洙수	27	相상
28	煜욱煥환	29	圭규在재	30	錫석鎬호
31	洪홍海해	32	根근	33	炳병

廣州朴氏 (광주박씨)

시조 및 본관의 유래

시조 명훈은 고려조에서 전서를 역임하였고

그 후손들이 광주에 토착 세거함으로써 그를
시조로 하고 본관을 광주로 하였다.

軍威朴氏 (군위박씨)

시조 및 본관의 유래

시조 헌은 신라 경명왕의 3자 속함대군 언
신의 15세손으로 조선 이태조를 도와 개국원
종 공신으로서 가선대부 공조전서가 되었을
때 관향을 군위로 했다. 그리하여 후손들이 본
관을 군위로하여 세계를 계승하고 있다.

〈 행 렬 표 〉

세	행렬자	세	행렬자	세	행렬자
19	夏하	20	在재	21	鍾종鏞용
22	泳영源원	23	植식根근	24	性성思사
25	均균吉길	26	商상鍵건	27	淳순
28	東동	29	熙희	30	喆철
31	聲성	32	承승	33	模모
34	燮섭				

龜山朴氏 (구산박씨)

시조 및 본관의 유래

시조 천의 자는 석보로서 벼슬이 고려말에
정승에 이르렀으며 훈공이 있어 구산군에 봉
해졌다. 그리하여 그 후손들이 본관을 구산으
로 하여 세계를 계승하고 있다.

〈 행 렬 표 〉

세	행렬자	세	행렬자	세	행렬자
17	在재	18	祖조	19	泰태
20	植식	21	晩만	22	王왕

羅州朴氏(나주박씨)

시조 및 본관의 유래

시조 병묵(시호 충무)은 고려조에 평장사를 지냈으며 나주에 토착한 사족으로 그의 선세계는 실전되어 상고할 수가 없다. 그리고 조선왕조 때 나주 목사를 역임하고 좌정승에 추증된 취생을 중시조로 하는 일문(범 박씨 세보 참조)이 있으나 상하계대가 미상이다. 그리하여 후손들은 병묵을 시조로 계세를 계승하고 관향을 나주로 하고 있다.

〈행렬표〉

세	행렬자	세	행렬자	세	행렬자	세	행렬자
15	敬경	16	淳순	17	根근	18	成성

魯城朴氏(노성박씨)

시조 및 본관의 유래

시조 연의 선세계는 실전되어 알 수 없으나 그는 조선왕조개국초에 감찰을 지냈다. 그의 후손들은 그를 시조로 하여 세계를 계승하고 있으며 본관을 노성으로 하였다.

〈행렬표〉

세	행렬자	세	행렬자	세	행렬자	세	행렬자
14	翼익	15	升승	16	濚형	17	述술
18	炳병						

沔川朴氏(면천박씨)

시조 및 본관의 유래

시조 득의(대승)는 파사왕의 24세손으로 아들 술희가 고려 태조를 도와 후백제를 친 공이 커서 좌명공신으로 면천군에 봉해졌으므로 후손들이 본관을 면천으로 하였다. 그후 세계가

〈행렬표〉

세	행렬자	세	행렬자	세	행렬자	세	행렬자
29	東동	30	愚우	31	培배	32	鍾종
33	泰태	34	根근	35	會회	36	喆철
37	鎭진	38	源원	39	植식	40	炯형
41	奎규	42	敏민	43	洙수	44	仁인
45	煥환	46	信신				

務安朴氏(무안박씨)

시조 및 본관의 유래

무안 박씨의 시조 진승은 신라 박혁거세의 29세손 경명왕의 8대군중 제6자인 완산 대군 언화의 9세손이다. 그는 벼슬이 국자제주에 이르고 공이 있어 무안을 식읍으로 하사 받아 정착하면서 본관을 무안으로 하여 세계를 계승하고 있다.

〈행렬표〉

세	행렬자	세	행렬자	세	행렬자
20	載재廷정	21	聖성賢현	22	仁인鉉현
23	敏민朱주	24	容용楨정	25	奎규燮섭
26	鎭진	27	淳순	28	植식
29	燮섭炯형	30	在재		

文義朴氏(문의박씨)

시조 및 본관의 유래

시조 의중(호 : 정제)은 박혁거세의 29세손 경명왕의 아들 8대군 중 장자인 밀성대군 언침의 17세손이다. 그는 공민왕 때 문과에 장원 대사성 직제학을 지내고 1388년(우왕14) 명나라에 들어가 철령위의 철폐를 교섭하고 돌아와 창왕 때 공신이 되었다 후에 예문관제학겸 대.

사성을 지내고 1392년(태조1) 조준 정도전 등과 함께〈고려사〉를 수선하고 검교참찬의정부사가 되었다. 그의 아들 연이 공민왕 때 정사공신으로 문의군에 봉해졌기 때문에 문의를 본관으로 해서 세계를 계승하고 있다.

文州朴氏(문주박씨)

문주는 문천의 별칭으로 시조는 인제대군의 후손인 한보이다. 그의 아들 광은 이성계의 조부 도조의 장인으로 안변부원군이나 그 세계와 그 외의 사실은 상고할 수 없다.

密陽朴氏(밀양박씨)

시조 및 본관의 유래

모든 박씨의 유일조인 신라시조왕 박혁거세의 29세손 경명왕의 9아들이 각각 분파할 때 제1자 언침이 밀성(밀양의 고호)대군에 봉해졌으므로 후손들이 언침을 시조로 하고 본관을 밀양으로 하였다. 경명왕계의 8대군파와 국상공파 가운데 제일 종가인 밀성대군파의 밀양박씨가 주류를 이루고 있으며 박씨 선원세보에 의하면 밀양박씨에서 10여개 본관으로 분적되었으니 언침의 10세손 항(영암박씨) 12세손(원의(태안박씨) 13세손 진문(진원박씨) 14세손 응주(번남박씨) 15세손 종우(운성박씨) 15세손 화규(진주박씨) 15세손 천(구산박씨) 15세손 취생(나주박씨) 16세손 영(창원박씨) 17세손 의중(문의박씨) 20세손 지석(나주박씨)을 1세조로 하여 각각 분적하였다. 그리고 많은 분파로 나누어졌는데 그 전모를 파악하기는 어려우나 대략 상계대에서 갈린 파로 8세손 언부(문하시중공파) 8세손 언상(도평의사공파) 8세손 언인(좌복사공파) 8세손 양언(밀직부사공파) 8세손 천익(판도공파) 8세손 을재(좌윤공파) 10세손 원(진사공파) 13세손 척(밀성군파) 13세손 원광

(동정공파) 15세손 중미(밀직부원군파)15세손 천(정국공파) 16세손 현(두정공파)을 12중조로 하여 12개파로 크게 나누어졌고 아랫대로 내려 오면서 여러 파로 분파되었다.

〈행렬표〉

(두정공파)

세	행렬자	세	행렬자
24	魯노性성炳병	25	在재信신圭규
26	鏞용商상鍾종	27	浩호洙수淳순
28	仁인柱주相상	29	烈결容용熙회
30	重중時시俊준	31	鎬호欽흠九구
32	海해潤윤漢한	33	植식根근權권
34	然연憲헌應응	35	堯요均균培배

(밀성부원군파)

세	행렬자	세	행렬자	세	행렬자
27	熙희休휴	28	奎규基기	29	鏞용善선
30	洙수洽흡	31	棟병棋기	32	燉돈燁엽
33	重중南남	34	鎬호鎔용	35	洛락泳영
36	東동柱주	37	炳병炫현	38	憲헌錫석

(판도판각공파)

세	행렬자	세	행렬자	세	행렬자	세	행렬자
29	漢한	30	彬빈	31	炳병	32	圭규
33	鎔용	34	泳영	35	東동	36	熙희
37	在재	38	鎬호	39	泰대	40	根근

(밀성군파)

세	행렬자	세	행렬자	세	행렬자
27	善선潘준	28	泳영柱주	29	根근然연
30	裕유種종	31	熹희鏞용	32	常상海해
33	淵연植식	34	和화思사	35	炳병城성

(밀원부원군파)

세	행렬자	세	행렬자	세	행렬자
20	源원淳순	21	秉병仁인	22	燮섭烈열
23	聖성堯요	24	鎬호鐸탁	25	潤윤海해
26	東동穆목	27	愚우燉돈	28	周주喜희
29	鏞용鎰일	30	滿만洛락	31	秀수根근

潘南朴氏(박남박씨)

시조 및 본관의 유래

우리나라의 모든 박씨는 관향을 구별할 것없이 신라 시조왕 박혁거세를 유일조로 받들고 있으며 모든 박씨가 그의 혈손이다. 박남 박씨의 시조 응주 또한 박혁거세의 혈손으로 상계가 실전되어 혈연계보를 밝힐 수 없으나 번남(나주의 속현)에서 세거하던 호족의 후예로 호장을 지냈고 그의 6세손 온(訔)이 조선초기 왕자의 난 때 태종을 도와 익재동덕좌명공신으로 좌의정에 이르렀고, 번남군에 봉해졌다가 금성부원군에 진봉되었으므로 후손들이 응주를 선조(1세)로 하고 본관을 박남으로 하여 계대하고 있다. 박남박씨는 모든 박씨 가운데서도 가장 많은 명신 현유를 배출한 계통으로 그 발전 과정을 살펴보면 5제인 상충(판전교사사)이 기틀을 잡아 6－7세에 가세가 크게 번성하여 규(참판공파) 강(세양공파) 훤(경주공파) 인(지후공파) 귀근(교위공파) 여해(감찰공파) 진창(군사공파) 충(정자공파) 문부(사정공파) 상질(동정공파) 송생(직장공파) 등 11개 파로 크게 나누어 졌고 그후 많은 분파 지파를 이루고 있다.

〈행 렬 표〉

세	행렬자	세	행렬자	세	행렬자	세	행렬자
27	雨우	28	天천	29	春춘	30	憲헌
31	鍾종	32	淳순	33	榮영	34	熙희
35	圭규	36	鎭진	37	洙수	38	來래

比安朴氏(비안박씨)

시조 및 본관의 유래

시조 朴瑀(박우)의 선세계는 실전되어 상고할 수 없다. 그는 고려 때 문하시중으로 염산군에 봉해지고 비안에 세거하였으므로 본관을 비안이라 하고 있다.

〈행 렬 표〉

세	행렬자	세	행렬자	세	행렬자	세	행렬자
26	甲갑	27	鳳봉	28	炳병	29	寧녕
30	茂무						

泗川朴氏(사천박씨)

시조 및 본관의 유래

시조 自文(자문)은 신라 시조왕 박혁세거의 48세손이다. 그의 조부 인겸은 고려 충렬왕 때 공부상서와 첨의평리사를 역임했으며 사천군에 추봉되어 관향을 얻게 되었고 자문은 고려 충숙왕 때에 문과에 급제하여 공민왕 때에 호부상서 사천군에 봉해졌으며 우왕 때에 안변으로 이주 정착하게 되었다. 그리하여 그 후손들은 사천을 본관으로 하여 세계를 계승하고 있다. 묘소는 경남 사천에 있다.

〈행 렬 표〉

세	행렬자	세	행렬자	세	행렬자	세	행렬자
27	用용	28	兌	29	炳병	30	寧녕
31	茂무	32	絶절	33	庚경	34	宰재
35	聖성	36	揆규				

三陟朴氏(삼척박씨)

시조 및 본관의 유래

시조 元慶(원경)은 신라 박혁거세의 29세손인 경명왕의 세째 아들 언신(속함대군)의 후예이다. 그는 고려 공민왕 때 버슬이 상서좌복사에 이르고 삼척부원군에 봉해짐으로써 그의 후손들은 본관을 삼척으로 하게 되었으며 묘소는 경남 함양군 수동면 우영리 가성에 있다. 향사일은 10월 10일이다.

商山朴氏(상산박씨)

시조 및 본관의 유래

사벌왕 언창은 박혁거세거의 29세손 경명왕의 제5자로서 상산박씨의 시조이다. 917년(경명왕 1) 사벌 대군에 봉해지고 사벌방어장으로 외적을 막게 되었다. 당시 고려와 후백제의 침략을 받아 국토가 낙동강 동쪽으로 축소됨에 따라 사벌주가 고립되자 그는 사벌주를 지키기 위해 사벌국이라 하고 왕으로 자립 통치하다가 11년 만에 후백제에 망했다. 이 사실은 조선 중종 때 학자 이언적이〈사벌국사〉를 저술 비장했던 것을 후손 박세준이 발초 유전하므로써 밝혀졌다. 그후 세계가 실전되어 소목을 밝히지 못하고 고려 때 덕천창부사를 지낸 견을 1세로 하고 사벌국이 고려초에 상산군으로 개칭되었으므로 본관을 상산이라 하여 계세하고 있다.

〈 행 렬 표 〉

세	행렬자	세	행렬자	세	행렬자	세	행렬자
64	鍾종	65	永영	66	穆목	67	烈열
68	在재	69	鉉현	70	演연	71	根근
72	烱형	73	垠은	74	鎭진	75	洙수
76	東동	77	熙희	78	培배	79	鎬호

尙州朴氏(상주박씨)

시조 및 본관의 유래

시조 朴侶(박여)는 신라 경명왕의 제5자 사

벌대군 언창의 12세손으로 고려 충렬왕 때 삼중대광 첨의찬성사로 상산부원군에 봉해졌으므로 그 후손들이 본관을 상주(상산은 고호)로 하여 세계를 계승하고 있다.

〈 행 렬 표 〉

세	행렬자	세	행렬자	세	행렬자	세	행렬자
23	在재	24	錫석	25	漢한	26	春춘
27	榮영	28	喆철	29	鍾종	30	洙수
31	柱주	32	烈열	33	埈준		

善山朴氏(선산박씨)

시조 및 본관의 유래

시조 善敏(선민)은 신라 경명왕의 장자 밀성대군 언침의 22세손으로 음보로 관직이 목사에 이르렀고 선산을 관적으로 받았으며 그의 증손 숭이 조선조에 영의정으로 함북 명천 유배되어 그 곳에 정착 세거하면서 후손들이 본관을 선산으로 하고 세계를 계승하고 있다.

〈 행 렬 표 〉

세	행렬자	세	행렬자	세	행렬자	세	행렬자
16	世세	17	宗종	18	柱주	19	尙상
20	秀수	21	俊준	22	炳병		

淳昌朴氏(순창박씨)

시조 및 본관의 유래

중소 斗幹(두간) 고려조에서 순창군에 봉해졌던 제세(정목)의 후손으로 훈 첨정을 역임했다. 순창군 제세의 전후세계가 병화로 실전되었기 때문에 후손들은 두간을 중조(1세)로 하고 본관을 순창으로 하여 세계를 계승하고 있다. 묘소는 경기도 개성군 부소산에 있다.

세	행렬자	세	행렬자	세	행렬자	세	행렬자
16	永영	17	秀수	18	燦찬	19	採채
20	鎭진	21	淳순	22	東동	23	炳병
24	在재	25	鍾종	26	潤윤	27	榮영

順天朴氏 (순천박씨)

시조 및 본관의 유래

시조 英規(영규)는 경명왕의 제7자 강남대군 언지의 아들이다. 그는 고려 태조를 도와 전국의 대업을 이루기 위하여 부인 견씨와 함께 견훤의 세력을 수출하는데 공을 세워 고려 개국공신으로 삼중대광좌승에 제수되었으며 전답을 하사 받고 승주군에 봉해졌다. 그후 세계가 실전되었다가 후손 난봉이 고려조에 등과하여 정승을 역임 평양(순천의 별호) 부원군에 봉해져 득관조로 하고 그후 세계가 실전되어 숙정을 1세조로 본관을 순천으로 하여 계대하고 있다.

〈 행 렬 표 〉

세	행 렬 자	세	행렬자	세	행렬자
20	鉉현	21	海해	22	東동
23	魯노	24	圭규	25	鍾종
26	洙수淳순源원	27	相상	28	煥환

驪州朴氏 (려주박씨)

시조 및 본관의 유래

시조 지석(之碩)은 신라 시조왕 박혁거세의 원손 밀성대군 언침의 20세손이다. 그는 고려 때에 중훈대부 사재감부정을 역임했고 아버지 환(중랑장)은 종손 서창이 함길도 관찰사로 재직시에 여주에서 함흥으로 이거 정착하면서 그 후손들이 전향지 여주를 본관으로 하고 그를 시

조 1세로 하여 세계를 계승하고 있다.

〈 행 렬 표 〉

세	행렬자	세	행렬자	세	행렬자	세	행렬자
18	錫석	19	源원	20	榮영	21	炳병
22	基기	23	鎭진	24	河하	25	枝지
26	燦찬	27	培배	28	鍊련	29	海해
30	根근	31	默묵	32	圭규		

靈巖朴氏 (영암박씨)

시조 및 본관의 유래

시조 恒(항)은 신라 경명의 장자 밀성대군 언침의 10세손으로 고려 인종때에 좌정승을 지냈고 정사훈으로 영암군에 봉해졌으므로 그 후손들이 본관을 영암으로 하여 세계를 계승하고 있다. 묘소는 함남 문천에 있다.

〈 행 렬 표 〉

세	행렬자	세	행렬자	세	행렬자	세	행렬자
31	榮영	32	時시	33	鎭진	34	濟제
35	權권	36	燦찬	37	基기	38	鍾종
39	漢한	40	柄병	41	炯형	42	在재
43	錫석						

寧海朴氏 (영해 박씨)

시조 및 본관의 유래

시조 朴堤上(박제상)은 파사왕의 6세손이다. 내물왕 때 이손 신랑주간 등을 지냈고, 418년(남지왕) 고구려에 특파되어 볼모로 있던 내물왕자 복호를 동반 귀국했고, 다시 왜국에 특파되어 볼모로 있던 내물왕자 미사흔을 탈주 귀국케 하고 자신은 왜주의 악형으로 박다진 목도에서 소살당했으므로 왕이 충절을 가상히 여겨 대아손에 추증 단양(현영해)군에 추봉했다.

그 부인 김씨는 미사흔만 돌아왔다는 소식을 듣고 두 딸을 데리고 치술령에 올라 남편을 부르며 호곡하다 단식 자진했고 두 딸 아기 아경 또한 아버지를 부르며 통절호곡하다가 순사하니 호국삼신여라 하여 치술신모사를 세워 치제케 했다. 후손들이 그를 시조로 하고 세계를 이어오다가 26세손 명천이 고려 때 벽상공신으로 예원(영해)군에 봉해졌으므로 본관을 영해로 하였다.

〈행 렬 표〉

(판서공판)

세	행렬자	세	행렬자	세	행렬자	세	행렬자
57	夏하	58	圭규	59	錫석	60	洙수
61	鑽찬	62	泳영	63	程정	64	烜

(태사공파)

세	행렬자	세	행렬자	세	행렬자	세	행렬자
57	夏하	58	定정	59	柄병	60	周주
61	錫석	62	洵순	63	桂계	64	應응

(돈옹공파)

세	행렬자	세	행렬자	세	행렬자	세	행렬자
53	淵연	58	植식	59	魯노柄병	60	重중
61	鎬호	62	洪홍	63	榮영	64	昌창

(봉화공파)

세	행렬자	세	행렬자	세	행렬자	세	행렬자
57	承승	58	柄병	59	魯노	60	均균
61	鉉현	62	泰태	63	樞근	64	煜욱

(칠의공파)

세	행렬자	세	행렬자	세	행렬자	세	행렬자
57	鎭진	58	承승	59	相상	60	應응
61	鉉현	62	河하	63	東동	64	勳훈

雲峰朴氏 (운봉박씨)

시조 및 본관의 유래

시조 中華(중화)는 박혁세거의 40세손으로 고려말 찬성사를 역임하고 운봉군에 봉해져 본관을 운봉으로 하였다. 묘소는 경기도 김포군 하성면 마조리에 있으며 향사일은 음 10월 15일이다.

〈행 렬 표〉

세	행렬자	세	행렬자	세	행렬자	세	행렬자
5	從종	6	孫손	7	承승	8	休휴
9	孝효	10	造조	11	壽수	12	鳳봉
13	之지	14	好호	15	茶진	16	雲운
17	重중	18	炬훤	19	裁재	20	鎭진
21	永영	22	來래	23	泰태	24	錫석
25	洪홍	26	東동	27	容용	28	基기
29	鍾종	30	洙수	31	泳영	32	烈열

蔚山朴氏 (울산박씨)

시조 윤웅(允雄) 시호 : 장무는 도시조 박혁세거의 36세손이다. 그는 1099년(고려 숙종 4) 동여진의 10만대군이 침공하자 4개월만에 이를 쳐서 평정하였다. 그 공으로 1106년 (예종 1) 대장군으로 익찬공신이 되어 흥려(울산의 고호)백에 봉해졌다. 그리하여 후손들은 본관을 울산으로 하였다.

〈행 렬 표〉

세	행 렬 자	세	행 렬 자
16	元원	17	慶경
18	而이	19	廷정

20	奉봉	21	泰태
22	東동	23	錫석
24	漢한恒항	25	義의之지
26	煥환魯노火(변)	27	載재基기土(변)
28	鉉현鎭진金(금)	29	注주源원水(변)
30	業업植식木(변)	31	熙희火(변)

月城(慶州)朴氏(월·성(경주)박씨)

시조 및 본관의 유래

시조 朴彦儀(박언의)(월성대군)는 신라 시조왕 박혁거세의 29세손 경명왕의 제8자이다. 경명왕의 아들 8대군이 각각 분적할 때 본관을 월성으로 하고 고려조에 재능직을 지낸 인욱을 중조(1세)로 하였다.

〈 행 렬 표 〉

세	행렬자	세	행렬자	세	행렬자	세	행렬자
22	道도	23	顯현	24	祚조	25	斗두
26	鉉현	27	海해				

殷豊朴氏(은풍박씨)

시조 致溫(치온)의 선세계는 밀성 대군의 원손이며 이후 세계가 실전되었다. 그리하여 조선 개국초에 군수를 지낸 그를 기1세로 은풍(풍기의 고호)을 본관으로 하여 세계를 계승하고 있다.

陰城朴氏(음성박씨)

시조 및 본관의 유래

시조 犀(서) 〈자:양종 호:죽계 시호:충정〉는 1231년(고종18) 서북면병마사로 있을 때 몽고의 장수 살리타이가 쳐들어와 철주를 함락하고 이어 구주를 공격하자 삭주분도장군 김중온 정주분도장군 김경손동과 함께 구주에 모여 성을 사수 무차, 대포차 운제 등 온갖 무기로 공격해 오는 몽고군과 한달동안이나 격전 끝에 마침내 이를 물리쳤다. 구주를 버리고 개성을 먼저 함락 고종의 항복을 받고 군세를 정비하여 귀로에 다시 구주를 공격하는 몽고군을 또 다시 대파하여 몽고군의 간담을 서늘하게 했다. 이때 몽고 장수 살리타이는 박서같은 장수는 처음 봤다고 하였다. 그는 뒤에 벼슬이 문하시랑평장사에 이르고 음성백에 봉해졌다. 그는 원래 죽성 박씨였으나 음성백에 봉해졌기 때문에 그의 후손들은 그를 시조로 본관을 음성으로 하게 되었다.

〈 행 렬 표 〉

세	행렬자	세	행렬자	세	행렬자	세	행렬자
59	時시	60	鉉현素소	61	濟제潤윤	62	根근采채
63	容용熙희	64	基기	65	商상	66	泰태
67	東동	68	煥환	69	圭규	70	鎬호
71	浚준	72	植식	73	炳병		

義興朴氏(의흥박씨)

〈조선씨족통보〉에 의흥박씨의 시조는 득서로 되어 있으나 그의 사적에 대해서는 알길 없고 문헌상 나타난 인물로는 1672년(현종13) 별시문과에 병과로 급제하고 군수를 지낸 수검이 있다. 그의 자는 양백이요, 호는 임호로 경심의 아들로서 제천에서 살았다고 한다. 1930년 국세조사 상황을 보면 경북 군위군 악계면에 26가구 의흥면에 149가구의 집단 부락이 있고, 충북 제천군 금성면 구룡리에 40가구가 살고 있다.

麟蹄朴氏(인제박씨)

시조 및 본관의 유래

시조 律(율)은 밀성대군의 손자로 인제군에 봉해짐으로써 그의 후손들이 본관을 인제로 하어 세계를 계승하고 있다.

〈행 렬 표〉

세	행렬자	세	행렬자	세	행렬자
20	宗종寅인	21	恒항雲운	22	命명煥환
23	斗두	24	炫현	25	在재

全州朴氏 (전주박씨)

시조 및 본관의 유래

시조 彦華(언화)는 신라 시조왕 박혁거세의 29세손인 경명왕의 제6자로서 완산(전주의 고호) 대군에 봉해짐으로서 후손들이 본관을 전주로 하여 세계를 계승하고 있다.

〈행 렬 표〉

세	행렬자	세	행렬자	세	행렬자	세	행렬자
20	相상	21	奎규	22	大대	23	鮮선
24	基기	25	鉉현				

竹山朴氏 (죽산박씨)

시조 및 본관의 유래

시조 奇悟(기오) 시호 : 충정은 경명왕의 4째 아들 언립(죽성대군)의 아들로 고려초 삼한벽상공신태보삼중대광으로 계림군에 봉해졌다가 그후 죽주백에 개봉되고 죽주(죽산의 고호)를 식읍으로 하사받았다. 그리하여 후손들은 죽산으로 하였다.

〈행 렬 표〉

세	행렬자	세	행렬자	세	행렬자	세	행렬자
35	基기	36	鎭진	37	求구	38	相상
39	烈열	40	在재	41	鎬호	42	洪홍
43	秀수	44	炳병	45	圭규	46	鎔용

珍原朴氏 (진원박씨)

시조 및 본관의

진원 박씨는 밀양 박씨에서 분적한 계통으로 고려조에서 대장군을 지낸 進文(진문) 〈박혁거세의 42세손〉을 시조로 하여 세계를 계대해 왔고 8세손 희중이 태종 때 벼슬하여 공신에 오르고 진원(장성의 속현)군에 봉해졌으므로 본관을 진원이라 하여 계세하였다.

〈행 렬 표〉

세	행렬자	세	행렬자	세	행렬자	세	행렬자
50	生생	51	基기	52	原원	53	衍연行간衛위
54	而이	55	前전	56	根근	57	春춘
58	亨형	59	萬만	60	尙상	61	德덕
62	亮량	63	源원	64	重중	65	鉉현
66	泰태	67	柱주	68	炯형	69	在재
70	鎔용						

昌原朴氏 (창원박씨)

시조 및 본관의 유래

시조 박령(朴齡)(시호 : 양정)은 신라 경명왕의 세자 밀성대군 언침의 17세손으로 고려 공민왕 때 창원도호부사를 지내고 창원군에 봉해짐으로써 밀성대군파에서 분적하고 그 후손들이 본관을 창원으로 하여 세계를 계승하고 있다. 묘소는 경남 마산시 남산 부임지원에 있다.

〈행 렬 표〉

세	행렬자	세	행렬자	세	행렬자	세	행렬자
56	震진	57	昌창	58	世세	59	尙상
60	殷은	61	贊찬					

春川朴氏(춘천박씨)

시조 및 본관의 유래

시조 恒(항) 자는 혁지로 신라 경명왕의 5자 강남대군 언지의 11세손이다. 고려 고종때 문과에 급제하여 한림원에 봉직되고 충주 목사를 거쳐 충렬왕 때 동지밀직사사로 원나라에 다녀와 좌명공신이 되고 춘성(춘천의 고호) 부원군에 봉해졌다. 이어 삼문학사 찬성사를 역임하였고 원나라 세조가 일본을 정벌 하려고 고려에 군기 군량을 징발할 때 원나라의 지도와 홍차구등이 이를 감독하며 횡포가 심하자 원의 세조에게 글을 올려 견제했다. 문장이 뛰어났고, 일에 공명 정대했다. 후손들은 춘천에 세거하면서 본관을 춘천이라 하였다.

〈행 렬 표〉

세	행렬자	세	행렬자	세	행렬자
22	敏민敬경	23	濟제泳영	24	和화榮영
25	魯노容용	26	壎훈遠원	27	銖수鎬호
28	南남承승	29	宣선柱주	30	然연顯현
31	重중珪규	32	兌태商상	33	瀚한求구
34	秉병禎정	35	壽수南남	36	載재義의

忠州朴氏(충주박씨)

시조 및 본관의 유래

시조 瑛(영)은 박혁거세의 29세인 경명왕의 5째 아들 언창〈사대대군〉의 10세손(박혁거세의 39세손)견익 손자가 된다. 그는 고려때 문과에 급제하고 부정을 지냈다. 충주는 고구려 그 이름이 국원성이었는데 신라 유리왕 때에 이를 취하였고 진흥왕 때 소경을 두어 귀족인 박씨로 하여금 다스리게 하였다. 그리하여 후손들은 상주 박씨로부터 분적 누대 세거하여 오던 충주를 본관으로 하고 영을 시조로 하여 세계를 계승하고 있다.

泰安朴氏(태안박씨)

시조 및 본관의 유래

시조 元義(원의)는 신라 경명왕의 세자 밀성대군 언침의 9세손 을재(삼사좌윤)의 현손으로 원효(세흥군)의 아우이다. 그는 고려 때에 광록대부상서 좌복사로 유공하여 태안군에 봉해짐으로써 그 후손들이 본관을 태안으로 하였다.

〈행 렬 표〉

세	행렬자	세	행렬자	세	행렬자
22	榮영煥환	23	衡형載재	24	錫석
25	浩호	26	東동	27	熙희燦찬

泰仁朴氏(태인박씨)

시조 및 본관의 유래

시조 彦祥(언상)은 신라 경명왕의 세자 밀성대군 언침의 8세손으로 검교대부 찬행의 2째 아들로서 고려 문종 때 도평의사를 지냈다. 그의 8세손 거인이 고려말에 인의현으로 유배되어 그 곳에 정착세기하게 됨으로써 그의 증손 연생이 비로소 본관을 태인으로 하였다 한다.

〈행 렬 표〉

세	행렬자	세	행렬자	세	행렬자	세	행렬자
26	萬만	27	容용	28	均균	29	求구
30	來래	31	燮섭	32	在재	33	永영
34	相상	35	熙희				

〈행 렬 표〉

세	행렬자	세	행렬자
65	載재濟제夏하	66	鍾종根근奎규
67	原원愚우鍾종	68	根근基기洙수
69	容용錫석來래	70	圭규烈열煥환

平山朴氏(평산박씨)

시조 및 본관의 유래

시조 智胤(지윤)은 고려 태조의 비 박씨의 아버지로 벼슬은 삼중대광시중에 이르렀으며 누대가 평산에 세거했기 때문에 평산을 본관으로 하였다.

平州朴氏(평주박씨)

시조 및 본관의 유래

시조 守卿(수경)의 선세계는 신라 종성 박씨의 후예라 하나 실전되었다. 그는 원윤으로 평주에 침입한 견훤을 격퇴한 공으로 개국공신 평주군에 봉해졌다. 그리하여 본관을 평주로 하였으나 그후 세계가 실전되어 광염을 기일세로 하여 세계를 계승하고 있다.

〈행렬표〉

세	행렬자	세	행렬자	세	행렬자	세	행렬자
20	鎬호	21	淳순	22	模모	23	炳병
24	圭규	25	鍾종	26	泰·태	27	相상
28	烈열	29	均균				

平澤朴氏(평택박씨)

시조 및 본관의 유래

시조 之永(지영)의 선세계는 사법대군 언창의 후예로 세계가 실전되어 오다가 후손 지영이 조선조에서 평택현사를 지냈으며 그의 아들 산이 형조참판으로 1456년(세조2) 화를 당해 경원으로 유배되어 그 곳에서 정착세거하면서 본관을 평택으로 하여 세계를 계승하고 있다.

〈행렬표〉

세	행렬자	세	행렬자	세	행렬자
52	世세	53	潤윤	54	章장

咸陽朴氏(함양박씨)

시조 및 본관의 유래

시조 彦信(언신)은 신라 시조왕 박혁거세의 29세손 경명왕의 제3자이다. 그가 속함대군에 봉해짐으로써 후손들이 그를 시조로 하였으나 문헌과 고증이 실전되어 누대가 실위되어소목계통을 밝히지 못하고 고려 때 예부상서를 지낸 선을 중시조(1세)로 하여 세계를 계승하고 있다. 본관은 속함이 함양으로 개칭됨에 따라 함양으로 하였다. 중시조의 묘소는 경남 함양군 함양읍 사금동 갑좌에 있다.

〈행렬표〉

세	행렬자	세	행렬자	세	행렬자	세	행렬자
22	鎭진	23	漢한	24	相상	25	燦찬
26	在재	27	錫석	28	澈철	29	采채
30	赫혁	31	均균	32	鉉현	33	泰태
34	柱주						

潘氏(巨濟)(거제반씨)

시조 및 본관의 유래

반씨는 중국 주나라 문왕의 4째아들 계손이 번 땅에 봉해져 부왕으로부터 하사받은 성씨라고 했으나 그 이하는 상고할 수 없다. 거제번씨의 시조 阜(부)(시호 문절)는 고려 때 사람으로 1265년 사신으로 원나라에 갔다가 원제로부터 문무를 겸비한 훌륭한 재능을 인정받고 신하로 삼고자 종용과 협박을 당했으나 끝내 굽히지 않았다. 원나라 세조는 그 절의에 감탄하여 그를 잉신으로 삼아 제국대장공주를 모시고 고려로 돌아가게 하였다. 그후 그는 충렬왕에게 그 인품과 공적을 인정받아 시중이 되고 이어 기성(거제의 고호) 부원군에 봉해졌으며 관성을 거제 번씨라 명명함으로써 후손들은 거제를 본관으로 삼게 된 것이다. 그는 1267년과 그 이듬해에 려몽득사로서 두 차례 일본에 다녀왔고, 그후 김방경을 따라 삼별초를 토벌 진도를 평정했으며 지병마사로서 려몽연합군을 인솔하여 일본을 정벌했다. 뒤에 벼슬이 문하시중에 이르렀다. 묘소는 경남 거제군 장승포읍 계주리 국토봉이며, 향사일은 9월 9일이다. 그리고 광주, 남평 등 여러본이 있었으나 모두가 동원으로 최근에 와서 거제 단본으로 합보하였다 한다.

⟨행 렬 표⟩

세	행렬자	세	행렬자	세	행렬자	세	행렬자
32	烈열	33	載재	34	錫석	35	汶문
36	休휴	37	炯형	38	培배	39	錦금
40	淳순	41	秀수	42	榮영	43	奎규
44	鎔용	45	沅원	46	權권	47	昊호

班氏(반씨)

반씨는 본래 중국 상고 전욱의 후예로 전하며 초나라 때의 투반의 후손이 그의 이름을 성으로 삼았다고 한다. 본관은 개성, 고성, 평해 등 3본이 전하고 있으나 그 내력에 대해서는 미상이다. 1930년 국세조사에 의하면 경북, 황해도 각 지방에 1~2 가구씩 약 25 가구가 있었다.

方氏(溫陽)(온양방씨)

시조 및 본관의 유래

염제신농씨의 13세손인 뢰는 중국 하남방산지方에 복거할 때 방씨란 성을 받았고 뢰의 134세손인 지는 당나라에서 한림학사로서 황

제의 명에 의하여 669년(신라 문무왕 9)에 동래하여 설총과 함께 육례 구경의 대지를 밝힌 동방유학의 한 사람이다. 그후 상주에 세거했기 때문에 상주(구관)란 본관을 썼고 그후 운이 온수(온양)군에 봉해짐에 따라 온양으로 개관하게 되었다. 시조 지로부터 운까지의 세계 연대 행적은 수난으로 인하여 문헌이 실전되어 방운을 기1세한 것이다. 방씨는 상주 신창 군위 방씨가 있었는데 모두 온양으로 합본되고 군위 방씨가 혹간 있다.

⟨행 렬 표⟩

세	행 렬 자	세	행 렬 자
31	浩호淳순處처	32	東동裁재鎭진
33	文문容용源원	34	瓚찬孝효楨정
35	赫혁錫석鍾종	36	濟제承승圭규
37	植식	38	炳병
39	培배	40	鎬호
41	泰태	42	秉병
43	烈열	44	基기
45	鉉현	46	海해
47	來래	48	熙희
49	周주	50	鎔용

房氏(방씨)

방씨는 문헌에 20본으로 나타나 있으나 남양 방씨와 수원방씨를 제외한 나머지 18본에 대하여는 미상이며 수원 방씨는 방정유를 시조로 하고 있으나 그 선계에 대하여는 상고하지 못하였다.

南陽房氏(남양방씨)

시조 및 본관의 유래

시조(동래시조) 俊(준)의 선세계는 중국요

임금의 아들 단주가 방읍의 후로 봉해져 지명인 방읍 성으로 하였는데 그후 고구려의 진청으로 당나라 정관 17년에 8학사를 파견할 때 방후의 후손인 당나라 재상 현령의 2자 준이 8학사의 한 사람으로 우리나라에 와서 남양에 정착세거하여 남양으로 관적을 갖게 되었다. 그후 세계가 실전 되었다가 고려조에 벽상 공신 삼중대광보국을 역임한 계홍을 1세조로 하여 계대하고 있다.

〈 행 렬 표 〉

세	행 렬 자
21	箕기 萬만 應응 教교 泰태 鳳봉
22	繡수 旭욱 昌창 聖성 濬준
23	斗두 相상 翼익 采채
24	煥환 世세
25	圭규
26	鎭진
27	源원
28	極극
29	爀혁
30	基기

水原房氏 (수원방씨)

조선 씨족 통보에 의하면 수원 방씨의 시조 방정유는 관작이 대광이라고 전해 졌을 뿐 그 외의 연대나 상계 또는 하게 및 본관의 유래에 대해서는 상고할 수 없다. 그리고 우리나라 방씨의 대종인 남양 방씨와의 혈연관계도 확실치 않으나 남양 방씨에서 분파한 계통으로 세거지명에 따라 수원으로 관적한 것으로 짐작된다. 그리고 천령, 포천 서산등 21 본이라고 전하나 시조와 유래가 미상이다.

開城龐氏 (개성방씨)

시조 두현의 선세계는 중국 주나라 위장군의 원손으로 전해진다. 그는 원나라 직성사인으로 학사에 이르렀으며 고려조에 노국대장공주를 배행한 6시랑 8학사의 한 사람으로 개성에 정착 세거하면서 부터 후손들이 본관을 개성이라 하였다.

〈 행 렬 표 〉

세	행렬자	세	행렬자	세	행렬자	세	행렬자
12	佑우	13	基기	14	亮량	15	會회
16	淳순						

太原龐氏 (태원방씨)

시조 발은 중국 태원 사람으로 관직은 지휘도총장으로 우리 나라에 귀화하여 정착세거하면서 후손들이 본관을 태원이라 하고 세계를 계대하고 있다.

〈 행 렬 표 〉

세	행렬자	세	행렬자	세	행렬자	세	행렬자
	心심		元원		斗두		爕섭
	龍용						

邦氏 (방씨)

방씨의 선세계는 중국 대군 출신으로 명나라 당왕 때의 포라는 사람이 있었다. 우리나라 방씨는 그 후손이 귀화한 것으로 보이며 관향은 광주, 파주, 해주를 비롯하여 11 본이나 되지만 모두가 시조를 상고할 수 없으며 역사상 드러난 인물로는 기독교 사상 최초의 목사인 기창 (基昌) (1851-1911) 이 있을 뿐이다. 그리고 그 후손들은 황해도 안악 신천을 비롯하여 평남, 경남의 순으로 100 여 가구가 살고 있다.

旁氏 (방씨)

1930년 국세 조사 때 처음으로 나타난 성이다. 당시 경남 밀양군 초동면 봉황리에 방원당의 1가구가 있었으나 房(방)씨의 오기가 아닌지 알 수 없다.

裵氏 (慶州) (경주배씨)

시조 및 본관의 유래

배씨의 시원은 신라 개국의전 (BC 57)에 6부촌장의 일인인 김산가리촌장 지타(태사공)가 다른 5부촌장과 함께 알천 양산 암라정방림간에서 부득하여 수양한 박혁거세를 신라 초대왕으로 추재하고 개국 1등 원훈에 서훈 총재태사에 오르고 그후 32년(유리왕 9) 김산가리촌을 한지부로 고치고 배씨로 사성함으로써 비롯되었다. 그러나 연대가 유구하고 고증이 실전되어 소목계통을 밝히지 못하여 그를 득성시조로 하고 그 후손 배현경을 중시조로 하여 면면상계하였으며 본관은 조상의 세거지인 한지부가 경주로 개칭됨에 따라 경주라 하였다. 중시조 현경(시호 무열)은 담력이 과인하고 용맹과 지모가 웅위하여 궁예가 고구려 영토를 점거하고 태봉국을 세울 때 이를 도와 행오에 출발하여 기장에 이르렀다. 그러나 궁예가 왕으로 즉위한지 불과 수년에 처자를 살해하고 백성을 혹사하는 등 폭정이 날로 심해짐으로 당시 동료 기장이었던 신숭염, 복지염, 순금필 홍유등과 밀의하여 궁예를 추출하기로 하고 왕건에게 왕창근 속합홍 등 접술가의 예언을 설명하면서 천명신우로 중심이 공에게 돌아왔으니 이를 따르지 않으면 화가 미치리라 하고 탕무거사를 권하여 왕건을 고려 태조로 옹립하고 개국 일등 원훈에 서훈되었다. 그후 919년(고려 태조 2) 도읍을 송도로 옮길 때 개주도찰사가 되어 신도건설에 공을 세웠고, 왕건 태조가 잔적을 소탕할 때 공을 세워 대상행이조상서 겸 순군부령도총 병마대장에 이르렀다. 936년(태조 19) 그가 병으로 위독하자 태조가 친히 문병하고 손을 어루만지며 경의 자손이 있으니 그들을 잊지 않겠노라 하고 나가자 죽었다. 왕이 부음을 접하자 가마를 멈추고 통곡하였으며 유관 치제 하였다. 995년(성종 14)에 태조묘에 배향하고 평산 태백성에 태사사를 세워 사철상을 주립하고 매년 춘추에 향사한다. 이상에서 서술한 바와 같이 우리나라 배씨는 지타(태사공)에 연원을 둔 동계 혈통이었으나 후손이 번성해짐에 따라 세거지명과 조상의 작호를 연유하여 분관 혹은 분파 하였으니 분성, 성산, 달성, 흥해 등을 본관으로 하여 분관하였고, 그 밖에 경주 처사공파 협계 합문사인공파 성산 복사공파, 화순 진사공파, 함흥 교서공파등으로 나누어 계세하고 있다. 대동보의 상계를 부정하고 다르게 수보한 파도 있다고 한다.

〈행렬표〉

(분성파)

세	행렬자	세	행렬자	세	행렬자
21	文문	22	翊익	23	基기
24	鍾종	25	漢한經경	26	柄병秉병
27	烈열煥환	28	在재培배	29	鉉현鎬호
30	洪홍淳순	31	根근杓표	32	炯형燮섭
33	圭규奎규	34	錫석鏡경	35	洛락雨우
36	松송東동				

(달성파)

세	행렬자	세	행렬자
30	漢한潤윤淇기	31	植식模모權권
32	炳병煥환啓계	33	斗두奎규星성
34	錫석鎭진鍾종	35	洙수泰태淳순
36	東동相상秉병	37	烈열默묵熙희
38	世세時시達달	39	鉉현鏞용鎬호

세	행 렬 자	세	행 렬 자
40	泳영濟제彦언	41	秀수祐우綵채
42	昌창日일冕면	43	箕기表표赫혁
44	璋장錦금琦기	45	海해浩호鴻홍
46	柄병桂계根근	47	燁엽燮섭謙겸
48	聖성在재基기	49	欽흠鐸타銓전
50	源원洪홍洛락		

(성 산 파)

세	행 렬 자	세	행 렬 자
26	東동相상秉병樂락	27	煥환休휴燦찬熙희
28	孝효重중坰경在재	29	鎬호欽흠鍾종鐸타
30	泰태泳영漢한浩호	31	植식根근柱주杓표
32	魯노容용然연炳병	33	坤곤圭규達달基기
34	鉉현鏞용鎔용鎭진	35	源원海해湛담涇경
36	榮영楨정柄병棕종	37	炫현熏훈烈열煌황
38	奎규璋장埴식載재	39	錫석鑄주鈺옥鋧현
40	洙수淇기潤윤洛락	41	垣원塡훈埈준增증

(흥 해 파)

세	행 렬 자	세	행 렬 자
25	淵연泳영	26	根근稷직東동榮영秉병
27	煥환熙희燦찬燮섭炯형	28	在재基기正정世세
29	鎰일鍾종鎭진鎬호	30	洙수洛락承승源원
31	模모柱주	32	魯노文문熏훈烈열

白氏(水原)(수원백씨)

시조 및 본관의 유래

시조 宇經(우경)〈시호 : 문경〉은 중국 소주인으로 황제헌원의 16세손을병의 후손이다. 그는 780년 동래하여 계림자옥산하에 정착하면서 신라조에 사관하여 좌복사공대사도에 이르고 백씨의 연원을 이루었으므로 후손들이 그를 시조로 하고 경명왕 때 중랑장을 지낸 창직을 중조 (1세)로 하여 계대하고 있다. 본관의 유래에 대해서는 중조의 증손 휘가 고려 때 대사마대장군으로 수원군에 봉해졌다는 설이 있고 또는 중조의 9세손 천장이 중국에서 이부상서를 거쳐 우승상으로 수성백에 봉해지고 고려조에서 수원백에 봉해짐으로 수원으로 하였다는 양설이 있다. 이밖의 염포, 부여, 대흥백씨는 모두 수원백씨의 분파이다. 시조의 묘소는 경북 월성군 안강읍 옥산동 향사일은 양5월 첫 일요일.

〈행렬표〉 (수 원 파)

세	행렬자	세	행렬자	세	행렬자
16	榮영	17	文문	18	允윤
19	民민	20	時시	21	華화兌태
22	龍용尙상	23	師사	24	東동
25	鎭진	26	洙수	27	樂락
28	南남	29	均균基기	30	鉉현鎬호欽흠
31	承승雲운	32	鍾종寅인	33	烈열夏하
34	圭규在재	35	善선鎔용	36	淳순泰태
37	植식根근	38	煥환燮섭	39	壽수重중
40	尙상庚경	41	潤윤海해	42	榮영柱주
43	然연熙희				

(장 흥 파)

세	행렬자	세	행렬자	세	행렬자
22	熙희	23	基기	24	欽흠
25	永영	26	寅인	27	亨형南남
28	善선敎교	29	鍾종鎔용	30	淳순浚준
31	桂계柄병	32	烈열炅경	33	在재圭규
34	鎬호銓전	35	洪홍汶문	36	秀수根근
37	燦찬休휴	38	均균㙫성		

（대 흥 파）

세	행렬자	세	행렬자	세	행렬자	세	행렬자
25	玉옥	26	居거	27	運운	28	重중
29	鎭진	30	淳순	31	雲운	32	董동
33	土토						

（부 여 파）

세	행렬자	세	행렬자	세	행렬자	세	행렬자
19	淡담	20	有유	21	思사	22	東동
23	殷은	24	寬관	25	聖성	26	正정
27	鎭진	28	永영	29	杰걸	30	炯형
31	基기						

范氏(錦城)(금성범씨)

시조 및 본관의 유래

시조 승조는 원래 원나라의 예부시랑으로 노국공주를 배종하여 우리 나라에 왔다. 그의 아들 유수는 문하시랑으로 여진의 난에 참가하여 토평한 공으로 공훈1등에 금성군으로 봉해졌으므로 후손들이 본관을 금성이라고 세계를 계승하고 있다.

〈행렬표〉

세	행렬자	세	행렬자	세	행렬자	세	행렬자
21	潤윤	22	植식	23	熙희	24	奎규均균
25	鍾종鎭진	26	源원	27	秉병	28	烈열
29	載재	30	鎬호	31	泰태		

凡 氏(범씨)

〈조선 씨족 통보〉에 의하면 범씨는 안주 단본으로 시조 영부의 선세계는 중국 하남 출신이다. 그는 우왕 때 문화안집사로 있었고, 현재 그 후손은 극소수이다.

邊氏(변씨)

변씨는 문헌에 67본으로 나타나 있으나 邊安烈(변안열)을 시조로 한 원주 변씨와 변경을 시조한 장연변씨 그리고 변여을 시조로 한 황주변씨 이외에는 미상이다. 또한 이상 3본의 인구수를 보면 원주 변씨가 거의 90％를 차지하고 있다.

原州邊氏(원주변씨)

시조 및 본관의 유래

시조 安烈(안열)은 송나라 말기에 고려에 기화하여 상장군으로 태천백에 봉해지고 황주변씨 시조가 된 여의 후손이다. 연대는 상고할 수 없으나 그의 조상이 심양으로 들어가 살았던 것으로 짐작된다. 그는 1351년(충정왕3) 수장으로 노국공주를 배종한 공으로 추충량절선위, 익찬보조공신벽상삼한삼중대광문하찬성 사겸판예의 사사영삼사동평장사로 원주 부원군에 봉해졌다. 그리고 원주를 식읍으로 하사받고 원주에 정착세거 하였으므로 후손들이 황주 변씨에서 분적 본관을 원주로 하여 계대하고 있다.

〈행렬표〉

세	행렬자	세	행렬자	세	행렬자
21	洽흡洙수	22	柱주彬빈	23	光광昌창
24	均균奎규	25	鎔용鈺옥	26	湜제淵연
27	東동樂락	28	燮섭燦찬	29	致치時시
30	鐸탁欽흠	31	鴻홍泳영	32	植식根근
33	澄형榮영	34	喆철起기	35	錫석鏞용
36	濂염涉섭				

長淵邊氏(장연변씨)

시조 및 본관의 유래

시조 鏡(경)은 신라 때 아손을 지냈다고 하며 또는 고려 때 문하시중을 지냈다고도 하지만 문적을 찾아 볼 수 없다. 그러나 그의 증손인 유령이 고려 인종 때 연성 부원군에 봉해졌고, 후손 영인은 판전의사를 역임하였다고 한다. 그래서 그의 후손들이 본관을 장연으로 한 것이다.

〈행렬표〉

세	행렬자	세	행렬자	세	행렬자	세	행렬자
17	士사	16	言(변)	19	尙상	20	玉(변)
21	山(변)	22	安안	23	水(변)	24	建건
25	龍(용)						

黃州邊氏 (황주변씨)

시조 및 본관의 유래

시조 呂(여)는 중국 용서 사람으로 송나라가 망하자 우리나라에 망명하여 황해도 취성(현 황주)에 세거하였다고 한다. 그는 고려 고종 때에 상장군으로 태천군 또는 태천백에 봉해졌다고 한다. 그리하여 후손들이 본관을 황주로 하여 세계를 계승하고 있다.

〈행렬표〉

세	행렬자	세	행렬자	세	행렬자	세	행렬자
19	致치	20	得득	21	相상	22	容용
23	基기	24	鎭진	25	淵연	26	東동
27	燮섭	28	在재	29	錫석	30	永영

卞氏 (草溪·密陽) (초계·밀양변씨)

시조 및 본관의 유래

시조 庭實(정실)의 선세계는 주나라 문왕의 제6자로서 처음 曺(조)로 봉해졌다가 후에 노나라 변읍에 분봉되었으므로 변이라 성하였다. 그후 누대가 실전되어 계대를 못하였고 그의

후손 원이 당나라에 벼슬하여 예부상서에 오르고 8학사의 한 사람으로 〈효경〉 한질을 가지고 신라 경덕왕 때 사신으로 와서 정착 하였으나 고증과 문헌이 없어 소목을 밝히지 못하여 고려 성종 때 문하시중을 지냈고, 팔계(초계의 고호)군에 봉해진 정실(시호:문열)을 시조로 하여 계세하고 본관을 초계라 하였고 그리고 초계 변씨에서 분적하여 고려 때 국자진사가 되고 밀양에서 세거한 고적을 1세로 한 밀양 변씨도 또한 같은 정실의 후손으로 대종회를 같이 하고 있다.

〈행렬표〉

세	행렬자	세	행렬자	세	행렬자
29	燮섭煥환	30	在재教교	31	錫석鉄수
32	泰태泳영	33	模모植식	34	熙희文문
35	埈준均균	36	鎔용	37	洛락淳순
38	楨정柱주	39	默묵沃옥	40	致치根근
41	鐸탁	42	漢한	43	杓표
44	南남	45	重중	46	鎰일

(밀양변씨)

세	행렬자	세	행렬자	세	행렬자	세	행렬자
24	鎭진	25	思사	26	俊준	27	洙수
28	榮영	29	煥환				

卜氏 (沔川) (면천복씨)

시조 및 본관의 유래

시조 智謙(지겸)은 태봉의 마군장군으로 있다가 궁예가 횡폭해지자 919년(고려 태조 천수) 궁예를 몰아내고 왕건을 추재한 개국공신 대장군이다. 그 선조는 당나라 때의 학사로서 신라 말에 난을 피하여 우리 나라에 와서 면천(충남 당진군 순성면)에 정착하여 당시 서해안

에 들끓던 해적들을 소탕하여 생활을 안정 시켰다고 한다. 그리하여 그 후손들이 면천을 본관으로 하였다. 당진군 순성면 양유리에 시조의 제단이 있으며 향사일은 음 10월 1일이다.

〈행렬표〉

세	행렬자	세	행렬자	세	행렬자	세	행렬자
21	承승	22	世세	23	雨우	24	淵연
25	吉길	26	廷정	27	之지	28	玉옥
29	台태	30	景경	31	來래	32	欽흠
33	潤윤	34	來래	35	箕기	36	圭규
37	鎭진	38	洙수淳순	39	權권榮영		
40	然연憲헌熙희炳병	41	培배在재致치重중				
42	勉면會회鍾종	43	溶용泳영洵순承승				

奉氏 (봉씨)

봉씨는 문헌에 19본으로 나타나 있으나 봉우를 시조로 한 하음봉씨와 시조 미고인 강화봉씨가 있을 뿐 그 외의 17본은 미상이다.

江華奉氏 (강화봉씨)

시조는 미상이며 아마도 하음(강화지방)봉씨의 분파인듯 하다. 이밖에도 광주 안산 등 18본이 있으나, 모두 시조를 상고할 수 없다. 봉씨는 주로 황해도 수안 해주 연백 등지에 집중해 있고 경기도 안성, 평택, 충남 보은 전북 고창 전남 장성 영광 나주 등지에 1천여 가구가 살고 있다.

河陰奉氏 (하음봉씨)

시조 및 본관의 유래

시조 봉우는 고려 인종 때에 위위소랑, 정당문학, 좌복사로 공을 세워 하음백에 봉해졌다.

1107년(예종2) 한 노파가 강화의 하음면 연안에 석함이 떠 있는 것을 발견하고 건져내어 보니 그 속에 범상치 않은 아기가 들어 있었다. 그리하여 이 아기를 왕에게 바쳤더니 왕이 기이하게 여기고 궁중에서 양육하고, 봉우라는 성명을 하사했다고 한다. 그 후손들은 본관을 하음으로 하여 봉씨 세계를 계승하고 있다. 시조의 묘소는 강화군 화도면 덕포리 마니산에 있으며 향사일은 3월7일과 10월8일이다.

〈행렬표〉

세	행렬자	세	행렬자	세	행렬자
25	燮섭	26	鎭진	27	弼필淳순
28	鍾종萬만	29	源원九구	30	根근丙병
31	夏하寧녕	32	均균成성	33	善선珉민
34	浩호淳순	35	柱주	36	烈열
37	基기	38	鉉현	39	永영
40	植식	41	炳병	42	奎규

鳳氏 (慶州) (경주봉씨)

시조는 알 수 없으며 본관은 경주 단본이다. 봉씨는 전국적으로 겨우 몇 가구가 살고 있을 뿐이며 본시는 奉(봉)씨 였는데 민적법 시행 때 오기된 것으로 추측된다.

夫氏 (濟州) (제주부씨)

시조 및 본관의 유래

시조 부을나는 양을나 고을나와 함께 제주도 한라산 북쪽 기슭, 모흥혈에서 용출한 삼신인의 한 사람이다. 이들은 동쪽으로 부터 떠 내려온 상자를 걷어 세 미녀와 오곡의 씨앗과 망아지 송아지를 얻어 세 미녀를 배필로 삼고 제주 일도, 이도, 삼도 세 지역에 할거하여 목축과 농사를 영위 하였다. 그로 부터 부씨의 연원을 이루었으나 세계가 실전되어 원손 득시를 1세

- 111 -

조로 하고 본관을 제주로 하여 세계를 계승하고 있다.

<행 렬 표 >

세	행렬자	세	행렬자	세	행렬자	세	행렬자
16	宗종	17	啓계	18	彬빈	19	載재
20	錫석	21	斗두				

丕氏 (隴西)(용서 비씨)

용서는 중국 진한시대의 군 이름으로 지금의 감숙성 임조부에서 몽창부의 서쪽에 걸친 곳으로 본관 자체가 중국 지명이며 또 중국 주나라 양왕 때에 진나라에 비정이라는 사람이 있었으므로 보아 중국에서 귀화한 성씨임이 분명하다. 비씨의 관향은 용서 단본이며, 평남 강동, 황해도 곡산 충남 공주에 극소수의 분포를 보이고 있다.

彬 氏 (빈씨)

빈씨는 원래 중국의 성씨로 청나라 덕종 때 몽고인으로서 원외랑을 지낸 빈문이라는 사람이 있었다. 우리나라 빈씨는 그 후손이 귀화한 것이 확실하며 서울을 위시하여 경기 지방에 10여 가구가 살고 있다. 빈씨의 본은 대구 담양 2 본이 있다.

賓 氏 (빈씨)

빈씨는 본래 중국의 성씨로서 주나라 경왕때 빈골주라는 사람이 대부 벼슬에 있었고, 노나라에 빈모가라는 사람이 있어 공자를 섬겼다고 한다. 달성 빈씨의 시조는 우광으로서 그는 모가의 후손이며 중국에서 송나라가 망하고 원나라가 들어서자 우리나라로 망명 크게 학풍을 진작 시켰다. 고려 충숙왕이 이를 가상히 여겨 수성 (달성, 대구)군에 봉하였다고 한다. 빈씨의

본관은 수성, 달성, 대구 영광의 4 본이 있는데 그중 수성, 달성, 대구는 기실 동일본이며 영광 빈씨만은 그 유래를 상고 할 수 없다. 빈씨 분포는 경남이 100 여 가구로 으뜸이고 황해도, 전북, 경북, 전남, 충남, 경기, 충북의 순으로 수백 가구가 거의 전국적으로 펼쳐져 있다.

冰氏 (慶州)(경주 빙씨)

시조 및 본관의 유래

시조 如鏡 (여경)(시호 : 문혜)은 중국으로부터 귀화한 사람으로 그의 선계와 원향에 대해서는 상고할 수 없다. 그는 명나라 때 예부시랑, 내각한림을 지내면서 조선 세조 때 우리나라에 사신으로 들어와 정착 세거하고 빙씨의 연원을 이루었다. 세조는 그를 국빈으로 예우하고 이조참의를 제수 경주 부원군에 봉했으므로 후손들이 그를 시조로 하고 본관을 경주로 하여 세계를 계승하고 있다. 시조 묘소는 경기도 개풍군 덕북면 우산남록에 있고 곡성의 통명사에 제향되었다.

<행 렬 표 >

세	행렬자	세	행렬자	세	행렬자
11	洙수	12	得득	13	祥상
14	鍾종	15	淳순	16	極극東동
17	燮섭	18	基기	19	鉉현善선
20	漢한潤윤	21	模모根근	22	熙희炳병
23	圭규坤곤	24	錫석鉀갑	25	永영漢한

史氏 (사씨)

사씨는 문헌에 16 본으로 나타나 있으나 사요를 중시조로 한 청주사씨와 시조 미고인 거창사씨가 있으나 청주사씨의 세보 서문에 의하면 분파되었던 사씨들은 다시 청주로 환관 되었을 것으로 짐작된다.

居昌史氏(거창사씨)

거창사씨는 우리나라에 오래 전부터 살고 있던 토착성으로 고려말에 명나라로부터 귀화한 청주사씨와 구분된다. 종래의 문헌에는 거창 사씨만이 나와 있거나 아니면 사씨기관미상·또는 거창판으로 나타난 경우에는 시조 미고라 하여 그 시조와 유래가 미상이다. 원래 사씨는 중국 성으로 주나라 때 사일이란 벼슬이 있었는데 그 직에 있던 사람이 사씨로 성을 삼았다고 전해오고 있다. 역사에 나타난 인물로는 고려 예종 때 이부상서 사영 명종 때 좌복사 참지정사 사정유, 고종 때 삼지정사 사홍기, 병부상서 사광필 안무사 사정기 등이 있으나 이는 모두 청주사씨 발원 이전이므로 거창사씨로 짐작되며 당시 상당한 열역을 지닌 세족이었던 것으로 보여지자 현재는 그 후예가 거의 없으니 사씨는 모두 청주사씨로 합보한 것으로 추측된다.

青州史氏(청주사씨)

시조 및 본관의 유래

시조 요는 중국 산동성 청주 사람으로 명나라의 개국공신이다. 그가 예부상서에 오르자 소인들이 모함하여 고려 공민왕 때 우리 나라로 망명하였고 명나라 태조의 조서로 파주에 세거하게 되었다. 후손들이 사씨의 발상지인 중국의 청주를 사모하여 본관을 청주로 하여 세계를 계승하고 있다.

〈행 렬 표〉

세	행렬자	세	행렬자	세	행렬자	세	행렬자
19	淳순	20	相상	21	煥환	22	載재
23	鎭진	24	永영	25	東동	26	熙회
27	基기	28	錫석	29	濟제	30	柱주
31	勳훈	32	壽수	33	鎬호	34	潤윤

35	植식	36	裕유	37	培배	38	善선

舍氏(사씨)

1930년 국세조사 당시 2가구가 살고 있는 것으로 나타나 있다. 일설에 의하면 김씨에서 사씨로 개성 했다는 설도 있다.

謝氏(사씨)

중국계 성씨로 옛 문헌에는 나타나지 않고 1930년 국세조사 때 전북 순창 등지에 3가구가 살고 있는 것으로 되어 있으며 1960년 국세조사 때 전국에 19명이 있는 것으로 되어 있다. 본관은 한산과 진주 2본이다.

司空氏 (孝令)(효령사공씨)

시조 및 본관의 유래

사공씨의 시원은 진나라 때 가행이 사공이란 벼슬을 하고 벼슬 이름으로 사성받은 데서 비롯되었다. 그의 후손 사공도가 당나라 애제 때 한림학사로 예부상서를 지냈는데 신라 효공왕 때 동요학사 7인과 함께 우리 나라에 귀화함으로써 우리나라의 사공씨의 발원이 되었으나 문헌과 고증이 없어 소목계통을 밝히지 못하고 그의 후손 중상이 고려 충숙왕 때 벼슬하여 공을 세우고 효령군에 봉해졌으므로 후손들이 그를 1세조로 하고 본관을 효령이라 하였다.

〈행 렬 표〉

세	행렬자	세	행렬자	세	행렬자	세	행렬자
21	鉉현	22	永영	23	相상	24	炳병
25	圭규	26	鎭진	27	洙수	28	桂계
29	烈열	30	在재	31	錫석	32	汶문
33		34	熙회	35	坤곤	36	銖수

森氏 (三嘉)(삼가삼씨)

〈증보 문헌 비고〉〈전고대방〉등 문헌에 있는 성씨인데 1930년 국세조사 때는 볼 수 없다가 1960년 국세조사 때 전국에 14명이 산재하고 있는 것으로 밝혀졌다.

尙氏 (木川)(목천상씨)

시조 및 본관의 유래

시조 國珍(국진)은 원래 백제의 유민으로 고려가 후삼국을 통일할 때 이에 불복하고 당시의 목천현 상왕산(확성산) 아래 웅거하여 누차에 걸쳐 백제의 국권회복을 위해 항쟁 하였으므로 고려 조정에서는 그를 미워하고 축성「象」을 주었다. 그후 그의 아들 득유가 1060년(문종 14) 최충이 설치한 시빙제의 학사가 됨으로부터 향역을 면함과 동시에 원성「尙」을 회복하였으므로 후손들이 선대의 근거지였던 목천을 본관으로 삼게 된 것이다. 묘소는 상왕산하 간좌에 있으며 향사일은 음 10월 3일이다.

〈행렬표〉

세	행렬자	세	행렬자	세	행렬자
15	子자	16	詹첨	17	周주
18	系사	19	澤택	20	東동
21	容용	22	致치	23	鉉현
24	水수	25	植식	26	炳병
27	圭규	28	義의	29	淙종澈철
30	柱주梃정	31	熙회烈열	32	珉민培배
33	鏞용鎬호	34	漢한演연	35	桓환秀수
36	炫현惟유	37	載재瑛영	38	鎭진鎔용

徐氏 (서씨)

서씨는 문헌에 165본으로 나타나 있으나 본서에 기록된 성씨는 11본에 불과하고 나머지 142본에 대해서는 미고이다. 그러나 모든 서씨는 이천서씨의 시조 서신일의 후손으로 짐작된다. 전설에 의하면 고대 기자 조선의 마지막 왕인 기준이 위만에게 쫓겨 지금의 이천땅 서아성에 자리잡은 것이 서씨의 시조라고 한다. 우리나라 서씨 가운데서 기자에 연원을 두고 있는 성은 서씨 청주 한씨 태원 선우씨 행주기씨 등이다. 서씨는 대종이 이천 서씨이지만 명벌로 빼어난 집안은 대구 서씨이다. 삼대 정승에 삼대 대제학을 지낸 집으로는 대구 서씨를 비롯하여 청송심씨 청풍김씨가 있을 따름으로 그 중에서도 6대에 걸쳐 삼정승 삼대제학을 낸 집안은 대구서씨 뿐이다.

南陽徐氏(남양서씨)

시조 및 본관의 유래

시조 趕은 8학사의 한 사람으로서 정관 연간에(627－647) 우리나라에 와 당성(남양의 별호)에 정착해 살면서 태사가 되어 남양군에 봉해졌다고 한다. 그리고 그의 손자 후후가 고려 현종 때 좌정승으로 계단의 침입을 물리친 공으로 당성군에 봉해짐으로써 후손들이 본관을 남양으로 하여 세계를 계승하고 있다.

〈행렬표〉

세	행렬자	세	행렬자	세	행렬자	세	행렬자
33	熙회	34	圭규	35	鍾종	36	洙수
37	東동	38	煥환	39	在재	40	鎬호
41	淵연	42	榮영				

南平徐氏(남평서씨)

시조 및 본관의 유래

시조 灝(호)는 신일의 후손으로서 남평에 세거해 왔고 그의 손자인 지는 연산군 때 문과에 급제 중종 때 이조판서에 올랐다. 그래서 이천 서씨에서 분적 세거지인 남평을 본관으로 해서 세계를 계승하고 있다.

達城徐氏(달성서씨)

시조 및 본관의 유래

시조 晉(진)은 고려 때 봉익대부 판도판서 등을 역임하면서 공이 있어 달성(대구의 고호)군에 봉해지고 달성을 식읍으로 하사받아 그곳에 세거하게 되었다. 그래서 후손들이 본관을 달성으로 하여 세계를 계승하고 있다.

〈 행 렬 표 〉:

세	행 렬 자	세	행 렬 자
20	烈열	21	圭규坤곤奎규
22	鎭진錫석鉉현	23	洙수泳영潤윤
24	相상東동春춘	25	教교丙병炳병
26	輔보廷정圭규	27	德덕
28	水 (변)	29	木 (변)
30	火 (변)		

唐城徐氏(당성서씨)

시조 및 본관의 유래

시조 得富(득부)는 본래 당성(남양의 별호)에 토착한 사족으로 정관(629-649) 년간에 8학사의 한 사람으로 우리나라에 와서 당성에 정착해 살면서 태사가 되어 남양군에 봉해졌던 趨의 13세손이며 중종 때 유명한 경덕(화담)

은 그의 증손이다. 그리하여 후손들은 득부를 시조로 하여 남양서씨에서 분적 본관을 당성으로 하여 세계를 이어오고 있다.

〈 행 렬 표 〉

세	행렬자	세	행렬자	세	행렬자	세	행렬자
18	挺정	19	漢한	20	夢몽	21	慶경
22		23	行행				

大丘徐氏(대구서씨)

시조 및 본관의 유래

시조 閈(한)은 고려 때 조봉대부군기소윤을 지냈으며 2,3,4,5,6세는 세계가 실전되어 자세하지 않다. 후손으로 서거정 등 많은 인물을 낸 명문으로 大丘(大邱)에 세거했기 때문에 본관을 대구로 해서 세계를 계승하고 있다.

〈 행 렬 표 〉

세	행렬자	세	행렬자	세	행렬자	세	행렬자
28	源원	29	東동	30	德덕	31	達달
32	鎭진	33	永영	34	模모	35	烈열
36	世세	37	善선	38	漢한	39	桂계
40	慶경	41	基기	42	鏞용		

扶餘徐氏(부여서씨)

시조 및 본관의 유래

시조 餘隆(여륭)은 백제 의자왕의 세째 아들로 본래의 성은 부여씨라 한다. 백제가 망하자 당나라로 망녕 하였는데 당 고종이 「餘(어)」자를 「徐」로 고쳐 사성하고 능진도총에 임명했다. 한다. 그후 환국하였다 하나 세계가 실전되었다. 원손 存(존)은 1세조 신일의 6세손으로 고려에서 병부상서를 지내고 태원군에 봉해졌다. 그래서 본래서 성인 부여를 본관으로 해서 세계를 계승하고 있다.

세	행렬자	세	행렬자	세	행렬자	세	행렬자
26	鎭 진	27	祿 록	28	榮 영	29	勳 훈
30	基 기	31	善 선	32	承 승	33	植 식
34	炯 형	35	培 배	36	鉉 현	37	昶 창
38	晢 석	39	裕 유	40	世 세	41	鎔 용
42	潤 윤	43	秀 수				

連山徐氏(연산서씨)

시조 및 본관의 유래

시조 俊英(준영)은 신일의 후손으로 누대연산 지방에 세거하여 왔다. 그 아들 보가 있었으나 그 후 세계가 실전되어 후손들은 의민(義敏)을 1세조로 하여 이천서씨에서 분적 연산을 본관으로 하여 세계를 계승하고 있다.

〈 행 렬 표 〉

세	행렬자	세	행렬자	세	행렬자
14	基기	15	錫석	16	承승
17	模모	18	容용	19	喆철
20	鍾종	21	源원洙수	22	寅인相상
23	燮섭烈열	24	廷정圭규	25	鎭진鎬호
26	泳영泰태	27	穆목根근	28	然연熙희
29	坤곤均균	30	鉉현鏞용		

利川徐氏(이천서씨)

시조 및 본관의 유래

서씨는 기자의 42세손 기준이 이천 서하성에 피거한 후부터 그 후손이 서씨가 되었다 하며 혹 설에는 여수기가 예국의 추장으로 9자를 두었는 데 그 아들들이 제군에 분거하면서 중인에게 많은 공을 베풀었기 때문에 중인들은 중인의 「亻」변에 「余」자를 붙혀 徐자로 칭성하였다고 하며 일설에는 백제 의자왕 태자 여룡이 패전하고 당나라에 갔을 때 당나라에서 여룡의 여자를 서자로

고쳐 사성했다고도 한다. 그중에서 기준의 후손설이 신빙할만하다. 시조 신일은 신라 효공왕 때에 아우를 지내다가 국운이 다함을 알고 의천 효양산록에 복성당을 짓고 은거하면서 자칭 처사라 하고 후진 양성에 여생을 바쳤다. 그리하여 시조 은거지인 이천을 본관으로 하고 있다. 묘소는 경기도 이천군 부발면 산촌리 효양산에 있고 매년 음 10월 1일에 제향한다.

長城徐氏(장성서씨)

중시조 릉(시호 절효)은 도시조인 신일의 11세손이다. 그는 고려 고종때 시중을 지내고 장성을 식읍으로 하사받아 그곳에 정착하게 되어 이천서씨에서 분관 장성을 본관으로 해서 세계를 계승하고 있다. 장성 모암서원에 제향

〈 행 렬 표 〉

세	행렬자	세	행렬자	세	행렬자
26	挺정鉉현	27	衍연泳영	28	震진東동
29	烈열燮섭	30	載재增증	31	鍾종商상
32	淳순源원	33	植식休휴	34	顯현炳병
35	圭규在재	36	鎭진鎰일	37	洙수淵연
38	相상桂계	39	熙희薰훈	40	堯요坰경

浙江徐氏(절강서씨)

시조 및 본관의 유래

시조 海龍(해룡)은 중국 절강성 사람으로서 그의 증손 학이 도총관으로 1597년(선조30) 정유재란 때 우리나라에 와서 공을 세우고 성주 대동방에 정착 세거하여 후손들이 시조의 고향 절강을 본관으로 삼았다.

平當徐氏(평당서씨)

시조 및 본관의 유래

시조 俊邦(준방) (시호: 충효)은 신일의 후손으로 고려 때 형부상서로 있으면서 외적이 침입할 때 공을 세워 봉성(파주의 고호)군에 봉

해짐으로써 후손들이 본관을 평당 (봉성)으로 하여 세계를 계승하고 있다.

西氏(서씨)

문헌에는 나타나지 않고 1930년 국세조사에서 처음으로 알려진 성씨이다. 당시 대전과 김해에 각각 1가구씩 살고 있었으며 1960년 국세조사 때는 인구가 209명이 있는 것으로 밝혀졌다. 청나라 때 중국에도 서씨가 보이기 시작한 것으로 보아 귀화한 성씨인 것 같다.

西門氏(安陰)(안음서문씨)

시조 記(기)는 중국의 하남 사람으로서 원나라 순제의 시신으로서 중랑장을 지냈고, 노국공주를 호종하여 래조 고려 공민왕 때 안음군에 봉해졌다. 그리하여 그 후손들이 본관을 안음으로 하여 세계를 계승하고 있다.

石氏(석씨)

석씨는 문헌에 85번으로 나타나 있으나 충주 (홍주) 석씨와 해주 석씨를 제외한 나머지는 미상이다. 충주 (홍주) 석씨는 고려 의종때 랑장으로서 두경승과 함께 조위총의 난을 평정한 공으로 상장군이 되고 이어 서북병마사를 지낸 석린을 시조로 하고 있으며 해주 석씨는 본래 중국의 동명 사람으로 명나라 목종 때 병부상서를 지낸 석성을 시조로 하여 세계를 계승하고 있다.

忠州 (洪州) 石氏(충주 (홍주) 석씨)

시조 및 본관의 유래

석씨의 시조 隣(린)은 고려 의종 때 랑장으로서 두경승과 함께 조위총란을 평정한 공으로 상장군이 되었고 이어 서북병마사를 지냈으며

약성 (충주의 고호)군에 봉해졌다. 그의 7세손 천율에 이르러 아들 형제가 있었는데 제1자 수명의 후손은 본관을 홍주라 하였고, 제2자 여명의 후손은 본관을 충주라 하여 각각 분적하였는데 동근동원의 신념을 가지고 석씨 전국 대종회를 구성하고 환적하여 대동보 편찬을 추진하고 있다.

〈행렬표〉

세	행렬자	세	행렬자	세	행렬자
27	均균源원	28	鎬호相상	29	淳순煥환
30	柱주均균	31	鼎정		

海州石氏(해주석씨)

시조 및 본관의 유래

시조 星(성)은 중국 동명사람으로 1559년 진사 이과에 급제하고 명나라 목종을 직간하다. 파직되었다가 다시 등용되어 병부상서에 이르렀다. 그는 임진왜란 때 우리 나라를 돕는데 공이 컸으나 심유경으로 인하여 투옥당했다. 그후 설원되어 복관된 후 그의 아들 담이 우리나라에 들어와서 해주에 정착하니 왕이 그를 수양군에 봉하고 땅을 하사했으며 적을 해주로 하게 하였다. 그리하여 후손들이 본관을 해주로 하였다.

〈행렬표〉

세	행렬자	세	행렬자	세	행렬자	세	행렬자
12	尙상	13	宗종	14	章장	15	鳳봉
16	相상	17	熙희				

昔氏 (月城)(월성석씨)

시조 및 본관의 유래

시조 載興(재흥)의 선세계는 신라 4대 임금 석탈해니사금의 23세손이다. 석씨는 신라 56

왕중 8왕 (석탈해 벌휴왕 , 나해왕 , 조세왕 , 첨해왕 , 유례왕 , 기임왕 , 흘해왕) 이 즉위 했으며 삼국사기에 석탈해의 탄생 및 명명신화가 전하고 있으나 이는 생략한다. 재흥은 고려조에 시랑을 지냈으며 후손들은 그를 시조(1세)로 하고 본관을 월성 (경주의 고호)으로 하였다.

〈 행 렬 표 〉

세	행렬자	세	행렬자	세	행렬자	세	행렬자
38	基기	39	鎭진	40	河하	41	東동
42	榮영	43	圭규	44	鎬호	45	準준
46	植식						

碩氏 (석씨)

역대 문헌에는 보이지 않던 성씨로 1960년 국세조사 통계에 단 1명이 경기도에 살고 있다.

宣氏 (寶城)(보성선씨)

시조 및 본관의 유래

〈조선 씨족 통보〉에 의하면 보성 선씨의 시조 선윤지 (호 : 퇴휴당)는 중국 노나라 대부 선백의 후손으로 명나라 때 문연각 학사로서 1382년 (우왕 8) 사신으로 고려에 왔다가 귀화 전라도 안염사가 되어 해안지방에 침입하여 우거하는 도이를 격퇴하고 민심을 안정 시켰으며 유교의 발전과 인재 양성에 힘썼다. 그후 조선이 개국되자 절의를 지키고 보성에 은거하였으므로 후손들이 본관을 보성으로 하여 계대하고 있다. 그리고 동성동본으로 고려말에 예의판서 우문각 대제학 등을 지내고 조선개국 후에 보성 백이산 남록도촌방으로 은거한 선원지를 시조로 하는 또한 계통이 있으나 같은 혈손으로서 곤계 관계는 분명하지 않으나 양파사이에 합보를 하였다.

〈 행 렬 표 〉

세	행 렬 자	세	행 렬 자
21	圭규錫석鎬호泳영	22	鍾종泰태永영相상
23	浩호來래柱주炳병	24	東동容용炳병壽수
25	戊무茂무成성	26	己기起기熙희
27	庚경慶경康강	28	幸행宰재新신
29	壬임性성重중	30	癸계天천發발

先氏 (선씨)

1930년 국세조사 때 처음으로 나타난 성씨로 당시 서울 1가구 경흥에 1가구 도합 2가구가 살고 있는 것으로 되어 있다.

鮮于氏 (太原)(태원선우씨)

시조 및 본관의 유래

우리나라 선우씨의 성원은 기자가 기자조선 세우고 그의 장자 송이 2대 장혜왕으로 즉위하면서 아우 중을 우산국에 봉하여 나라를 세우게 하였으므로 조선과 우산국에 있는 자손들이 조선의 「선」과 우산의 「우」 2자를 취하여 다같이 선우라고 성을 삼았고 본관을 태원이라고 함으로써 버릇 되었다. 그 뒤에 41대왕 애왕 (준)이 위만에게 나라를 빼앗기고 남천하여 금산군 (현익산)에 마한을 세웠는데 10대 계왕에 이르러 백제에게 나라를 빼앗겼다. 그 때 원왕에게 아들 3형제가 있었는데 그중 량이 용강 오석산으로 들어가 황용국을 세우고, 왕으로 즉위하여 선우씨의 세계를 이어왔고, 하나는 청주한씨 하나는 행주기씨가 되었다. 량의 10세손 병에 이르러 나라를 고구려에 빼앗기고 서민으로 태원선우씨의 세계를 이어 왔으나 고증과 문헌이 없어 소목계통을 밝히지 못하고 원손으로 고려 문종 때 중서주서를 지낸 정을 1세조로 하여 계세하고 있다.

세	행렬자	세	행렬자	세	행렬자	세	행렬자
32	木(변)	33	火(변)	34	士(변)	35	金(변)
36	水(변)						

薛氏(설씨)

설씨는 문헌에 23본으로 나타나 있으나 경주 순창 2본 이외의 본관에 대해서는 미고이다. 경주 설씨와 순창 설씨의 원조는 다같이 신라 6촌 가운데 명활산 고야촌 습비부장으로 전해진 호진(일명거백)이며 유리왕 때 다른 촌장들과 함께 설씨로 사성 받았다. 그리고 2본으로 나뉘어 있으나 본래 원호대사와 요석공주 사이에 태어난 빙월당 설총의 후예이다.

慶州薛氏(경주설씨)

시조 및 본관의 유래

순창 설씨와 동원이다. 시조 支德(지덕)의 후손으로 습비부가 경주에 속하므로 본관을 경주로 하였다가 자승이 순화백에 봉해짐으로써 순창으로 이관 하였으나 귀창을 파조로 하는 개성파는 종전대로 경주를 본관으로 하여 계대하고 있다.

〈 행 렬 표 〉

세	행렬자	세	행렬자	세	행렬자	세	행렬자
41	基기	42	鎭진	43	源원	44	杓표
45	烈열	46	在재	47	鉉현	48	澤택
49	植식	50	煥환	51	圭규		

淳昌薛氏(순창설씨)

설씨의 시원은 신라 개국이전(B.C 57)에 6

부촌장의 일인인 명활산 고야촌장 호진(일명거백)이 다른 5부촌장과 함께 박형거세를 신라 초대왕으로 추재하여 개국공신에 오르고 그후 32년(유리왕 9) 왕이 6촌을 부로 개칭하고 촌장들에게 사성함에 따라 명활산 고야촌이 습비부로 고쳐지고 설씨로 득성함으로써 비롯되었다. 이로부터 설씨 혈통이 면면상계 되었고, 습비부가 경주에 속해짐으로써 본관을 경주로 하였는데 36세손 자승이 고려 인종 때 예부시랑으로 순화(순창)백에 봉해짐으로써 순창으로 이관하였다. 그러나 계속해서 경주를 본관으로 하는 계통이 있는데 근원은 같다.

〈 행 렬 표 〉

세	행렬자	세	행렬자	세	행렬자
61	鎭진	62	洙수	63	東동
64	煥환	65	在재	66	徹철錫석
67	相상泰태	68	燦찬植식	69	在재榮영
70	鉉현瑢용	71	濟제鍾종	72	樟상潤윤

偰氏(慶州)(경주설씨)

시조 및 본관의 유래

시조 遜(손)(호 : 근사제)의 선세계는 회골인으로 설연하에 세거하면서 성을 설이라 하고 원나라에 귀화하여 대대로 벼슬을 지낸 가문으로 태전 극직의 8세손이다. 그는 학문이 깊고 문장에 뛰어난 시인으로 1358년(공민왕 7) 홍건적의 난을 피해 망명 귀화하니 그를 부원후에 봉하고 식읍을 하사하였다. 그리고 그의 아들 장수(시호 문정)가 경주로 사관되어 후손들이 본관을 경주라 하여 세계를 계승하고 있다.

〈 행 렬 표 〉

세	행렬자	세	행렬자	세	행렬자	세	행렬자
16	遇우	17	興흥	18	之지	19	泓홍

20	殷은	21	漢한	22	佐좌	23	德덕
24	淳순	25	錫석	26	源원	27	秉병
28	煥환	29	在재	30	鎬호		

葉氏(섭씨)

문헌에 나타난 최초의 섭씨는 1012년 고려 현종 때 송나라로 부터 귀화한 섭거전이며 그후 역시 송나라에서 귀화하여 문종 때 승지를 지낸 섭성이 있는데 섭씨는 이들의 후손인 것으로 짐작된다. 조선의 인물로는 성종 때 문과에 급제하고 성균관전적을 지낸 천기가 대표적인 인물이다. 1930년 국세조사 당시 천안 아산동 충남에 20가구와 전남 장성의 10가구등 모두 40여 가구가 살고 있는 것으로 나타나 있다. 주요 본관은 공촌(수원) 처인, 회미, 인의, 해평, 니파산, 평해 등이다.

成氏(昌寧)(창녕성씨)

시조 및 본관의 유래

성씨는 원래 중국 성씨로서 주나라 문왕의 제7자郕 숙부의 후손이라고 한다. 그 자손이 나나라 명「郕」으로 성씨를 삼았는데 뒤에 초나라에 망하자 읍변을 떼 버리고 성씨라 하였다 한다. 그후 당나라 때 학사 경이가 우리 나라로 건너 왔으며 뒤에 백제에 충이 있었고 신라에 저가 있어 두 사람이 다 절의와 벼슬이 당당하였다. 그러나 경이와 충은 창녕 성씨와 어떤 연관이 있는지 상고할 수 없고 창녕성씨보에는 시조 인보의 아버지는 숙생이요 신라 대관 저의 후예라 하였다. 시조 인보는 창녕에 누대 세거한 호족이며 또 그곳에서 호장중윤을 지냈다. 삼국 말기에는 호걸이 각주군에 할거하고 있어 고려 태조는 관원을 파견하여 이를 다스리게 하였는데 당시 장민자를 호장이라하고 장병자는 장교라고 하였다 한다. 그 후손들도 창녕에 정착세거함으로써 창녕을 본관으로 삼았다. 묘소

는 창녕군 대지면 맥산에 있고 향사일은 음 10월 1일이다.

〈 행 렬 표 〉

(팔 개 파)

세	행렬자	세	행렬자	세	행렬자	세	행렬자
20	默묵	21	載재	22	鎬호	23	永영
24	樂나	25	慶경	26	耆기	27	鉉현
28	演연	29	植식	30	必필	31	圭규
32	鎭진						

(회 곡 파)

세	행 렬 자	세	행 렬 자
20	仁인源원	21	義의
22	運운煥환夏하	23	周주耆기
24	鏞용錫석	25	洛락河하
26	模모楷해植식	27	烈열箕기魯노
28	圭규重중	29	鎬호鍾종
30	漢한淳순	31	來래東동
32	熙희燮섭		

(정 절 공 파)

세	행 렬 자	세	행 렬 자
20	默묵	21	載재在재
22	鎬호鉉현	23	永영泳영承승
24	樂락根근秀수	25	燮섭慶경煥환
26	耆기基기奎규	27	鏞용鎰일錫석
28	治치泰태斗두	29	模모和화東동
30	熙희晩만丙병		

(평 리 공 파)

세	행렬자	세	행렬자	세	행렬자	세	행렬자
20	道도	21	昌창	22	世세	23	運운
24	在재	25	鎭진	26	洛락	27	杓표

| 28 | 煥환熙희 | 29 | 遠원 | | |

(검 교 공 파)

세	행렬자	세	행렬자	세	행렬자
21	彦언	22	魯노考고	23	教교
24	鍾종鎭진	25	泰태大대	26	根근植식
27	炳병熙희	28	基기壎훈	29	鎭진錫석
30	準준源원				

(지 사 공 파)

세	행렬자	세	행렬자	세	행렬자
20	鳳봉	21	鎭진	22	永영錫석
23	修수源원	24	夏하	25	基기煥환
26	百백圭규	27	濟제洙수	28	始시
29	奎규	30	鎭진	31	相상尙상

(33세의 후는 각파 동일)

세	행렬자	세	행렬자	세	행렬자
33	文문武무	34	均균培배	35	善선銀은
36	康강雨우	37	元원春춘	38	夏하然연
39	信신教교	40	九구義의	41	承승滿만
42	東동彩채	43	容용志지	44	中중在재
45	商상錦금	46	準준洪홍	47	和화秀수
48	南남七칠	49	孝효致치	50	百백錄록
51	雲운浩호	52	來래相상		

星氏 (성씨)

옛 문헌에 보이지 않던 성씨로 1930년 국세 조사 때 비로소 1가구가 살고 있는 것으로 되어 있다.

蘇氏 (晋州) (진주소씨)

시조 및 본관의 유래

요임금은 구이중의 하나인 풍이의 후손으로 그의 족손인 기곤오를 소성의 하백으로 봉하였다. B.C 2266년 소성은 단군조선에 영속되었으며 기성을 고쳐 소성이라 하면서부터 비로소 소씨가 발상하였다. 소곤오의 후손이 고조선의 유민과 함께 경주지방에 이거하여 진한을 건국하였고 고허촌장인 소벌(별칭 소벌도리, 소도리)이 박혁세를 도와 신라를 건국하였다. 소벌의 25세손인 경은 손자가 없었는데 소벌의 꿈에 나타나 진주 도사곡(저동)으로 이거하면 구저를 얻을 것이라 하여 660년 3월3일에 지금의 진주시 상대동(저동 일명 소경동)으로 이거한후 9세 9장군(9저 즉 아들, 복서 : 청주총관,손자 억자 : 한주총관, 증손 후준 : 상주총관, 고손검백 : 웅주 도총 6세손 상영 : 청주도총 7세손 목 : 청주 도총 8세손 은 : 웅주도총 9세손 송 : 강주도총 10세손 격달 : 대장군)을 낳게 되었다. 이리하여 후손들은 벌을 원조로 하고 진주를 본관으로 하여 경을 중조로 삼게 되었다. 중시조 경은 577년(진지왕2)에 출생 관직이 각우에 이르렀고 나라에 공이 있어 656년(무열왕 3) 왕이 그의 조상인 벌을 문열왕에 추봉하였다. 묘소는 진주시 소경임좌에 있고 향사일 양 3월 끝 토요일이다.

〈행 렬 표〉

세	행렬자	세	행렬자	세	행렬자	세	행렬자
41	述술	42	輝휘	43	奎규	44	鎭진
45	永영	46	秉병	47	燮섭	48	在재
49	鎬호	50	淳순	51	秀수	52	炅경
53	均균	54	鍾송	55	洪홍	56	根근
57	熙희	58	基기	59	鎔용	60	海해
61	相상	62	炯형	63	載재	64	鉉현
65	洛락	66	東동	67	煥환	68	坰경

邵氏 (平山)(평산소씨)

시조 및 본관의 유래

시조 邵雍(소옹)은 주나라 소공의 원손이라 하며 「召」자가 전하여 邵씨가 되었다고 한다. 시조 옹의 자는 요부요, 호는 안락, 시호는 강절이며 관직은 潁천단 연추관으로 신안백에 봉해졌다. 우리나라에 들어와서 활략한 인물로는 고려 명종 때 경상도 안찰사를 지낸 광빈과 문종 숙종 때 문하시중 수태사를 지낸 태보(시호 충겸) 등이 있든데 그 소목계통을 밝힐 수가 없다. 후손들이 평산에 세거하면서 본관을 평산이라 하였다. 소씨는 평산 외에도 남양, 인주를 비롯하여 10본이 있다고 하나 그 시조나 분포 상황은 알길 없다.

〈 행 렬 표 〉

세	행렬자	세	행렬자	세	행렬자	세	행렬자
24	興흥	25	漢한	26	新신	27	哲철
28	啓계	29	榮영	30	舜순	31	敏민
32	有유						

孫氏 (손씨)

손씨는 문헌에 118본으로 나타나 있으나 7본을 제외한 나머지 111본은 미고이다. 삼국사기나 삼국유사에 의하면 신라가 국가로 성립되기 전의 원시 부족사회인 사로(서라벌)는 6촌(알천, 양산촌, 돌산, 고허촌, 자산, 진지촌, 무산 대수촌, 금산 가리촌, 명활산 고야촌)으로 이루어졌는데 그 6촌장이 각각 孫, 李, 崔, 鄭, 裵, 薛로 사성받았다고 한다. 때는 신라 제3대 유리왕 9년(32)이었다. 이것이 손씨의 시조이며 손씨로 사성받은 무산 대수촌장의 이름은 구례마이다. 또한 손씨는 모두 구례마의 후예라 하겠다. 그러나 일직 손씨만은 계보를 달리하

慶州孫氏 (경주손씨)

시조 및 본관의 유래

시조 順(순)은 득성조 구례마의 후손으로 효행으로써 853년(흥덕왕 10) 월성(경주고호)군에 봉해졌고 그의 손자 익원 역시 월성군에 봉해졌다. 그리하여 본관을 경주라 하였으나 그 후 세계가 실전되어 후손 경원을 1세조로 하여 세계를 계승하고 있다.

〈 행 렬 표 〉

세	행 렬 자
10	宗종 愼신
11	金(변)人(변)萬 만 厚 후
12	汝여 泰태 升승 忠충 景경
13	是시 著저 雲운 以이 壽수
14	杰걸 顯현 錫석
15	九구 時시 慶경 思사 弘홍
16	星성 鎭진
17	鍾종 石석 洛락 謨모
18	永영
19	秀수 祚조
20	晋진 炳병 顯현
21	翼익 達달 遠원 奎규
22	鎬호 鉉현
23	洛락 河하 準준
24	東동
25	熏훈
26	孝효

密陽孫氏 (밀양손씨)

시조 및 본관의 유래

시조 順(순)의 선세계는 신라 6부촌장의 한 사람인 무산 대수촌장 구례마이다. B.C 57년 구례마가 다른 촌장들과 함께 박혁세거를 신라 초대왕으로 추재하여 개국 공신에 올랐고, 그후 서기 32년(유리왕 9)에 가서 손으로 사성받아 손씨가 창성되었으나 그후 세계가 실전되고 후손 순(시호 문효)이 흥덕왕 때 효자로서 월성군에 봉해졌으므로 그를 시조로 하여 기세하고 순의 손자 익감, 익담, 익원의 3형제중 익감이 신라조에 공을 세워 웅천(밀양고호)군에 봉해짐으로써 본관을 밀양이라 하였다. 시조의 묘소는 경북 월성군 건천읍 모량리에 있다.

〈행 렬 표〉

(진 사 공 파)

세	행렬자	세	행렬자	세	행렬자
45	永영	46	秉병	47	燮섭
48	重중	49	鍾종	50	承승求구
51	杓표桂계	52	煥환熹희	53	坨이在재
54	錫석鎬호	55	泰태洙수	56	植식根근
57	燦찬憙덕	58	圭규培배	59	鎭진銓전
60	洛락沃옥				

(명 천 공 파)

세	행렬자	세	행렬자	세	행렬자
45	九구亮량	46	卓탁準준	47	丙병彌필
48	武무宁우	19	斗두承승	50	憲헌罘
51	五오學학	52	廣광鎭진	53	虎호純순
54	貞정興흥	55	元원光광	56	章장協협
57	厚후夏하	58	宗종重중	59	泰태奉봉
60	德덕寧녕				

(청 파 공 파)

세	행렬자	세	행렬자	세	행렬자	세	행렬자
45	秉병	46	熙희	47	培배	48	鍾종
49	斗두	50	憲헌	51	五오	52	鎭진
53	純순	54	興흥	55	光광	56	章장
57	厚후	58	宗종	59	泰태	60	寧녕

(오곡공파 : 죽계공파)

세	행렬자	세	행렬자	세	행렬자	세	행렬자
45	漢한	46	東동	47	烈열	48	重중
49	鉉현	50	泰태	51	桓환	52	炯형
53	載재	54	鍾종	55	洙수		

(봉 호 공 파)

세	행렬자	세	행렬자	세	행렬자
42	會회	43	聖성載재	44	宣선
45	周주	46	國국	47	洪홍淳순
48	植식杓표	49	炯형	50	基기
51	鏞용	52	洙수	53	相상
54	熙희				

(오곡공파 : 팔용파)

세	행렬자	세	행렬자	세	행렬자	세	행렬자
41	永영	42	模모	43	炳병	44	基기
45	鎔용	46	漢한	47	東동	48	烈열
49	重중	50	鉉현	51	泰태	52	桓한
53	炯형	54	載재	55	鍾종	56	洙수

比安孫氏 (비안손씨)

시조 및 본관의 유래

시조 乙口(올구)의 연대 사적에 대해서는 문헌이 실전되어 상고할 수 없다. 그는 문과에 급제하여 절제사를 지냈다고 전한다. 그후 세계가 실전되어 조선초기에 도총제사를 지내고 비안으로 낙향하여 정착세거한 안 懋 을 1세조로 하고 본관을 비안이라 하여 세계를 계승하고 있다.

〈 행 렬 표 〉

세	행렬자	세	행렬자	세	행렬자	세	행렬자
9	命명	10	徽휘泰태	11	振진	12	祖조
13	恒항	14	有유	15	基기	16	鎬호
17	永영	18	相상東동	19	炳병		·

安東(一直)孫氏(안동 (일직) 손씨)

시조 및 본관의 유래

시조 孫凝 (손응)은 본래 성이 순이었는데 고려 현종의 이름이 詢(순)과 음이 같다 해서 손씨성을 하사 받았다고 한다. 그후 세계가 실전되어 간을 중시조로 하여 세계를 계승하다가 간의 8세손인 원유가 일직 (안동의 속현) 군에 봉해지면서 본관을 안동으로 하였다.

〈 행 렬 표 〉

세	행렬자	세	행렬자	세	행렬자	세	행렬자
22	龍용	23	敬경	24	遠원	25	亮량
26	憲헌	27	基기	28	銖수		

月城孫氏(월성손씨)

시조 및 본관의 유래

월성 손씨는 신라 6부촌장의 한 사람인 무산 대수촌장 구례마가 다른 5부 촌장과 함께 박혁세거를 신라 초대왕으로 추재하여 개국공신이 되고 32년 (유리왕 9)에 그의 손자 직이손으로 사성받은 것이 시원하다. 그후 세계가 실전되고 후손 순이 효행으로 835년 (흥덕왕 10) 월성군에 봉해졌고, 순의 손자 익원이 또한 월

성 (경주고호) 군에 봉해졌으므로 순을 시조로 하고 본관을 월성으로 하여 세계를 이어오고 있다. 시조 순은 일찍이 부친을 여의고 가난하게 살았는데 그의 아들이 노모의 음식을 빼앗아 먹는 것을 보고 그의 아내와 의논하기를 아들은 다시 낳을 수 있으나 어머니는 한번 죽으면 다시 모실 수 없다 하고 아들을 취산산으로 데리고 가서 묻으려고 땅을 파다가 석종이 나오므로 기이해서 아들을 업고 석종을 가지고 돌아왔다. 왕이 그 사실을 듣고 집 한채와 연사미 50 석을 하사했고, 그 집은 홍효사라 하고 석종을 걸게 하였다. 그후 백제군의 침입으로 종과 절은 없어지고 효종사의 유허만 전한다. 시조 순의 자는 사구 시호는 문효이며 묘소는 경북 월성군 전천읍 모량리 효자능이고 향사일은 음 10월 1일이다.

〈 행 렬 표 〉

세	행렬자	세	행렬자	세	행렬자
20	永영泳영	21	秀수秉병	22	晉진烈열
23	基기在재	24	錫석鍾종	25	源원洙수
26	植식東동				

淸州孫氏(청주손씨)

시조 및 본관의 유래

시조 弼榮 (필영)의 선세계는 신라 6 부촌장 구례마의 원손 순 (문효공)의 후손이다. 모든 사적이 실전되고 그에 대한 사적은 미상이지만 그는 고려 때에 개성군에 봉해졌다가 청성 (청주의 고호) 군으로 이봉되었다 하며 후손들은 음성 지방에 정착세거 하면서 그를 시조로 하고 본관을 청주로 세계를 계승하고 있다.

〈 행 렬 표 〉

세	행렬자	세	행렬자	세	행렬자	세	행렬자
21	炳병	22	在재	23	鉉현	24	漢한
25	東동	26	燮섭	27	圭규	28	鈺옥

29	海해	30	楫즙	31	爀혁	

平海孫氏 (평해손씨)

시조 및 본관의 유래

평해 손씨 역시 경주 월성 밀양손씨와 동원으로 순을 시조로 하고 있으며 손자 익담이 평해군에 봉해졌기 때문에 본관을 평해로 하여 세세를 계승하고 있다.

〈 행 렬 표 〉

세	행렬자	세	행렬자	세	행렬자
31	翰한國국	32	斗두景경	33	敬경聖성
34	澓 學학源원	35	相상奎규	36	煜욱常상
37	致치宅택	38	錫석	39	承승宗종永영
40	榮영成성柱주	41	炳병炯형熙희	42	壽수均균培배
43	鍾종鈺옥鎭진	44	泰태海해	45	東동根근

宋氏 (송씨)

송씨는 문헌에 172본으로 나타나 있으나 15본을 제외한 나머지 157본은 미고이다. 〈송씨 상계 세보〉에 의하면 우리나라의 모든 송씨의 도시조는 중국경조 출신으로 당나라에서 호부상서를 지낸 송주은인데 우리 나라에 귀화한 경위는 분명하지 않다. 주은의 7세손 송순공의 후손 자영이 세 아들을 두었는데 장 유익은 려산 송씨의 비조이고 중 천익은 은진 송씨의 비조이며 계 문익은 서산 송씨의 비조이다. 장구한 세월을 거치는 동안 분파 분종되었으나 모두 위 3파의 후손이라 한다. 그중 서산송씨는 이석을 시조로 한다는 설이 문헌에 비칠 뿐 상고할 길이 없다.

金海宋氏 (김해송씨)

시조 및 본관의 유래

시조 天逢 (천봉) 시호 : 문정은 1330년 (고려 충혜왕 즉위) 문과에 급제하고 벼슬은 정언 기거랑 감찰장영, 광양감무 (군수) 대사헌, 첨밀직사사등의 요직을 역임하였으며 김해군에 봉해졌다. 그러나 그후 세계가 실전되어 후손인 길정 (문령백)을 중조로 하여 세계를 계승하고 본관을 김해라 하고 있다.

〈 행 렬 표 〉

세	행렬자	세	행렬자	세	행렬자
20	永영泳영	21	秀수秉병	22	晋진烈열
23	基기在재	24	錫석鍾종	25	源원洙수
26	植식東동				

南陽宋氏 (남양송씨)

시조 및 본관의 유래

시조 公節 (공절)은 고려말에 진사를 지내고 문하시랑이 되었으며 그의 아들 침은 문과에 급제한 후 감사를 거쳐 은청광록 대부문하시중에 이르렀으며 남양군에 봉해졌다. 그래서 그의 후손들이 본관을 남양으로 하였다.

〈 행 렬 표 〉

세	행렬자	세	행렬자	세	행렬자	세	행렬자
19	憍준	20	時시	21	會회	22	秉병
23	東동	24	炫현	25	垠은	26	錫석
27	漢한	28	模모	29	炯형	30	坤곤

德山宋氏 (덕산송씨)

시조 및 본관의 유래

시조 곤산 (崑山)은 고려조에서 찬성사를 역임했으며 그의 증손 문이 호조판서를 유공하여 덕성 (덕산의 고호)군에 봉해져 후손들은 려산에서 분적하여 본관을 덕산이라 하고 있다.

〈 행 렬 표 〉

세	행렬자	세	행렬자	세	행렬자	세	행렬자
20	在재	21	鍾종	22	河하	23	模모
24	煥환	25	善선				

聞慶宋氏(문경송씨)

시조 및 본관의 유래

시조 臣敬(신경)은 고려 때 선덕랑으로 입조하여 북부령, 공부 이부의 전서 등을 역임하고 고려말기 정국의 문란함을 수습하려 하였으나 뜻을 이루지 못하고 퇴관 문경으로 낙향하였다. 그래서 후손들은 문경에 세거하면서 본관을 문경으로 하였다.

〈 행 렬 표 〉

세	행렬자	세	행렬자	세	행렬자	세	행렬자
17	鉉현	18	洙수	19	根근	20	容용
21	在재	22	善선				

新平宋氏(1)(신평송씨(1))

시조 및 본관의 유래

려산 송씨에서 갈려 나간 송씨 중에서. 홍주 신평 송씨는〈신평송씨보(자은계)〉를 보면 려산 송씨의 시조 유익의 12세손 말선이 홍주의 신평에서 살았음이 분명하니 모두가 그의 후손들임이 확실하다. 그러나 그후 홍주 신평이 다 같이 병화로 인하여 보첩을 잃어 계대를 밝힐 수가 없어 홍주 송씨는 枰(평)을 시조로하고 신평송씨(1)은 구진을 신평송씨(2)는 구진의 후손인 자은을 시조로 하여 세계를 이어오고 있다. 신평송씨(1)의 시조 구진은 연산에 세거하였고 고려조에 봉익대부 서운관정겸 습사도감판관을 지냈다. 후손들은 시조의 선계가 살

던 신평(홍주속현)을 본관으로 하였다.

〈 행 렬 표 〉

(담 양 파)

세	행렬자	세	행렬자	세	행렬자	세	행렬자
20	永영	21	模모	22	煥환	23	孝효
24	鎭진	25	洙수				

(영 광 파)

세	행렬자	세	행렬자	세	행렬자	세	행렬자
20	教교	21	學학	22	錫석	23	漢한
24	植식	25	炳병				

新平宋氏(2)(신평송씨(2))

시조 및 본관의 유래

신평송씨(2)의 시조 자은은 이조 세종조에 순창군수를 지냈다. 원래 신평 송씨의 원조는 려산 송씨이나 신평에 살았던 그 후손들이 구진을 시조로 하고 려산 송씨에서 분적 본관을 신평으로 하였다. 그러나 병화를 거치는 동안에 홍주 신평송씨의 보첩이 소실되고 소목계통을 밝힐 수 없게 되어 남쪽으로 이거하여 일문을 이룬 자은을 시조로 하고 본관을 그대로 신평으로 하고 있다. 묘소는 전남 나주군 남평면 우진리에 있다.

〈 행 렬 표 〉

세	행렬자	세	행렬자	세	행렬자	세	행렬자
15	淙종	16	秀수	17	炳병	18	敬경
19	命명	20	承승	21	根근	22	夏하

冶城宋氏(야성송씨)

시조 및 본관의 유래

시조 맹영(孟英)은 고려 목종 때 간의대부

총부의랑을 지내고 야성 (야로)군에 봉해졌다. 그래서 본관을 야로라 하여 세계를 계승하고 있다.

〈행 렬 표〉

세	행렬자	세	행렬자	세	행렬자	세	행렬자
27	廷정	28	能능	29	寅인	30	翼익
31	善선	32	浚준	33	根근		

楊州宋氏 (양주송씨)

시조 및 본관의 유래

양주 송씨는 려산 송씨에서 분적하였으나 려산 송씨의 시조 유익으로 부터 양주 송씨의 시조 도성까지는 200여년의 장구한 세월이 흘러 세계를 상고할 수 없다. 시조 도성은 조선 개국초에 장락원정을 지냈고 그로부터 누대 양주에서 세거하다가 전화를 피하여 공주로 이사했다가 다시 영남지방으로 이거하였다. 그리하여 후손들은 그를 시조로 하고 선조의 세거지 였던 양주를 본관으로 하였다.

〈행 렬 표〉

세	행렬자	세	행렬자	세	행렬자	세	행렬자
7	齡령	8		9	世세	10	翼익
11	殷은	12	亨형	13	胤윤	14	奎규
15	益익	16	休휴	17	仁인	18	祥생祐호
19	鍾종	20	洛락	21	東동	22	煥환
23	基기	24	鎭진	25	永영	26	植식
27	炳병	28	圭규	29	鎬호	30	源원

礪山宋氏 (려산송씨)

시조 및 본관의 유래

시조 惟翊 (유익)은 고려조에 진사로 은청광록대부 추밀원부사에 추증되었으며 또한 그의 4세손으로서 중시조인 송례는 고려 원종 때 추성익재보리동덕좌명공신광정대부벽상삼한삼중대광문하시중판전리사사상장군으로 치사하여 려양 (려산의 고호)부원군에 봉해지고 식읍 1000호를 하사받았다. 후손들은 송례를 중시조 1세로 하여 세계를 계승하고 있으며 그가 려산군에 봉해졌기 때문에 본관을 려산이라 하였다. 시조 유익의 묘소는 려산 문수동에 있고 매년 동지에 향사한다.

〈행 렬 표〉

세	행렬자	세	행렬자	세	행렬자	세	행렬자
26	寅인	27	顯현	28	義의	29	範범

延安宋氏(1) (연안송씨(1))

시조 및 본관의 유래

시조 卿 (경) (시호 : 숙의)은 고려 공민왕때 찬성사가 되고 1359년 (공민왕 8) 홍건적 모거경을 격파한 공으로 1364년 지밀직사사에 올랐으며 이듬해에 연안 부원군에 봉해졌다. 그리하여 후손들은 그를 시조로 하고 연안을 본관으로 하여 세계를 이어오고 있다.

〈행 렬 표〉

세	행렬자	세	행렬자	세	행렬자	세	행렬자
24	鎭진	25	漢한	26	東동	27	烈열
28	坤곤	29	鏞용	30	洪홍	31	根근
32	然연						

延安宋氏(2) (연안송씨(2))

시조 및 본관의 유래

연안송씨 (기 2)의 근원은 신라 박혁거세 때에 전고랑을 지낸 지겸으로 부터 비롯되었고 그

후 고려 태조 때 개국원훈으로 소부소감을 지냈으며 염주(연안의 고호)군에 봉해진 위가 있으나 그 선후대가 실전되어 그 계대를 밝힐 수가 없다. 그리하여 고려 고종 때 호장을 지낸 卒(한)을 시조로 하고 본관을 연안이라 하여 계세하고 있다.

〈 행 렬 표 〉

세	행렬자	세	행렬자	세	행렬자	세	행렬자
24	燮섭	25	敎교	26	鎭진	27	泳영
28	東동	29	炳병	30	均균	31	鍾종
32	洙수	33	根근					

龍城宋氏 (용성송씨)

시조 및 본관의 유래

문헌에 따르면 우리나라 모든 송씨의 도시조는 중국 경조 출신으로 당나라에서 호부상서를 지낸 송주은인데 우리나라에 귀화한 경위는 분명하지 않다. 그후 장구한 세월이 지나는 동안 후손들은 여러 갈래로 분파되었으며 용성 송씨도 그 중의 일파이다. 용성 송씨는 엄경을 일세조로 하고 그가 용성군에 봉해졌기 때문에 용성을 본관으로 삼게 되었다. 묘소는 경남 창녕군 도천면에 있으며 향사일은 음 10월 10일이다.

〈 행 렬 표 〉

세	행 렬 자	세	행 렬 자
17	錫석鍾종鎔용	18	源원洙수雨우
19	樂락棋기樹수	20	燮섭夏하烈열
21	載재圭규喜희	22	鎬호鉉현鎰일
23	汶문漢한浩호	24	桓환杓표柱주根근
25	炅경然연炫현	26	均균坤곤培배垠은

恩津宋氏 (은진송씨)

시조 및 본관의 유래

시조 大原(대원)은 려산 송씨의 시조 유익의 아우 천익의 후손으로 누대 은진에서 세거해 왔다. 그러나 천익이후로 세계가 실전되어 소목계통을 밝힐 수 없기 때문에 고려조에ᅵ 판원사를 지내고 은진군에 봉해진 그를 시조로 하여 기 1세하고 본관을 은진이라 하였다.

〈 행 렬 표 〉

세	행 렬 자	세	행 렬 자	세	행 렬 자
19	一일煥환	20	仁인圭규	21	老노欽흠
22	用용洙수	23	錫석秉병	24	永영憲헌
25	寅인在재	26	基기鎬호	27	致치永영
28	善선根근	29	榮영性성	30	重중均균

鎭川宋氏 (진천송씨)

시조 및 본관의 유래

시조 舜恭(순공)은 신라 때 대아손을 지냈으나 그후의 세계가 실전되었기 때문에 거의 240년간의 계대를 밝히지 못한다. 그래서 후손인 仁(인)을 1세조로 하여 계승하고 있다. 그는 고려 때 평장사로서 상산(진천의 고호)백에 봉해졌으므로 그의 후손들은 본관을 진천으로 했다. 1세조 인의 묘소는 충복 진천군 덕산면 두촌리 두여지이며 향사일은 음 10월10일이다.

〈 행 렬 표 〉

세	행렬자	세	행렬자	세	행렬자
21	永영	22	在재	23	鉉현鎭진
24	淳순	25	根근相상	26	丙병
27	圭규培배	28	錫석鍾종	29	漢한浩호

30	根근榮영	31	熙희衡형	32	基기
33	鍾종	34	泰태泳영	35	杓표植식
36	思사燦찬	37	在재均균	38	鏞용
39	澤택				

鐵原宋氏 (철원송씨)

시조 및 본관의 유래

시조 화길은 고려조에 문하시중으로 유공하여 동주(철원의 고호) 군에 봉해졌다. 그리하여 후손들은 그를 시조로 하고 본관을 철원으로 하고 있다.

〈 행 렬 표 〉

세	행렬자	세	행렬자	세	행렬자	세	행렬자
25	浩호	26	學학	27	賢현	28	澤택
29	稙직						

淸州宋氏 (청주송씨)

시조 및 본관의 유래

시조 椿(춘)의 선계와 연대는 미상이다. 그는 예부상서를 지냈고 아들 유충이 청원(청주의 고호) 군에 봉해졌으므로 본관을 청주라 하였다. 그후 누대가 실전되어 승은을 1세조로 하고 있다.

〈 행 렬 표 〉

세	행렬자	세	행렬자	세	행렬자
7	英영廷정	8	濟제	9	水수
10	世세木목	11	斗두商상	12	以이增증
13	殷은玉옥	14	振진在재	15	國국祺기
16	泰태學학	17	壽수是시	18	興흥復복
19	洪홍雨우	20	柄병秀수		

洪州宋氏 (홍주송씨)

시조및 본관의 유래

홍주 송씨는 신평 송씨와 불가불이의 관련이 있으며 모두 려산 송씨의 지파이다. 〈신평송씨보(자은계)〉를 보면 려산 송씨의 시조 유익은 12세손 미선이 홍주의 신평에 살았다. 그후 세계가 실전되어 계대를 밝힐 수 없어 홍주 신평 송씨가 생겼다고 한다. 홍주 송씨의 시조 평은 조선조에 별감시위를 지냈으며 홍주에 세거한 사족으로 후손들이 려산 송씨에서 분적 본관을 홍주로 하였다.

〈 행 렬 표 〉

세	행렬자	세	행렬자	세	행렬자	세	행렬자
5	明명	6	益익	7	謙겸	8	碩석
9	翊익	10	奎규	11	鉉현		

松氏 (송씨)

어려서 일본에서 고아가 된 송길만(부산시 중구 충무동)은 막연히 어머니를 찾아 귀환선을 타고 부산에 온것은 1946년(18세때)에 일이다. 부모의 성을 몰라 일본에서 부르던 송본으로 통한 그는 1959년의 무효적자 자신신고 때 충무시에 송씨로 신고하여 송씨의 시조가 되었다.

水氏 (수씨)

1930년 국세조서 때 나다난 수씨는 강원도 금화에 2가구 함북은성에 1가구 등 3가구로 되어있다. 본관은 강능, 강남 2본이다.

洙氏 (수씨)

1930년 국세조사 때는 나타나지 않은 성으

로 1960 년 국세조사 때 40여명이 서울 강원
도 동지에 살고 있는 것으로 되어 있다.

舜氏 (순씨)

중국에서 건너온 성씨로 1930 년 국세조사 때
각지에 8 가구가 분포해·살고 있는 것으로 집
계되어 있다. 당시의 거주지를 보면 순천 5, 광
양 1, 부안 1 연기 1 가구 등이다. 본관은 파
주와 임천 2 본이다.

淳氏 (순씨)

1930 년 국세조사 때 처음으로 보인 성씨로
익산군에 2 가구가 살고 있는 것으로 나타나있
다.

順氏 (순씨)

1930 년 국세조사 때 평남 령원군 2 가구 함
북 경성군에 1 가구가 살고 있는 것으로 되어
있다.

荀氏 (순씨)

순씨는 상당히 연원이 오랜 성씨로 일직 (안
동) 손씨의 처음 성도 순씨였다. 그러나 지금
으로서는 일직손씨와 순씨가 어떤 연관이 있는
가에 대해서는 단언할 수가 없다. 순씨는 남한
에만 분포해 살고 있는 것으로 알려지고 있으
며 1930 년 국세조사 때 부여 서천 동지에 40
여가구 전북에 12 가구 등이 분포해 있는 것으
로 집계되어 있다. 본관은 임천 창원 연곡 등
으로 되어 있다.

承氏 (延日·光山)(연일·광산승씨)

시조 慣 (개) 는 연일에 세거한 사족의 후예
로 선계는 실전되어 알 수 없다. 그는 고려 정

종 때 대장군을 지내고 가세를 일으켰으므로
후손들이 그를 시조로 하고 세거지인 연일을 본
관으로 하여 계대하고 있다. 승씨는 이 외에
광산 승씨가 있는데 개의 후손이 광산에 세
거하면서 본관을 광산이라고 하였으나 연일 승
씨와 동원이다.

昇氏 (승씨)

〈승씨가보〉에 따르면 시조는 명승이다. 그
의 선대는 중국의 황족이었으며 고려 공민왕때
그의 어머니와 더불어 망명 귀화했다. 그는 망
국왕족으로서 고개를 들고 하늘을 볼 수 없다
는 뜻으로 명자를 버리고 승자로 개성하였다 하
며 자손에게 유언하여 벼슬길에 일체 나가지 않
게 했다. 그의 어머니 옥경화는 우리나라 전래
의 신라예복 (원삼 족두리) 을 보급 하였다고
전한다. 고려 고종 때 호조참판에 추증된 승봉
운이 있다. 승씨와 명씨는 동근이라 하여 치금
까지도 통혼을 않는다고 한다. 주요 본관은 창평
과 남원이며 분포는 나주, 화순, 서흥, 김천, 창
원, 김해 등지에 약 80 가구가 살고 있다.

施氏 (浙江)(절강시씨)

철강시씨는 원래 중국의 성씨로서 춘추시대
의 시백으로부터 시작되어 그후 중국의 명벌로
손꼽혀 왔다. 우리나라에 귀화한 것은 1592 년
(선조 25) 의 일로 명나라 무장으로서 임진왜
란 때 행영중군이 되어 원군으로 왔던 시문용
(호 : 명초) 이 혁혁한 전공을 세우고 명나라 군
사가 철수할 때 병으로 귀국하지 못하고 성주
에 정착하게 되었다. 그 후손들은 문용을 중조
1세로 하여 세계를 계승하고 있으며 원향인
절강을 본관으로 하였다. 문용은 무예에 뛰어나
고 문장에도 능했고, 1741 년 (영조 17) 병조참
의 훌련도정에 추증되었다. 묘소는 경북 성주

남흑수방 칠령 흑방동좌이다.

<행렬표>

세	행렬자	세	행렬자	세	행렬자
9	錫석	10	潤윤	11	植식
12	炳병	13	奎기基기埈준	14	鎭진鍾종
15	淵연				

柴氏 (시씨)

시씨는 중국 고대의 고신씨의 후예라 하나 언제 우리나라에 와서 살기 시작했는지는 확실치 않다. 문헌에 나타난 최초의 사씨는 고려 현종 때 흥화진두를 지낸 신운이다. 1930년 국세조사 통계에 의하면 정읍, 임실 등 전북에 94 가구가 살고 기타 지역에 10여 가구로 되어있다. 현재도 정읍 태인 등지에 집단부락을 형성해서 살고 있는 것으로 알려진다. 태인, 금화 2본이며 능향을 본관으로 하는 시씨가 있으나 이는 태인의 지방명임을 생각하면 한 분파일 것이다.

申氏 (신씨)

신씨는 문헌에 155본으로 나타나 있으나 고령 아주, 평산 3본을 제외한 152본에 대하여는 미고이다. 신씨 가운데 평산신씨는 전체 신씨의 70%이상을 차지하고 고령신씨가 20%차지한 것으로 추산된다. 신씨는 이조때 대표적인 명벌의 하나로서 고령신씨는 이조 전반기에 평산신씨는 이조 후반기에 크게 세를 떨쳤다. 그리고 평산신씨 시조 신숭겸은 고려 왕건태조의 익재공신으로 공산동수에서 태조의 위급을 구출코자 대신 전사, 죽음을 애통히 여긴 태조는 달성군 공산면에 지묘사를 세워 그의 명복을 빌게 했다고 한다

高靈申氏 (고령신씨)

시조 및 본관의 유래

시조 성용(成用)은 고려 때 문과에 급제하고 검교 군기감을 역임했다. 성용의 선계는 신라의 공족으로 누대 고령에 세거하면서 호장을 지내왔으므로 그의 후손들이 본관을 고령으로 하여 세계를 계승하고 있다. 그리고 그의 8세손 숙주가 익재좌리공신으로 고령 부원군에 봉해졌다.

<행렬표>

세	행렬자	세	행렬자	세	행렬자	세	행렬자
19	權권	20	錄록	21	模모	22	求구
23	休휴彬빈	24	雨우	25	植식	26	浩호
27	秀수	28	熙희	29	圭규	30	鍾종
31	永영	32	相상	33	燮섭	34	在재
35	鎔용	36	泰태	37	根근		

鵝洲申氏 (아주신씨)

시조 및 본관의 유래

시조 영미(英美)는 고려 말엽 거재군 소속 아주현의 권지호장이 되었으므로 그 후손들이 아주를 본관으로 하여 세계를 계승하고 있다. 그런데 아주 신씨의 각 가정에 가지고 있는 옛날 가첩은 물론 영조 때에 편찬한 문헌비고와 그 밖의 문헌에도 신영미가 아주신씨의 시조로 명기되어 있으나 근세에 와서 신영미 위에 가공적 인물인 식익휴를 첨가하여 평산신씨의 시조 장절공 신숭겸과 관계를 붙여 신숭겸을 시조 신익휴를 중시조로 한 족보가 나타났다. 그러나 이것은 1817년(순조17)에 공주사람 김노정이 위조한 <만성보>에 의한 것으로 당시 김노정을 방문 조사한 신정주의 <호서기행>에

의하여 그 그릇됨이 명백히 밝혀졌다. 따라서
숭겸을 시조 익휴를 중시조로 하여 그 계대를
살피는 것은 큰 잘못이라 하겠다.

〈행 렬 표〉

세	행렬자	세	행렬자	세	행렬자	세	행렬자
20	敎교	21	冕원	22	漢한	23	相상
24	變섭煥환	25	載재				

平山申氏(평산신씨)

시조 및 본관의 유래

　시조 신숭겸의 초명은 능산 전라도 곡성에서
나서 태봉의 기장으로 배현경, 홍유 복지겸과
더불어 궁예를 폐하고 왕건을 추대하여 개국원
훈 대장군이 되었다. 하루는 왕건이 제장들과
평주(평산)에 사냥을 나가 삼탄을 지날 때 마
침 고공에 뜬 세 마리의 기러기를 보고 누가 저
기러기를 쏘아 맞힐 수 있겠는가 하고 물으니
신숭겸이 자신이 맞히겠다고 아뢰었다. 왕건이
그에게 궁시와 안마를 내리고 쏘라고 하니 몇
째 기러기를 쏘리까 하니 왕건이 웃으며 세째
기러기의 왼쪽 날개를 쏘라고 하였다. 그는 과
연 날아가는 기러기의 왼쪽 날개를 쏴서 떨어
뜨리니 태조가 탄복하고 기러기가 날던 땅 300
결을 하사하고 본관을 평산으로 삼게 하였다.
927년(태조10)대구공산동수전투에서 견훤
군의 포위로 전세가 위급해지자 태조와 용모가
흡사한 그는 태조를 피신케 하고 대신 어차를
타고 출전하여 전사하였다. 그리하여 태조는 그
의 유해를 춘천에 예장 벽상호기위태사개국공
삼중대광의경익재광위이보지절저정공신을 추봉
하고 시호를 장절이라 하였다. 994년(성종13)

태조 묘정에 배향되고 1120년(예종15) 예종
이 신숭겸과 김락을 추도하여〈도이장가〉를 지
었다. 1457년(문종1) 마전 숭의전에 배향
평산의 태백산 성태사사, 동양서원, 곡성 덕양사
대구의 표충사 춘천의 도포서원에 제향 묘소는
강원도 춘성군 서면 방동리에 있고 음 3월 3일
과 9월 9일에 향사한다.

〈행 렬 표〉

세	행 렬 자
32	均균 圭규 老노 坤곤
33	鉉현 彦언 允윤 鍾종
34	澈철 湜제 淳순 泳영
35	東동 相상 榮영 柱주
36	燮섭 容용 恒항 煥환
37	載재 璿숙 基기 培배
38	鎬호 鎭진 鎰일 鍊련
39	濟제 濬준 源원 洪홍
40	根근 和화 秉병 集집
41	性성 忠충 燦찬 德덕
42	用용 翼익 重중 軾식
43	元원 完완 兢극 旭욱
44	弼필 雨우 南남 卨설
45	段단 承승 齊제 寧녕
46	武무 斌빈 成성 茂무
47	弘홍 世세 卿경 起기
48	廉염 庸용 慶경 康강
49	宰재 華화 常상 幸행
50	延정 升승 延연 聖성
51	揆규 登등 癸계 奉봉

辛氏 (靈山·寧越) (영산·영월신씨)

시조 및 본관의 유래

신씨는 본시 중국의 저성으로 당나라 천보연간(742~755)에 신시랑이 엄시랑과 함께 사신으로 신라에 들어와서 그대로 머물러 살게 되었으며 벼슬이 파락사에 올랐다고 한다. 그러나 그 이름도 전하지 않을 뿐더러 세계도 실전되어 소목계통을 밝힐 수 없어 고려 인종때에 금자광록대부문하시중평장사를 지냈던 경(鏡)(시호: 정의)을 1세조로 하여 계대하고 있다. 본관에 있어서는 최근 경의 4세손 몽삼의 지석이 발견되었는데 그 비문에 분명히 「태사공영주신공지묘」라 명기되어 있었다고 하니 당초는 영주신씨였음을 알 수 있다. 그러나 중도에서 영산 영월로 분관되었는데 최근에 상기 비문의 출현이 계기가 되어 양관이 다시 통합하여 영주 신씨로 환원할 계획이었으나 합의를 보지 못하여 양관을 쓰기로 하였다 한다.

〈행 렬 표〉
(영산신씨 1)

세	행렬자	세	행렬자	세	행렬자	세	행렬자	세	행렬자
29	植식	30	容용	31	基기	32	鍾종	33	洙수
34	柄병	35	煥환	36	喆철	37	鉉현	38	海해
39	致치	40	錫석	41	漢한	42	穆목		

(영산신씨 2)

세	행렬자	세	행렬자	세	행렬자	세	행렬자	세	행렬자
31	教교	32	鎭진	33	源원	34	模모	35	性성
36	均균	37	正정	38	漢한	39	東동	40	勳훈
41	起기	42	錫석	43	泰태	44	榮영	45	忠충
46	載재	47	鍾종	48	澤택	49	相상	50	憲헌
51	致치	52	欽흠	53	俊준	54	杓표	55	丙병
56	珪규	57	庚경	58	浩호	59	秀수	60	煥환

〈영월신씨〉

세	행렬자	세	행렬자	세	행렬자	세	행렬자
20	應응	21	德덕	22	甲갑世세	23	益익後후
24	漢한受수	25	祿록致치	26	命명	27	性성祚조
28	煥환東동	29	在재熙희	30	錫석基기	31	淇기泳영
32	根근永영	33	炯형夏하	34	土(변)	35	金(변)
36	水(변)						

慎氏 (居昌) (거창신씨)

시조 및 본관의 유래

시조 修(수)의 선세계는 중국개봉부인이다. 그는 고려 문종때 래조하여 벼슬은 수사도, 좌복사, 참지정사에 이르렀다. 그리고 그의 후손들이 거창에 세거하였다. 그런데 아들 안지는 지수주사가 되어 수원신씨라고 한 기사가 있으나 그 후 거창에 세거함으로써 그의 후손들은 본관을 거창이라고 하고 수를 시조로 하여 세계를 계승하고 있다.

〈행 렬 표〉

세	행렬표	세	행렬표	세	행렬표	세	행렬표
26	輔보	27	九구	28	炳병	29	宗종
30	晠성	31	範범	32	鏞용	33	宰재
34	重중	35	揆규	36	澤택	37	相상
38	煥환	39	基기	40	鎬호	41	泳영
42	根근	43	然연	44	圭규	45	鉉현
46	源원	49	東동	48	榮영	49	載재

沈氏 (심씨)

심씨는 문헌에 63본으로 나타나 있으나 4본을 제외한 나머지 59본에 대하여는 미고이라,

심씨는 이조 500년동안 정계를 주름잡은 10대 문벌의 하나로 손꼽히고 있다. 심씨 중에서도 청송 심씨는 상신이 13명이나 되는데 그중 영의정이 9명이나 되어 전주이씨의 영의정 11명에 비해 버금가는 것이다. 그리고 심온 심회는 부자 영상인데 심온의 부 심덕부를 넣으면 삼대가 상신을 지낸 셈이다. 역사상 3대가 상신이 된 집안은 대구서씨 청풍김씨와 함께 단 세 집뿐이다.

三陟沈氏 (삼척심씨)

시조 및 본관의 유래

시조 동노의 선세계는 고려 숙종때에 좌승선과 군기소감을 역임한 후와 문림랑과 군거주부를 역임한 적충둥으로서 그들은 삼척에서 토착하여 세거하였으나 문헌이 실전되었고 후손인 동로가 고려조에 중서사인 예부판서 집현전학사를 역임하였고 진주(삼척별호)군에 봉해졌으며 유훈으로써 삼척으로 창본케 하여 후손들은 그를 시조로 계대하고 본관을 삼척으로 하였다. 묘소는 강원도 명주군 묵호읍 발한리(부곡동해좌)에 있다.

〈 행 렬 표 〉

세	행 렬 자	세	행 렬 자
20	鐸탁鎭진	21	洙수永영
22	相상東동	23	爕섭熙희
24	在재敎교載재埈준	25	錫석鍾종鎔용鉉현
26	源원洛락永영求구	27	植식柱주根근來래
28	炳병烔형然연熙희	29	均균培배基기坤곤
30	欽흠鎬호銓전善선		

青松沈氏 (청송심씨)

시조 및 본관의 유래

시조 洪孚(홍부)는 고려조에 문림랑 위위사승을 역임하였으며 4세손인 덕부(시호공정)는 고려 충숙왕 때에 왜구의 침입을 평정하였고 공민왕때에는 중흥9공신의 한 사람으로 충근량절익찬좌명벽상삼한삼중대광 문하시중이 되어 청성(청송고호)군 충의백으로 봉해져 후손들은 본관을 청송이라 하였다. 묘소는 청송 서오리 보광산에 있다.

〈 행 렬 표 〉
〈 대 동 보 〉

세	행렬자	세	행렬자	세	행렬자	세	행렬자
19	之지	20	能능	21	宜의	22	澤택
23	相상	24	爕섭	25	載재	26	輔보
27	揆규	28	用용	29	寧녕	30	起기
31	章장	32	厚후	33	亮량	34	南남
35	茂무						

豊山沈氏 (풍산심씨)

시조 및 본관의 유래

시조 滿升(만승)은 본래 중국 오흥 사람으로서 천성이 총민하고 박학다능하였다. 1110년(예종5)동료 복주인 호종단 절강인 유재 안신 지둥과 함께 상선을 따라 동도하여 태백산하 풍산현에 정착하였다. 그는 문장으로 명성이 높아 왕의 총애를 받았으며 청환직에 탁용되고 1112년(예종7) 상서봉어에 발탁 1114년(예종9) 태자첨사부첨사에 오르고 풍산에 세거 하였으므로 후손들이 본관을 풍산으로 하였다.

〈 행 렬 표 〉

세	행렬자	세	행렬자	세	행렬자	세	행렬자
25	植식鎭진	26	爀혁淳순	27	基기萬만	28	鉉현昞병
29	洙수茂무	30	東동	31	烈열	32	喆철
33	鎬호	34	洛락	35	求구	36	炯형
37	均균	38	鎔용	39	澤택		

阿氏(아씨)

삼국유사등 문헌에 역사적인 인물이 보인다. 백제사람으로 신라에 가성 황룡사 구층탑을 세운 아비지 일본에 한학을 전한 아직기 등이 있는데 이들의 성이 아씨였는지에 대해서는 의문이다. 그리고 고려가 착업되기전 아자개가 있으나 이는 견훤의 아버지로 본성은 이씨이다.

1930년 국세조사때 전남에 20여 가구 경남에 9가구등이 모두 35가구가 살고 있다.

安氏(안씨)

안씨는 문헌상에 109본으로 나타나 있으나 6본을 제외한 나머지 103본은 미고이다. 안씨의 본성은 이씨로서 806년(신라 애장왕7)에 당나라에서 우리나라에 들어와 개성의 송악산하에 정착한 이원의 아들 3형제가 864년(신라 경문왕4)에 왜구를 평정한 공으로 안씨를 사성받았고 큰 아들 지춘은 방준으로 두째아들 엽춘은 방걸로 세째아들 화춘은 방협으로 각각 개명하였다 한다. 그리고 방준은 죽산군에 봉해짐으로써 그 후손들은 죽산 안씨가 되고 방걸은 광주군에 봉해짐으로써 광주안씨가 되었다. 순흥안씨는 자미를 시조로 하였고 신죽산 안씨와 탐진안씨는 순흥안씨에서 분관되었다. 또한 위의 안씨들과 세계를 달리하는 태원안씨가 있다.

廣州安氏(광주안씨)

시조 및 본관의 유래

시조 방걸(광주군)은 고려 태조때 광주 사람들이 성주를 살해하고 모반할 때 의병을 일으켜 토평한 공으로 대장군이 되었고 광주군에 봉해졌으므로 후손들이 본관을 광주로 하게 되었다. 한편 죽산안씨 대동보에 따르면 807년 (신라애장왕8)에 당나라에서 개성 송악산 아래 정착한 이원의 아들로서 864년(신라경문왕4)에 3형제가 함께 외란을 평정한 공으로 안국의 공신이라 하여 안씨를 사성받고 광주군에 봉해 졌으므로 본관을 광주로 하였다.

〈행렬표〉

세	행렬자	세	행렬자	세	행렬자	세	행렬자
41	鉉현	42	永영	43	根근	44	光광
45	均균	46	鎭진	47	濬준永영	48	東동
49	燮섭	50	奎규	51	錫석	52	淳순
53	榮영	54	勳훈顯현	55	瓚찬圭규	56	鎔용
57	漢한	58	相상	59	愚우烈열	60	致치
61	鏞용	62	泰태	63	植직	64	性성
65	胄위						

順興安氏(순흥안씨)

시조 및 본관의 유래

시조 子美(자미)는 고려조에 보승별장을 지냈으며 흥녕(경북순흥의 고호)현에 세거하였으므로 본관을 순흥으로 하였고 후손의 번연으로 인하여 편의상 시조 자미의 장자 영유의 후손을 제1파 차자 영인의 후손을 제2파 3자 영화의 후손을 제3파로 크게 나누어 계대하고 있다. 시조 자미의 묘소는 경북 영주군 순흥면에 있었으나 실전되고 제단을 설치하여 매년 음10월 1일에 향사한다.

〈행렬표〉

세	행렬자	세	행렬자	세	행렬자
26	演연洛락	27	柄병相상東동	28	燦찬爀혁燁엽
29	孝효重중吉길	30	鉉현銓전鏞용	31	泰태準준洪홍
32	根근柱주植정	33	性성恒항悌제	34	均균基기壽수
35	會회令령念염	36	泳영澤택永영	37	萬만華화
38	愿원愚우德덕	39	宰재起기奎규	40	鎭진鉄수鍊련
41	海해漢한浩호	42	集집榦간	43	容용光광亨형
43	周주疇주坤곤	44	欽흠鍊련鐵철	46	濬준源원潤윤

竹山安氏 (죽산안씨)

시조 및 본관의 유래

우리나라에 안씨가 비롯된 연원은 806년(신라애장왕7) 중국 용서 사람으로 우리나라에 들어와서 개성 송악산하에 정착하게 된 이원으로 거슬러 올라간다. 그의 지춘, 엽춘, 화춘 3 아들이 출전하여 외적을 평정 대공을 세웠으므로 국왕이 안국의 공신이라 하여 안씨라는 성을 하사하였다. 그리고 왕명으로 개명 봉군하였으니 큰아들 지춘은 방준이라 개명하고 죽산군에 봉해졌으며 둘째 아들 엽춘은 방걸로 광주군에 세째 화춘은 방협으로 죽성군에 각각 봉해졌다. 그리하여 준산 안씨는 큰 아들 방준을 시조로 하고 본관을 죽산이라 하였다.

〈 행 렬 표 〉

세	행렬자	세	행렬자	세	행렬자	세	행렬자
32	承승淵연	33	秉병相상	34	勳훈燦찬	35	聖성載재
36	鏞용會회	37	泓홍淇기	38	祥상來래	39	赫혁烈열
40	重중周주	41	鍾종洪홍	42	誠성漢한	43	稷직寅인
44	默묵炅경	45	兢긍尙상	46	鎬호信신	47	永영康강
48	義의植식	49	紀기雅아	50	慶경培배	51	鐸탁商상
52	準준源원	53	揆규永영	54	然연杰걸	55	均균圭규

竹山安氏 (新) (죽산안씨(신))

시조 및 본관의 유래

1세조 원형(元衡)(시호 : 문혜)은 시조 방걸(광주군)의 17세손이라 한다. 그는 1341년(고려 충혜 왕복위2) 문과에 급제하고 밀직사사를 거쳐 금자광록대부정당문학, 벽상삼한삼중 대광보국문하시중 평창사를 역임하면서 공을 세워 좌명공신으로 죽성군에 봉해졌다. 그래서 그의 후손들이 순흥안씨에서 분적하여 **본관**을 죽산(신)이라 하였다.

〈 행 렬 표 〉

세	행렬자	세	행렬자	세	행렬자	세	행렬자
21	圭규基기	22	鍾종鎔용	23	淳순泰태	24	秉병柱주
25	燮섭烈열	26	在재敎교	27	鎭진鉉현	28	泳영湜제
29	來래榮영	30	燦찬炯형	31	喆철培배	32	鐸탁鉄수
33	洛락浩호	34	東동柄병						

耽津安氏 (탐진안씨)

시조 및 본관의 유래

시조 원린(元璘)은 고려조에서 정당문학 검교 중추원사를 역임하고 탐진군에 봉해졌으며 시호는 문열이다. 순흥안씨의 시조 자미의 7세손의 3형제(원승 원형 원린) 가운데 원승은 순흥안씨를 계승하였고, 원형은 신죽산안씨의 시조가 되었으며 원린은 탐진안씨의 시조가 되었으니 순흥 신죽산 탐진안씨는 모두 일조의 후손이다. 후손들은 전라도 충청도 경상도 일대에 집단 거주하고 있으며 일부는 강진안씨라고도 하나 탐진은 강진의 고호로서 동관인 것이다. 묘소는 전주시 삼천동 능내에 있으며 향사일은 음3월 3일이다.

〈 행 렬 표 〉

세	행렬자	세	행렬자	세	행렬자	세	행렬자
22	東동基기	23	旭욱瑢용	24	昞병永영	25	衡형根근

太原安氏 (태원안씨)

시조 및 본관의 유래

시조 만세는 원나라 태원 사람으로 전서로서 노국공주가 우리나라에 올 때 동래하여 정착 세거하였으며 고려 공민왕 때 예부상서를 지냈다. 그의 후손들은 중국의 고향을 따라 본관을 태원이라 하였다.

〈 행 렬 표 〉

세	행렬자	세	행렬자	세	행렬자	세	행렬자
15	宗종	16	麟린	17	命명	18	源원
19	相상						

夜氏 (原平) (원평야씨)

조선 씨족통보에 의하면 야씨는 원평(파평의 별호) 외에 시조 미고의 개성 석잔 봉성의 4본이 있는 것으로 되어 있다. **원평야씨의 시조**는 선조인데 그는 1303년 (충렬왕 29) 12월 대호군으로서 하정사로서 원나라에 다녀왔고 1307년 3월에 좌부승지에 올랐다. 야씨는 1930년 국세조사 당시 재령곡산 봉산 등 42가구가 모두 북한 지역에 살고 있다.

楊氏 (양씨)

양씨는 문헌에 47본으로 나타나 있으나 6본을 제외한 나머지 41본에 대하여는 미고이다. 양씨는 청주양씨와 중화양씨의 주종설이 양씨간의 물의를 일으키고 있다. 이는 청주양씨의 세보에 의하면 시조 양기는 중국 원나라에서 도첨의시중을 지내다가 1352년 (공민왕 즉위)에 노국대장공주를 배종하고 우리나라에 들어와 정착세거 하면서 상당(청주의 고호)백에 봉해지고 그의 제6자 양포가 중화양씨의 시조가 되었다고 주장하는 반면 중화양씨의 세보에 의하면 시조 양포는 고려 고종때 정승으로서 당악(중화의 고호)군에 봉해 졌으며 양포의 장자 동무가 김방경장군의 휘하에서 진도 삼별초난을 토평했다는 고려사의 기록을 상고하여 보면 상당백이 노국대장공주를 배종한 연수 1352년 보다 82년이나 앞선 1270년 (원종 11)의 일인데 당악군이 상당백의 6자 함은 어불성설이라 하고 오히려 상당백 양기가 당악군의 장자 동무의 현손이라고 주장하고 있다. 아뭏든 양씨는 모두 동근동조라 생각하고 있는 바 후일 해명할 날이 올 것으로 믿어지는 바이다.

南原楊氏 (남원양씨)

시조 및 본관의 유래

시조 경문(敬文)은 고려때의 지영월군사로 그 이외의 사적과 선세계에 대에서는 전하는 바가 없다. 누대 남원을 중심으로 토착한 사족인 까닭으로 남원을 본관으로 하였다.

〈행 렬 표〉

세	행렬자	세	행렬자	세	행렬자
14	培배墩돈堪감	15	公공	16	洪홍潤윤泗사
17	士사	18	時시	19	汝여
20	擧거華화	21	基기大대世세	22	鎭진泰태應응
23	德덕重중塾숙	24	根근秀수宗종	25	煥환燁엽壽수
26	在재	27	錫석	28	泳영洙수
29	秉병東동相상	30	燮섭萬만熙희	31	埈준圭규旭욱
31	鏞용鉉현				

密楊楊氏 (밀양양씨)

시조 및 본관의 유래

시조 根(근)은 청주양씨의 시조인 起(기) (대광보국숭록대부상당백충헌공)의 후예이다. 그는 고려말에 밀성(밀양의 고호)군에 봉해 졌다. 그래서 후손들은 본관을 밀양으로 하였다.

〈행 렬 표〉

세	행렬자	세	행렬자	세	행렬자	세	행렬자
16	期기	17	春춘	18	王왕	19	漢한
20	彬빈	21	雨우				

安岳楊氏 (안악양씨)

시조 및 본관의 유래

시조 萬壽(만수)는 고려때에 전서를 지냈고 공이 많아 안악군에 봉해졌다. 그리하여 후손들이 청주양씨에서 분적하여 본관을 안악으로 하여 세계를 계승하고 있다.

中和楊氏 (중화양씨)

시조 및 본관의 유래

시조 浦(포)는 고려 고종때 정승을 지냈으며 당악(중화의 고호) 군에 봉해 졌으므로 그 후손들이 본관을 중화로 하였다. 일설에는 원나라의 도첨의정승으로 고려 충선왕 때 제국공주를 배행해 와서 대광숭록대부가 되고 상당백에 봉해진 양기의 제6자가 중화 양씨의 시조 포라고 하지만 사실에 비추어 잘못이다. 묘소는 평남 중화군 정면 양지리에 있다.

〈행 렬 표〉

(기 1)

세	행렬자	세	행렬자	세	행렬자	세	행렬자
22	東 동	23	在 재	24	漢 한	25	根 근
26	烈 열						

(기 2)

세	행렬자	세	행렬자	세	행렬자	세	행렬자
20	樂 락	21	夢 몽	22	時 시	23	俊 준
24	海 해	25	瑾 근				

(기 3)

세	행렬자	세	행렬자	세	행렬자	세	행렬자
20	澤 택	21	秉 병	22	熙 희	23	基 기

清州楊氏 (청주양씨)

시조 및 본관의 유래

양씨는 원래 중국의 성씨로 당숙우의 후손 백교가 진나라에서 주나라로가 양후에 봉해짐으로써 나라이름으로 인하여 양씨가 되었다고 한다. 청주 양씨의 시조 기는 그 후손으로서 중국 원나라때 도첨의시중을 지내다가 1351년(공민왕 즉위) 노국대장 공주를 배종하여 우리나라에 들어와서 정착세거하게 되었다. 그 뒤 다시 원나라에 들어가 동여 기마, 저포, 능견 등 사대공물을 영견케 한 공으로 삼한창국공신상당백을 특배 받았고 청주 관적을 하사 받았다.

〈행 렬 표〉

세	행렬자	세	행렬자	세	행렬자	세	행렬자
21	致 치	22	錫 석	23	澈 철	24	植 식
25	熙 희	26	周 주	27	鎭 진	28	洙 수
29	柄 병	30	榮 영				

通州楊氏 (통주양씨)

시조 복길(자, 상보)은 중국 통주 사람이다. 명나라 9의사의 한 사람으로 나라가 망하자 소현세자를 배행하고 와서 북벌을 계획하였으니, 실패하고 귀화하여 정착 세거했다. 후손들은 원 향인 통주를 본관으로 해서 세계를 계승하고 있다.

樑氏 (양씨)

1930년 국세 조사때는 나타나지 않던 성씨로 1960년의 조사때 강원도에 2명 충북에 6명 충남에 8명 도합 16명이 있는 것으로 밝혀졌다.

襄氏 (양씨)

양씨는 본래 중국의 성씨이다. 주나라 장공의 아들 양중의 후손으로 시호로서 성을 삼았다고 한다. 1960년 국세조사 때는 238명이나 되는 것으로 집계 되었다.

魚氏 (어씨)

어씨는 문헌에 19본이 나타나 있으나 함종 충주 2본을 제외한 17본은 미고이다.
충주어씨는 본성이 지씨였는데 시조 어중익의 겨드랑 밑에 비늘이 있다해서 고려 태조가 이를 보고 어씨를 사성하였다고 하며 함종 어씨는 원래 중국인인데 남송 때 난을 피하여 우리나라 강능에 들어와 살다가 함종(현평남 강서군)에 세거하면서 본관을 함종이라 하였다고 한다.

忠州魚氏 (충주어씨)

시조 및 본관의 유래

시조 중익의 본성은 지씨였는데 그의 겨드랑이 밑에 비늘이 있다해서 고려 태조가 이를 보고 "인갑이 있으니 이는 물고기라"하고 어씨를 사성하였다 한다. 그후 세계가 실전되었다가 성균진사를 지낸 승진의 증손 유소가 좌대장으로 세조 때 이시애의 난을 토평하고 예성(충주의 고호) 군에 봉해졌기 때문에 승진을 1세조로 하여 충주로 계대한다.

咸從魚氏 (함종어씨)

시조 및 본관의 유래

시조 화인(化仁)은 고려 명종 때 인장동정을 지냈다. 그는 본래 중국 빙익현 사람으로 남종 경원연간(1195～1197)에 본국의 난을 피

해 우리나라에 왔다. 그의 선계에 대하여는 송나라 때의 좌사 석을 들 수 있으나 중국의 남북조의 난을 피해온 그는 상계를 자세히 전하지 못하였다. 그는 우리나라에 와서 처음에는 강원도 강릉부에 살다가 다시 평남 함종(현 강서군)현으로 이사하여 살면서 본관을 함종으로 하였고 그후 다시 진주로 이거 하였다고 한다.

〈행렬표〉

세	행렬자	세	행렬자	세	행렬자	세	행렬자
26	命명在재	27	愚우勳훈	28	允윤基기	29	善선鎭진
30	汴(변)丞승	31	秀수準준	32	慶경容용	33	重중吉길
34	鎭진	35	承승	36	東동	37	丙병
38	均균	39	鍾종	40	洙수	41	植식
42	炯형	43	埈준	44	鉉현	45	源원

嚴氏 (寧越) (영월엄씨)

시조 및 본관의 유래

시조 林義(임의)는 본시 당나라 사람으로 당나라 천보년간(서기 742～755)에 정사로 부사 신시랑과 같이 파락사라는 사절임무를 띠고 신라에 들어왔다가 그대로 머물러 살게 되었고 엄 신, 양성이 다같이 영월을 본관으로 삼았고 서로 종씨라 부르며 혼인도 않고 의좋게 살아 온다고 한다. 그러나 임의가 고려조에 호부원외랑을 지냈고 장자 태인이 군기감을 지내고 영월군에 봉해졌다고 하며 한편 신시랑(신경)의 증손 태사공 신봉삼이 1166년(고려의 종 20)생이니 천보년산에서 고려 초까지는 150여년이라는 시대적 융차가 있어 입국연대가 맞지 않는다. 당나라 말기에 들어온 것이 아닌지 의문이다. 시조 임의의 묘소는 영월군 영월읍 영흥리 동산자좌에 있다.

세	행렬자	세	행렬자	세	행렬자	세	행렬자
25	錫석	26	永영	27	柱주	28	燮섭
29	基기	30	鎔용	31	泰태	32	植식

27	柱주	28	烈열	29	在재	30	鍾종	31	泰태
32	植식	33	炳병	34	均균	35	宰재	36	廷정
37	相상	38	爀혁	39	坪평	40	吉길	41	云운
42	根근	43	道도	44	應덕	45	仙선	46	沃옥
47	梯제	48	燐인	49	集집	50	鍾성		

呂氏(星州·咸陽)(성주·함양여씨)

시조 및 본관의 유래

여씨는 원래 중국의 성씨로서 주나라 무왕이 강태공망을 여에 봉하고 호를 여상이라 함으로써 그 후손이 여씨라 하였다. 후손 여불위의 아들 영이 중국을 통일하여 진시왕이 되었다. 그에게는 아들 부소와 호해가 있었으며 부소에게는 아들 몽과 자영이 있었다. 그러나 몽 이하의 세계는 생략하는 바이며 그 후손 어매가 중국 래주 사람으로 당나라 희종 때 한림 학사를 지내다가 황소의 난을 피하여 877년 (신라 헌강왕 3) 신라에 들어와 전서를 지내고 벽진 (성주의 고호)에 세거하면서 여씨의 연원을 이루었다. 그러나 누차의 병난을 겪으면서 어매 이하 수세가 실위 되었으며 그 후손으로 임청 광유 형제가 있었다. 임청의 후예로 양유 자열 자장 자혁이 있었는데 양유와 자열의 계통은 성주로 자장과 존혁 그리고 광유의 계통은 본관을 함양이라 하여 각각 계세 하였으나 최근 1 조의 후손이라는 신념으로 환적을 시도하여 여씨 전국 종친회를 조직 대동합보 편제를 추진하고 있다.

〈 행 렬 표 〉

〈 성주파 〉

세	행렬자	세	행렬자	세	행렬자	세	행렬자	세	행렬자
7	温온	8	希회	9	鍾종	10	周주	11	謙겸
12	望망	13	師사	14	鳴명	15	萬만	16	璜황
17	膺응	18	祖조	19	錫석	20	龍용	21	永영
22	東동	23	煥환	24	基기	25	鉉현	26	源원

〈 함양파 〉

세	행렬자	세	행렬자	세	행렬자	세	행렬자
24	永영	25	東동	26	燮섭	27	圭규
28	鉉현	29	運운	30	九구	31	寅인
32	壽수	33	成성	34	熙회	35	秉병
36	宰재	37	廷정	38	肇조	39	鍾종
40	準준	41	相상	42	燠환	43	基기

余氏(宜寧)(의령여씨)

시조 및 본관의 유래

시조 선재 (善才)는 송나라 사람으로 송나라에서 간의대부에 올랐었다. 그는 송나라로부터 고려로 귀화하여 의령을 식읍으로 하사 받아 그곳에 정착세거하게 되었다. 그리하여 후손들이 의령을 본관으로 하였다.

〈 행 렬 표 〉

세	행렬자	세	행렬자	세	행렬자	세	행렬자
18	夢몽善선	19	謙겸重중	20	日일命명	21	純순極극
22	相상挺정						

汝氏(여씨)

여씨는 원래 중국의 성씨로서 언제 우리나라에 들어 왔으며 동래조가 누구인지도 전하지 않고 1930년 국세조사때 비로서 나타난 성씨이다. 당시의 통계에 의하면 서울 김천 회양에 각각 1 가구씩 살고 있었다.

延氏 (谷山)(곡산연씨)

시조 및 본관의 유래

시조 계령은 중국 홍농 사람으로서 고려 때 래조하여 금자광록대부문하시랑과 신호위상장군을 역임하였다. 한편 그의 7세손 수창이 중국에서 고려때 사신으로 래조하여 좌복사가 되었다는 설과 고려말에 공주를 배종래조하여 곡산에 정착 세거하였다는 설이 전하나, 7세손에 관한 설을 고증할 자료가 없다. 다만, 11손에 연주가 고려조에 검교 한성부윤을 지냈는데 조선개국후 태조가 누차 초치하였으나 응하지 않아 후에 숭록대부 좌찬성으로 곡산군에 추봉되고 대광보국숭록대부로 곡산 부원군에 가작 되었기 때문에 그의 후손들은 본관을 곡산이라 하고 있다.

〈행 렬 표〉

세	행렬자	세	행렬자	세	행렬자	세	행렬자
24	會회	25	鍾종	26	羽우	27	秉병
28	熙희	29	圭규	30	欽흠	31	濟제
32	模모	33	應응	34	基기均균	35	鎬호鏞용
36	永영澤택	37	相상采채	38	勳훈烈열		

連氏 (全州)(전주연씨)

연씨는 본래 중국의 성씨인바 우리나라에서는 전주와 시조 미고인 곡산의 두본이 있는 것으로 전한다. 전주연씨의 시조는 고려 태조 원년에 2등공신이 된 주라고 한다. 이보나 앞선 인물도 삼국사기에 신라 이벌랑 진장군이 보이나 오늘날의 연씨와 관련이 있는지는 의문이다. 연씨는 1930년 국세조사 당시 7가구가 있었는데 그중 6가구가 평남 성천에 살고 있다.

燕氏 (연씨)

연씨는 원래 중국 성씨로 여러 문헌에 자주 나타나는 성씨이다. 중국에서는 주나라 경왕때에 공자의 제자 중 급이 있었고 한나라 소제때 창이 있었는데 연나라 이름을 성씨로 하였다고 한다. 한편 우리나라에서는 백제에 8대성이었는데 그중 하나가 연씨라 전해지며 삼국사기에 성왕때의 병관좌평 실 등이 나타나 있다. 그리고 조선씨족 통보에 의하면 백제 8대성의 하나로 정주(정평의 별호)연씨와 그밖에 시조 미고의 관이 여섯이나 있는 것으로 되어있다. 주로 이북지방에 살고 있다.

濂氏 (염씨)

염씨는 본래 중국의 성씨로 명태조 때 사관이었던 위가 있었으나 우리나라에서는 문헌상 나타나지 않다가 1930년 국세조사때 비로소 나타난 성씨이다. 1960년 국세조사때는 전국에 200여명이 살고 있는 것으로 집계되고 있다.

閻氏 (염씨)

염씨는 본래 중국의 성씨로 우리나라에서는 고려 태조원년에 의형대명을 지낸 장이 있었다. 중국은 물론 우리나라에서도 옛부터 전해 오는 성씨이나 1930년 국세조사에는 단 1가구가 전북 옥강군 개정면 아산리에 살고 있는 것으로 나타나 있다.

廉氏 (坡州)(파주염씨)

시조 및 본관의 유래

파주 염씨는 중국 황제의 후손으로서 헌원씨 때는 공손씨라 하였으나 회수지방에 이거하면서 희씨로

개성했다. 그 후 희창의의 아들 전욱 전욱의증
손이 대염씨라 했다가 다시 왕보씨로 개성했다.
그의 후손이 중국 하동에 이주하면서부터 염씨
로 개성하여 오늘에 이르렀다. 그후 삼한공신
으로 벼슬이 대사도 (호조판서의 별칭)에 이르
렀던 교명이 후당시(신라말기)에 난을 피하여
우리나라 봉성 (파주고호)에 들어와 잉거하게
됨으로써 염씨의 동래 시조가 되었고 그의 후손
인 제신 (시호 충경)은 1304 년 (고려 충렬왕
30)에 출생하여 어려서부터 효성이 지극하였
다. 11세 때 원나라에 들어가 고모부 말길 (관
직평장사)의 집에서 10년 동안 수학하고 정동
성랑중이 되었다가 어머니의 병환으로 인하여
환국한 후 충목왕대 수성익재공신으로 삼사우사
도첨의평리, 찬성사를 역임하고 공민왕 때에 좌
우 정승을 거쳐 단성수의동덕보리공신으로 벽
상삼한삼중대광, 도첨의문하시중에 이르러 곡
성부원군에 봉해졌다. 그는 5 조를 역사하
면서 출장입상으로 30 여년 동안 내외난을
평정하는데 많은 공적을 남겼다. 공민왕은
그의 공을 가상히 여겨 친히 유상을 그려 주
었는데 그 유상은 후손들이 지금까지 보존하고
있다. 제신의 묘소는 경기도 장단군 강남면 대
곡원해좌이며 나주의 금강서원 보성의 청계영
당 자인의 구연사 재령의 청수사 옥천의 용강서
원 단천의 송산사 보령의 수현사 함양의 반계영
당 대덕의 호평영당 영월의 추원사등에 제향되
었다. 염씨의 본관은 처음에는 봉성으로 하였으
나 중시로 (1세조)인 제신이 곡성부원군에 봉
해지자 곡성으로 개관하였고 그후 곡성현이 단
원으로 개칭되자 다시 단원으로 개관하였다가
1504 년 (연산군 10)에 단원이 다시 파주로 개
칭됨에 따라 종중의 합의 끝에 또다시 파주로
개관하게 되었다. 이밖에 담양, 용담, 개성, 순
창등 70 여본이 나타나 있으나 모두 파주 염씨
와 동근동원이며, 파주염씨 단본으로 알고 있다.

〈 행 렬 표 〉

세		세	행 렬 자
16	相상振진	17	煥환德덕
18	在재廷정章장	19	鉉현錫서
20	洙수永영	21	東동秉병
22	燮섭炉烈렬憲헌	23	圭규基기思사時시
24	善선鎬호鈺옥	25	澈철泰태淳순
26	植식來래杰걸	27	炯형魯노熹희
28	敎교均균坤곤	29	會회鍾종鎰일
30	承승求구浩호	31	采채秀수柱주
32	默묵熙희薰훈		

永氏 (영씨)

영씨는 평해와 강령 (옹진군 백령면의 고호)
의 2 본이 있다. 그러나 시조는 알수 없고 다
만 관향이 있을 뿐이다. 1930 년 국세 조사 때
단 1 가구가 서울에 있었다.

影氏 (영씨)

1975 년 센서스에 의하면 영씨는 1 가구로집
계 발표 되었으나, 영유성 (서울)에 따르면 대
구에 4 촌동생이 인천에 8 촌형이 살고 있으며
이밖에는 그의 일가가 평북 선천에 많이 살고
있다는 이야기를 어머니로부터 들었다고 한다.

芮氏 (缶溪)(부계예씨)

시조 및 본관의 유래

시조 樂全 (악전)은 고려 인종때에 문하찬성
사로 부계 (의흥의 고호)군에 봉해졌기 때문에
후손들이 본관을 부계라 하고 있다. (문헌상으
로 본관이 의흥으로 되어 있으나 족보는 의흥
의 고호 부계로 됨)

세	행렬자	세	행렬자	세	행렬자	세	행렬자
16	周주	17	碩석	18	秀수	19	新신
20	文문	21	時시	22	東동	23	大대
24	龍용	25	鍾종	26	海해	27	秉병

吳氏 (오씨)

오씨는 문헌에 164 본 또 210 본이 나타나 있으나 16 본을 제외한 148〜194본은 미고이다. 오씨 대동 종회에서 1962 년에 편찬한〈오씨 대동보〉에 의하면 모든 오씨의 도시조는 신라 22 대 지증왕때 중국으로부터 우리나라에 건너온 吳瞻(오첨)으로서 첨이 국명으로 다시 본국으로 건너 갔는데 그때 두 아들 중 두째아들 웅은 그대로 함양에 남아 살았다고 한다. 그후 웅의 12 대손 오광우가 다시 중국에 들어갔는데 그의 현손 오연총이 고려 문종 30 년에 다시 우리나라에 건너 와 정착세거함으로써 전국 오씨의 증시조가 된 셈이다. 그후 오연총의 6 세손 수권이 아들 3 형제를 두었는데 큰 아들 현보는 해주군에 봉해짐으로써 해주 오씨의 시조가 되고 둘째아들 현좌는 동복군에 봉해짐으로써 동복오씨의 시조가 되었고 세째아들 현필은 보성군에 봉해짐으로써 보성오씨의 시조가 되었다 한다. 그리고 나주, 울산, 라안, 고창, 함평 평해오씨는 해주오씨에서 분관 되었으며 군위오씨는 동복오씨 화순,함양, 장흥 흥양오씨는 보성오씨에서 각각 분관되었다고 한다. 오씨 인구는 1960 년 현재 12위에 해당한 대성으로 손꼽히고 있다.

高敞吳氏 (고창오씨)

시조 및 본관의 유래

시조 학인은 비조 첨의 17 세 손으로 1035년 (정종1) 문과에 급제하고 1057 년 (문종11)에 사목으로 압강에서 북쪽 오랑캐를 토평한 공으로 고창을 식읍으로 하사 받았다. 그러므로 후손들이 본관을 고창으로 하였다. 벼슬은 한림학사에 이르렀고 시문에 정통했다. 고창의 향현사 평산의 죽림사에 제향.

軍威吳氏 (군위오씨)

시조 및 본관의 유래

시조 오숙귀는 선조 첨의 24세손 현좌(동복오씨 시조)의 제 2 자로서 고려조에 벼슬 하면서 비안군에 봉해졌고 그후 6 세손 인철이 고려조에서 사록을 지냈다. 후손들은 군위에 세거하면서 동복오씨에서 분적 숙귀를 시조로 하고 본관을 군위로 하여 계세하고 있다.

〈행 렬 표〉

세	행렬자	세	행렬자	세	행렬자	세	행렬자
14	時시	15	祿록	16	廷정	17	觀관
18	季계	19	在재	20	昇승	21	杓표
22	太태						

羅州吳氏 (나주오씨)

시조 및 본관의 유래

나주 오씨는 500 년 (신라 지증왕1)에 동래한 선조 첨의 24세손 현보(해주오씨의 시조)의 아들 5 형제가 각각 분적할 때 제5자 숙규가 분적한 것이 확실하나 그후 3세의 세계가 분명치 않고 년대 차이가 있으므로 숙규를 시조로 하고 고려 때 중랑장을 지낸 그의 5세손 偃(언)을 1세로 하여 세계를 이어오고 있다. 그리고 언의 5세손 자치가 조선 세조 때 이시애 난을 평정한 공이 있어 나주군에 봉해졌으므로 본관을 나주로 하였다.

〈행 렬 표〉

세	행렬자	세	행렬자	세	행렬자	세	행렬자
13	時시	14	源원	15	相상	16	煥환

17	圭규	18	善선	19	洙수	20	根근
21	烈열燮섭	22	教교均균	23	鍾종	24	泳영
25	秉병	26	熙회	27	均균	28	鎬호
29	淳순						

樂安吳氏 (낙안오씨)

시조 및 본관의 유래

라안오씨는 오첨의 32세손 오사용을 시조로 하고 있다. 그는 고려 때 북변에 합단의 환과 남변에 일본의 침입이 있어 이를 토벌할 때 김방경과 함께 참전했다. 그때 포로를 원제에게 바쳤는데 원제로부터 금비옥대를 받았으며 고려로부터는 자금어의를 하사받고 라안군에 봉해졌기 때문에 본관을 라안으로 하였다. 묘소는 전북 완주군 완주 봉림산에 설단되어 있다.

〈 행 렬 표 〉

세	행렬자	세	행렬자	세	행렬자	세	행렬자
15	漢한	16	標표林림	17	煥환	18	壽수
19	欽흠	20	東동	21	休휴	22	熙회
23	睦목	24	鉉현	25	澤택浩호	26	相상秀수
27	燦찬烈열						

同福吳氏 (동복오씨)

시조 및 본관의 유래

시조 오현좌는 서기 500년(신라지증왕 1)에 동래하여 함양에 정착하였던 오첨(시호문혜)의 24세손이다. 그는 고려 고종때 형 현보와들 령과 함께 계단을 토평한 공으로 동복군에 봉해졌고 형 현보는 해주군 아우 현필을 보성군 아들 녕도 동복군에 봉해 졌으므로 후손들이 시조로 하고 본관을 동복으로 하여 세계를 이어오고 있다. 그리고 현좌의 둘째아들 숙귀는 군위오씨로 분적하였다.

〈 행 렬 표 〉

세	행렬자	세	행렬자	세	행렬자
23	相상	24	然연炳병	25	在재
26	鐸탁鏞용	27	祿록	28	秉병根근
29	默묵	30	致치	31	鎰일
32	源원	33	東동	34	應응
35	均균	36	鍾종鏞용	37	海해

寶城吳氏 (보성오씨)

시조 및 본관의

아득한 상고시대 중국 양자강 부근에 오왕부차가 있었고 그의 손자 류양이 천자로부터 오씨성을 하사 받았으며 오왕이 되어 오나라를 다스리었다. 이때부터 오씨가 비롯되었고 류양의 46세손 오첨이 500년(신라 지증왕 원원) 중국으로부터 우리나라에 들어와 함양에서 22년 동안 살았다. 그의 8세 서랑에 강감찬이 있었고 11세 희는 고려태조의 국구였으며 18세 연총은 1107년(예종 2) 부원수로서 여진을 토평하였고 24세 1자 현보 2자 현좌 3좌 현필 3형제가 1216년(고종 3) 계단을 토평한 공으로 현보는 해주군 현좌는 동복군 현필은 보성군에 봉해져 각각 본관을 해주, 동복, 보성으로 삼았다. 보성오씨에서 분적된 오씨는 4본이 있으니 현필의 1자 숙부 2자 양의 후손은 보성오씨로 계승했고 현필의 제3자 원온 화순으로 제4자 광휘는 함양으로 현필의 6세손 사염의 제2자 천우는 장흥으로 현필의 제2자 양의 6세손 중권은 흥양으로 각각 분적하였다. 시조 현필의 자는 웅남이요 호는 성제이며 묘소는 충남 공주군 장기면 신관리 취리산 남록 간좌에 있다.

〈 행 렬 표 〉 (부위공파)

세	행 렬 자	세	행 렬 자
21	相상應응煥환宗종	22	先선在재亨형

23	啓계 鉉현 錫석	24	鎬호 俊준 永영 淵연
25	永영 植식 秀수	26	世세 炳병 熙희

27	均균	28	鎭진	29	泳영	30	根근
31	勳훈	32	重중	33	善선	34	源원
35	來래	36	烈열	37	達달	38	鍾종

〈양무공파〉

세	행렬자	세	행렬자	세	행렬자
21	永영	22	根근	23	然연
24	基기	25	錫석	26	洙수
27	秉병	28	燮섭	29	在재
30	治치 鎬호	31	永영	32	植식 杓표
33	炳병	34	教교 圭규	35	鍾종
36	淵연	37	寅인	38	烈열
39	基기	40	善선	41	泰태 泌필
42	榮영 東동	43	顯현 魯노	44	重중 遠원
45	鎔용 鎭진	46	淳순 浩호		

延日吳氏 (연일오씨)

시조 및 본관의 유래

시조 오흠의 선세계는 미상하나 본래 연일지방에 토착해 살던 사족으로 전한다. 그는 고려에서 전서를 역임했으며 중종때 형조판서를 지낸 오준은 그의 5세손이다.

蔚山吳氏 (울산오씨)

시조 및 본관의 유래

시조 오정지는 500년 (신라 지증왕 1)에 중국에서 동래하여 합양에 정착하고 오씨의 비조가 된 오첨의 후예이다. 오첨의 24세손 현보,현좌 현필 3형제가 1216년 (고종 3) 계단을 토평한 공으로 현보는 해주군 현좌는 동복군 현필은 보성군에 봉해지고 해주 동복 보성의 오씨로 각각 분적하였다. 그후 현보 (해주씨 시조)의 8세 차손 연지 (시호 문충)가 고려말에 평장사로 학

성 (울산의 고호)군에 봉해졌으므로 해주에서 분적 연지를 시조로 하고 본관을 울산으로 하였다.

〈행렬표〉

세	행렬자	세	행렬자	세	행렬자
12	有유 羽우	13	必필 世세	14	宗종 鳳봉
15	東동 根근	16	光광 河하	17	奎규 一일
18	錫석 憲헌	19	永영 奭석	20	秉병 基기
21	燮섭 鍾종	22	廷정 洙수	23	秉병 鐸탁
24	泰태	25	彬빈	26	思사
27	徵징	28	鎭진		

長興吳氏 (장흥오씨)

시조 및 본관의 유래

장흥 오씨는 오현필 (보성 오씨의 시조)의 6세손 사충의 제2자 천우가 조선조에 병마절도사를 지냈는데 그의 후손들이 장흥에 세거하면서 보성 오씨에서 분적 천우를 시조로 하고 본관을 장흥으로 하였다.

〈행렬표〉

세	행렬자	세	행렬자	세	행렬자
46	彦언 煥환	47	植식 志지	48	炳병 鎭진
49	基기 淑숙	50	錫석 根근	51	洙수 炳병
52	相상 喆철	53	燮섭		

全州吳氏 (전주오씨)

시조 및 본관의 유래

시조 오준민은 보성오씨 시조 오현필의 9세손이다. 그는 고려 때 병부상서로 공이 있어 완산 (전주의 고호) 백에 봉해졌다. 그래서 후손들이 전주를 본관으로 해서 세계를 계승하고 있다.

17	浩호	18	相상	19	燦찬	20	坤곤
21	錫석	22	o	23	植식	24	世세

〈행렬표〉

세	행렬자	세	행렬자	세	행렬자
40	錫석起기近근	41	鍵건志지億억	42	淵연國국守수
43	東동命명雲운	44	炯형泰태興흥		

平海吳氏 (평해오씨)

시조 및 본관의 유래

시조 오극중은 해주오씨 시조 오현보의 원손이라 하나 세계가 중절되어 확실하지 않다. 그는 고려에서 문하시중을 지내고 동지추밀원사에 추증 되었으므로 후손들이 그를 시조로 본관을 평해로 해서 세계를 계승했다.

〈행렬표〉

세	행렬자	세	행렬자	세	행렬자	세	행렬자
26	元원	27	鎔용	28	浩호	29	根근
30	烈열	31	在재	32	鉉현	33	泰태
34	柱주	35	炳병	36	基기		

咸陽吳氏 (함양오씨)

시조 및 본관의 유래

시조 오광휘는 오씨의 비조 오첨의 24세손 현필 (보성오씨 시조)의 제4자이다. 1216년 (고종3) 현필이 두 형과 함께 계단을 토평한 공으로 보성군에 봉해지고 보성오씨의 시조가 되었으며 그의 제4자 광가가 고려말에 문과에 장원하고 상서성좌복사를 거쳐 흥위위상장군으로 삼척 울진에 출몰했던 외적을 토평한 공으로 추충정난광국공신에 서훈 삼중대광, 금자록대부, 함양부원군에 봉해졌으므로 보성오씨에서 분적 본관을 함양으로 하였다.

〈행렬표〉

세	행렬자	세	행렬자	세	행렬자	세	행렬자
13	以이	14	三삼	15	學학	16	命명

咸平吳氏 (함평오씨)

시조 및 본관의 유래

시조 吳岑 (오잠)은 오씨의 비조 오첨의 24세손 현보 (해주오씨 시조)의 제4자이다. 그는 고려 원종 때 문과에 급제 은자광록대부, 문하시중평장사삼중대광검교, 태자 태사 등을 역임하고 좌명공신으로 함풍 (함평의 고호)군에 봉해져서 후손들이 잠을 시조로 하고 해주에서 분적 본관을 함평이라 하여 세계를 계승하고 있다. 시조의 묘소는 충남 공주군 공주읍 태진동에 있고 음 10월 초정일에 향사한다.

〈행렬표〉

세	행렬자	세	행렬자	세	행렬자	세	행렬자
25	鎭진	26	源원	27	秉병東동	28	榮영炅경
29	在재	30	錫석鎬호	31	澤택	32	植식
33	炳병	34	基기	35	鍾종	36	泰태
37	柱주	38	烈열	39	均균		

海州吳氏 (해주오씨)

시조 및 본관의 유래

시조 오현보는 오씨의 비조 오첨의 24세손이다. 서기 500년(신라 지증왕1)첨이 중국에서 동래하여 함양에서 살면서 오씨의 연원을 이루었고 그의 자손이 신라 역조에서 벼슬을 하였으며 11세 희는 고려 태조의 국구이었다. 그리고 18세 연총은 1107년(예종2) 부원수로서 여진을 토평하였고 24세 현보, 현좌, 현필 3형제가 1216년(고종3)계단을 토평한 공으로 현보는 해주군 현좌는 동복군 현필은 보성군에 봉해졌으므로 해주, 동복, 보성의 오씨로 각각 분적하였고 현보는 해주오씨의 시조가 되었다. 그러나 고려조에서 검교군기감을 지낸 인유를 1세조로 계대파는 피

- 146 -

가 있다.

세	행렬자	세	행렬자	세	행렬자	세	행렬자
24	泳영	25	根근	26	煥환	27	世세
28	錫석	29	澤택	30	植식	31	炳병
32	基기	33	鎭진	34	源원	35	柱주
36	烈열	37	均균	38	鍾종		

和順吳氏 (화순오씨)

시조 및 본관의 유래

시조 오원은 현필(보성오씨 시조)의 제3자이다. 현필에게 아들 4형제가 있었는데 장자 숙부와 2자 양은 보성오씨의 계통을 이어왔고 3자 원은 후손들이 화순에 세거하면서 원을 시조로 하고 보성 오씨에서 분적 본관을 화순으로 하였다.

〈행 렬 표〉

세	행렬자	세	행렬자	세	행렬자	세	행렬자
25	敬경	26	秉병	27	炫현	28	在재
29	鍾종	30	永영	31	植식	32	炯형

興陽吳氏 (흥양오씨)

시조 및 본관의 유래

시조 오광휘는 현필(보성오씨 시조)의 제4자이다. 그의 아들 완이 고려 충목왕 때 문과에 급제 문하시랑 평장사를 지내면서 공이 있어 흥양군에 봉해졌으므로 후손들이 광위를 시조로 하고 보성오씨에서 분적 본관을 흥양으로 하여 세계를 계승하고 있다.

〈행 렬 표〉

세	행렬자	세	행렬자	세	행렬자	세	행렬자
23	命명	24	煥환	25	在재	26	鉉현

27	永영	28	根근	29	炳병	30	均균

伍氏 (白川・復興)(백천복흥오씨)

오씨는 본래 중국의 성씨이다. 우리나라에서는 복흥(백천의 별호)과 시조 미상인 백천의 2본이 있는데 복흥오씨의 시조는 고려 충선왕 때에 찬성사를 지낸 오윤부이다. 그러나 그후 국세조사에는 이 성씨가 나타나지 않고 있다.

玉氏 (宜寧)(의령옥씨)

시조 및 본관의 유래

시조 玉眞瑞(옥진서)는 고구려의 요청으로 당나라에서 파견된 8재사 중의 한 사람이다. 그는 우리나라에 와서 국학의 교수가 되어 의춘(의령의 별호)군에 봉해지고 의령에 세거하면서 옥씨의 연원을 이루었다. 그러나 그후 실전되어 고려 때 창정을 지낸 은종을 1세조로 하고 본관을 의령으로 하여 세계를 계승하고 있다.

〈행 렬 표〉

세	행렬자	세	행렬자	세	행렬자	세	행렬자
12	有유	13	啓계	14	應응	15	成성
16	敬경	17	得득炳병	18	基기		

温氏 (鳳城)(봉성온씨)

시조 및 본관의 유래

당나라와 진나라를 통합한 숙우의 12세손소후가 이우 수를 온에 봉하니 국호를 온이라 하고 도읍을 평원에 정하였다. 그후 온국의 공자 장이 국명을 따라서 성으로 삼으니 이로부터 온씨의 연원이 이루어졌다. 그후 세원하고 고증이 없어 세계를 상고할 수 없으나 우리 나라에서 온씨의 시원은 고구려의 평원왕 때 온달이 평강공주와 결혼하여 부마가 되고 그로부터 온씨 **혈통**을 면면상계하여 왔다. 그러나 누차의 병화로 문헌이 실전되어 계대를 밝히지 못하고 신라 진덕왕 때의 군해 고려 충목왕때에 회양 부사를 지낸 수로 이어져 왔으며 후손중에 선 과 신 형제가 있었는데 선은 예의 판서를 지냈 고 신은 우부시랑으로 공민왕 15년에 이존오 정추와 함께 신돈의 전횡을 탄핵하다가 봉성(김 구)으로 폐출되어 그곳에 세거했으므로 후손들 이 그를 1세조로 하고 본관을 봉성이라 하였 다. 그리고 후손들이 각기 세거에 따라 분관하 였으니 신의 7세손 효진이 북청주(북청)에 시 거하면서 청주로 분관하였으나 호적의 오기로 청주로 되었고 경주온씨는 선의 후손과 신의 14세손 회영이 경주에서 세거하면서 경주로 분 관하였다. 그 외에 성씨대관이나 다른 문헌에 는 단양온씨, 온양온씨 등이 있다고 전하나 모 두 같은 혈손이므로 온달을 도시조로 하고 봉 성온씨로 환적하여 온씨 중앙 종친회를 구성 대 동보 편찬을 추진하고 있다.

〈행렬표〉

(처사공파)

세	행렬자	세	행렬자	세	행렬자	세	행렬자
21	鉉현樂라	22	堯요燮섭	23	鎬호基기	24	漢한銀은
25	柱주伝운	26	熙희桎정				

(생원공파)

세	행렬자	세	행렬자	세	행렬자	세	행렬자
21	和화	22	熹훈	23	在재	24	鏞용
25	泳영	26	校교				

(진사공파)

세	행렬자	세	행렬자	세	행렬자	세	행렬자
21	載재圭규	22	鍾종鉉현	23	泳영泰태	24	權권杞기
25	炳병炯형	26	培배重중				

邕氏 (옹씨)

옹씨는 순창과 부령의 두 본이 있는데 순창옹 씨의 시조는 명종때 판관을 지낸 몽진으로 알 려져 있으나 부령 옹씨의 시조는 알 수 없다. 순창 옹씨의 시조 몽진은 태운의 아들로서1553 년(명종8) 친경별시 문과에 병과로 급제했고 음성현감을 거쳐 판관을 지냈다. 1930년 조사 에 의하면 순창,정읍등 전북에 50여가구 살고 있었고 기타 지방을 합하여 67가구의 분포를 보이고 있다.

雍氏 (옹씨)

옹씨는 본래 중국의 성씨로 우리나라에는 없 었던 성씨이다. 그런데 1930년 국세조사때 처 음으로 경남 창원군 능남면 안민리에 8가구가 살고 있는 것으로 나타났다. 그후 조사결과 순 창 옹씨가 그곳으로 이주해 있다가 1908년 민 적에 기재할 때 잘못 기록되어 옹씨가 된 것이 라 한다. 1960년 국세조사에는 인구 50명으 로 되어 있으며 본관을 파평 단본이다.

王氏 (왕씨)

왕씨는 문헌에 15본으로 나타나 있으나 여기 서는 고려조의 왕족인 개성 왕씨와 성은 같으 나 근본이 다른 제남왕씨로 크게 나누어 다루었 으며 그 나머지에 대해서는 미고이다. 개성왕씨 는 고려 500년 동안 번영을 누려왔으나 이태 조가 조선을 창업하면서 멸문지화를 당해 숱한 왜화와 비극을 남기고 몰락해 갔다. 이러한 환 란중에 도생지책으로 변성하여 타성으로 행세 하던 왕씨들이 다시 환적하는 데는 어려움이 적 지 않았다고 한다. 그러나 이제 거의가 환적하 여 다시 왕씨 일문을 이루고 있다.

開城王氏 (개성왕씨)

시조 및 본관의 유래

중국 황제 헌원씨의 17세손 조명은 유누와 함께 동래하여 지금의 평양 일토산하에 정착하였다. 그후 조명의 후손 수극은 기자가 왕이 되었을 때 사사가 되었고 왕씨로 사성 받았다 한다. 그후 수극의 12세손 質, 質의 45세손인 염 염의 13세손인 몽으로 이어져 왔는데 몽은 신라건국 초기에 시중을 지냈다. 당시 비결에 일토초가위왕이라 하였으므로 그 화가 미칠까 두려워 일곱째 아들 琳 을 데리고 지리산에 들어가 10여년간 수도 이인의 가르침에 따라 전, 신, 차 등으로 세번 변성하였고 무일이라 개명하였다. 하며 차무일의 세째 아들이 왕식시였고 그의 후손이 건 (고려태조) 이다. 그는 송악군 (개성의 고호) 사람으로 신라 밀기에 사직의 위기와 민심이 신라에서 이탈됨을 깨닫고 901년 궁예가 신라에 반기를 들고 자립하여 후고구려를 세우고 왕이 되었을 때 그를 도와 913년 시중이 되었다. 그러나 궁예의 횡포가 날로 심해지자 민심이 궁예를 싫어하고 전을 추앙하게 되어 918년 6월에 례하장군들이 궁예에게 반기를 들고 전을 추재하였으니 이것이 바로 왕씨 일가가 500여년 향국하였던 시원이다. 건은 국호를 고려라 하고 국기를 튼튼히 하여 마침내 삼국을 통일하고 국위를 선양하고 민족문화를 후세에 전수하는 데 큰 업적을 남겼다. 따라서 왕씨일가의 세력도 크게 번성하였는데 이성계가 조선을 개국하고 박해를 가하니 지이멸열 심지어는 옥 (玉), 금 (琴), 마 (馬), 전 (田), 전 (全), 김 (金) 씨 등으로 변성하여 혈맥을 지속해 오다가 정조때에야 비로소 문헌을 조사하고 전국 각처로 수단하여 세보를 기록하게 되었으며 태조가 수도로 정한 송도 (개성고호) 를 연유하여 본관을 개성이라 하였다. 그리고 원 (垣) (동양군) 을 1세조로 함은 대부가 천자를 할아버지라고 말하지 않기 때문이며 신종의 제2자 서 (양양공파) 고종의 제2자 淍 (안경공파) 충정왕자 제 (시중공파) 현종의 제4자 기 (평양공파) 등을 각각 파조로 하여 계세하고 있다.

〈행렬표〉

세	행렬자	세	행렬자
32	相상東동柱주椿춘	33	煥환熙희炫현爕섭
34	奎규忠충垠은城성	35	鈺옥銀은錄록錞순
36	治치漢한泰태泳영	37	杓표根근桓환模모
38	炳병焌준炯형然연	39	基기培배均균埈준
40	鍾종鎬호鐸탁銖수		

濟南王氏 (제남왕씨)

시조 및 본관의 유래

시조 以文 (이문) 의 상계를 주문왕때 왕족으로 왕씨라하여 내려오는 동안 중국에서는 왕후 장상과 문장 호걸을 배출할 동아대륙의 저명한 씨족이었다. 그 후예가 중국 태원 (현 산서성익령현) 에서 산동성제남으로 이주한 후에도 대대로 장상이 속출하였는데 명나라 의종때 청나라가 중국판도를 석권하게 되니 협서 안찰서로 있던 왕접이 순무사겸도어사를 수명하고 청나라에 대항하여 분전하다가 녕하대전에서 부자가 함께 전사했다. 1645년 (인조23) 청나라 세조가 왕씨를 멸족하고자 왕봉강을 심양 포로소로 암송했다. 그때 마침 심양판 (현봉천) 에 볼모로 있던 봉림대군 (효종) 이 그를 만나보고 서로 뜻이 맞아 결의하고 대동 동래하여 이문이라는 이름을 하사하였고 궁중에서 침식을 같이 하시다시피 하며 더불어 북벌대계를 논의 하였다. 그후 그의 자손에게 세록을 하사하고 통정 대부승정원 승지를 추증하였다. 그리하여 후손들이 본관을 제남으로 하여 세계를 이어오고 있다. 묘소는 양주군 진전면에 있으며 향사일은 음 8월 초이나 근래에는 10월 초이다.

〈행 렬 표〉

세	행렬자	세	행렬자	세	행렬자	세	행렬자
6	德덕	7	說설	8	濟제	9	植식
10	熙희	11	均균	12	錫석	13	洙수
14	秉병	15	然연	16	在재	17	鉉현
18	源원	19	根근	20	炫현	21	基기

姚氏 (요씨)

요씨는 본시 중국의 성씨로 한제 때의 현도 태수 요광 당나라 소종때의 한림박사 요계등이 문헌상에 나타나고 있다. 우리 나라에서는 고려 태조 원년에 물장경이 된 인휘가 있으나 오늘날의 요씨와 어떤 관계인지는 상고할 수 없다. 관향은 휘주, 수원, 충주, 서원(청주별호)의 4본이 있으나 그 시조에 대해서는 알 수 없고 1930년 국세조사 때 함북 성진의 6가구등 10여가구가 모두 이북에 산거하고 있었다. 성진의 6가구는 휘주요씨로 300여년전 병난을 피하여 중국으로부터 귀화한 후예라고 한다.

龍氏 (洪川)(홍천용씨)

시조 및 본관의 유래

시조 득의는 1208년(고려 회종 4)에 시어사를 지냈고 1241년(고종 28) 문하시중을 거처 1271년(원종 12)에 통어사를 지냈으며 만년에 강원도 홍천군 북방면 노일리에 용수사를 창건했다. 한편 학서루를 건립하여 이에 우거했다. 그의 후손이 그곳에 정착 세거 함으로써 본관을 홍천이라 하였다. 향사일은 매년 10월 1일이다.

〈행 렬 표〉

세	행렬자	세	행렬자	세	행렬자	세	행렬자
26	文문	27	永영	28	植식	29	煥환
30	重중	31	錫석鎬호	32	淳순	33	相상
34	榮영	35	在재	36	鎭진	37	演연
38	模모	39	燉돈	40	均균	41	鉉현
42	源원	43	秉병	44	燮섭	45	埻준

禹氏(丹陽)(단양우씨)

시조 및 본관의 유

우씨의 선세계는 중국 하나라 우왕의 후예이다. 연대가 유원하고 문헌이 없으므로 계대를 상고할 수 없으나 원손 우현이 고려때 동래하여 단양에 세거하면서 1014년(현종 5)진사로 문과에 급제하여 정조호장을 지냈고 문하시중 평장사에 추증되었다. 그리고 그의 10세손 현보가 공양왕 때 삼사사를 단양부원군에 봉해겼으므로 후손들이 본관을 단양이라 하여 계세하고 있다.

〈행 렬 표〉

세	행렬자	세	행렬자	세	행렬자	세	행렬자
26	榮영	27	鼎정	28	命명	29	鍾종
30	濟제	31	植식	32	熙희	33	喆철
34	鎔용	35	洙수	36	柄병	37	燮섭
38	在재	39	鎬호	40	永영	41	根근
42	炅경	43	均균	44	鎭진	45	淳순

于氏 (木川)(목천우씨)

시조 및 본관의 유래

우씨는 본래 중국의 성씨로서 주나라 무왕의 아들이 邘 땅에 봉해짐으로써 「阝」를 떼고 于 氏가 되었다고 한다. 우리나라의 우씨는 목천우

씨는 목천우씨 단본으로 그 시조는 고려 인종 의종 연간에 상서좌복사를 지낸 나녕 이다.
그리고 1930 년 국세조사에 나타난 것을 보면 경북 성주의 19 가구를 비롯하여 전국에 40 여 가구가 살고 있는 것으로 되어 있다.

芸氏 (운씨)

조선씨족통보에 의하면 운씨는 전주 단본이며 시조는 알 수 없다고 했다. 1930 년 국세조사에는 함남의 합주, 안변, 함흥 등지에 도합 11 가구가 있었던 것으로 나타나 있다.

雲氏 (운씨)

운씨는 본래 중국의 성씨이며 수양제 때 운정흥이라는 사람이 있었다. 우리 나라에서는 청주 장흥 함흥의 3 본이 있는데 모두가 시조를 알 수 없고 다만 관향이 있을 뿐이다. 1930 년 국세조사 때는 경기도 강화군에 8 가구가 살고 있었다. 전하는 바에 의하면 200 여년 전에 육지에서 낙혼한 조상들이 하늘에 떠도는 뭉게 구름을 보고 운씨로 개성하였다는 설도 있으나, 혹은 중국으로 부터 귀화한 후손들인지도 모른다.

元氏 (原州) (원주원씨)

시조 및 본관의 유래

주나라 성왕의 근친에 元咺이 있었는데 그의 본성은 희씨였으나 성왕이 원으로 사성하고 위나라 대부를 봉하니 이로써 중국에서의 원성이 비롯되었다. 우리 나라에서는 진한에서 신라로 상계 입상한 원훈 원원의 두 원성이 삼국사기에 로현되었으나 원원과 관련이 있는지는 고증 할 수가 없다. 그러나 원원은 거금 약 3000 년전 사람이며 원훈 원원은 약 2000 년전 사람이므로 그들이 동래한 원원의 후손일는지도 알 수

없는 일이다. 그 뒤로 당나라 태종 때에 8 학사 중의 한 사람으로 우리나라에 파견되어 온 원 경이 있었는데 아마도 그가 우리나라 원씨의 도 시조인 듯 하다. 그런데 원씨계보 중에서 경을 시조로 하는 옹암 운곡계는 계대가 되어 있고 그 나머지는 계대가 되지 못하고 있다. 우리 나라의 원씨는 관향이 원주 단본으로 그중 4 파가 있는데 경을 시조로 하는 옹암 운곡계가 그 1 파요 극유를 시조로 하는 원성백계가 그 2 파이며 익겸을 시조로 하는 시중공계가 그 3 파요 충갑을 시조로 하는 충숙공계가 그 4 파이다.

〈 행 렬 표 〉

(운운곡계 경파)

세	행렬자	세	행렬자	세	행렬자
37	圭규	38	鎬호	39	永영承승
40	植식植직	41	默묵勳훈	42	致치教교
43	鍾종鏞용	44	求구洙수	45	東동相상
46	愚우魯노	47	赫혁喆철	48	會회善선
49	泰태濟제	50	秀수穆목	51	炳병炯형
52	均균基기	53	商상正정	54	浚준澤택
55	寅인震진	56	烈열燮섭		

(원성백계 극유파)

세	행렬자	세	행렬자	세	행렬자	세	행렬자
29	厚후	30	義의	31	濟제	32	植식
33	裕유	34	載재	35	鍾종	36	浩호
37	榮영	38	性성	39	圭규	40	錫석
41	潤유	42	東동	43	顯현	44	培배
45	鎭진	46	洙수	47	相상	48	容용
49	重중	50	鎬호				

(시중공계 익겸계)

세	행렬자	세	행렬자	세	행렬자	세	행렬자
24	世세	25	常상	26	容용	27	喜희

28	鍾종	29	淵연	30	東동	31	燮섭
32	致치	33	善선	34	泰태	35	模모
36	丙병	37	基기	38	鉉현	39	泳영
40	柱주	41	烈열	42	載재	43	鎔용
44	洪홍	45	根근	46	熙희	47	培배
48	庚경	49	濟제	50	榮영	51	魯노

袁氏 (比屋) (비옥원씨)

조선씨족계보에 의하면 원씨는 중국의 성씨로서 진나라 공자 원도수의 후손이다. 원래는 원씨였는데 차를 떼어버리고 원으로 하였다고 한다. 우리나라 원씨는 비옥(비안의 별호) 단본으로 그 시조는 뢰보이다. 그러나 시조의 선계나 사적에 대해서는 전하는 바가 없다. 1980년 국세조사에 의하면 충남 아산에 17가구를 비롯하여 전국에 21가구가 살고 있었다.

韋氏 (江華) (강화위씨)

시조 및 본관의 유래

위씨는 본래 중국의 팽씨의 후예로서 당나라 때에 대단한 성세를 보인 성씨이다. 당의 제4대 중종 황제의 황후를 비롯하여 문장가 정치가들을 무수히 배출한바 있다. 시조 수여는 960년(고려광종 11) 중원에서 래조하여 사선관이 되었고 7대 목종 때는 문하시랑 평장사가 되었으며 8대 현종 2년에 노령으로 치사코자 하였으나 허락되지 않고 오히려 궤장을 하사받았다. 익년 문화시중 상주국 강화현 개국백을 제수받고 강화를 식읍으로 하사하니 이로 인해 강화를 본관으로 하게 된 것이다. 그는 현종3년 4월에 죽었으며 시호를 안공이라 하였고 내사령에 추증되었다. 향사일은 10월 9일로 묘소는 강화군 강화읍에 있다. 그러나 그후 세계가 실전되어 조를 1세조로 하여 세계를 이어오고 있다. 위씨는 단일본이다.

<행렬표>

세	행렬자	세	행렬자	세	행렬자	세	행렬자
13	昌창	14	棟동	15	應응	16	遠원
17	鎭진	18	道도	19	植식	20	炳병
21	周주	22	鍾종	23	浩호	24	榮영

魏氏 (長興) (장흥위씨)

시조 및 본관의 유래

시조 경은 원래 당나라의 관서 흥농 출신으로 신라 선덕여왕이 당나라에 도예지사를 청했을 때 당나라 태종이 보내 준 8학자 중의 한 사람이다. 그는 신라에 들어와 벼슬이 아랑상서 시중에 이르렀으며 회주(장흥의 고호)군에 봉해짐으로써 장흥에 세거한 그의 후손들이 장흥을 본관으로 하였다. 그러나 그 이후 세계가 실전되어 신라말에 대각판시중을 지낸 창주를 중시조로 하여 기 1세하고 있다.

<행렬표>

세	행렬자	세	행렬자	세	행렬자
31	啓계祖조	32	光광良양	33	火화喆철
34	聖성鍾종	35	復복源원	36	禎정金김
37	泰태坤곤	38	賢현鈞균	39	洛락山산
40	必필泳영	41	基기奎규	42	炳병琦기
43	永영淳순	44	柄병昌창	45	水수浩호
46	普보秉병	47	文문烈열	48	吉길車차
49	寅인植식	50	淳순齡령	51	言언壽수

俞氏 (유씨)

유씨는 문헌에 97본으로 나타나 있으나 8본을 제외한 나머지 89본은 미고이다. 그러나 유씨는 모두 신라 때 아손을 지낸 유삼재를 비조로 한 동원에서 분관된 것으로 알려져 있다.

그 중에서도 기계유씨가 대종으로 유씨의 절대다수를 차지하고 이조에서 상신 3명을 배출했는데 기계유씨의 많은 인물가운데서 가장 유명한 유응부는 장군이며 사육신의 한 사람이다.

康津俞氏 (강진유씨)

시조 및 본관의 유래

시조 적은 강진에 토착한 사족으로 고려말에 감문위상장군공조판서를 역임했다. 그래서 강진을 본관으로 하였다.

高靈俞氏 (고령유씨)

시조 및 본관의 유래

시조 軫(진)의 선세계는 고려조에 통례문지후를 역임한 보이다. 계대가 실전되어 현감을 역임한 그를 시조로하여 계대하고 본관을 고령으로 하였다.

金山俞氏 (금산유씨)

시조 및 득관유래에 대해서는 알려지지 않고 있으나 역사적 인물로 세조 때 처치사를 지낸 익명이 있다. 그는 무예가 출중해서 1440년(세종22) 지자성군사를 거처 1443년 이주목사 1449년 판회령도호부사를 지냈다. 1452년(단종즉위) 동지중추원사로 정조사가 되어 명나라에 다녀왔으며 이듬해 중추원부사, 행첨지중추원사 이어 경상우도병마절도사가 되었다. 1455년(세조1) 경상우도도절제사로서 좌익원종공신이 되고 전라도처치사로 죽었다.

杞溪俞氏 (기계유씨)

시조 및 본관의 유래

시조 三宰(삼재)는 신라때 아손을 지냈다. 그후 의신이 신라조를 무너뜨린 고려조에 불복하므로 태조가 기계현(경주속현) 호장으로 복족게 하니 후손들이 그곳에 세거하고 본관을 기계로 하였다.

〈행 렬 표〉

세	행렬자	세	행렬자	세	행렬자	세	행렬자
26	濬준	27	根근	28	炳병	29	在재·

30	善선	31	淵연	32	模모	33	燮섭
34	均균	35	鎬호	36	源원	37	東동

務安俞氏 (무안유씨)

시조 및 본관의 유래

시조 순직은 고려 예종때에 삼중대광검교소부감으로 공을 세우고 장사군에 봉해져 장사로 본관으로 하였다. 그의 증손자 천우(시호 : 문도)는 고려 원종때에 최의를·축출하는데 공을 세웠으며 삼별초난 때에는 한때 오해를 받았으나 그후 그가 큰 인물임이 인정되어 중서시랑평장사, 삼중대광, 도첨의겸정당문학에 오르고 충렬왕 때는 찬성사로 승진되었다. 그가 죽으니 생전에 공을 추모하여 무안부원군에 추봉했다. 그래서 후손들이 이적하여 본관을 무안으로 했다. 묘소는 개성시 보봉산에 있다.

〈행 렬 표〉

세	행렬자	세	행렬자	세	행렬자	세	행렬자
26	濟제	27	植식	28	炳병昊경	29	朝조重중
30	善선銀은	31	洙수浩호	32	榮영桂계	33	熙희勳훈
34	志지老노	35	鎔용鎰일	56	淳순治치	37	采채杓표

仁同俞氏 (인동유씨)

시조 및 본관의 유래

시조 升旦(승단)은 고려 고종15년(1228) 추밀원부사로서 최우와 함께 강화에서 송도로 환도하는 둥 공이 있어 인동백에 봉해졌다. 그후 세계가 실전되어 고려 때 예부시랑을 지낸 승석을 1세조로 하고 본관을 인동으로 했다. 묘소는 인동동의봉룡곡에 있다.

〈행 렬 표〉

세	행렬자	세	행렬자	세	행렬자	세	행렬자
16	世세	17	章장	18	弘홍	19	宅택

20	命 명	21	永 영	22	秉 병	23	煥 환
24	致 치	25	錫 석	26	漢 한	27	根 근

昌原兪氏 (창원유씨)

시조 및 본관의 유래

시조 涉(섭)은 고려조에서 정순대부 보문각직 제학을 역임했으며 그 후손들이 창원에 정착세 거하면서 本貫을 창원으로 했다. 그리고 그 선 대는 신라 때 번영한 씨족이나 문헌이 없어 상 고할 바가 없다. 시조의 묘소는 개성의 초덕산 에 있다.

〈 행 렬 표 〉

세	행렬자	세	행렬자	세	행렬자	세	행렬자
21	老 노	22	鎭 진	23	泰 태	24	東 동
25	熙 희	26	埰 채	27	錫 석	28	承 승
29	杞 기	30	烈 열	31	在 재	32	鎬 호
33	永 영	34	植 식	35	然 연	36	壎 훈

川寧兪氏 (천녕유씨)

시조 燉(돈) 선세계는 실전되어 상고할 수 없 으나 누대 천령에 토착 세거한 호족이다. 그리 하여 후손들이 본관을 천령으로 하여 세계를 계 승하고 있다.

劉氏(居昌·江陵·白川) (거창강릉 백천유씨)

시조 및 본관의 유래

유씨는 원래 중국 제요의 후손이 유땅에 봉해 지면서 유씨본 성을 받은 것이 시초이다. 그후 수천년을 지나 초한시대에 이르러 방(한고조) 이 중원을 통일하고 한제국을 창건함으로써 유 씨가 크게 두각을 나타내게 되었다. 그리고 우 리나라 유씨의 도시조인 荃(전) (시호 문양)

은 한고조의 41세손으로서 도학과 문장이 뛰어 났고 송조에서 벼슬이 병부상서에 이르렀다. 그 는 1082년(고려 문종36) 8학사의 일원으로 고려에 들어온 후 경북 영일군에 정착세거하였 으며 공민왕 때에 이르러 그를 위하여 특명으 로써 사우가 건립되었고 고려 태조와 함께 7왕 을 모신 숭의전에 배향되고 있다. 그리고 유씨 는 모두 전을 시조로 하고 있으나 전의 장자인 견규가 거타(거창의 고호)군에 봉해져 그 후 손들이 거창을 본관으로 삼았고 전의 12세손인 창이 조선개국공신 2등으로 옥천(강릉의 별호) 부원군에 봉해져 강릉을 본관으로 삼았고 또 전 의 8세손인 국추가 백천군에 봉해져 백천을 본 관으로 삼게 되어 유씨는 거창, 강릉, 백천의 3 본으로 분적 각각 계대하고 있다. 도시조 전의 묘소는 경북 영천군 영천읍 록전동에 있다.

〈 행 렬 표 〉

(대동행렬〈신규제정〉)

세	행 렬 자	세	행 렬 자
41	釘정鈺옥鑰윤	42	淑숙沼소浩호
43	樂락栽재桂계	44	勳훈爀혁照조
45	址지堯요埙훈	46	錄록銀은鍵건
47	涫관泰태洸광	48	杜두權권植직
49	昊경燕연昇승	50	坤곤埈준垌경
51	銅동錆청鍲민	52	浚준淳순澤택
53	柱주樹수楊양	54	炯형燁엽景경
55	埇용垠은垣원	56	鐸탁釣균欽흠
57	洛락江강濱빈	58	格함極극格격
59	晱 煐 熹희	60	坊방垙광奎규
61	錦금錫석鐶환		

庾氏 (茂松) (무송유씨)

시조 및 본관의 유래

300년대 한나라 말기와 진나라 초기에 유순유가 중국의 사신으로 우리나라에 와서 산천이 수려함을 보고 머물러 살면서 유씨의 연원을 이루었고, 혈통을 연면상계 하여 왔다. 그러나 세원하고 고증이 없어 세계를 상고할 수 없고 그의 후예 검필(시호 : 충절)이 황해도 평주(평산의 고호) 사람으로 고려 개국 초기에 정서대장군, 정남대장군, 도총대장군 등을 역임하면서 견원의 후백제를 치고 통합에 공을 세워 삼중대광 통합 삼한익 찬공신으로 태사에 추증되고 식읍을 하사 받았으므로 그를 시조로 하고 본관을 평산이라 하여 세계를 계승하였다. 그 후 5세손 록숭이 문종때 은청광록대부로 숙종 때 태자소보 삼지정사, 정승 등을 역임하고 무송부원군에 봉해짐으로써 후손들이 무송에 세거하면서 록숭을 1세조로 하고 평산유씨에서 분적 본관을 무송으로 하여 각각 세계를 계승하였다. 그러나 근사에 1조의 혈통이란 신념으로 합본하였고 본관을 무송으로 대종보를 편제하였다. 득시조 록숭의 묘소는 전북 고창군 성송면 삼대리에 있다.

〈행 렬 표〉

세	행 렬 자	세	행 렬 자
34	東동	35	鳳봉
36	炳병 昺경 烋휴	37	均균 坤곤
38	鎬호 鍾종 鎰일	39	漢한 永영 澈철
40	根근 桂계 榮영 柱주	41	熙회 容용 煥환
42	在재 周주 壽수		

陸氏 (沃川) (옥천육씨)

시조 및 본관의 유래

시조 普(보)는 중국절강소흥부 사람으로 927년(경순왕 1)에 홍은설 정간과 함께 당나라의 선교사로 신라에 들어와 문학을 선교하였다. 그 중 육보가 문장이 뛰어나고 선교의 공이 현저하였으 로 경순왕이 그를 총애하여 부마로 삼고 관성(옥천의 고호)군에 봉했다. 이로 인하여 우리나라에 육씨의 연원이 이루었으나 고증과 문헌이 실전돼 세계를 상고할 수 없으므로 후손들이 그를 시조로 고려 때 주부를 지낸 인단을 중시조로 하여 기 1세하고 옥천을 본관으로 하여 세계를 계승하고 있다.

〈행 렬 표〉

세	행렬자	세	행렬자	세	행렬자	세	행렬자
25	根근	26	心심	27	君군	28	錦금
29	治치	30	保보	31	久구	32	生생
33	銘명	34	知지	35	仁인		

尹氏 (윤씨)

윤씨는 문헌상에 149본으로 나타나 있으나 10본을 제외한 나머지 139본에 대하여는 미고이다. 윤씨는 이조의 대표적인 명벌로서 손꼽히고 있다. 그 중에서도 파평윤씨는 고려 때부터의 세족으로서 이조 개국 이후에는 왕비와 훈신 학자를 배출하여 거의 이조 전기에 걸쳐 세력을 크게 떨쳤다. 파평윤씨 대종회측의 주장에 의하면 해평, 무송, 칠원, 해남을 제외한 나머지 본관은 모두 파평윤씨에서 분적되었다고 하며 남원, 함안, 야성, 신령 등은 이미 파평으로 환보됐다고 한다. 그리고 무송윤씨는 윤양비를 시조로 하고 양주윤씨는 윤덕방, 영천윤씨는 윤공생, 예천윤씨는 윤충, 칠원윤씨는 신라 태종무열왕 때 태자태사를 지낸 윤시영 해남윤씨는 윤존부, 해평윤씨는 고려 원종 때 수사공상서, 좌복사, 판공부사를 지낸 윤군정을 각각 시조로 하여 세계를 계승하고 있다.

南原尹氏 (남원윤씨)

시조 및 본관의 유래

시조 신달(태사공)의 8세손 위(시호 : 문헌)

는 1176 년 (명종 6) 문과에 급제 국자박사를 거쳐 기거랑, 이부랑중, 예빈소경 등을 지내고 1200 년 (신종 3) 국자사업으로 안염사가 되어 호남에 갔을 때에 남원에서 복기남이 반난을 일으켜 수쉬가 제압치 못하고 안염사에게 고하니 그가 단기로 입부 적도를 회유하여 해산시키고 평정하였다. 그 공으로 전추기에 특승되고 남원백에 봉해졌으며 남원을 식읍으로 하사 받았으므로 그의 직계들이 남원에 세거하면서 파평윤씨에서 분적하여 본관을 남원으로 하였다. 위의 묘소는 남원 문덕산하 초량방에 있고, 음 3 월 18 일 ~ 20 일에 향사한다. 방산서원 광주 서강사에 제향한다.

〈 행 렬 표 〉

세	행렬자	세	행렬자	세	행렬자	세	행렬자
24	燮 섭	25	在 재	26	鎬 호	27	永 영
28	相 상	29	顯 현	30	培 배	31	鍾 종
32	源 원	33	秀 수	34	性 성		

茂松尹氏 (무송윤씨)

시조 및 본관의 유래

무송윤씨는 본래 소호씨이다. 상고시대 소호금천씨의 차비의 아들 반이 궁정이 되었는데 제로부터 웅주의 윤성에 봉해진 것이 윤씨의 성적이 되었다. 오계시대에 후손인 경 (학사) 이 병란을 피하여 동쪽으로 와서 정착한 곳이 하남도 무송현 (현 전북 고창군) 으로 관적이 된 것이다. 그 후 계대가 실전되었다가 후손 양비가 향리로서는 처음으로 고려 예종 때에 보승랑장을 역임하여 무장현 호장의 대호를 받게 되면서부터 시조가 되었다. 묘소는 전북 고창군 대산면에 있다.

〈 행 렬 표 〉

세	행렬자	세	행렬자	세	행렬자	세	행렬자
20	永 영	21	鍾 종	22	淳 순	23	秉 병

24	憲 헌	25	世 세	26	善 선	27	泰 태
28	相 상	29	熙 희	30	在 재	31	錫 석
32	泳 영	33	東 동	34	燮 섭	35	圭 규
36	會 회	37	永 영	38	植 식	39	容 용

楊州尹氏 (양주윤씨)

시조 및 본관의 유래

시조 덕방의 선세계는 자세하지 않으나 양주에 토착한 사족으로 고려조에 판전의사를 지냈다. 그래서 후손들이 본관을 양주로 하고 세계를 계승하고 있다.

〈 행 렬 표 〉

세	행렬자	세	행렬자	세	행렬자	세	행렬자
12	來 래	13	熙 희	14	聖 성	15	憲 헌

永川尹氏 (영천윤씨)

시조 및 본관의 유래

시조 절생은 고려 때 호장을 지냈고 그의 4 세손 승관이 정당문학을 지내고 고울 (영천의 별호) 백에 봉해짐으로써 그 후손들이 본관을 영천으로 하여 세계를 계승하고 있다.

〈 행 렬 표 〉

세	행렬자	세	행렬자	세	행렬자	세	행렬자
28	斗 두	29	澤 택	30	樹 수	31	煥 환
32	在 재	33	鉉 현	34	永 영	35	植 식

醴泉尹氏 (예천윤씨)

시조 및 본관의 유래

시조 충은 고려조에서 추밀부사를 지냈으며 예빈사소윤에 추증되었다. 그리고 그 후손들이 누대 예천에 토착 세거하면서 일문을 이루고 본관을 예천으로 하여 세계를 계승하고 있다.

세	행렬자	세	행렬자	세	행렬자	세	행렬자
23	日(변)	24	月(변)	25	水(변)	26	木(변)
27	火(변)	28	土(변)	29	金(변)	30	日(변)

漆原尹氏(칠원윤씨)

시조 및 본관의 유래

시조 시영은 신라 태종무열왕 때 사람으로 관직은 태자태사로서 고명원로에 이르렀다. 그러나 그의 아들 황이후부터 세계가 실전되어 고려 때 칠원백호장을 지낸 거부를 중시조로 기1세하여 세계를 계승하고 그의 17세손인 길보(시호 충의)가 수성직량공신삼중대광첨의찬성사상의회의도감사로서 구성(원성의 별호)군에 봉해져 후손들이 칠원에 세거하면서 본관을 칠원이라 하였다. 묘소는 경남 함안군 칠서면에 있다.

〈행 렬 표〉

세	행렬자	세	행렬자	세	행렬자
31	煥환敬경	32	國국	33	載재
34	義의誼의	35	永영	36	學학根근
37	炳병炯형	38	遠원達규	39	鍾종鎬호
40	淳순洙수	41	相상柱주	42	默묵勳훈
43	孝효教교	44	欽흠鎭진	45	海해溥부
46	植식模모	47	燦찬爀혁	48	均균培배
49	鎔용鎭기	50	漢한淵연	51	東동程정
52	煥환變섭	53	圭규奎규	54	銓전鉀갑
55	澈철滋자	56	榮영權권	57	炫현熙희
58	基기坤곤				

坡平尹氏(파평윤씨)

시조 및 본관의 유래

시조 莘達(신달)은 태사삼중대광으로 그의 5세손 관(시호:문숙)은 고려 문종 때에 문과에 급제하고 1107년 여진을 평정한 공으로 추충좌리평융척지진국공신문하시중판상서이부사지군국중사가 되어 령평(파평의 별호)현개국백에 봉해짐으로써 그 후 손들은 본관을 파평으로 하였다. 묘소는 경북 영일군 기계면 봉계동에 있다.

〈행 렬 표〉

(함안파)

세	행렬자	세	행렬자	세	행렬자
29	儉검	30	喜희	31	錫석
32	泳영	33	林임	34	容용
35	在재	36	鍾종	37	源원
38	相상	39	變섭	40	基기

(남원파)

세	행렬자	세	행렬자	세	행렬자
29	泰태	30	秉병	31	變섭
32	在재	33	鎬호	34	永영
35	相상	36	顯현	37	培배
38	鍾종	39	原원	40	秀수

(덕산군파)

세	행렬자	세	행렬자	세	행렬자
29	汝여	30	來래	31	熙희
32	奎규	33	鍾종	34	泰태
35	相상	36	烈열	37	在재
38	斗두	39	一일	40	

(문정공파)

세	행렬자	세	행렬자	세	행렬자
29	邦방	30	汝여	31	相상
32	變섭	33	致치宗종	34	錫석秉병

35	源원勳훈	36	植식作재	37	志지炳병
38	坤곤奎규	39	鍾종	40	洙수永영

34	鉉현	35	漢한	36	根근
37	烈열	38	埈준	39	銖수
40	泰태				

(신령파 : 화산군)

세	행렬자	세	행렬자	세	행렬자
29	熙희	30	在재	31	鍾종
32	源원	33	東동	34	煥환
35	圭규	36	康강	37	宰재
38	重중	39	揆규	40	用용

(소정공 : 구방파2)

세	행렬자	세	행렬자	세	행렬자
31	禾화	32	榮영	33	王왕
34	鍾종	35	承승	36	東동
37	烈열	38	基기	39	鎬호
40	澤택				

(대언공파)

세	행렬자	세	행렬자	세	행렬자
29	柱주	30	鎭진榮영	31	滋자土토
32	相상儀의	33	炳병水(변)	34	重중相상
35	錫석燮섭	36	汝여基기	37	植식鎔용
38	燮섭源원	39	載재東동	40	鍾종熙희

(소정공 : 장령공)

세	행렬자	세	행렬자	세	행렬자
30	鎭진	31	滋자	32	相상
33	炳병	34	重중	35	錫석
36	汝여	37	植식	38	燮섭
39	達달	40	鍾종		

(양주파)

세	행렬자	세	행렬자	세	행렬자
31	永영	32	榮영	33	熤익
34	赫혁	35	錫석	36	淳순
37	秀수	38	烈열	39	在재
40	鉉현				

(소정공 : 백천공파)

세	행렬자	세	행렬자	세	행렬자
31	永영	32	儀의	33	水수(변)
34	柱주	35	熙희	36	基기
37	錫석	38	洙수	39	秉병
40	燮섭				

(소정공 : 상호군파)

세	행렬자	세	행렬자	세	행렬자
30	鎭진	31	宰재滋자	32	壬임相상
33	揆규炳병	34	甲갑重중	35	鳳봉錫석
36	丙병汝여	37	寧녕植식	38	茂무燮섭
39	範범載재	40	康강鍾종		

(소정공 : 령천부원군

세	행렬자	세	행렬자	세	행렬자
30	植식	31	顯현	32	五오
33	錫석	34	源원	35	柱주
36	熙희	37	在재	38	鏞용
39	泳영	40	稷직		

(소정공 : 구방파1)

세	행렬자	세	행렬자	세	행렬자
31	木목滋자	32	普보榮영	33	周주赫혁

(소정공 : 원평군)

세	행렬자	세	행렬자	세	행렬자
32	相상	33	炳병	34	在재
35	錫석	36	泳영	37	模모
38	榮영	39	圭규	40	鉉현

(판도공 : 제학공)

세	행렬자	세	행렬자	세	행렬자
29	永영	30	采채	31	勳훈
32	起기	33	鏞용	34	泰태
35	相상	36	熙희	37	奎규
38	鍾종	39	洛락	40	秉병

(판도공 : 부윤공)

세	행렬자	세	행렬자	세	행렬자 (
30	圭규	31	鉉현	32	淳순
33	模모	34	熙희	35	基기
36	鐸탁	37	浩호	38	集집
39	德덕	40	球구		

(판도공 : 정정공 1)

세	행렬자	세	행렬자	세	행렬자
31	土토	32	儀의	33	水수(변)
34	柱주	35	熙희	36	基기
37	伯백	38	台태	39	烈열
40	孝효				

(판도공 : 정정송 2)

세	행렬자	세	행렬자	세	행렬자
31	培배	32	善선	33	永영
34	秀수	35	容용	36	德덕
37	寧녕	38	成성	39	範범
40	康강				

(판도공 : 정정공 3)

세	행렬자	세	행렬자	세	행렬자
31	榮영	32	教교	33	善선
34	濟제	35	采채	36	炳병
37	重중	38	義의	39	淳순
40	相상				

(소부공파 1)

세	행렬자	세	행렬자	세	행렬자
31	大대	32	孝효	33	鎭진
34	永영	35	相상	36	熙희
37	在재	38	鎔용	39	泳영
40	杓표				

(소부공파 2)

세	행렬자	세	행렬자	세	행렬자
29	秉병	30	憲헌	31	在재
32	鉉현	33	泰태	34	榮영
35	炳병	36	基기	37	鎬호
38	洛락	39	東동	40	煥환

(태위공파)

세	행렬자	세	행렬자	세	행렬자
30	成성	31	泰태	32	植식
33	炳병	34	基기	35	鍾종
36	永영	37	東동	38	默묵
39	用용	40	錫석		

咸安尹氏 (함안윤씨)

시조 및 본관의 유래

시조 신달(莘達)(태사공)은 파평윤씨와 남원윤씨의 시조이며 그의 10세손 (남원윤씨 중조 위의 손자) 돈 (함안백)은 고려 원종 때에 문과 급제하고 전의정랑을 거처 이부시랑에 올랐는데 함안에서 반왕의 난이 일어나자 왕이 원수겹자사를 시키고 난을 평정토록 명하니 솔병 출사하여 평정하였다. 그 공훈으로 수문전태학사, 판밀직문하시중에 특진되고 함안백에 봉해졌고 함안 식읍으로 받았다. 장자 회보(주부공)가 함안에 정거하면서 본관을 함안으로 하였다. 돈에게 아들 4형제가 있었는데 아래 삼형제는 남원윤씨로 세계하니 파평, 남원, 함안 3윤씨로 분적되었다.

〈 행 렬 표 〉

세	행렬자	세	행렬자	세	행렬자	세	행렬자
29	儉검	30	喜희	31	錫석	32	泳영
33	林임	34	容용	35	任임	36	鍾종
37	源원	38	相상	39	燮섭	40	基기

海南尹氏 (해남윤씨)

시조 및 본관의 유래

시조 존부(存富)는 고려 중엽때 사람이며 그후 7세손까지는 출생지 거주지등이 분명치 않으므로 8세손 광전을 중시조로 하여 세계를 계승하고 있다. 광전은 고려 공민왕 때 사온직장을 지내다가 고려가 망하자 아들들을 데리고 해남으로 은신하여 세거하게 되어 본관을 해남이라 하였다. 광전의 묘소는 전남 강진군 도암면 계라리 한천동에 있으며 향사일은 음 9월10일이다.

〈 행 렬 표 〉

세	행렬자	세	행렬자	세	행렬자
24	浩호	25	柱주	26	夏하
27	在재	28	鉉현	29	泳영淳순
30	相상植식	31	炳병	32	培배
33	鎔용	34	洙수	35	東동

36	煥환	37	基기	38	鐸탁
39	海해	40	植식	41	德덕

海平尹氏 (해평윤씨)

시조 및 본관의 유래

원조는 고려 인종 때에 문하시중을 지낸 신준이라 하지만 그 세계를 상고할 수가 없다. 시조 군정은 고려 원종 때에 금자광록대부, 수사공상서, 좌복사, 판공부사이며 그의 손자 석은 고려 충숙왕 때 충근절의 동덕찬화보정공신,벽상삼중대광, 도첨의사, 우의정 판전리사사로 해평부원군에 봉해졌고 원나라에서는 진국상장군고려도원수의 직위를 내리고 1등공신으로 전답을 하사하였다. 그리하여 후손들이 그곳에 세거하면서 본관을 해평이라하여 세계를 계승하고 있다.

〈 행 렬 표 〉

세	행렬자	세	행렬자	세	행렬자	세	행렬자
24	榮영	25	燮섭	26	老노	27	鎭진
28	洪홍	29	植식	30	炳병	31	圭규
32	鏞용	33	準준	34	秀수	35	煥환
36	起기	37	鎬호	38	源원		

殷氏 (幸州) (행주은씨)

시조 및 본관의 유래

시조 洪悅(홍열)은 신라 때 삼한벽상공신삼중문하시랑태자태사를 거쳐 보문각대제학에 이르렀고 시호는 정양이다. 그의 선조가 당나라 학사로서 래조하여 덕양(행주)에 정착 세거하였으므로 홍열을 기1세하고 본관을 행주라 하였다.

〈 행 렬 표 〉

세	행렬자	세	행렬자	세	행렬자	세	행렬자

34	燮섭	35	成성	36	杓표	37	熙희
38	基기	39	鍾종	40	洙수		

恩氏 (은씨)

1930 년 국세조사 때 평남 강서군 쌍용면 기리에 1 가구가 살고 있었다.

陰氏 (竹山) (죽산음씨)

시조 및 본관의 유래

시조 俊(준)은 원나라에서 벼슬이 예부시랑이었으며 고려 때 노국공주를 배종한 8 학사의 한 사람이다. 고려조에서는 그를 죽산군에 봉하였다. 그리하여 죽산에 세거한 후손들이 그곳을 본관으로 하였다. 이 외에도 여러 관향이 있으나 모두가 죽산에서 분파된 것으로 알려지고 있다.

〈행 렬 표〉

세	행렬자	세	행렬자	세	행렬자	세	행렬자
20	斗두	21	鎭진	22	泳영	23	植식
24	炳병	25	圭규	26	錫석	27	澤택
28	相상	29	杰걸	30	基기	31	欽흠

應氏 (응씨)

1930 년 국세조사에서 처음으로 나타난 성씨로 당시 경기도 고양군 한지면 신당리(현 서울 신당동)에 1 가구가 살고 있었다.

李氏 (이씨)

이씨는 〈증보문헌비고〉에서 451 본〈조선씨족통보〉에는 546 본으로 나타나 있으나 100 본을 제외한 나머지 본관에 대해선 미고이다. 이씨는 신라 6 부촌장의 한 사람으로서 32 년(유

리왕 9)에 이씨로 사성받은 알평계 전주이씨의 시조 이한계, 중국에서 기화한 고성이씨계 당나라에서 신라로 기화한 연안이씨계 김수로 왕의 둘째아들로 모성을 따라 허씨로 했다가 현종으로부터 이씨로 사성받은 이허겸계, 원나라에서 귀화한 이지란계 등이 있고 그외의 재령, 아산, 가평 등 대다수의 이씨는 경주에서 분적되었다.

加平李氏 (가평이씨)

시조 및 본관의 유래

시조 椿桂(춘계)(시호 : 충익)은 고려조에서 벼슬이 판도판서에 이르렀다. 그의 증손인 형손은 조선 세조 때 문과에 급제하고 병마절도사로서 이시애의 난을 평정한 공으로 가평군에 봉해짐으로써 그의 후손들은 본관을 가평으로 하게 되었다.

康津李氏 (강진이씨)

시조 및 본관의 유래

시조는 본래 신라 남해왕 때의 사람 완이라고 하나 세계가 실전되어 고려 충렬왕 때 사람인 진을 1세로 강진을 본관으로 하여 세계를 계승하고 있다. 그는 1308 년 충선왕(즉위전)이 원나라에 있을 때 보좌한 공으로 공신이 되었고 1354 년(공민왕 3)에 평리가 되었으며 천추사로 원나라에 다녀왔다.

〈행 렬 표〉

세	행렬자	세	행렬자	세	행렬자	세	행렬자
26	熙희	27	教교	28	鎬호	29	潤윤
30	柱주	31	炳병	32	基기	33	錫석
34	求구	35	東동	36	烈열	37	在재
38	鍾종	39	洛락				

江華李氏 (강화이씨)

시조 및 본관의 유래

시조 대명은 고려 때 중랑장 태보를 역임한 삼한벽상공신이다. 후손들은 그가 토착세거한 하음(강화의 고호)을 본관으로 하고 세계를 계승하고 있다.

〈행 렬 표〉

세	행렬자	세	행렬자	세	행렬자	세	행렬자
32	炳병	33	圭규	34	錫석	35	洙수
36	相상	37	燮섭	38	在재	39	鉉현
40	容용	41	植식				

開城李氏 (개성이씨)

시조 및 본관의 유래

시조 차감(次瑊)의 선대는 청주이씨에서 분적되었다. 그는 고려 충숙왕 때에 록사령, 동정, 개성부윤을 역임하면서 일문이 개성에 정착 세거하였고 그의 손자 덕시(문정)는 고려조에서 통훈대부에 이르렀고, 이조의 개국원종공신이다. 이때부터 후손들은 본관을 개성이라 하였어.

〈행 렬 표〉

세	행렬자	세	행렬자	세	행렬자
16	垕후	17	鉉현	18	洙수
19	柄병	20	魯노爀혁	21	敬경基기
22	鎬호鎰일	23	洪홍永영	24	植식東동
25	炯형忠충	26	圭규坤곤	27	鍾종鎭진

結城李氏 (결성이씨)

시조 및 본관의 유래

시조 昌旭은 본래 흥양(충남 홍성) 사람으로 1414년(태종 14)에 호남지방에 적들이 봉기하자 그때 그는 흥양 초토사로서 호남토적의 명을 받고 토적에 대공을 세우고 예산전투에서 전사했다. 조정에서 그 대공을 가상하여 호남제군진 무대장군에 추증하고 결주(결성별호 현 충남 홍성)군에 봉했다. 그 후손들은 창욱을 시조 1세로 삼았고, 본관은 당초 이성이라 하였는데 정조 때 이르러 결성으로 개관하였다. 묘소는 충남 홍성군 은하면 근은산 남록에 있다.

〈행 렬 표〉

세	행렬자	세	행렬자	세	행렬자
22	穆목根근植식	23	燦찬夏하燁엽	24	圭규塤훈
25	鎭진錫석	26	洙수渥제		

京山李氏 (경산이씨)

시조 및 본관의 유래

고려 정종 때 성주에 거주한 이씨성 5가구가 있었다. 성주 벽진, 성산, 광평, 경산이씨가 모두 성산으로 창관할 때 시조 덕부는 원래 계림(경주고호) 사람으로 경산(성주 고호)으로 이거하여 고려 때 락거부정을 역임하면서 경산으로 본관을 정하였다.

〈행 렬 표〉

세	행렬자	세	행렬자	세	행렬자
21	壽수東동	22	秉병基기	23	埈준
24	鐸탁鍾종	25	源원永영	26	根근相상
27	薰훈烈열	28	在재載재	29	鎭진鎬호
30	淑숙泳영	32	柩추柱주	33	熙희休휴
34	達달遠원	35	鏞용鎔용	36	漢한淳순
37	柄병植정	38	默묵煦후	39	志지孝효

〈행 렬 표〉

세	행렬자	세	행렬자	세	행렬자	세	행렬자
17	培배	18	寅인	19	朝조	20	正정
21	直직						

慶州李氏 (경주이씨)

시조 및 본관의 유래

시조 謁平(알평)은 진한 6촌장의 1인으로서 B.C 57년 다른 5촌장과 함께 박혁거세를 신라초대 왕으로 추재하고 개국원훈으로 아손의 벼슬을 지내고 32년(유리왕9) 양산촌을 급양부로 고치고 이씨로 사성받아 이씨의 연원을 이루었다. 그 후 세계를 이어 오다가 36세손 거명(소판공)을 중조(1세조)로 하여 계대하고 있다. 본관은 시조의 발상지 양산촌이 경주로 바뀌었으므로 경주로 하였고 경주의 고호가 월성임으로 월성이씨라고도 한다.

〈행 렬 표〉

세	행렬자	세	행렬자	세	행렬자
35	榮영	36	圭규	37	鍾종
38	雨우	39	相상	40	熙희炯형
41	在재	42	鎬호鍵건	43	濟제濬준
44	東동	45	丙병心심	46	教교世세
47	鎭진	48	求구	49	根근
50	燮섭	51	埈준	52	善선
53	泰태	54	模모	55	炫현
56	均균	57	鎔용	58	淳순
59	秉병	60	杰걸		

高靈李氏 (고령이씨)

시조 및 본관의 유래

시조 憲(헌)은 고려조에서 예부상서, 평장사를 역임했으며 유공하여 고령군에 봉해졌다. 그의 아들 언은 상서좌복사를 역임하였다. 후손들은 본관을 고령이라 하고 세계를 계승하고 있다.

古阜李氏 (고부이씨)

시조 및 본관의 유래

시조 敬祖(경조)는 고려 문종 때 사람으로 시호는 문헌이다. 구제학당인 문헌공도에서 수학하였고 문종 18년 동당시에 급제 한림학사를 거쳐 문하평장사에 이르렀다. 1071년(문종25) 김제와 함께 서장관으로 송나라에 다녀왔고 문종~숙종에 이르기까지 5대를 섬긴 공으로 추충보정공신이 되어 려산군에 봉해지고 검교좌정승을 지냈다. 그래서 후손들이 그의 생장지인 고부를 본관으로 삼고 세계를 계승하고 있다. 묘소는 부안군 줄포면에 있으며 향사일은 음3월 15일이다.

〈행 렬 표〉

세	행렬자	세	행렬자	세	행렬자	세	행렬자
34	鍾종	35	洙수	36	楨정	37	煥환
38	在재	39	鉉현	40	泳영	41	相상
42	燨경	43	周주	44	錫석	45	淳순
46	權권	47	熙희	48	圭규	49	銀은

固城李氏 (고성이씨)

시조 및 본관의 유래

고성이씨는 평해 장수황씨 평해구씨와 더불어 일찌기 중국에서 귀화한 씨족이다. 일설에 한나라 문제 때 중서사인인 이반의 후손 한 분이 무제가 우리나라를 공략할 때 충사령관이 되어 나왔다가 전쟁이 끝난 후에도 머물러 살게 되었다고 하는데 고성이씨는 반의 24세손인 璜로 하을 시조로 하고 있다. 그는 고려 덕종초 문과에 급제하고 밀직부사를 거쳐 1033년(덕종2) 계단이 침입할 때 공을 세워 문종 때 호부상서에 이르렀으며 철령(현고성)군에 봉해졌기 때문에 본관을 고성으로 하였다. 경남 고성에 그의 단이 있으며 음 10월 3일에 제향한다.

公州李氏(공주이씨)

시조 및 본관의 유래

시조 天一(천일)(시호 : 문무)는 신라때 사람으로 학행이 높아 중국에 초선되어 18세에 과거에 급제하고 사마대장군이 되고 그후 흉노 정벌에 공을 세워 요동백이 되었다. 병으로 귀국하여 여러 벼슬을 거쳐 문하시중평장사에 이르고 공산(공주) 부원군에 봉해졌다. 그래서 후손들이 공주를 본관으로 하여 세계를 계승하고 있다.

〈행 렬 표〉

세	행렬자	세	행렬자	세	행렬자	세	행렬자
56	鎬호	57	雲운	58	仁인	59	炳병
60	圭규	61	鍾종	62	洙수	63	樂락
64	勳훈	65	載재	66	鎔용		

光山李氏(광산이씨)

시조 및 본관의 유래

광산이씨는 김씨로서 김알지의 후손 헌안왕의 7세손 김정(고려조 향공진사)을 시조로 하고 있다. 그의 8세손 이순백(시호 : 충장)이 고려 충숙왕 때 상서좌복사로서 왕이 토번으로 갈 때 다른 신하는 모두 도피하였으나 그가 혼자 호종하였으므로 은청광록대부로 광산부원군에 봉해지고 이씨로 사성받았다. 그러나 이와 같은 사적이 실전되어 후손들은 그의 선세계를 확실히 알지 못하였는데 최근에 문헌의 발견으로 경주김씨의 후예임이 밝혀져 정을 시조로 순백을

득성득관중조로 하여 세보를 시정하려고 서두르고 있다.

〈행 렬 표〉

세	행렬자	세	행렬자	세	행렬자	세	행렬자
16	東동	17	煥환	18	周주	19	鎬호
20	承승	21	休휴	22	炳병	23	教교
24	鎭진	25	源원	26	相상	27	爀혁
28	在재	29	鉉현	30	海해	31	杓표
32	炫현	33	培배	34	鍾종	35	濟제
36	樂락	37	煜욱	38	載재	39	錫석
40	浩호	41	至지	42	世세		

廣州李氏(광주이씨)

시조 및 본관의 유래

시조 李自成(이자성)은 칠원에서 세거한 호족의 후예로 신라 내물왕 때 내사령을 지냈고, 그 후손이 신라 역조에서 벼슬하였는데 신라가 고려에 손국하자 고려에 불복하고 절의를 지켰으므로 고려 태조가 강계하여 준안의 호장으로 삼았다. 그후 준안이 이속으로서 세계를 이어오다가 석탄공(양중)파는 한희를 1세조로 하여 세계를 계대하고 후손인 당이 광주유수의 딸과 결혼하여 아들 5형제를 두었는데 5형제가 각각 1세조로 세계를 이어오고 있다. 그 중 원령이 충목왕 때 문과에 급제 벼슬이 판봉상사에 이르렀는데 1368년(공민왕17) 신돈의 롱단을 논박하다가 화를 피해 영천에 사간 최원도의 집에서 피신 신돈이 처형된 후 복관되었고 그후 자손이 대대로 영화를 누리고 문호가 크게 번성했으므로 후손들이 원령을 중시조로 하여 세계를 계승하고 있다. 본관은 조상의 세거지 준안이 고려 성종 때 광주로 개칭되었으므로 광주이씨라 하였다.

〈행 렬 표〉

세	행 렬 자
18	秉병宜의秀수淵연洙수
19	來래敎교相상寅인
20	容용錫석榮영煥환熙희
21	載재淳순壽수在재培배基기
22	鍾종根근錫석鎭진鉉현
23	洙수煥환承승澤택永영淳순
24	柱주時시植식柱주
25	熙희鎔용炳병炯형
26	圭규泳영
27	鉉현相상

廣平(星山)李氏 (성산광평이씨)

시조 및 본관의 유래

시조 茂材(무재)는 원래 성산인으로 고려말에 벼슬이 사재동정이었으며 그 증손 능이 광평군에 봉해져 후손들이 본관을 광평으로 했으나 지금은 성산으로 쓰고 있다. 광평, 성산은 다같이 성주의 고호이다.

〈행 렬 표〉

세	행 렬 자	세	
20	榮영守수文문春춘	21	碩석祿록尙상
22	圭규益익碩석	23	在재基기會회圭규
24	鎬호鉉현鍾종	25	源원淑숙浩호洙수
26	權권根근相상柱주	27	熙희煥환烈열炳병
28	中중周주	29	鎭진欽흠
30	洙수河하	31	和화植식

交河李氏 (교하 이씨)

시조 및 본관의 유래

시조 진형은 1702년(숙종 28) 문과에 급제하고 고부군수를 지냈다. 분포는 1930년 국세조사 때 황해도 신천군 문무면 양암리에 39가구 평남 강동군 원탄면 상리에 70가구 강동군

원탄면 봉도리에 56가구가 살고 있는 것으로 되어있다.

金溝李氏 (김구이씨)

시조 및 본관의 유래

시조 주는 고려 때 가선대부 홍문관 대제학으로 봉산(김구)군에 봉해짐으로써 후손들이 본관을 김구로 하여 세계를 계승하고 있다.

〈행 렬 표〉

세	행렬자	세	행렬자	세	행렬자
35	燁엽	36	在재	37	銓전鎬호
38	汝여	39	柱주		

機張李氏 (기장이씨)

시조 및 본관의 유래

시조 위는 고려 때에 공이 있어 차성(기장별호)군에 봉해졌다. 그래서 후손들이 기장에 세거하면서 본관을 기장이라고 하고 세계를 계승하고 있다.

〈행 렬 표〉

세	행렬자	세	행렬자	세	행렬자
18	鐸탁	19	永영	20	秀수

金浦李氏 (김포이씨)

시조 및 본관의 유래

시조 관중은 임진왜란 때 성천으로 이거하였고, 조상들이 누대 세거하던 김포를 사모하여 본관을 김포로 하였다. 그리고 그의 손자 창이 보국숭록대부로 김능(김포의 별호)부원군에 봉해지기도 하였다. 묘소는 성천군 성천면 각후동에 있다.

〈행 렬 표〉

세	행렬자	세	행렬자	세	행렬자
17	致치	18	述술	19	琇수
20	均균	21	燦찬	22	善선

羅州李氏(나주이씨)

시조 및 본관의 유래

시조 철우(哲祐)는 이색(한산이씨)의 7세손이라고 하나 선계의 문헌이 실전되어 상고할 수 없다. 그의 조상이 누대를 나주에서 세거하였는데 그가 평남 개천군 마장으로 이사하여 세거하였으므로 후손들이 그를 시조로 하고 조상의 전향지 나주를 본관으로 하여 세계를 이어오고 있다. 시조의 묘소는 평남 개천군 북면 비호산 오좌에 있다.

〈행 렬 표〉

세	행렬자	세	행렬자	세	행렬자	세	행렬자
9	泓홍	10	處처	11	琢탁	12	炳병
13	熙희	14	德덕	15	鎭진		

南平李氏(남평이씨)

시조 및 본관의 유래

東䄷(동말) 이상의 계대는 문헌상 나타난바 없어 그를 시조로 하여 세계를 계승하고 있다. 그는 조선조에 보조공신행정헌대부병조판서를 지냈고 남평군에 봉해져 후손들이 남평을 본관으로 하게 되었다. 묘소는 전남 나주군 나주읍에 있으며 향사일은 음 10월 10일이다. 남평은 나주의 속현이다.

〈행 렬 표〉

세	행렬자	세	행렬자	세	행렬자	세	행렬자
14	友우	15	烋휴	16	基기	17	銖수
18	榮영	19	述술	20	炳병	21	圭규
22	鍾종	23	澤택	24	榮영	25	烈열

丹城李氏(단성이씨)

시조 및 본관의 유래

시조 岘(현)은 고려 때 평장사를 지냈다. 본래 고문단족으로 세보가 병화에 실전되어 선대에 대한 문헌이 전하지 않아 후손인 원발(태자첨사)을 1세로 하여 계대하며 7세손 영보(판서)가 만년에 문공서원의 원장으로 단성(경남 산청군 단성면)에 살면서부터 본관을 단성으로 하였다.

〈행 렬 표〉

(통 진 파)

세	행렬자	세	행렬자	세	행렬자	세	행렬자
29	在재	30	錄록	31	仁인	32	權권
33	昶창	34	培배	35	鍾종	36	源원
37	容용	38	爀혁	39	奎규		

(신 계 파)

세	행렬자	세	행렬자	세	행렬자	세	행렬자
29	垠은	30	鍊련	31	泳영	32	桓환
33	熏훈	34	赫혁	35	鎔용	36	濬준
37	桂계	38	默묵	39	瑞서		

(광 주 파)

세	행렬자	세	행렬자	세	행렬자	세	행렬자
29	起기	30	碩석	31	準준	32	信신
33	炫현	34	埈준	35	鎣형	36	澤택
37	彩채	38	勳훈	39	璡진	41	

丹陽李氏(단양이씨)

시조 및 본관의 유래

시조 盃煥(배환)은 단산(단양의 고호) 사람으로 고려 태조의 삼한통합을 도와 삼중대광문하시중이 되고 삼한벽상공신이 되었다. 그리고 세계가 실전(8세실전)되었다가 10세손인 이방규(고려 때 출사)로부터 계대되었고 15세손인 무가 참찬문하부사로서 제1차 왕자의 난에 방원을 도와 정사공신 1등으로 단산 부원군에 봉해짐으로써 본관을 단양으로 하여 세계를 계승하고 있다.

〈행 렬 표〉

세	행렬자	세	행렬자	세	행렬자	세	행렬자
22	言언	23	文문	24	之지	25	一일
26	弘홍	27	汝여	28	陽양	29	鳳봉
30	聖성	31	道도	32	學학	33	相상
34	大대	35	基기	36	錫석	37	潤윤
38	根근	39	熙희	40	均균		

潭陽李氏 (담양이씨)

시조 및 본관의 유래

시조 덕명(德明)은 본래 신평이씨였으나 고려 인종 때 담양군에 봉해져 그후 후손들이 분적하여 담양으로 본관을 삼게 되었다.

〈행 렬 표〉

세	행렬자	세	행렬자	세	행렬자	세	행렬자
26	錫석	27	永영	28	秉병	29	容용
30	哉재	31	鎬호	32	淳순	33	稷직
34	然연	35	均균	36	鍾종	37	澤택
38	相상	39	煥환	40	起기	41	鉉현
42	海해	43	東동	44	熙희	45	基기

大興李氏 (대흥이씨)

시조 및 본관의 유래

전주 이씨에서 분적했다. 시조 연계(連桂)는 관직이 이부상서에 올랐는데 이태조가 함흥으로 가려는 것을 만류한 죄로 예천으로 유배되었다가 태종 3년(1403)에 풀려나와 대흥군에 봉해졌다. 전주이씨로 복원하라는 하교도 있었으나 불응하고 본관을 대흥으로 했다.

〈행 렬 표〉

세	행렬자	세	행렬자	세	행렬자
13	浩호	14	錄록	15	寬관
16	鎭진	17	永영	18	相상
19	炳병	20	均학	21	致鍾치종
22	自炳병基기	23	達根근鎬호	24	容燦찬
25	善선				

德山李氏 (덕산이씨)

시조 및 본관의 유래

시조 存述(존술)은 고려 때 덕풍(덕산)호장을 지냈다. 아들 언후 손자 극보는 다같이 검교대장군을 지냈다. 그래서 덕산을 본관으로 하여 세계를 계승하고 있다.

〈행 렬 표〉

세	행렬자	세	행렬자	세	행렬자	세	행렬자
22	貞정	23	錫석	24	水(변)	25	相상
26	煥환	27	基기	28	鎔용	29	永영

德水李氏 (덕수이씨)

시조 및 본관의 유래

시조 敦守(돈수)는 고려 때 중랑장을 지냈으며 증손 윤온은 봉익대부 밀직사판도판서 선충경절공신벽상삼한삼중대광수첨의정승감춘추관사를 지냈고 덕수 부원군에 봉해져서 그의 후손들이 본관을 덕수로 하여 세계를 계승하고 있다.

〈행 렬 표〉

세	행렬자	세	행렬자	세	행렬자
21	魯노熙희	22	奎규信신	23	敏민

24	永영	25	種종	26	烈열煥환
27	載재	28	鏞용	29	浩호
30	相상	31	愚우	32	均균

德恩李氏(덕은이씨)

시조 및 본관의 유래

덕은이씨는 원조 알평의 원손인 거명의 14 세손 전때부터 진위 이씨와 분보되었다. 전의 자는 국서이고 한성부우윤을 거쳐 덕은(은진의 고호)군에 봉해졌다. 이 때문에 후손들이 덕은을 본관으로 삼았다. 묘소는 충남 논산군 은진면 토량리에 있다.

〈행 렬 표〉

세	행렬자	세	행렬자	세	행렬자	세	행렬자
22	明명	23	坤곤	24	鎭진	25	淏호
26	秀수	27	燮섭	28	園원	29	鍾종

東城(泗川)李氏(동성사천이씨)

시조 및 본관의 유래

시조 李軾(이식)은 1308 년 (충렬왕 34)에 국자진사에 합격하고 송악군수를 지냈다. 시조 이후 12 대에 이르기까지 사마시에 합격하여 명문사족으로 칭함을 받았으나 득관의 유래를 밝히지 못하고 가첩에 기록된대로 이식을 시조로 본관을 동성 (사천의 고호)으로 하고 있다. 후손들이 사천군 협천군 일원에 집단으로 살고 있으며 진주시, 진양군, 하동군, 거창군 등지에 산재하고 있다.

〈행 렬 표〉

세	행렬자	세	행렬자	세	행렬자
22	煥환炫현	23	中중基기	24	鍾종鎬호
25	永영泳영	26	震진植식	27	南남俊준
28	圭규奎규	29	兌태鎔용	30	淵연洙수

31	甲갑榮영	32	華화烈열	33	在재載재

碧珍李氏(벽진이씨)

시조 및 본관의 유래

시조 悤言(   )은 신라 헌안왕 때 벽진 태수로 있을 때 용맹을 떨쳤으며 고려 태조를 도와 삼중대광개국공신으로 벽진대장군에 봉해졌으며 그의 아들 영은 태조의 부마로 대제학이 되었다. 후손들이 본관을 벽진으로 하고 세계를 계승하고 있다.

〈행 렬 표〉

세	행렬자	세	행렬자	세	행렬자	세	행렬자
31	和화	32	愚우	33	基기	34	善선
35	源원	36	種종	37	夏하	38	致치
39	義의	40	漢한	41	秀수	42	輝휘

鳳山李氏(봉산이씨)

시조 및 본관의 유래

시조 隨(수)는 조선 태종 때 문과에 급제하여 예문관 대제학 의정부참찬을 역임하고 모친상을 당하자 사직했다가 후에 이조 병조판서를 역임했다. 문장과 덕행이 높아 충녕대군 (세종)의 사부가 되었고, 봉산토지를 하사받아 후손들이 그 곳에 세거하면서 본관을 봉산으로 하여세계를 계승하고 있다. 묘소는 황해도 봉산에 있으며 향사일은 6 월 15 일이다.

〈행 렬 표〉

세	행렬자	세	행렬자	세	행렬자	세	행렬자
20	浩호	21	榮영	22	勳훈	23	均균
24	鉉현	25	洪홍	26	相상	27	熙희
28	喆철	29	鎬호	30	永영		

扶安李氏(부안이씨)

시조 및 본관의 유래

시조 之發(지발)의 선대는 부안지방에 토착한 사족이었으나 실전되어 미상이고 그는 1471년(성종2) 장사랑에 올라 평북 용천으로 이사하여 그곳에 정착세거 했다. 그후 6세손 봉정이 숭록대부로 보안(부안의 별호)군에 봉해졌으므로 본관을 부안으로 소목계통이 확실한 지발을 시조로 하여 세계를 계승하고 있다. 묘소는 평북 용천군 외하면 하호동에 있다.

〈행 렬 표〉

세	행렬자	세	행렬자	세	행렬자
16	載재鶴학	17	時시彬빈	18	永영秀수
19	俊준	20	東동·根근	21	珪규基기

扶餘李氏 (부여이씨)

시조 및 본관의 유래

시조 禀(품)(공부시랑)은 고려 정종의 왕비인 용목왕후의 아버지로 월성 부원군에 봉해졌으며 후손들이 부여에 세거하면서 본관을 부여로 하였다.

〈행 렬 표〉

세	행렬자	세	행렬자	세	행렬자	세	행렬자
27	大대	28	希희	29	玉옥	30	秀수
31	炳병	32	培배	33	根근		

富平李氏(부평이씨)

시조 및 본관의 유래

시조 회목(希穆)은 고려 태조를 도와 통합삼한삼중대광벽상공신에 훈록되었다. 증손인 정공이 시어사문하시랑을 지내고 문하시중에 이르러 부평백에 봉해짐으로써 후손들이 부평을 본관으로 세계를 계승하고 있다.

〈행 렬 표〉

세	행렬자	세	행렬자	세	행렬자	세	행렬자
25	永영	26	秉병	27	演연	28	卿경
29	振진	30	起기	31	鉉현	32	泰태
33	植식	34	容용	35	圭규	36	鍾종
37	浩호	38	東동	39	魯노	40	致치

商山李氏 (상산이씨)

시조 및 본관의 유래

시조 지환은 고려 때 광록대부를 지냈다. 그의 손자 민도(정헌)는 이조 좌명개국공신 이등으로 상산군에 봉해져 후손들이 본관을 상산으로 하였다.

〈행 렬 표〉

세	행렬자	세	행렬자	세	행렬자	세	행렬자
17	性성	18	載재	19	欽흠	20	濟제
21	相상						

西林李氏 (서림이씨)

시조 및 본관의 유래

비조 益存(익존) 시호: 문충의 18세손 세공(시호 : 효사)이 고려의 공신으로 서림군에 봉해졌고 또 20세손 언충(시호 : 충경)이 고려의 원훈이 되어 서주군에 봉해짐으로써 연안이씨에서 분적 언충을 시조로 하고 서림을 본관으로 하여 계대를 계승하고 있다.

〈행 렬 표〉

세	행렬자	세	행렬자	세	행렬자	세	행렬자
22	榮영	23	炳병	24	喆철	25	鍾종
26	濟제	27	東동	28	熙희	29	埈준

30	鎭 진	31	海 해	32	植 식	33	容 용

星山李氏 (성산이씨)

시조 및 본관의 유래

시조 能一(능일)은 본래 경산현(성주고호) 사람으로 고려 태조를 도와 견훤을 토벌하는데 공을 세웠다. 태조가 그를 가상하여 사명을 하면서 처음의 이름 능자에 일자를 더해 능일로 하였다. 한다. 또한 태조의 딸 대장공주와 결혼해서 부마가 되고 개국벽상공신삼중대광 사공에 봉해졌다. 매년 한식일에 유허지인 성주읍 경산동 단소에서 향사한다. 성주에는 6가문의 이씨가 있는데 성주이씨의 중조는 신라재상 순유(시조)의 12세손 장경 경산이씨의 시조는 고려 때 락거부정인 덕부 광평이씨의 시조는 고려말 사재사주부 무재, 가리이씨의 시조는 고려 밀직부사인 승휴이다. 성산이씨 시조는 능일 벽진이씨 시조는 벽진장군 悤言. 이상 6 이씨는 이조 정조 이전 다같이 성주이씨로 쓰기로 하였다.

星州李氏 (성주이씨)

시조 및 본관의 유래

시조 李純由(이순유)는 아우 돈유와 함께 신라에 벼슬하여 재상에 올랐으나 신라가 망하게 되자 절개를 지켜 고려조에서 벼슬하지 않고 이름을 극신이라고 고쳐 경산(성주의 고호)부에 옮겨 살며 대대로 호족을 이루니 고려조에서 누대를 걸쳐 그 후손들을 호장으로 삼았다. 고려 고종 때 시조의 12세손 장경이 호장을 지내면서 덕망이 높았고 아들 5형제가 모두 문과에 급제하여 공이 많았으므로 그에게 삼중대광좌 시중도첨의정승 지전리 사상호군에 추증 성산부원군에 추봉하였고 장경의 손자 승경이 원나라에 가서 벼슬할 때 공이 많아 원제가 선칙하여 그의 조부 장경을 용서군공에 추봉하였으므로 장경을 중흥시조로 하여 세계를 계승한다. 본관은 중흥시조가 용서군공에 추봉되

었으므로 용서이씨라고도 하며 그의 아들 5형제가 문과에 급제하고 가세가 크게 번성해진 당시(충렬왕이후) 성주목의 지명에 따라 성주이씨라 한다. 중흥시조 이장경의 묘소는 경북 성주군 대가면 옥화동 능곡에 있으며 매년 음10월 1일 향사한다. 성주의 안산서원, 연봉서원, 고흥의 성산사, 산청의 안곡영당, 금능의 보본사, 옥천의 평산사, 금능의 상친사에 제향.

〈 행렬표 〉

(백 파)

세	행렬자	세	행렬자	세	행렬자	세	행렬자
20	秀 수	21	煥 환	22	圭 규	23	鉉 현
24	永 영	25	木(변)	26	火(변)	27	土(변)
28	金(변)	29	水(변)	30	木(변)	31	火(변)
32	土(변)	33	金(변)	34	水(변)	35	木(변)

(중 계 파)

세	행렬자	세	행렬자	세	행렬자
20	容용	21	敎교	22	鍾종
23	淳순洙수	24	相상秉병	25	燮섭熙희
26	圭규在재	27	錫석鐵철	28	澤택永영
29	植식根근	30	炳병鉉현	31	基기培배
32	鈺옥鎔용	33	洪홍洛락	34	柄병桂계
35	炯형烈열				

遂安李氏 (수안이씨)

시조 및 본관의 유래

시조 堅雄(견웅)은 본래 경산 사람으로 고려 태조를 도와 견훤을 토평하는데 공을 세워 벽상삼중대광태사평장사개국공신이 되었다. 12세까지 경산(성주)에 정착했으며 13세손 연송이 충렬, 충선, 충숙 3대에 벼슬해 삼중대광태사평장사로 수안군에 봉해졌다. 특히 충숙왕 때 흥

년이 들자 원나라에 가서 45만석의 양곡을 얻어와 백성을 구호하는데 공을 세워 왕으로부터 그의 고향인 장색현을 수안군으로 승격시켜 식읍으로 하사 받았다. 그래서 후손들이 그곳에 세거하면서 본관을 수안이라 하고 세계를 계승하고 있다.

〈 행 렬 표 〉

세	행 렬 자	세	행 렬 자
39	在재我 坤곤	40	鍾종鎭진 鏡경
41	海해濟제 淵연	42	相상東동 根근
43	燦환燮섭 燁엽	44	奎규均균 壽수

水原李氏 (수원이씨)

시조 및 본관의 유래

시조 子松(자송) 시호 : 문정은 1358년(공민왕 7) 양광 전라도 찰리사가 되고 1362년 전법 판서로 원나라에 사신으로 가서 홍건적의 평정을 알렸다. 이때 원나라가 덕흥군(고려 충선왕의 제3자 그때 원나라에 가 있었음)을 고려왕으로 책봉 군사를 거느리고 귀국케 할 때 그 호종을 받았으나 이를 거부하고 숨어 있다가 1364년에 귀국, 그 공으로 밀직부사가 되고 단성보조공신의 호를 받았다. 다음해 평양윤으로 부임. 1372년 동북면존무사를 거처 1377년(우왕3) 삼사좌사겸, 순위부상만호로 사은사가 되어 북원에 다녀왔다. 1382년 수문하시중에 올라 공산부원군에 봉해졌다가 죽은 뒤 수성(수원의 별호)부원군으로 개봉되었다. 그리하여 후손들은 수원에 세거하면서 본관을 수원으로 하고 있다. 묘소는 충남 청양군 청양면 교월리 남산을 좌이며 향사일은 10월 1일이다.

〈 행 렬 표 〉

세	행렬자	세	행렬자	세	행렬자	세	행렬자
19	錫석	20	浩호	21	秉병	22	熙희
23	基기	24	鉉현	25	承승	26	榮영

順天李氏 (순천이씨)

시조 및 본관의 유래

시조 師古(사고)는 고려조에서 문하시중으로 승평(순천의 고호)백에 봉해졌으며 그의 후손들이 순천에 세거하면서부터 순천을 본관으로 삼았다.

〈 행 렬 표 〉

세	행렬자	세	행렬자	세	행렬자	세	행렬자
15	忠충	16	鎭진	17	浩호	18	和화
19	熙희	20	載재				

新平李氏 (신평이씨)

시조 및 본관의 유래

시조는 백제 때 신평호장을 지낸 인수인데 도중에 세계가 실전되어 고려조에서 문하시중을 역임한 덕명(시호 : 문간)을 1세조로 하여 세계를 계승하고 있다. 신평은 본래 백제 사평현이였는데 그후 안평, 흥평, 해풍, 해흥등으로 현호가 변경되었고, 1018년(고려 현종9)에 지금의 홍성군에 편입되었다가 선조초에 당진군에 편입되었다. 덕명의 묘소는 충남 당진군 송악면 오곡리에 있고 음 10월 1일에 향사한다.

〈 행 렬 표 〉

세	행렬자	세	행렬자	세	행렬자	세	행렬자
26	錫석	27	永영	28	秉병	29	容용
30	找	31	鎬호	32	淳순	33	稷직
34	然연	35	均균	36	鍾종	37	澤택
38	相상	39	煥환	40	起기	41	鉉현
42	海해	43	東동	44	熙희	45	基기
46	鎭진	47	永영	48	秀수	49	夏하

牙山李氏(아산이씨)

시조 및 본관의 유래

시조 周佐(주좌)의 선세계는 신라 대아손 알평에서 유래하며 또한 그는 경주이씨의 시조 소판공 거명의 5세손이기도 하다. 그는 고려조에 형부상서판어사로 사공에 추증되었고, 그의 아들 舒는 고려고종 때 밀성부사로 공이 있어 군기감이 되었고, 1268년(원종9) 판위위사사, 벽상공신 삼중대광으로 아주(아산의 고호)백에 봉해졌다. 그리하여 본관을 아산으로 하게 되었으나 그후 세계가 미상하여 그의 후손 옹(문하시중)을 기1세하여 세계를 계승하고 있다.

安山李氏(안산이씨)

시조 및 본관의 유래

시조 希勣(희적) 철산방어사는 1231년(고려 고종18)몽고, 살리타이가 고려를 침범할 때 철산판관으로 끝까지 싸우다가 순국한 용장으로 후손들이 안산에 세거하면서부터 본관을 안산이라 하였다.

〈행렬표〉

세	행렬자	세	행렬자	세	행렬자	세	행렬자
32	允윤	33	枝지	34	義의	35	亨형

安城李氏(안성이씨)

시조 및 본관의 유래

시조 仲宣(중선)은 중국 용서이씨 청륜계의 맹선, 중선, 계선 3형제 가운데 중씨로서 송조에서 벼슬을 지내다가 경력연간에 송나라 사신 안수, 진목을 따라 고려에 들어온 뒤 문종의 청탁으로 세자 세손등의 사부가 되고 그후 경군호장이 되어 장민의 공으로 문하시랑에 올랐다. 이자의의 난 때 재상 왕국모를 따라 평정에 공을 세워 삼한벽상공신으로 삼중대광태사에 올랐다. 4조에 걸쳐 벼슬을 지내다가 헌종말에 이르러 치사한 뒤 백하군에 봉해졌다. 백하는 안성의 별호이므로 후손들은 안성을 본관으로 삼게 되었다.

〈행렬표〉

세	행렬자	세	행렬자	세	행렬자	세	행렬자
22	昌창	23	顯현	24	坤곤	25	鎬호
26	漢한	27	相상	28	燦찬		

安岳李氏(안악이씨)

시조 및 본관의 유래

원조 極圭(극규)는 고려 때의 공신으로 양산군에 봉해지고 안악읍을 식읍으로 하사 받았다. 후손 괴의 .16세손 견이 검교문하대승상장군으로 공민왕 때 홍건적의 난이 일어나자 개성사수의 명을 받고 개성부윤 신부와 함께 분전하다가 전사 안악군에 봉해져 그를 1세조로 계대하고 본관을 안악으로 하였다. 견의 묘소는 황해도 안악군 안악읍 양산이며 향사일은 10월13일이다.

〈행렬표〉

세	행렬자	세	행렬자	세	행렬자	세	행렬자
21	鉉현	22	洙수	23	相상	24	熙회
25	基기	26	錫석	27	浩호	28	柄병
29	炅경	30	培배	31	鏞용	32	海해
33	東동	34	勳훈	35	在재	36	鈞균
37	準준	38	林임	39	炯형	40	圭규

梁山李氏(양산이씨)

시조 및 본관의 유래

시조 萬英(만영)은 고려말 문과에 급제하고 조선 태조 때 공신으로 이조 판서를 지내고 인천백에 봉해졌다. 그리고 그의 아들 선생이 공민왕 때 순찰사로 전국을 순방하다 양산군 하북면 삼수리에 정착 세거했고 손자 등석은 태종 때(1407년) 추충좌익공신순록대부 예조판서, 중추부사로 양산부원군에 봉해졌기 때문에 본관은 양산으로 하였다. 묘소는 경남 창령군 장마면 장가리에 있다.

〈행 렬 표〉

세	행렬자	세	행렬자	세	행렬자	세	행렬자
10	紀기	11	春춘	12	腑담	13	汝여
14	洛락	15	之지	16	健건		

陽城李氏(양성이씨)

시조 및 본관의 유래

시조 秀匡(수광)은 고려 문종 때 사신으로 송나라에 가서 공을 세워 금오위대장군, 삼중대광보국, 양성군에 봉해짐으로써 본관을 양성으로 해서 세계를 계승하고 있다.

〈행 렬 표〉

세	행렬자	세	행렬자	세	행렬자	세	행렬자
23	禮예	24	智지	25	洙수	26	來래
27	煥환	28	奎규	29	鎬호	30	濟제
31	柄병	32	燦찬	33	基기	34	鍾종
35	永영	36	相상	37	燮섭	38	載재
39	鏞용	40	漢한	41	稷직	42	性성
43	均균	44	鍵건	45	澈철	46	株주
47	憲헌	48	珉민	49	鎭진	50	潤윤

楊州李氏(양주이씨)

시조 및 본관의 유래

시조 석숭(碩崇)의 선세계는 알 수 없으나 그는 양주에 토착한 사족이다. 후손들은 양주

에 세거하면서 본관을 양주라 하고 세계를 계대하고 있다

〈행 렬 표〉

세	행렬자	세	행렬자	세	행렬자	세	행렬자
12	運운	13	赫혁	14	夏하	15	律율
16	植식						

驪州李氏(여주이씨)

시조 및 본관의 유래

여주이씨는 시조를 달리하는 세 파가 있다. 그 하나는 고려조에 인용교위를 지낸 인덕을 시조로 하고 또 하나는 규보(시호 : 문순)의 아버지로서 고려조에 호부시랑을 지낸 윤수를 시조로 하며 나머지 하나는 언적(시호 : 문원)의 선조로서 진사 세정을 시조로 하고 있다. 그들은 다같이 여주에 토착세거하는 사족으로서 본관을 여주로 하고 있다.

〈행 렬 표〉

(인 덕 파)

세	행렬자	세	행렬자	세	행렬자	세	행렬자
25	鍾종	26	九구	27	弼필	28	衡형
29	茂무	30	熙희	31	鏞용	32	宰재
33	廷정	34	揆규	35	相상	36	烈열
37	左좌	38	錫석	39	永영		

(윤 수 파)

세	행렬자	세	행렬자	세	행렬자	세	행렬자
21	基기	22	鉉현	23	永영	24	植식
25	熙희	26	萬만	27	元원	28	丙병
29	寧녕	30	盛성	31	起기	32	庸용
33	章장	34	聖성	35	揆규		

(세 정 파)

세	행렬자	세	행렬자	세	행렬자	세	행렬자
21	在재	22	能능元원	23	久구時시	24	錫석
25	源원	26	東동植식	27	熙희煥환	28	址지圭규

延安李氏 (연안이씨)

시조 및 본관의 유래

시조 茂(무)는 원래 중국 당나라 출신으로 당나라 고종 때 중랑장으로 있다가 소정방의 부장이 되어 신라에 들어와 백제를 평정한 공으로 연안백에 봉해짐으로써 그의 후손들은 본관을 연안으로 하게 된 것이다. 그러나 그후 계대가 실전되어 세계를 상고할 수 없기 때문에 그의 후손 가운데 10개파로 분파하여 습홍(태자첨사공파) 핵 (예부상서공파) 현여 (판소부감공파) 분양 (이부시랑공파) 방 (전법판서공파) 원주 (대장군공파) 득량 (밀직부사공파) 백연 (판도정랑공파) 계연 (영광군사공파) 지 (통례문사공파)를 중시조 1세로 하여 각각 계세하고 있는데 이중 정구 (호 월사)를 배출한 판소부감공파, 호민 (호 : 오봉)을 배출한 통례문사공파 광정을 배출한 태자첨사공파가 주축을 이루고 있다.

〈 행 렬 표 〉

(태자첨사공 (습홍) 파)

세	행렬자	세	행렬자	세	행렬자	세	행렬자
25	寧녕	26	義의	27	熙희	28	庸용
29	澤택	30	聖성	31	揆규	32	教교
33	蕭숙	34	演연	35	卿경	36	振진
37	冕원	38	南남	39	東동	40	載재

(대장군공 (원주) 파)

세	행렬자	세	행렬자	세	행렬자
25	梓자根근	26	炯형炳병	27	圭규均균

28	鎬호鍾종	29	洙수泳영	30	模모植식
31	烈경烈열				

(판소부감공 (현여) 파)

세	행렬자	세	행렬자	세	행렬자	세	행렬자
29	雨우	30	東동	31	容용	32	在재
33	錫석	34	淳순	35	元원	36	夏하
37	中중	38	商상	39	翊익		

(판소부감공파·중 월사공(정구)파)

세	행렬자	세	행렬자	세	행렬자	세	행렬자
9	愚우	10	翼익	11	宰재	12	承승
13	榮영	14	勳훈	15	圭규	16	重중
17	濟제	18	根근				

(통례문사공후 (세칙 : 구령) 파)

세	행렬자	세	행렬자	세	행렬자
15	微징命명	16	恒항觀관	17	相상遂수
18	教교林림	19	用용嬉희	20	榮영均균
21	鉉현	22	永영		

寧川李氏 (영천이씨)

시조 및 본관의 유래

시조 凌幹(능간)의 호는 송헌이다. 남원에서 나서 1320년 (고려충숙왕 7) 반시별감으로 원나라에서 상왕을 토번으로 유배시킬 때 상왕을 호종하였고, 상왕이 죽자 자궁을 모시고 본국으로 돌아왔다. 1326년 (충숙왕 13) 지사사우상시로 고려를 없애고 성을 두겠다는 조치가 있자 이를 중지시켜 「면좌당」이라는 사림의 액호를 받았다. 1332년 (충회왕 2) 문화시중으로 있으면서 조적의 난 때 1등 공신이 되어 영천 부원군에 봉해짐으로써 본관을 영천으로 하였다. 묘소는 임실군 지사면 계동이며 향사일은 한식일이다.

〈행 렬 표〉

세	행렬자	세	행렬자	세	행렬자	세	행렬자
21	奎규	22	鍾종	23	原원	24	東동
25	炫현	26	在재	27	錫석	28	泳영
29	根근						

永川李氏(영천이씨)

시조 및 본관의 유래

영천이씨의 본원은 32년(신라유리왕9)신라 전국이전부터 있었던 씨족집단인 6촌을 6부로 개칭하면서 사성한 급양부(알천 양산촌)의 촌장 알평에서 비롯되었으나 그후 세계가 실전되어 고려초에 평장사를 지낸 문한을 시조로 하여 세계를 이어오고 있으며 그의 후손(세계미상) 대영이 영양(영천의 별호)군에 봉해졌으며 본관을 영천으로 하는 계통과 고려 때 영동정을 지낸 전을 1세조로 하는 계통이 있다.

〈행 렬 표〉

(문 한 파)

세	행렬자	세	행렬자	세	행렬자	세	행렬자
19	延정	20	厚후	21	年년	22	泰태
23	相상	24	炳병	25	載재		

(전 파)

세	행렬자	세	행렬자	세	행렬자	세	행렬자
21	發발	22	魯노	23	在재	24	章장
25	泰태	26	植식	27	炳병	28	圭규

寧海李氏(영해이씨)

시조 및 본관의 유래

시조 연동(延東)은 신라 사공 한의 후손(전주이씨)으로서 고려조에 문하시랑을 지냈으며 공이 있어 영해군에 봉해졌다. 그 후손들은 그를 시조로 하고 전주(완산) 이씨에서 분적 본관을 영해로 세계를 계승하고 있다.

〈행 렬 표〉

세	행렬자	세	행렬자	세	행렬자	세	행렬자
30	時시	31	鐸탁	32	濟제	33	植식
34	燦찬	35	均균	36	鎬호	37	原원
38	柱주	39	煥환	40	達달	41	鉉현

禮安李氏(예안이씨)

시조 및 본관의 유래

시조 곤(混)(시호:문장)은 고려태조 때 삼한개국익찬공신에 오른 도(시호 성절)의 7세손 천의 제2자이다. 그는 원종 때 등제하여 첨의정승에 이르러 예안백에 봉해졌고, 그의 손자 익이 보문각제학으로 예안군에 봉해지면서 부터 전의 이씨에서 분적하여 본관을 예안으로 했다. 단소는 충남 연기군 전의면 유천리에 있으며 매년 3월과 10월에 향사한다.

〈행 렬 표〉

세	행렬자	세	행렬자	세	행렬자
21	烈열	22	用용	23	善선會회
24	準준	25	植식	26	憲헌
27	教교	28	鎬호	29	泳영
30	鍾종東동	31	默묵	32	奎규
33	宰재	34	雲운	35	來래
36	性성	37	遠원	38	錫석
39	雨우	40	榮영	41	容용
42	基기				

温陽李氏(온양이씨)

시조 및 본관의 유래

시조 흥서(興瑞)는 1591년(선조24)에 옥천군수가 되어 재임중 임진왜란을 당하여 항전하다 순국하였으며 며칠 뒤 부인도 병사했다. 그래서 생후 6개월된 그의 아들 해는 외가에서 자라게 되어 선친 이전의 세계를 모르고 죽었다. 손자 만입의 대에 이르러 난중향기에서 조부의 행적은 알게 되었으나 역시 선대는 알 수가 없어 이흥서를 1세조로 하고 본관을 온양으로 하여 세계를 계승하고 있다. 묘소는 충남 옥천군 옥천읍 대천리에 있다.

〈행 렬 표〉

세	행렬자	세	행렬자	세	행렬자
9	相상	10	燁엽	11	培배
12	善선	13	洪홍	14	模모
15	炳병	16	圭규	17	錫석
18	漢한	19	根근	20	燮섭
21	在재	22	義의九구	23	泳영
24	杓표柱주	25	煥환	26	均균

龍宮李氏(용궁이씨)

시조 및 본관의 유래

시조 정식(禎植)의 선세계는 여주 이씨였음이 전할 뿐 사적에 대하여는 병화로 인해 전하는 바가 없다. 다만 고려 충렬왕 때 이조판서를 지낸 삼의 3형제가 있었는데 중형에게는 계대할 손이 없어 삼의 아들로 양자를 삼았다. 그후 중형이 50에 상처를 하고 재취하여 아들 3형제를 출산하자 그를 양자에서 폐하였다. 이러한 사실이 관에 알려져 백형은 회령 중형은 곽산 삼은 강계로 유배되어 후손들은 유배되기 전의 세거지 용궁을 본관으로 하였다.

〈행 렬 표〉

세	행렬자	세	행렬자	세	행렬자	세	행렬자
20	水(변)	21	木(변)	22	火(변)	23	土(변)
24	金(변)	25	水(변)	26	木(변)	27	火(변)
28	土(변)	29	金(변)	30	水(변)	31	木(변)
32	火(변)	33	土(변)	34	金(변)	35	水(변)

32	鉉현	33	源원
34	相상東동澤택弼필	35	榮영光광冕면원在재
36	圭규基기模모世세	37	鎭진鍾종喜희燮섭
38	漢한洙수奎규	39	根근植식錦금
40	悳덕炳병	41	壽수鏡경
42	善선鍊연	43	益익
44	秀수	45	性성
46	重중	47	錫석
48	演연		

（함 홍 파）

세	행 렬 자	세	행 렬 자
38	植식根근洙수杓표	39	炯형燦찬炳병煥환
40	燻훈培배均균塾숙	41	錫석鎭진鉉현欽흠
42	海해淳순澈철淵연		

龍仁李氏(용인이씨)

시조 및 본관의 유래

시조 길권(吉卷)은 고려조의 부마로 벼슬이 삼한벽상공신 태사삼중대광으로 구성(현 용인)군에 봉해졌기 때문에 후손들이 용인을 본관으로 해서 세계를 계승하고 있다. 묘소는 용인군 기흥면 영덕리에 있으며 향사일은 10월 5일이다.

〈행 렬 표〉 （용인·순천파）

세	행 렬 자	세	행 렬 자
26	岳 악	27	世 세
28	宜 의	29	普 보
30	祐 우	31	在 재

羽溪李氏 (우계이씨)

시조 및 본관의 유래

시조 양식(陽植)은 본시 알평의 후손으로 고려조에 중서사인좌복사를 지냈고 아들 수우는 의종 때 문과에 장원 한림학사를 지냈으며 경주에서 우계(강릉의 속현)로 이거하였다. 양식의 5세손 구에 이르러 경주 이씨에서 분적 본관을 우계로 하였다.

〈행 렬 표〉

세	행렬자	세	행렬자	세	행렬자	세	행렬자
29	炳병	30	基기	31	鎭진	32	洙수
33	東동	34	熙희	35	周주	36	鍾종
37	泰태	38	相상	39	應응	40	圭규

牛峰李氏(우봉이씨)

시조 및 본관의 유래

원조 두창(頭昌)은 우장군으로 지략이 출중하여 옥저로 하여 양마 200필을 공납케 한 공으로 신라공신이 되었고 그후 세계가 실전되어 고려 명종조에 김자광록대부벽상삼한공신에 오른 후손 공정을 1세로 하고 있다. 공정은 문하시중으로 음성부원군에 봉해졌고 수지의 음성, 우봉 등을 식읍으로 하사받아 그곳에 세거 본관을 우봉으로 하였다.

〈행 렬 표〉

세	행렬자	세	행렬자	세	행렬자	세	행렬자
23	用용	24	九구	25	丙병	26	寧녕
27	茂무	28	範범	29	康강	30	宰재

蔚山李氏 (울산이씨)

시조 및 본관의 유래

시조 이철(李哲)은 고려 고종 때 삼중대광 문하시중판전이사사를 지내고 공훈이 있어 학성군(현 울산)에 봉해졌으므로 후손들이 본관을 울산으로 계대하고 있다. 충남 천안시, 천원군 북면, 직산면 등지에 많이 살고 있다.

〈행 렬 표〉

세	행렬자	세	행렬자	세	행렬자
23	煥환	24	在재	25	鎔용
26	濟제	27	集집柱주	28	炳병烋휴
29	基기圭규	30	鍾종鎭진		

原州李氏 (1)(원주이씨(1))

시조 신우(申佑)는 경주 이씨 거명위 12세손이다. 그는 고려조에 병부상서를 지내고 공이 있어 원주백에 봉해졌다. 그리하여 후손들이 경주 이씨에서 분적 원주를 본관으로 해서 세계를 계승하고 있다.

〈행 렬 표〉

세	행렬자	세	행렬자	세	행렬자	세	행렬자
32	孝효	33	鉉현	34	浩호	35	桓환
36	炳병	37	均균	38	鎭진	39	求구
40	根근	41	燮섭	42	圭규	43	鎬호

原州李氏 (2)(원주이씨(2))

시조 및 본관의 유래

시조 춘계(春桂)는 고려의종때 병부상서를 지냈으며 그의 선세계는 중국 절서성에서 살다가 병난을 피하여 진한으로 와서 원주에 정착세거했다 한다. 그리하여 후손들이 원주를 본관으로 해서 세계를 계승하고 있다.

〈행 렬 표〉

세	행렬자	세	행렬자	세	행렬자
25	彬빈	26	容용	27	在재
28	善선	29	淵연	30	秉병
31	煥환燮섭	32	奎규基기	33	鉉현錫석
34	漢한源원	35	楨정植식	36	熙희薰훈

陰竹李氏 (음죽이씨)

시조 및 본관의 유래

시조 방서(方瑞)는 고려 때에 밀직사사를 지냈으며 그의 손자인 헌조는 평장사를 지낸 이천지방의 사족으로 그의 후손들은 음죽(이천의 고호)을 본관으로 세계를 계승하고 있다.

〈행 렬 표〉

세	행렬자	세	행렬자	세	행렬자	세	행렬자
20	復복	21	遇우	22	致치	23	植식
24	燮섭						

益山李氏 (익산이씨)

시조 및 본관의 유래

시조 문진(文眞)은 고구려 애양왕 때 대학박사 문부전서 오경박사로 공신후가 되고 백제 공주를 취하여 백제로부터 익주(익산의 고호)를 식읍으로 하사받았다. 그후 실전되어 세계를 밝힐 수 없어 후손인 고려개국공신에 태위를 지낸 의를 1세조로 하고 본관을 익산으로 하여 계대하고 있다.

〈행 렬 표〉

세	행렬자	세	행렬자	세	행렬자	세	행렬자
31	基기	32	鍾종	33	洙수	34	楨정
35	煥환	36	圭규	37	鎬호	38	潤윤
39	植식	40	熙희	41	培배	42	鎔용
43	淳순	44	東동	45	燮섭	46	在재
47	鍊련						

麟蹄李氏 (인제이씨)

시조 원철은 고려 때 중추원부사를 역임하였다. 인물로는 이조 세종 때 문과에 급제하여 사예를 지낸 견의와 사용을 지낸 정필이 있다.

仁川李氏 (인천이씨)

시조 및 본관의 유래

시조 허겸(許謙)의 선대는 가야국 김수조왕의 두째 아들로 모후의 성을 따라 허씨가 되었다. 허겸은 신라의 아손으로 사신이 되어 입당하였는데 마침 안록산의 난으로 현종이 촉으로 들어갈 때 위험을 무릅쓰고 호종한 공으로 현종으로 부터 제성인 이씨를 사성받았다 한다. 환국하여 왕이 공로를 치하하고 벼슬이 높이며 소성(현 인천)백에 봉했다. 그리하여 후손들이 인천을 본관으로 하여 세계를 계승하고 있다. 묘소는 인천시 연수동 문학산에 있으며 향사일은 매년 청명일이다.

〈행 렬 표〉

세	행렬자	세	행렬자	세	행렬자
31	祥상禧희	32	柄병根근	33	熙희煜옥
34	在재埈준	35	夏하殷은	36	鉉현鍊련
37	洙수泰태	38	東동秉병	39	然연休휴
40	重중載재	41	鎭진銖수	42	浩호沂기
43	植식柱주	44	燦찬炳병	45	均균圭규
46	光광正정	47	鎬호鈺옥	48	淵연潤윤
49	林임棟동	50	炫현炅경	51	宰재宗종
52	鍾종鎔용	53	洛락源원	54	秀수株주
55	默묵勳훈	56	致치址지	57	鐸탁鑑일
58	洪홍淳순	59	植식杓표	60	熺희炯형

長水李氏 (장수이씨)

시조 및 본관의 유래

시조 임간(林幹)은 고려 충선왕 때 정승으로 장천 부원군에 봉해졌고 그의 증손인 을진은 공민왕 때 정승을 지내고 순충적덕보조공신으로 장천 부원군에 증직되어 후손들이 장수를 본관으로 하였다. 묘소는 장수군 계북면 양악리에 있다. 장천은 장수의 별호.

〈행 렬 표〉

세	행렬자	세	행렬자	세	행렬자
17	文문	18	臣신	19	在재
20	錫석	21	永영	22	煥환燦찬

23	培배基기	24	錫석	25	洪홍
26	무조	27	斗두		

長興李氏 (장흥이씨)

시조 원성은 1486년(성종17) 문과에 급제하고 정언에 이르렀다. 1930년 국세조사 때 그 후손들이 남제주군 서귀포읍 하효리에 19가구가 강원도 춘성군 동면 상걸리에 20가구가 살고 있었다.

載寧李氏 (재령이씨)

시조 및 본관의 유래

시조 李禹偁은 고려 때 보조공신문 하시중으로 재령군에 봉해졌기 때문에 후손들이 경주이씨에서 분적하여 그를 시조로 삼고 본관을 재령으로 하였다.

〈행 렬 표〉

세	행렬자	세	행렬자	세	행렬자
34	海해浩호	35	秉병東동	36	燮섭煥환
37	均균在재	38	鏞용錫석	39	洪홍永영
40	相상柱주	41	熙희烈열	42	圭규坤곤
43	鍾종錫석	44	淸청洛락		

全義李氏 (전의이씨)

시조 및 본관의 유래

시조 도(棹)의 초명은 치며 시호는 성전이다. 본래 공주에 세거했는데 고려 태조가 견훤을 정벌하고자 남하하여 공주에 도착했을 때 금강이 범람하자 태조를 도와 무사히 도강케 했다. 그래서 태조로부터 도라는 이름을 하사받고 통합삼한개국익찬이등공신에 책록되었으며 벼슬이 삼중대광태사에 이르고 전산(전의)후에 봉해졌다. 그후 전의 이성산 아래로 이거했기 때

문에 후손들이 전의를 본관으로 하여 세계를 계승하고 있다. 묘소는 연기군 전의면 유천리에 있으며 향사일은 음 3월 3일과 10월 2일이다.

〈행 렬 표〉

세	행렬자	세	행렬자	세	행렬자	세	행렬자
30	鍾종	31	浩호	32	相상	33	燮섭
34	基기	35	鎭진	36	源원	37	秀수
38	容용	39	均균	40	錫석	41	永영
42	東동	43	煥환	44	重중	45	鉉현
46	泰태	47	柱주				

旌善李氏 (정선이씨)

시조 및 본관의 유래

시조 陽焜(양혼)은 송나라 안남국 남평왕 전덕의 제3자로 자는 원명이다. 휘종(1114-1125년) 때 금나라의 난을 피하여 우리나라 경주에 정착하였기 때문에 본관을 경주로 하였다. 그후 1186년(고려 명종26) 그의 6세손 회민과 아들 성순일문이 최충헌에게 화를 입자 9세손인 우원이 정선으로 낙향하여 세거하면서부터 본관을 정선이라 하였다.

〈행 렬 표〉

세	행렬자	세	행렬자	세	행렬자	세	행렬자
31	濟제	32	根근	33	燦찬	34	坤곤
35	鉉현	36	洙수	37	裁재	38	榮영
39	世세	40	鎬호	41	泳영	42	植식
43	焌준	44	圭규				

貞州李氏 (정주이씨)

시조 세화(世華)는 1217년(고종4) 문과에 급제하여 대영서승을 거쳐 신호위록사, 도병마사, 우사간지제고, 남원부사, 동주목사 등을 역

임했다. 1232년 광주안무사로서 몽고의 침입을 격퇴했으며 뒤에 예부시랑보문각직제학에 오르고 사재경을 지냈다. 정주는 풍덕의 별호이다.

眞寶(眞城)李氏(진보(진성)이씨)

시조 및 본관의 유래

시조 석(碩)은 고려말에 진보현이를 지내다가 생원이 되었으며 진보읍내에 살면서 항시 사실에 있을 때 관가에서 각성이 들리면 뜰 아래 내려와 부복하였다가 각성이 끝난 후에 일어나는 등 처향의 도를 이와같이 엄숙하게 하였다. 이 소식을 들은 현재가 미안하게 여겨 각성이 들리지 않는곳에 집을 지어 주며 이주토록 하였으므로 그 터를 이씨 시조가 살던 터라고 전해 내려왔다. 그래서 후손들이 조상의 세거지 진보(진성)를 본관으로 하여 계세하고 있다.

〈 행 렬 표 〉

세	행렬자	세	행렬자	세	행렬자
14	守 수	15	龜 구	16	淳순
17	彙	18	晩 만	19	中중
20	鎬 호	21	源원洛락	22	東동植식
23	熙 희	24	奎규圭규	25	錫석

鎭安李氏(진안이씨)

시조 및 본관의 유래

시조 특용(特龍)은 진안 사람으로 학문과 덕행이 출중하여 진사에 급제한 후 여러 차례 시정을 바로 잡기 위한 상소를 하다가 안화(정주)로 유배되었다. 그의 후손들이 안화에 정착 세거하면서 그에 대한 사적을 알고자 하였으나 누차의 병화로 소실되어 알 길이 없어 그가 세거하던 진안을 본관으로 하였다.

〈 행 렬 표 〉

세	행렬자	세	행렬자	세	행렬자	세	행렬자
15	哲철	16	一일	17	幹간	18	錫석
19	萬만	20	學학	21	文문	22	郁욱

振威李氏(진위이씨)

시조 및 본관의 유래

시조 자영(自英)은 경주이씨 시조 거명의 후예라고 하나 혈연계보를 상고할 수 없다. 그는 고려 때 예의판서를 지내면서 공을 세워 진위군에 봉해짐으로써 후손들이 그를 시조로 하고 본관을 진위로 하였다.

〈 행 렬 표 〉

세	행렬자	세	행렬자	세	행렬자
12	宗종	13	一일	14	景경

晋州李氏(진주이씨)

시조 및 본관의 유래

경주 이씨에서 분적했다. 시조 군자는 경주이씨의 중조인 거명(소판공)의 17세손인 이수의 아들이다. 그는 조선 태조 때 이조판서로 왕에게 직간하다가 성천으로 유배되었다. 그래서 그때 대제학을 사임하고 고향(진주)에 내려가 있는 형 영자를 생각하면서 본관을 진주로 하였다.

〈 행 렬 표 〉

세	행렬자	세	행렬자	세	행렬자	세	행렬자
20	鉉현	21	浩호	22	柱주	23	勳훈薰훈
24	坤곤	25	鍾종				

昌寧李氏(창녕 이씨)

시조 및 본관의 유래

시조 정현(正賢)의 시호는 문간이다. 고려 원종 5년에 출생하여 충선왕 때 등제 예의판서를 거쳐 창산군에 봉해졌다. 그래서 후손들은 창녕을 본관으로 하여 세계를 계승하고 있다.

〈행렬표〉

세	행렬자	세	행렬자	세	행렬자
24	南남炯형	25	致치孝효	26	鉉현商상
27	洛락泰태	28	東동秀수	29	變섭燾도
30	遠원厚후	31	錫석鎭진	32	澤택久구
33	柱주樹수	34	炳병炫현	35	圭규在재

青松李氏 (청송이씨)

시조 및 본관의 유래

시조 덕부(德富)는 원래 성주에 세거하였으며 벼슬이 부정에 이르렀다. 그의 5세손인 우가 청송군에 봉해졌기 때문에 후손들이 본관을 청송으로 하였다.

〈행렬표〉

세	행렬자	세	행렬자	세	행렬자
21	壽수	22	基기	23	致치在재
24	堯요厘후	25	達달遠원	26	孝효老노
27	增증志지	28	敎교城성	29	柱주載재
30	封봉重중				

清安李氏 (청안이씨)

시조 및 본관의 유래

시조 학년(鶴年)은 고려 광종 때에 예부상서를 지내고 청안군에 봉해져 후손들이 본관을 청안으로 하여 세계를 계승하여 왔다. 그러다가 그의 14세손에 한번, 항상 두 형제가 있었는데 형 한번의 아들 광경은 호남파의 중시조가 되

고 아우 항상의 아들 양길은 영남파의 중시조가 되어 분파 각각 기일세하여 계대하고 있다.

〈행렬표〉

(호 남 파)

세	행렬자	세	행렬자	세	행렬자
17	鉉현鍾종	18	洛락海해	19	相상根근
20	炯형熙희	21	圭규坤곤		

(영 남 파)

세	행 렬 자	세	행 렬 자
16	樹수錫석相상	17	永영東동淵연
18	和화彬빈楨정	19	容용淳순炳병
20	赫혁夏하	21	鎭진圭규
22	洛락泰태海해	23	榮영東동植식
24	煥환烈열變섭		

清州李氏 (청주이씨)

시조 및 본관의 유래

시조 능희(能希)는 고려 개국공신으로 벽상삼한삼중대광태사에 이르렀다. 10세손 계감은 량성군에 봉해졌으며 그의 아들 정은 서원(청주고호)백에 봉해졌고 13세손 애가 정사좌명공신으로 상당(청주고호)부원군에 봉해졌기 때문에 후손들이 본관을 청주로 하고 있다. 그리고 계감의 동생 계성은 보은군에 봉해졌기 때문에 보은을 본관으로 하는 보은 이씨파가 있으나 여기서는 합하였다.

〈행렬표〉

세	행렬자	세	행렬자	세	행렬자	세	행렬자
27	熏훈	28	周주	29	鍾종	30	洙수
31	相상	32	炫현	33	奎규	34	錫석
35	治치	36	柱주	37	炳병	38	基기

39	鏞용	40	泓홍	41	東동	42	炤소
43	在재	44	鎭진	45	淳순	46	松송
47	熙희	48	坤곤	49	銘명	50	氷영
51	柗소	52	燦준	53	基기	54	鎬호

青海李氏 (청해이씨)

시조 및 본관의 유래

황송통보에 의하면 시조 지란(시호 : 양열)은 중국 남송의 충신이며 당대의 명장 악비(시호 무목)의 제5자 연의 6세손이다. 악비가 진회의 모해로 무참히 처형되자 연이 진회의 화를 피하여 황해촌(함남삼수) 여진부락에 들어간 후 금나라에 출사하여 대관에 오르고 삼산맹의 첩목아가 되었다. 그후 원나라에서 정서대장군을 지낸 아원(아라불화)의 아들 두란이 천호를 승습하고 고론 두란첩목아라는 추장의 칭호를 받았다. 여진인의 풍습에 따라 모성을 따서 동두란이라고 하다가 1371년(공민왕 20) 고려에 벼슬하면서 이두란이라고 개성했고, 조선개국 후 이지란으로 개명했다. 이태조를 도와 개국 공신에 오르고 청해군에 봉해졌으며 좌찬성을 지냈다. 후손들은 악비 장군의 원향 중국 청해성에 연유하여 본관을 청해로 하였다.

〈행렬표〉

세	행렬자	세	행렬자	세	행렬자
16	承승	17	좌	18	性성
19	在재喜희	20	鎬호鏞용	21	求구濟제永영
22	遇우材재	23	氣기容용	24	房병均균
25	寧녕銓전	26	茂무沅원	27	選선柱주
28	庚경煥환	29		30	廷정鉉현
31	揆규次문				

忠州李氏 (충주이씨)

시조 및 본관의 유래

시조 관은 고려조에서 벼슬이 평장사에 이르렀고 충주백에 봉해짐으로써 후손들이 본관을 충주로 하였다.

〈행렬표〉

세	행렬자	세	행렬자	세	행렬자	세	행렬자
18	善선	19	世세	20	春춘	21	仁인
22	大대	23	學학	24	健건	25	水수
26	昌창	27	燦찬	28	基기		

泰安李氏 (태안이씨)

시조 및 본관의 유래

시조 기(奇) 시호 : 공소는 당나라 서주출신인 승남의 후손으로서 그는 고려 광종 때 본국의 난을 피하여 우리나라 태안에 정착세거했으며 7세손 藏은 태안을 식읍으로 하사받고 태안부원군에 봉해져 후손들은 본관을 태안으로 하였다. 묘소는 태안 남성산에 있다.

〈행렬표〉

세	행렬자	세	행렬자	세	행렬자	세	행렬자
34	相상	35	熙희	36	重중	37	善선
38	氷영	39	極극	40	光광	41	圭규
42	鎬호	43	河하	44	柱주	45	杰걸
46	壽수						

太原李氏 (태원이씨)

시조 및 본관의 유래

시조 귀지는 고려 충렬왕 때에 송나라 사람들이 전화로 피난할 때 우리나라에 와서 사재판

서 한성부윤을 지냈다. 그리고 그의 손자 방무
는 랑장으로 이태조를 도와 개국원종공신으로 사
정에 이르고 록권을 받았다. 그후 북청으로 이
사하여 세거하면서 중국의 원향인 태원을 본관
으로 삼았다.

〈 행 렬 표 〉

세	행렬자	세	행렬자	세	행렬자	세	행렬자
17	性 성	18	昇 승	19	南 남	20	珉 민
21	鏞 용						

通津李氏 (통진이씨)

시조 및 본관의 유래

시조 인(仁)은 수위부위 참판을 지냈고 성
화연간(1460~1490)에 함경도 경원으로 이
거 전주소지 통진(김포의 속현)을 본관으로 하
였다.

〈 행 렬 표 〉

세	행렬자	세	행렬자	세	행렬자	세	행렬자
17	東 동	18	雲 운	19	汝 여	20	京 경
21	植 식	22	宗 종	23	燮 섭	24	斗會 회

平山李氏 (평산이씨)

시조 및 본관의 유래

시조 자용(子庸)의 선대는 당나라 설인귀가
보낸 8제자 중의 한 사람으로서 우리나라 평
산(동양)에 들어와 일반 백성들에게 예법을 가
르쳤다고 전한다. 그후 실전되어 후손 부명을
시조로 하여 세계를 계승하였으나 하계가 실전
되었기 때문에 다시 부명의 원손으로서 고려 때
밀직부사를 지낸 자용을 1세조로 하여 세계를
계승하고 있으며 시조가 처음 평산에 들어가 세
거했기 때문에 본관을 평산으로 하였다.

〈 행 렬 표 〉

세	행렬자	세	행렬자	세	행렬자	세	행렬자
22	寅 인	23	鏞 용	24	徹 철	25	權 권
26	熙 회	27	燻 훈	28	鉉 현	29	萬 만
30	九 구	31	會 회	32	祥 상	33	成 성
34	紀 기	35	泳 영	36	根 근	37	炳 병
38	志 지	39	錫 석	40	漢 한	41	康 강
42	宰 재						

平昌李氏 (평창이씨)

시조 및 본관의 유래

평창 이씨는 경주 이씨에서 분적된 계통으로
신라건국초에 양산촌장 알평의 40세손 윤장(시
호 문성)이 고려태조때 개국공신으로 광록대부 대
사마대장군에 오르고 백오(평창의 고호) 부원
군에 봉해졌으므로 후손들이 윤장을 시조로 본
관을 평창으로 하고 기세승습한다.

〈 행 렬 표 〉

세	행렬자	세	행렬자	세	행렬자
32	鍾종鉉현	33	浩 호	34	模모根근
35	炳병熙희	36	均균基기	37	鎔용鎭진
38	洙수演연	39	和화柱주	40	爀혁烈열
41	載재時시	42	錫석善선	43	淳순濟제
44	相상柱주	45	夏하炯형	46	圭규培배
47	鎬호鏞용	48	泰태河하	49	東동柄병
50	勳훈煥환	51	在재埼기		

河濱李氏 (하빈이씨)

시조 및 본관의 유래

시조 거(琚)는 고려 명종조에 랑장에서 상서
에 올랐으며 유공하여 하빈군에 봉해짐으로써

그의 후손들이 하빈을 본관으로 하였다. 시조 거의 자는 거옥이요 시호는 문정이며 묘소는 경북 달성군 하빈면에 있다. 향사일은 음 10월10일이다.

〈 행 렬 표 〉

세	행렬자	세	행렬자	세	행렬자
23	時시燮섭	24	義의基기	25	賢현錫석
26	道도泰태	27	在재根근	28	鎬호燦찬
29	源원	30	柱주	31	烈열
32	埰채	33	欽흠	34	永영
35	相상	36	煥환	37	圭규
38	錫석				

河陰李氏 (하음이씨)

하음이씨는 내시 정용장을 지낸 이영을 시조로 하고 후손은 충북 영동 양강에 25가구가 살고 있다.

鶴城李氏 (학성이씨)

시조 및 본관의 유래

시조 이예 (李藝) 시호 충숙은 1396년(태조5) 울주군기관으로 있을 때 군수 이은과 함께 일본에 부로로 갔는데 이은을 군에 있을 때와 같이 대우하니 왜인이 예절에 감복하고 이은과 같이 방환했다. 왕이 그의 충절을 가상히 여겨 승계하고 봉열대부 예빈, 소윤 좌군사직을 제수하였다. 그후 일본 유구도를 40여차례 래왕하면서 본국 및 중국의 부로 600여명을 데려왔고 대마도 정벌 때 중군병마부사로서 공을 세웠다. 1443년(세종25) 대마도주 중정성과 삼포조약을 체결 조정으로부터 공배가 내렸고 절충장군용기위사상호군에 승진되고 자헌대부지중추원사세자 좌빈객을 역임했으므로 후손이 그를 시조로 하고 본관을 시조의 발상지인 울주

의 별호가 학성이므로 학성이씨라고 한다. 시조의 향사일은 음 9월9일이고 석계서원에 제향.

〈 행 렬 표 〉

세	행렬자	세	행렬자	세	행렬자
15	中중	16	錫석鍾종	17	洛락洙수
18	東동樹수	19	煥환杰걸	20	埰채在재
21	鎬호				

韓山李氏 (한산이씨)

시조 및 본관의 유래

시조 윤경 (允卿) 은 고려 숙종 때 지방의 호족으로 권지호장직에 있었으며 그의 7세손 색 (문정) 은 원나라에 들어가 원나라 과거에 급제하여 한림원의 관직에 등용되었다가 귀국하여 대사성, 대제학, 지공거 문하시중 등 요직에 수차 등용되었고 1362년 (공민왕 11) 홍건적란에 왕을 호종하여 공을 세워 한산부원군에 봉해졌으므로 본관을 한산으로 하였다.

〈 행 렬 표 〉

세	행렬자	세	행렬자	세	행렬자
17	在재	18	承승	19	植직
20	珪규	21	求구	22	馥복
23	遠원	24	潗준洙수	25	祐석禾화
26	均균培배	27	淳순灝호	28	來래穗수

咸安李氏 (함안이씨)

시조 및 본관의 유래

원조 元叙 (원서) 는 고려 때 위위사주부동정을 지내고 파산 (함안의 고호) 에 세거하였기 때문에 그의 후손들이 본관을 함안으로 하게 되었다. 그러나 그후 세계가 실전되어 상고할 수 없기 때문에 그의 원손인 상 (광록대부,파산군) 을 시조로 하여 세계를 계승하고 있다.

〈 행 렬 표 〉

세	행 렬 자	세	행 렬 자
22	奎규	23	鎭진鎔용
24	洙수洛락浩호求구	25	相상根근梓 彬빈
26	烈열熙희性성杰걸	27	教교載재喆철坤곤
28	鉉현善선欽흠鏞용	29	漢한淳순海해永영

咸平李氏 (함평이씨)

시조 및 본관의 유래

시조 언 (彦)은 고려 광종 때 신무위대장군으로 함풍(함평의 고호)군에 봉해졌고 그의 고손 광봉은 충숙왕 때 삼사사로 벽상삼한삼중대광보국숭록대부좌명공신으로 함풍부원군에 봉해졌기 때문에 후손들이 본관을 함평이라 했다.

〈 행 렬 표 〉

세	행렬자	세	행렬자	세	행렬자
23	儒유	24	緒서	25	敏민
26	憲헌	27	啓계	28	範범
29	載재	30	行행	31	建건
32	聖성賢현	33	奎규	34	善선
35	源원	36	植식	37	熙희
38	基기	39	鎭진鎬호	40	洙수
41	秉병	42	烈열裕유		

陜川李氏 (합천이씨)

비조는 신라 6촌중 하나인 알천 양산촌의 촌장으로 전하는 알평이다. 그의 후손 개(시호 : 문충)가 신라말에 강양군(협천의 고호)으로 합천에 거주하면서 호장이 되었기 때문에 그를 시조로 삼고 협천을 본관으로 해서 세계를 계승하고 있으며 선군이후 8명이 봉군되었다. 묘

소는 경남 합천군 용주면 월평리에 있으며 향사일은 음 10월 1일이다.

〈 행 렬 표 〉

세	행렬자	세	행렬자	세	행렬자
33	煥환炯형	34	基기均균	35	鎬호銖수
36	淳순湜제	37	根근枓두	38	烈열燁엽
39	在재載재	40	錫석鏞용	41	泰태浩호
42	相상林임	43	熙희炅경	44	培배坤곤
45	鎭진鐏순	46	洙수淇기	47	東동榮영
48	炳병烘홍				

海南李氏 (해남이씨)

시조 및 본관의 유래

시조 지형은 고려조에 태자 소경이었다. 해남이씨는 고려시대에 참영호족이었으나 선계는 실전되어 알 수 없고 후손들이 해남에 세거함으로써 본관을 해남이라 하였으며 지형을 시조로 삼고 있다.

〈 행 렬 표 〉

세	행렬자	세	행렬자	세	행렬자	세	행렬자
24	根근	25	炫현	26	均균	27	鎬호
28	洪홍	29	相상				

海州李氏 (해주이씨)

시조 및 본관의 유래

시조 선 (璿)은 진사로 남부참봉을 역임했다. 덕수이씨에서 분적한 그는 원수의 장자이며 이(율곡)의 백형이다. 해주 석담에 낙향세거하면서 많은 저서를 남겼는데 대표작으로 〈지혜주머니〉가 있다. 이곳에 서거한 후손들은 본관을 해주라고 하였다. 자는 백헌 호는 죽곡이며 묘

소는 경기도 파주군 천현면 동문리 자우산에 있
다.

〈행 렬 표〉

세	행렬자	세	행렬자	세	행렬자	세	행렬자
20	彬빈	21	魯노	22	信신	23	迪적
24	錫석	25	默묵	25	俊준	26	燮섭

洪州李氏(홍주이씨)

시조 및 본관의 유래

시조 유성(維城)은 고려 대장군 한의 아들이
다. 그의 9세손인 기종이 내시연경궁제학으로
홍양(홍천의 고호)부원군에 봉해져 그 후손들
이 본관을 홍주로 해서 세계를 계승하고 있다.
유성은 1202년(신종5) 지합문사로 경주에서
이비 발좌등이 발란을 일으키자 초토처치병마우
도부사가 되어 우도사 강순의와 함께 출정하여
난을 평정하였다. 신종초에 서경부유수가 되었
다.

〈행 렬 표〉

세	행렬자	세	행렬자	세	행렬자	세	행렬자
24	榮영	25	熙희	26	圭규	27	錫석
28	淳순	29	桓환	30	燁엽	31	基기
32	鍾종	33	淵연	34	根근	35	炳병
36	載재	37	鉉현	38	永영	39	楨정

花山李氏(화산이씨)

시조 및 본관의 유래

시조 용상(龍祥)은 안남국왕 이천조의 아들로
나라가 망할 것을 예견하고 우리나라에 망명 웅
진 화산에 정착세거 하였다. 고려 고종이 이를
가상히 여겨 화산군에 봉하고 그곳을 식읍으로 하
사했다. 그리하여 후손들이 본관을 화산으로 하였다.

〈행 렬 표〉

세	행렬자	세	행렬자	세	행렬자
28	錫석秉병	29	永영亨형	30	相상
31	勳훈	32	培배	33	鎭진
34	益익	35	東동	36	敎교
37	承승	38	植식	39	顯현
40	載재				

懷德李氏(회덕이씨)

시조 및 본관의 유래

시조 몽은 농양군의 후예로서 상계는 알려지
지 않고 있다. 그는 국가에 공이 있어 회덕군
에 봉해졌기 때문에 후손들이 본관을 회덕으로
하고 그를 시조로 하여 세계를 계승하고 있다.
묘소는 상망월 리간좌에 있다.

〈행 렬 표〉

세	행렬자	세	행렬자	세	행렬자
14	道도杓표	15	基기尙상	16	斗두東동
17	聖성鎭진	18	根근		

興陽李氏(흥양이씨)

시조 및 본관의 유래

시조 언림(彦林)은 고려 의종 때에 병부상
서 공부상서 상서우복사 등 요직을 역임했으며
그후 흥양에 낙향 정착세거하여 후손들은 본관
을 흥양으로 하였다. 흥양은 고흥의 속현이다.

異氏(密陽)(밀양이씨)

시조 및 본관의 유래

이씨는 그 시원을 알 수 없으나 중국 당나라
덕종 때에 운남왕 이위심이 있었다. 우리나라에
는 밀양이씨 단본인데〈조선씨족통보〉에 의하면
밀양이씨 말고도 동성(통진속현) 청양 남원의
3본이 있으나 그 시조를 알 수 없다고 한다.
그리고 밀양이씨의 중시조는 다음의 역대 중요
인물에 소개되는 응보, 유충, 선정 등 세 사람
이라고 한다.

伊氏(이씨)

이씨는 태원(충주별호)과 은천(백천의 별호)

의 두 본이 있는데 은천이씨의 시조는 알수 없고 태원이씨의 시조는 단취라는 이름만 전하며 시대나 사적은 전하지 않는다. 1930년 국세조사때 8가구가 모두 이북에 산거하고 있는 것으로 나타나 있다. 이씨는 본래 중국성씨로서 요제의 딸 순제비가 이씨였으며 상나라 탐왕때에 이씨가 있었고 한나라 성제 때에 어사 중승을 역임한 가가 있었음을 감안할 때 중국에서 귀화한 씨족인 듯 하다.

印氏(喬桐)(교동인씨)

시조 및 본관의 유래

조선 씨족통보에 의하면 7목이 모두 성씨가 되었는데 인단은 정목의 아들이다. 라고 기록되어 있다. 본관의 유래는 인단의 후손 서가 진나라 풍익대부로서 300년(신라 기임왕3년)신라에 사신으로 와서 정착하여 벼슬이 아손에 이르고 교통백에 봉해졌으며 후손 빈이 또한 교수(교통별호) 부원군에 봉해져서 본관을 교동으로 정하게 되었다. 그러나 그후 세계가 실전되어 고려조에 병마사를 지냈던 당을 1세조로 하여 계대하고 있다. 당의 묘소는 개성시에 있다.

〈 행 렬 표 〉

세	행렬자	세	행렬자	세	행렬자
25	教교敦돈	26	秉병庸용	27	演연冑위
28	卿경迎영	29	震진晨신	30	範범熙희
31	準준旿오	32	東동來래	33	重중連연
34	猷유醇순	35	成성璣기	36	夏하馥복

任氏(임씨)

임씨는 문헌에 120본으로 나타나 있으나 장흥, 풍천 2본을 제외한 나머지는 미고이다. 장흥임씨의 시조 임호는 원래 중국 소흥부 사람

이다. 그는 일찌기 중국에서 이부상서를 지내다가 국난이 일어나자 정안(장흥의 별호)현 천관산 아래 임지도에 망명하여 그 곳에 세거하게 되었고 그의 손자 원후가 고려 인종 때 문하시중에 이르고 정안 부원군에 봉해짐으로써 본관을 장흥으로 하였다고 한다. 풍천임씨는 중국소흥부 사람인 임온의 6세손 임주가 우리나라에 들어와서 왕으로 부터 관향을 하사받아 풍천을 본관으로 하고 있다. 장흥 임씨는 풍천임씨와는 달리 고려조에서는 대대로 명신을 배출했는데 이조에 들어와서는 정계와 절연한 감이 있다.

長興任氏(장흥임씨)

시조 및 본관의 유래

시조 灝(호)는 원래 소흥부 출신이다. 그는 일찌기 중국에서 이부상서를 지냈고 그후 국난이 일어나자 망명하여 정안(장흥의 별호)현 천관산 아래 임씨도에 정박한 후 그곳에서 세거하였다. 뒤에 그의 손자 원후가 고려 인종 때 벼슬이 문하시중에 이르렀고 정안부원군에 봉해짐으로써 그의 후손들이 본관을 장흥으로 하게 된 것이다.

〈 행 렬 표 〉

세	행렬자	세	행렬자	세	행렬자
23	錫석鉉현	24	泰태	25	模모植식
26	炳병炯형	27	圭규	28	鍾종
29	洙수	30	榮영相상	31	煥환烈열
32	教교	33	鐸탁	34	漢한
35	根근	36	炯형	37	達달
38	鎬호				

豊川任氏 (풍천임씨)

시조 및 본관의 유래

시조 임온(任溫)은 중국 소흥부 자계현 사람으로서 관작이 은자광록대부에 올랐다. 그의 6세손주가 고려 충렬왕 때 우리나라에 들어와서 경상도 추동동안찰사를 거쳐 어사대부, 감문위대장군을 지내고 치사 풍천으로 사적되고 송경창선방에 제택을 하사받아 풍천임씨 일문을 이루었으므로 후손들이 임온을 시조로 하고 본관을 풍천으로 하여 세계를 계승하고 있다. 任주의 묘소는 풍천 전석산하 자좌에 있고 매년 음 9월 13일에 향사한다.

〈 행 렬 표 〉

세	행 렬 자	세	행 렬 자
25	準준	26	鎬호
27	宰재	28	公공淳순
29	彬빈植식東동	30	赫혁熙희烈열
31	中중均균世세	32	鍾종善선鎭진
33	源원洙수漢한	34	桂계相상九구
35	炳병憲헌煥환	36	孝효範범圭규
37	鉉현鎭진鈺옥	38	淵연雨우
39	根근	40	烈열

林氏 (임씨)

임씨는 문헌에는 216본으로 나타나 있으나 나주 평택을 제외한 나머지 본에 대하여는 미고이다. 나주 임씨는 고려 대장군 임비를 원조로 하고 있으며 그 후손 임탁이 해남현무로 있다가 이성계가 개국하자 사직하고 회진으로 돌아가 세거하면서 본관을 회진으로 하였다가 그후 회진이 나주에 속해짐으로써 본관을 나주로 하였다. 평택 임씨는 임씨의 도시조 임팔급을

시조로 하고 있다. 임팔급은 당나라 문종 때 학림학사로서 동래하여 팽성(평택의 별호)·용주방에 세거하면서 본관을 평택으로 하였고, 그후 유구한 세월이 흐름에 따라 조양, 선산, 은진, 회성, 장흥, 진주, 옥강, 익산, 울진, 예천, 부안, 순창, 경주, 회양, 밀양, 안의, 임천, 임파, 전주, 보성, 안동, 임하, 등등으로 분적되었으나 다같이 임팔급의 후예라 하며 현재 환적을 서두르고 있다.

羅州林氏 (나주임씨)

시조 및 본관의 유래

임비 이전의 상계는 유원하고 문적과 고종이 유전되어 소목계통을 밝히지 못하고 비를 원조로 하여 연면 계승하고 있다. 그는 고려조에 벼슬하여 1281년(충렬왕 7) 왕을 호종 원나라에 다녀온 공으로 시종보좌공신 2등에 책록되고 철권을 하사 받았으며 대장군 충청도도지휘사판재사 사에 이르렀고 9세손 탁이 해남감무를 지내다가 이성계가 조선을 개국하자 불복 치사하고 회진으로 돌아가 세거하였으므로 본관을 회진으로 하였는데 그후 회진현이 나주에 속해짐에 따라 나주로 고쳤다. 그 발전 과정을 상고하면 탁의 7세손 봉에서 기틀을 잡아 그 아들 익(장수공) 복(정자공) 진(절도공) 몽(첨지중추)이 현달함으로 가세가 크게 번성하여 장수공파(파조익) 정자공파(복) 절도공파(진) 첨지공파(몽)로 각각 분파되었고 그 밖에 탁의 손 유소에서 비롯되는 도정공파가 있어 5파로 대별되어 있다.

〈 행 렬 표 〉

세	행렬자	세	행렬자	세	행렬자	세	행렬자
24	鎭진	25	洙수	26	相상	27	炳병默묵
28	圭규	29	鍾종	30	澤택	31	采채
32	燮섭	33	在재	34	鉉현	35	海해

36	東동	37	煥환

平澤林氏(평택임씨)

시조 및 본관의 유래

임씨의 본원은 임팔급(학사공)이 당나라로부터 동도하여 팽성(평양의 고호)의 용주방에 자리를 잡음으로 부터 비롯된다고 한다. <평택임씨 세보>에 따르면 은나라 왕자 비간의 아들 견이 장림산에 은거하였기에 성을 임이라 하였으며 그 후손 팔급은 당나라 문종 때 한림학사로 있었는데 간신들의 참소를 당해 동료학사 7인과 함께 당나라 문종~당나라 멸망(840-900) 사이에 동도하여 신라에서 이부상서의 벼슬을 하였는데 변방을 침약하는 적병을 토벌하고 팽성의 용주방에 세거하였으므로 후손들이 본관을 평택이라 하였으나 확실한 고증이 없어 세계를 갖추지 못하여 그의 후손을 중조로 하여 기1세 승습하고 있다. 그리고 후손이 번연함에 따라 세거지명 또는 작호를 본관으로 하여 분적하였으니 종파인 평택임씨는 세춘을 조 양임씨는 세미, 선산임씨는 양저 은진임씨는 성근 회성임씨는 기미 장흥임씨는 분 진천임씨는 희 옥강임씨는 개 익산임씨는 완 울진임씨는 우 예천임씨는 춘 부안임씨는 숙 순창임씨는 중연 등을 각각 1세조로 하여 분적되었고 후기에 와서 예천임씨에서 분적된 경주임씨(1세조 계정) 양양임씨(자번) 밀양임씨는(계종) 안의 임씨는(대량) 등이 있다. 이 밖에 조양 임씨에서 분적된 임천임씨, 임파임씨, 전주임씨, 보성임씨, 안동임씨, 임하임씨 등이 있으나 모두가 팔급을 도시조로 하는 혈손이라는 신념으로 50여 년 전에 갑자 대동보를 편찬하였고 현재도 환적을 서두르고 있다.

<행렬표>

(서하공 < 춘 > 파)

16	遠원	17	永영	18	相상	19	魯노
20	周주	21	鎬호	22	承승洛락	23	榮영

(장열공 < 공행 > 파)

세	행렬자	세	행렬자	세	행렬자	세	행렬자
18	相상	19	煥환	20	基기	21	鎬호
22	永영	23	裁재	24	默묵	25	奎규
26	鎭진	27	洙수						

(부사공 < 세춘 > 파)

세	행렬자	세	행렬자	세	행렬자	세	행렬자
24	變섭	25	土(변)	26	金(변)	27	水(변)
28	木목	29	火(변)	30	土(변)			

(충경공 < 중간 > 파)

세	행렬자	세	행렬자	세	행렬자
24	奎규	25	鍾종鉄수	26	洙수沃옥
27	東동根근	28	容용煥환	29	周주起기
30	銀은銓전	31	泰태泳영	32	相상朽후
33	會회炯형				

(충정공 < 언수 > 파)

세	행렬자	세	행렬자	세	행렬자	세	행렬자
23	起기	24	善선	25	承승	26	東동
27	熙희	28	達달	29	兌태	30	洞형
31	來래	32	烈열	33	壽수	34	鎭진
35	源원	36	裁재						

慈氏 (遼陽)(요양자씨)

시조 및 본관의 유래

시조 호상은 중국 형주의 속헌인 동주사람으로 그의 아들 홍선 때에 요동으로 이사해 살았다. 명나라 신종 때 전란이 일어나자 경보, 순직, 순희, 경조, 4형제가 국문에 들어갔다가 전세가 불리해지자 우리나라 길주 설봉산으로 와서 정착세거하면서 전 거주지인 요양을 본관으로 해서 세계를 계승하고 있다. 그 외에 해주 중원의 2본이 있으나 시조 및 세계는 미고이다.

〈 행 렬 표 〉

세	행렬자	세	행렬자	세	행렬자
12	根근吉길	13	秉병世세	14	煥환烈열
15	在재	16	錫석	17	泰태
18	榮영	19	熙희	20	圭규
21	鍾종				

張氏 (장씨)

우리나라 각관 장씨의 기원은 중국으로 부터 도래하였다는 것이 통설이다. 고려 왕건태조 창업초 개국공신인 장정필(태사공)은 신라말에 덕수장씨 시조 선무장군 장순용은 고려 고종연대에 원나라 제국공주 출래시 시종관으로 절강 장씨 시조 장해빈은 조선 선조조 정유난 당시에 각기 중국으로 부터 입국하여 이 3인의 자손이 현재 전국에 산거하고 있다 한다. 이외에도 신라 및 백제 태봉 발해시대에 장보고, 장흥 장변, 장전영, 장빈, 장분, 장희암, 장무 장일, 장문휴 같은 명장거유가 삼국유사와 고려사에 기록되어 있으나 그들의 출생지 및 관향 계통과 유래는 알 수 없다. 또한 장경은 중국관서 홍농인으로 대광공주 출래시 시종신인 8학사중의 한 사람으로 고려초에 입국하여 광종무오 (고려개국 40)에 김자광록대부시중상서를 역임하였다는 기록이 있으나 역시 계보를 알 수 없고 고려사에 의하면 신라말에 장유는 피난차 중국 오나라에 건너가 화어를 습득하고 귀국하여 고려 광종 때 광평시랑을 지냈고 아들 연우는 현종 때 호부상서 좌복사를 지냈다고 하는데 흥성과 흥덕장씨는 장유를 시조로 하였고,

봉성, 옥강, 옥천, 결성, 단양, 목천, 려흥, 순천, 등 제장씨는 장유가 장경의 아들이며 장정필의 10세손이라고 하였으나 장유가 신라에서 생장 했는지 중국에서 귀화했는지 확실치 않다. 어쨌든 우리나라 장씨는 덕수와 절강장씨를 제외한 인동(옥산) 안동, 순천, 구례, 봉성, 단양, 목천 울진, 결성, 흥성, 흥덕, 하산, 려흥, 부안등 제 장씨는 장정필의 혈손으로서 그를 도시조로 하고 있으나 각 관계보간에 연대의 차이가 있으니 박고정정함이 좋을 것으로 안다. 도시조 장 정필은 본래 중국 절강성 소흥부용흥 사람이다. 888년에 출생하여 5세 때 난을 피하여 아버지 원을 따라 동래하여 강원도 강릉에서 경북 인동 노전으로 옮겨 살았다. 18세 때 사신을 따라 입당 24세 때 대과에 장원하였으나 벼슬을 사양하고 입산하여 수천제자에게 성현의 도를 가르치니 덕비강유하고 행의효우와 문장 학행이 중화에서 뛰어나 시인이 강세 부자라고 하였다. 천자가 그의 현준함을 듣고 소명근강 하였으므로 나아가 이부상서를 지내면서 병화로 학교가 황폐되자 성균관을 창건하여 조의로 의관문물 흔상제례를 그의 제도로 준행하니 당시의 이주 이여라 하였다. 소인각로 김남석의 무고로 기관 귀국하여 인동노전에서 제가 수백인에게 예의를 강학하고 조두지례를 제정하니 세인이 석 서 대현이요 금동(고려)부자라 약전약후동방 일인이요 동방천제지종사라 하였다. 930년(고려 태조13) 김선평 권행과 함께 향병을 모아 안동에서 후백제 견훤을 토벌하여 병산대첩의 공을 세웠고 935년에 신라를 공략하여 삼한통합에 공이 컸으므로 삼한벽상삼중대광아부공신, 태사령운사, 고창군에 옥산부원군이 더해지고 록권을 하사받았다. 후세 사람들이 그 공덕을 추모하여 인동에 노전서원을 세워 제향하고, 안동에 삼태사공신묘를 세워 삼태사를 숭배하고 매년 춘추에 향사한다.

結城張氏(결성장씨)

시조 및 본관의 유래

시조 禩( )는 도시조 정필의 14세손으로 고려 때 추성보리찬화공신, 광정대부벽상삼중대광문하시중, 판전리, 감찰사사, 상호군으로 결성부원군에 봉해져 후손들이 본관을 결성으로 하여 세계를 계승하고 있다. 시조 禩는 홍성의 평산서원에 제향.

〈행렬표〉

세	행렬자	세	행렬자	세	행렬자	세	행렬자
41	淳순	42	來래	43	勳훈	44	均균
45	善선	46	澤택	47	稙직	48	赫혁
49	珪규	50	鏞용	51	演연	52	東동
53	烈열	54	遠원	55	鎬호	56	漢한

求禮(鳳城)張氏(구례봉성장씨)

시조 및 본관의 유래

시조 악(岳)의 시호는 양간으로 도시조 정필의 21세손이다. 그는 고려 때 시중으로 있으면서 왕의 총애를 받았다. 나이 이미 70에 매번 입조할 때 마다 수심이 얼굴에 가득하니 왕이 그 까닭을 하문한즉 그가 대답하기를 "생장한 곳이 봉성이라 정든 고향을 생각해서 그러합니다" 하였다. 그 말을 들은 왕은 즉석에서 봉성(구례의 별호)을 식읍으로 내리고 봉성군에 봉하였다. 그리하여 후손들이 본관을 구례로 하여 세계를 계승하고 있다. 시조의 묘소는 구례 백운동에 있다고 한다. 또 일설에는 구례 장씨의 시조는 고려 때 상서를 지내고 봉성군에 봉해진 을용으로 한다고도 한다.

〈행렬표〉

세	행렬자	세	행렬자	세	행렬자	세	행렬자
19	萬만	20	漢한	21	載재	22	日일
23	成성	24	心심	25	相상	26	寅인
27	燮섭	28	時시	29	鎭진		

羅州張氏(나주장씨)

시조 및 본관의 유래

시조 세동의 선세계는 고려 개국공신 삼태사 중의 한 사람인 정필의 후손 유의 21세손 호채(부호군)의 2남이다. 그는 인조 때 가선대부로 나주에서 세거하다가 황해도 장연으로 이거하면서 본래 세거지인 나주를 본관으로 하여 세계를 계승하고 있다.

〈행렬표〉

세	행렬자	세	행렬자	세	행렬자
14	旭욱成성	15	享형埈준	16	宰재珍진
17	哲철洪홍	18	秀수元원	19	志지晉진
20	在재原원	21	碩석益익		

丹陽張氏(단양장씨)

시조 및 본관의 유래

시조 순익(시호 충정)은 장씨의 도시조 정필의 5세손으로 지현의 3자이다. 그가 고려 때 금자광록대부문하시중으로서 단양군에 봉해졌기 때문에 후손들이 단양을 본관으로 하여 세계를 계승하고 있다.

〈행렬표〉 (단양장씨대동)

세	행렬자	세	행렬자	세	행렬자
37	用용甫보	38	鳳봉九구	39	南남柄병
40	寧녕行행	41	成성盛성	42	起기熙희

43	庠상慶경	44	宰재華화	45	重중廷정
46	揆규昊호	47	學학	48	東동
49	寅인	50	卿경	51	振진
52	範범				

德水張氏(덕수장씨)

시조 및 본관의 유래

시조 순용은 회회인으로 1275 년(고려 충렬 상1) 충렬왕비(원나라 세조의 딸) 제국대장 공주를 배행 우리나라 덕수현에 살면서 금자광 록대부 문하찬성사를 지내고 덕수부원군에 봉해졌으며 덕수현을 식읍으로 하사 받았기 때문 에 후손들은 본관을 덕수로 하였다. 그의 시호 는 공숙이다.

〈 행 렬 표 〉

세	행렬자	세	행렬자	세	행렬자	세	행렬자
21	世세	22	鎭진	23	淳순	24	秀수
25	慶경	26	在재	27	鉉현	28	永영
29	桓환	30	燮섭	31	圭규	32	鎬호
33	源원	34	杓표	35	志지	36	坤곤
37	鎔용	38	求구	39	材재	40	燁엽
41	基기	42	鐸탁	43	海해	44	植식
45	應응	46	培배	47	鈗윤	48	泰태
49	樂락	50	燦찬				

木川張氏(목천장씨)

시조 및 본관의 유래

중시조(1세) 빈은 장씨 도시조인 정필의 14세손으로 고려 원종 때 목천 현감을 역임하 고 충렬왕 때 첨의찬성사를 지냈다. 외적이 침 입했을 때 공을 세워 목천군에 봉해짐으로써 후

〈 행 렬 표 〉

세	행 렬 자	세	행 렬 자
10	應응	11	洌渭위潤윤
12	弘홍	13	九구命명
14	漢한	15	以이世세
16	毅의雲운處처	17	祖조志지
18	永(변)	19	權권
20	烈열	21	基기圭규
22	鎬호鍾종鉉현	23	永영泳영洹원
24	柱주植식模모根근	25	炳병炯형

扶安張氏(부안장씨)

시조 및 본관의 유래

시조 을호(시호 문경)는 도시조 정필의 7세 손이며 금용의 현손이다. 그가 고려 인종때 좌 복사로서 부령(부안의 고호)군에 봉해짐으로 써 후손들이 그 지방에 세거 본관을 부안으로 해서 세계를 계승하고 있다.

〈 행 렬 표 〉

세	행렬자	세	행렬자	세	행렬자	세	행렬자
19	應응	20	齡령	21	運운	22	在재
23	仁인	24	鳳봉	25	漢한	25	秀수
27	炯형	28	基기	29	鎭진	30	永영

順天張氏(순천장씨)

시조 및 본관의 유래

시조 장천노는 시조 장정필의 10세손 유의 제2자이다. 그는 965 년(광종 16)에 출생하여

문과에 급제 금자광록대부, 중서시랑을 지내고 순천군에 봉해졌으므로 그를 시조로 하고 본관을 순천으로 하여 세계를 계승하고 있다.

〈행렬표〉

세	행 렬 자	세	행 렬 자
36	仁인在재奎규	37	鎬호商상九구
38	洛락汶문浩호	39	秀수相상杓표
40	熙희熏훈然연	41	周주培배坤곤
42	鍾종銖수錫석	43	永영洙수河하
44	秉병極극樂락	45	烈열炯형爀혁
46	教교載재孝효	47	鉉현鍾종善선

安東張氏 (안동장씨)

시조 및 본관의 유래

시조 정필의 초명은 길이요 시호는 충헌이다. 그는 본래 중국 절강성 소흥부에서 888년(신라 진성여왕2) 대사마장군 원의 아들로 태어나 5세 되던 해 아버지 원이 본국 정치의 문란함을 피하여 우리나라에 망명해 올 때 같이 따라 들어와 강원도 강릉땅에 머무르다가 뒤에 경북 노전으로 이거 그곳에 정주하게 되었다.

18세 때 중국에 파견하는 정사를 수행 다시 당나라에 들어갔으며 그 곳에서 수업하여 24세 때 문과에 장원하였으나 벼슬을 사양 입산하여 수많은 제자들에게 성현의 도를 가르치니 그 문장 덕행이 중화에서 뛰어나 당세대부라 일컬었다. 이리하여 그 명성이 천자에게까지 미치게 되어 천자의 강권으로 한 때 벼슬길에 올라 이부상서에 이르렀다가 벼슬을 버리고 환국하여 영남노전에서 제자들을 모아 학문을 강론하였다. 930년(고려 태조13) 성주 김선평 형관 권행과 더불어 창의하여 병산에서 견훤군을 크게 무찌른 공으로 삼중대광보사벽상공신 태사에 오르고 고창(안동)군에 봉해져 후손들이 본관을 안동으로 하였다.

〈행렬표〉

세	행렬자	세	행렬자	세	행렬자	세	행렬자
31	載재	32	善선	33	泰태	34	柱주
35	勳훈	36	鉉현	37	鎔용	38	洙수
39	來래	40	燁엽	41	孝효	42	鐵철
43	永영	44	相상	45	煥환	46	基기
47	鎬호						

禮山張氏 (예산장씨)

시조 및 본관의 유래

시조 영위는 정필의 10세손이다. 고려조에서 이부상서 평장사를 지내면서 공이 있어 예산군에 봉해졌다. 그래서 후손들이 예산에 세거하면서 본관을 예산으로 해서 세계를 계승하고 있다.

〈행렬표〉

세	행렬자	세	행렬자	세	행렬자
20	孫손	21	漢한	22	世세
23	致치	24	天천賢현	25	景경
26	克극綱강	27	車(변)	28	翼익
29	應응	30	以이	31	德덕
32	基기	33	鎭진	34	洙수
35	勳훈	36	鉉현		

沃溝張氏 (옥구장씨)

시조 및 본관의 유래

시조 익(翊)은 도시조 정필의 12세손으로서 고려 때 집현전대제학, 평장사를 지내고 옥성(옥강의 별호) 부원군에 봉해졌다. 그후 세계가 실전되어 후손들이 승문정자 판도판서를 지낸 장송을 1세로 하고 본관을 옥구로 하여 세계를 계승하고 있다.

<행 렬 표>

세	행렬자	세	힝렬자	세	행렬자	세	행렬자
19	文문	20	煥환	21	基기	22	鉉현
23	源원	24	秉병	25	愚우	26	時시
27	鎔용	28	浩호	29	相상	30	應응
31	達달	32	鍾종	33	河하	34	東동
35	熙희	36	圭규	37	錫석	38	丞승

蔚珍張氏 (울진장씨)

시조 및 본관의 유래

시조 말익은 장씨의 도시조 정필의 5세손으로서 시호는 문성이다. 그는 고려 정종 때 호부상서문하시중평장사상주국으로 울진 부원군에 봉해졌다. 그래서 후손들이 울진을 본관으로 해서 세계를 계승하고 있다.

<행 렬 표>

세	행렬자	세	행렬자	세	행렬자
29	憲헌憙덕	30	重중起기	31	鎭진鉉현
32	演연潤윤	33	寅인震진	34	默묵然연
35	信신中중	36	鎔용欽흠	37	浩호洙수
38	求구來래	39	煥환炯형	40	達달執집
41	兌태義의	42	永영泰태		

仁同張氏 (인동장씨)

시조 및 본관의 유래

시조 김용은 인동인으로서 정필의 후손이다. 고려 때 삼중대광신호위상장군을 지냈으며 후손들이 옥산(인동의 별호)에 세거하면서 지명에 따라 본관을 옥산으로 하여 장금용을 기세 습승하여 오다가 이조말엽에 이르러 옥산이 인동으로 개칭됨에 따라 인동으로 하였는데 장씨는 기어 옥산이라 하여 지금도 옥산화벌이라 하고 인동 재향 자손들은 구호대로 본관을 옥산으로 쓴다. 정필(태사공)이 인동노전에서 강학하고 옥산부원군에 봉해졌고 노전서원에서 조두체향한 사실이 증명되나 세대가 유원하여 사실계대를 알 수가 없으므로 정필을 도시조로 하고 김용(상장군)을 시조로 한다. 전고대방에 인동장씨의 시조는 장김용이고 장안세(충정공) 장백(태상경) 장계(옥산군) 장순손(문숙공)등은 대별 파조로 장씨 성중에 자손들이 가장 많으며 인동에 거주함으로써 본관을 인동으로 하였다 한다.

<행 렬 표>

(종 파)

세	행렬자	세	행렬자	세	행렬자
28	東동	29	燮섭	30	睦목龍용
31	鎭진斗두	32	永영	33	植식
34	性성炳병	35	圭규	36	鍾종
37	源원	38	根근	39	愚우

(황 파)

세	행렬자	세	행렬자	세	행렬자
28	模모	29	有유	30	澤택
31	柄병	32	熙희	33	在재
34	鎔용	35	漢한	36	根근
37	愚우	38	培배	39	鍾종

(청 주 파)

세	행렬자	세	행렬자	세	행렬자
28	守수	29	哲철	30	壽수
31	錫석	32	洛락	33	植식
34	炳병	35	圭규		

（울 진 파）

세	행렬자	세	행렬자	세	행렬자
28	逑 술	29	時 시	30	奎 규
31	錫 석	32	湜 제	33	秉 병
34	炯 형				

（양 양 파）

세	행렬자	세	행렬자	세	행렬자
28	世 세	29	志 지	30	翼 익
31	奎 규	32	永 영	33	植 식
34	性 성	35	圭 규	36	鍾 종
37	洙 수				

（진 평 파）

세	행렬자	세	행렬자	세	행렬자
28	樞 추	29	煥 환	30	喜 희
31	鉉 현	32	泳 영	33	植 식
34	炳 병	35	圭 규	36	鍾 종
37	源 원	38	根 근	39	默 묵
40	培 배	41	鎬 호		

（진 가 파）

세	행렬자	세	행렬자	세	행렬자
28	奎 규	29	斗 두	30	璣 기
31	永 영	32	植 식	33	炳 병
34	基 높	35	鎬 호	36	泰 태
37	權 권	38	燁 엽	39	在 재
40	鍾 종	41	源 원		

（남 산 파）

세	행렬자	세	행렬자	세	행렬자
28	樞 추	29	錫 석	30	遠 원
31	相 상	32	志지炳병	33	世 세

34	翼 익	35	洙 수	36	根 근
37	熙 희	38	培 배	39	鍾 종
40	洛 락	41	東 동		

（경　　파）

세	행렬자	세	행렬자	세	행렬자
28	汲 급	29	植 식	30	焌 준
31	基 기	32	錫 석	33	淳 순
34	東 동	35	熙 희	36	圭 규
37	鉉 현	38	洙 수	39	根 근
40	熙 희	41	培 배		

（김 구 파）

세	행렬자	세	행렬자	세	행렬자
28	秀 수	29	榮 영	30	圭 규
31	鉉 현	32	遠 원	33	相 상
34	夏 하	35	喜 희	36	鎬 호
37	雨 우	38	植 식	39	炳 병
40	培 배	42	鍾 종		

（고 흥 파）

세	행렬자	세	행렬자	세	행렬자
28	來 래	29	炳 병	30	埰 채
31	鉉 현	32	泳 영	33	植 식
34	煥 환	35	基 기	36	鎬 호
37	洛 락	38	根 근	39	默 묵
40	培 배	41	鍾 종		

（청 안 파）

세	행렬자	세	행렬자	세	행렬자
28	培 배	29	鉉 현	30	淳 순
31	相 상	32	炳 병		

（영 광 파）

세	행렬자	세	행렬자	세	행렬자
28	東 동	29	鍾 종	30	洙 수
31	相 상	32	炳 병	33	世 세
34	鎬 호	35	漢 한	36	根 근
37	熙 희	38	培 배	39	鍾 종
40	洛 락	41	極 극		

（함 평 파）

세	행렬자	세	행렬자	세	행렬자
28	志 지	29	鉉 현	30	澤 택
31	相 상	32	炳 병	33	在 재
34	鍾 종	35	泳 영	36	權 권
37	熙 희	38	培 배	39	鎬 호
40	洛 락	41	杞 기		

（흥 해 파）

세	행렬자	세	행렬자	세	행렬자
28	泰 태	29	斗 두	30	志 지
31	在 재	32	鎬 호	33	洛 락
34	相 상	35	炳 병	36	圭 규
37	鉉 현	38	洙 수	39	東 동
40	煥 환	42	培 배		

（화 순 파）

세	행렬자	세	행렬자	세	행렬자
28	淇 패	29	杓 표	30	煥 환
31	基 기	32	鎬 호	33	洛 락
34	相 상	35	炳 병	36	圭 규
37	鉉 현	38	洙 수	39	東 동
40	煥 환	41	培 배		

（문 숙 공 파）

세	행렬자	세	행렬자	세	행렬자
28	承 승	29	泰 태	30	次 차
31	世 세	32	翼 익	33	鎭 진
34	永 영	35	植 식	36	炳 병
37	基 기				

全州張氏（전주장씨）

시조 및 본관의 유래

시조 응익은 고려의 개국공신 태사공 정필의 5세손으로 고려 때 전주부원군（일설 강화군）에 봉해져 후손들은 그를 시조로 본관을 전주라 하였다.

〈행 렬 표〉

세	행렬자	세	행렬자	세	행렬자
31	載 재	32	善 선	33	泰 태
34	柱 주	35	勳 훈	36	鉉 현
37	鎔 용	38	洙 수	39	來 래
40	燁 엽	41	孝 효	42	鐵 철
43	永 영	44	相 상	45	煥 환
46	基 기	47	鎬 호		

浙江張氏（절강장씨）

시조 해빈은 본래 중국 항주의 속현인 오강현 사람으로 정유 재란 때 유격장군 오유충의 휘하 장사로 와서 울산의 증성싸움에서 유탄을 맞아 귀국하지 못하고 군위에 정착했다고 한다. 그래서 후손들이 본향인 절강을 본관으로 해서 세계를 계승하고 있다. 북산 서원에 제향.

知禮張氏 (지례장씨)

시조 및 본관의 유래

시조 일성은 시호가 충무이다. 그는 본래 정필의 13세손으로서 고려 충숙왕 때 문과에 급제 이성계를 도와 아지발도를 격퇴한 공으로 지례백에 봉하여졌기 때문에 후손들이 본관을 지례로 해서 세계를 계승하고 있다.

〈 행 렬 표 〉

세	행렬자	세	행렬자	세	행렬자
20	臣신	21	光광	22	糸(변)
23	雲운起기	24	世세時시	25	元원漢한
26	德덕翼익				

鎭安張氏 (진안장씨)

시조 및 본관의 유래

시조 원열은 도시조 정필의 13세손으로서 고려 때 판서평리를 지냈다. 그의 손자 사익 (시호 정효) 이 응양장군으로 공이 있어 좌리공신으로 진안군에 봉해졌기 때문에 후손들이 본관을 진안으로 해서 계승하고 있다.

〈 행 렬 표 〉

세	행렬자	세	행렬자	세	행렬자
31	載재鐵철	32	善선永영	33	泰태相상
34	柱주煥환	35	勳훈基기	36	玆현鎬호
37	鎔용	38	洙수	39	來래
40	燁엽	41	孝효		

晋州張氏 (진주장씨)

시조 방언은 인진부사를 지냈으며 그 후손으로 희운의 아들 두주가 1717년 (숙종 43) 식년

문과에 병과로 급제하고 판교 군수를 역임. 호상의 아들 영석이 1893년 (고종 30) 정시문과에 병과로 급제한 사실이 국조방목에 나타나있다. 그 후손은 현재 강원도 이천지방에 수십가구가 살고 있다.

鎭川張氏 (진천장씨)

시조 및 본관의 유래

시조 유는 장씨 도시조 정필의 9세손으로 고려 때 봉익대부좌우위충추원사문하시중으로 공이 있어 처음 예산군에 봉해졌다가 후에 진천군으로 개봉되었다. 그후 벼슬을 그만 두고 진천에 낙향하여 세거했기 때문에 진천을 본관으로 해서 세계를 계승하고 있다.

〈 행 렬 표 〉

세	행렬자	세	행렬자	세	행렬자	세	행렬자
30	錫석	31	永영	32	根근	33	炳병
34	基기	35	愚우	36	執집	37	命명
38	寧녕	39	成성	40	熙희	41	康강
42	宰재	43	廷정	44	揆규	45	學학

昌寧張氏 (창녕 장씨)

시조 및 본관의 유래

시조 천익은 정필 (태사공) 의 후예로서 고려 때 문과에 급제하여 1228년 (고종 15) 에 승평판관이 되었으며 직사관을 거쳐 1262년 전중시어사가 되어 몽고에 사행한 후 국자제주가 되었으며 1265년 중서사인으로 다시 몽고에 다녀왔다. 다음해 예부시랑으로 정조사가 되어 몽고에 다녀왔다. 1270년 삼별초가 난을 일으켜 진도에 입거하니 대장군으로 경상도 수로방호사가 되어 이를 진압하고 동지중추원사가 되었고 이해 충렬왕이 즉위하자 지첨의부사보문서대학사수국사에 이르고 하산 (창녕의 별호) 군에

봉해져 후손들이 그 곳에 세거하면서 본관을 창녕이라 했다.

〈 행 렬 표 〉

세	행렬자	세	행렬자	세	행렬자	세	행렬자
21	誠성	22	日(변)	23	世세	24	警경
25	承승	26	復복	27	善선	28	泰태

青松張氏(청송장씨)

시조 및 본관의 유래

시조 영민은 정필(태사공)의 10세손으로 고려 때에 중추원사를 역임하면서 공을 세워 청송군에 봉해져 후손들이 본관을 청송이라 하였다.

〈 행 렬 표 〉

세	행렬자	세	행렬자	세	행렬자	세	행렬자
26	弘홍	27	震진	28	萬만	29	仲중
30	致치	31	載재	32	善선	33	泰태
34	柱주	35	勳훈	36	玹현	37	鎔용
38	洙수	39	來래	40	燁엽	41	孝효
42	鐵철	43	泳영	44	相상	45	煥환
46	基기	47	鎬호				

興城(興德)張氏(홍성(홍덕)장씨)

시조 및 본관의 유래

시조 유는 벼슬이 광평시랑에 이르렀다. 그는 상질(홍성의 고호)현 사람으로 신라말에 난을 피하여 중국에 들어가 중국어를 배웠으며 고려 태조가 나라를 통합한 뒤에 귀국하여 고려 광종 때에 예빈성에 있으면서 중국에서 들어오는 사신의 접대를 맡아했다. 시조 유가 홍성 사람이었고 또 그의 6세손 기가 홍산(홍성의 별호)군에 봉해졌기 때문에 본관을 홍성(홍덕)

이라 하였다. 묘소는 전북 고창군 성내면 조동리에 있고 매년 3월 20일에 향사한다.

〈 행 렬 표 〉

세	행 렬 자
19	鎭진 錫석 銓전
20	淳순 澤택
21	植식 柱주 根근 柄병
22	烈열 煥환 焌준 熙희 燁엽
23	圭규 奎규 在재 均균 坤곤
24	鎬호 鎭영 鏞용 鍾종 鉉현
25	洙수 浩호 海해
26	桓환 東동
27	勳훈 然연
28	教교 重중
29	銖수 鍊련

興陽張氏(홍양장씨)

시조 및 본관의 유래

시조 선익은 고려 개국공신 태사공 정필의 5세손이다. 그는 고려 때 홍양군에 봉해졌다. 그리하여 후손들은 그를 시조로 하고 본관을 홍양(고흥의 고호)이라 하고 세계를 계승하고 있다.

〈 행 렬 표 〉

세	행렬자	세	행렬자	세	행렬자
31	載재	32	善선	33	泰태
34	柱주	35	勳훈	36	玹현
37	鎔용	38	洙수	39	來래
40	燁엽	41	孝효	42	鐵철

43	永 영	44	相 상	45	煥 환
46	基 기	47	鎬 호		

章氏(居昌)(거창장씨)

시조 및 본관의 유래

장씨는 거창 복성 2본이 전하나 사실 거창 단본이다. 거창장씨의 시조 종행(시호 충헌)의 선대는 주나라 때 건주자사를 지낸 자조가 있었고 그 후손 감이 송말에 우리 나라로 왔으나 세계가 실전되어 소목계통을 밝힐 수 없다. 그리하여 고려 충렬왕조에 판도판서예문관대제학을 지낸 그를 시조로 하고 그 아들 두□이 공민왕 때에 아림(거창의 별호)군에 봉해져 본관을 거창으로 하였다.

〈 행 렬 표 〉

세	행렬자	세	행렬자	세	행렬자	세	행렬자
20	昌 창	21	亮 량	22	昞 병	23	寧 녕
24	哉	25	範 범	26	庸 용	27	宰 재
28	廷 정	29	承 승				

蔣氏(牙山)(아산장씨)

시조 및 본관의 유래

장씨는 문헌상으로는 여러 본이나 사실상 아산 단본이다. 원쾌「蔣」은 중국의 옛 지명으로 우공의 예주역내에 소속되었던 곳으로 지금의 여남현이다. 이곳은 주공의 아들 백령이 영지로 받은 곳인데 그대로 성으로 삼았다. 아산장씨의 시조 장서는 송나라 금자광록대부신경위대장군으로 금나라 사람들의 형포가 자심할 때 상서 이강과 함께 평화론을 주장하는 사람들에게「선대에서 물려준 영토는 한치라도 남에게 주어서는 안된다」고 강력히 맞서다 뜻대로 안되자 배를 타고 우리나라 아산에 닿았다. 당시 좌복사 박인량은 재보

위계정과 함께 서가 와 있다는 사실을 조정에 알렸다. 예종(고종16대)은 식읍을 하사하고 아산군에 봉해졌는데 이로인해 본관을 아산으로 했다. 묘소는 아산군 인주면 문방리에 있다.

〈 행 렬 표 〉

(기 1)

세	행렬자	세	행렬자	세	행렬자	세	행렬자
25	金 (변)	26	水 (변)	27	木 (변)	28	火 (변)
29	土 (변)	30	金 (변)	31	水 (변)	32	木 (변)
33	火 (변)	34	土 (변)	35	金 (변)	36	水 (변)
37	木 (변)	38	火 (변)	39	土 (변)	40	金 (변)

(기 2)

세	행렬자	세	행렬자	세	행렬자	세	행렬자
26	金 (변)	27	水 (변)	28	木 (변)	29	火 (변)
30	土 (변)	31	金 (변)	32	水 (변)	33	木 (변)
34	火 (변)	35	土 (변)	36	金 (변)	37	水 (변)
38	木 (변)	39	火 (변)	40	土 (변)	41	金 (변)

莊氏(장씨)

장씨는 금천, 장연의 두 본이 있는데 장씨의 선세계는 중국 초나라 장왕의 후예로 장주(장자)는 전국 시대의 대사상가였다. 금천 장씨의 시조 장숙은 1423년(세종5) 문과에 급제하고 토산현감을 지냈다. 그리고 국조방목에 관향이 전주로 된 장석황이 1882년(고종19) 문과에 급제한 사실이 나타나 있다. 또한 고려사에 보면 장보라는 사림이 나더니는데 그는 1177년(명종7) 내시랑장겸병부시랑으로 있다가 거제 현감으로 좌천 뒤에 유배 도중 피살되었다. 장씨의 후손들은 주로 황해도 송화, 안악, 장연, 재령, 신천 둥지에 집중 거주하고 있고 그 밖에 평남, 용강, 강서, 대동, 진남 둥지에 산재하며 전국적으로 1백여 가구가 살고 있다.

全氏(전씨)

전씨는 문헌에 178본으로 나타나 있으나 17
본을 제외한 나머지는 미고이다. 모든 전씨는
백제 개국공신 전섭을 도시조로 하고 있다. 전
씨세보에 따르면 환성군 전섭은 고구려 동명왕
(주몽)의 세째 아들 온조가 10인의 막료를
이끌고 남쪽 부여에 도읍을 정하고 백제를 건
국했는데 당시 10신(십제공신)중의 한사람
이라고 한다. 전섭을 도시조로 하고 분적된 본
관은 정선을 위시하여 천안, 경주, 용궁, 죽산,
나주, 완산, 기장, 황간, 성산, 성주, 함창, 옥산,
옥천, 팔거, 평강, 감천 등등이다.

甘泉(安東)全氏(감천(안동)전씨)

시조 및 본관의 유래

시조 전언(全彦)은 백제 온조왕 때 10제공
신 전섭(환성군)의 30세손이다. 그는 고려충
숙왕 때 밀직부사 판전농사사를 역임했으며 좌
명공신으로 감천(안동의 속현)군에 봉해졌다.
그리하여 후손들이 본관을 감천으로 해서 세계
를 계승하고 있다.

〈 행 렬 표 〉

세	행렬자	세	행렬자	세	행렬자	세	행렬자
51	瑛영	52	鐸탁	53	濟제	54	杓표
55	燦찬	56	宰재	57	商상	58	求구
59	桂계	60	烋휴	61	珪규	62	兌태
63	瀚한	64	穆목	65	炯형	66	陶순
67	鏞용	68	濬준	69	樟장	70	燾도
71	珽정	72	鎰일	73	泓홍	74	桓환
75	犧회	76	璿선	77	鑪훈	78	洽흡
79	杞기	80	熇효	81	培배	82	鈺옥

慶州(鷄林)全氏(경주(계림)전씨)

시조 및 본관의 유래

시조 공식은 도시조 전섭(환성군)의 27세손
이다. 그는 고려 고종 때 안염사로 있으면서 몽
고군이 침입하자 공을 세워 계림(경주 고호)
군에 봉해졌다. 그래서 후손들이 정선 전씨에서
분관해서 경주를 본관으로 하여 세계를 계승하
고 있다.

〈 행 렬 표 〉

세	행렬자	세	행렬자	세	행렬자	세	행렬자
52	鐸탁	53	濟제	54	杓표	55	燦찬
56	宰재	57	商상	58	求구	59	桂계
60	烋휴	61	珪규	62	兌태	63	瀚한
64	穆목	65	炯형	66	陶순	67	鏞용
68	濬준	69	樟장	70	燾도	71	珽정
72	鎰일	73	泓홍	74	桓환	75	犧회
76	璿선	77	鑪훈	78	洽흡	79	杞기

機張全氏(기장전씨)

시조 및 본관의 유래

시조 전영(全泳)은 전씨의 도시조 전섭(환
성군)의 30세손이다. 그는 고려 충숙왕 때 문
과에 급제 형부전서 판전농사사를 역임하고 공
민왕 때 기장백에 봉해졌다. 그리하여 후손들
이 정선전씨에서 분관하여 기장을 본관으로 해
서 세계를 계승하고 있다.

〈 행 렬 표 〉

세	행렬자	세	행렬자	세	행렬자	세	행렬자
47	鎣형	48	雨우	49	寅인	50	炳병
51	瑛영	52	鐸탁	53	濟제	54	杓표

55	燦 찬	56	宰 재	57	商 상	58	求 구
59	桂 계	60	烋 휴	64	珪 규	65	兌 태
63	瀚 한	64	穆 목	65	炯 형	66	峋 순
67	鏞 용	68	潽 준	69	樟 장	70	燾 도
71	珽 정	72	鎰 일	73	泓 홍	74	桓 환

羅州全氏 (나주전씨)

시조 및 본관의 유래

시조 전경은 도시조 전섭의 30세손으로 고려 충렬왕 때 국자제주를 역임하고 1341년 (충혜왕 복위 2) 조頔의 난에 공을 세워 나성(나주 별호)군에 봉해졌다. 그리하여 후손들이 나주를 본관으로 해서 세계를 계승하고 있다.

〈행렬표〉

세	행렬자	세	행렬자	세	행렬자
23	興 흥	24	光광奎규	25	錫 석
26	泰 태	27	根 근	28	熙 희
29	培 배	30	鎭 진	31	洙 수
32	柱 주				

星山全氏 (성산전씨)

시조 및 본관의 유래

시조 전충은 도시조 전섭의 26세손이며 도순사 수용의 3 자이다. 그는 고려 때 판도판서를 역임하고 1231년 (고종 18) 몽고의 철례탑이 침입할 때 공을 세워 대광에 오르고 성산(성주 고호)군에 봉해졌다. 그리하여 후손들이 성산을 본관으로 해서 세계를 계승하고 있다. 경기도 강화군 양도면 인산리에 있는 원모제에서 매년 음 10월 10일에 향사한다.

〈행렬표〉

세	행렬자	세	행렬자
29	孝 효	30	昌 창
31	壽 수	32	夢 몽
33	敬 경	34	以 이
35	光 광	36	應응大대時시
37	聖 성	38	道도胄위益익
39	謙겸宗종	40	思사彦언
41	明 명	42	在 재
43	錫석善선	44	淳 순
45	東 동	46	熙 희
47	起기鎣형	48	欽흠章장雨우
49	廷 정		

星州全氏 (성주전씨)

시조 및 본관의 유래

시조 전순(全順)은 도시조 전섭(환성조)의 28세손이다. 그는 고려 공민왕 때 생원으로 문과에 급제 공조판서를 지내고 성산백에 봉해졌다. 그래서 후손들이 정선에서 분관 본관을 성주로 하여 세계를 계승하고 있다.

〈행렬표〉

세	행렬자	세	행렬자	세	행렬자	세	행렬자
48	雨 우	49	寅 인	50	炳 병	51	瑛 영
52	鐸 탁	53	濟 제	54	杓 표	55	燦 찬
56	宰 재	57	商 상	58	求 구	59	桂 계
60	烋 휴	61	珪 규	62	兌 태	63	瀚 한
64	穆 목	65	炯 형	66	峋 순	67	鏞 용
68	潽 준	69	樟 장	70	燾 도	71	珽 정
72	鎰 일	73	泓 홍	74	桓 환	75	爔 희

76	璿선	77	鑢훈	78	洽흡	79	杞기

玉山(慶山)全氏(옥산(경산)전씨)

시조 및 본관의 유래

시조 영령(永齡)은 전씨 도시조 전섭(환성조)의 27세손이며 고려 때 신호위대장군으로 공을 세워 옥산(경산의 별호)군에 봉해졌다. 그래서 후손들이 정선에서 분관하여 옥산을 본관으로 해서 세계를 계승하고 있다. 묘소는 경북 경산에 있다.

〈행렬표〉

세	행렬자	세	행렬자	세	행렬자	세	행렬자
23	致치	24	銑선	25	洪홍	26	植식
27	濟제						

沃川全氏(옥천전씨)

시조 및 본관의 유래

시조 전학준(全學俊)은 도시조 전섭(환성조)의 23세손으로 영동정을 역임했으며 그의 5세손유가 고려에서 밀직부사 판도판서 상호군 등을 지내고 관성(옥천의 고호)군에 봉해졌기 때문에 후손들이 옥천을 본관으로 세계 계승하고 있다.

〈행렬표〉

세	행렬자	세	행렬자	세	행렬자	세	행렬자
26	愚우	27	九구	28	丙병	29	基기
30	鎔용	31	雨우	32	相상	33	燮섭
34	廷정	35	鎬호	36	泳영	37	柱주
38	煥환	39	埰채	40	鎭진	41	澈철
42	桂계	43	榮영	44	圭규	45	兌태
46	浩호	47	秉병	48	炯형		

完山全氏(완산전씨)

시조 및 본관의 유래

시조 전집(全集) 시호 : 충정은 도시조 전섭의 30세손이다. 그는 고려 공민왕 때 중랑장으로 두 차례에 걸쳐 홍건적을 물리친 공으로 추충정난호성공신이 되어 완산(전주의 고호)백에 봉해지고 그후 삼중대광첨의문하시중평장사에 추증되었다. 그리하여 후손들이 정선 전씨에서 분관 완산을 본관으로 세계를 계승하고 있다.

〈행렬표〉

세	행렬자	세	행렬자	세	행렬자	세	행렬자
47	鎣형	48	雨우	49	寅인	50	炳병
51	瑛영	52	鐸탁	53	濟제	54	杓표
55	燦찬	56	宰재	57	商상	58	求구
59	桂계	60	烋휴	61	珪규	62	兌태
63	瀚한	64	穆목	65	炯형	66	珣순
67	鏞용	68	濬준	69	樟장	70	燾도
71	玭정	72	鎰일	73	泓홍	74	桓환
75	爔회	76	璿선	77	鑢훈	78	洽흡
79	杞기	80	嫶고	81	培배		

龍宮全氏(용궁전씨)

시조 및 본관의 유래

시조 전방숙(시호 : 문정)은 도시조 전섭(환성군)의 28세손으로 공열의 제2자이다. 그는 고려 충렬왕 때 한림학사, 문하시중평장사를 역임하고 용성(용궁)부원군에 봉해졌다. 그리하여 후손들이 정선 전씨에서 분관 용궁을 본관으로 해서 세계를 계승하고 있다. 묘소는 강원도 평창군 동도산에 있다.

〈행 렬 표〉

세	행렬자	세	행렬자	세	행렬자	세	행렬자
24	煥환	25	載재	26	鎬호	27	洪홍
28	植식						

旌善全氏 (정선전씨)

시조 및 본관의 유래

우리나라 모든 전씨는 전섭을 유일조로 받들고 있다. 섭은 고구려 동명왕의 세째 아들 온조를 배종한 막료로서 부여에 도읍을 정하고 백제 건국에 공을 세운 십제공신의 한 사람으로 환성군에 봉해졌다. 그로부터 전씨 혈통이 면면히 이어져 왔고 8세손 선이 백제로부터 공주를 배종하고 신라에 와서 봉익대부부지밀직사사전법판서에 오르고 정선군에 봉해졌으므로 후손들이 본관을 정선이라 하고 전섭을 시조, 전선을 득관중조로 하여 세계를 계승하였다. 그러나 그후 후손의 번연으로 조상의 작호에 따라 17본으로 분적되었으니 전씨의 대종인 정선전씨외에 16세 낙 (천안전씨) 25세 원태 (팔거전씨) 26세 홍 (성산전씨) 27세 영령 (옥산전씨) 23세 학준 (옥천전씨) 27세 공식 (경주전씨) 28세 방숙 (용궁전씨) 28세 간 (죽산전씨) 28세 순 (성주전씨) 29세 살리 (합창전씨) 28세 潗 (평강전씨) 30세 영 (기장전씨) 30세 집 (완산전씨) 30세 경 (나주전씨) 30세 언 (감천전씨) 26세 익 (황간전씨)을 1세조로 하여 각각 계세하였으나 모든 전씨는 한 할아버지의 혈통이라는 신념으로 대동단합 전국 전씨 대동보를 편찬하고 정선파, 천안파, 팔거파, 등등으로 분류하고 있다.

〈행 렬 표〉

세	행렬자	세	행렬자	세	행렬자	세	행렬자
47	靈형	48	雨우	49	寅인	50	炳병
51	瑛영	52	鐸탁	53	濟제	54	杓표
55	燦찬	56	宰재	57	商상	58	求구

세	행렬자	세	행렬자	세	행렬자	세	행렬자
59	桂계	60	休휴	61	珪규	62	兌태
63	瀚한	64	穆목	65	炯형	66	珣순
67	鏞용	68	濬준	69	樟장	70	燕도
71	珽정	72	鎰일	73	泓홍	74	桓환
75	爔희	76	璿선	77	鑂훈	78	洽흡
79	杞기	80	熇고	81	培배	82	鈺옥
83	溥박	84	模모	85	炅경	86	埈준
87	鏽주	88	渙환	89	柄병	90	杰걸
91	瓚찬	92	銖수	93	洞형	94	栗
95	煌황	96	垠은	97	鋼강	98	澈철
99	棕종	100	煜욱				

竹山全氏 (죽산전씨)

시조 및 본관의 유래

시조 전간은 도시조 전섭의 28세손으로 고려 고종 때 문과에 급제 밀직부사로서 1231년 몽고군이 침입할 때 공을 세워 좌리공신으로 죽산군에 봉해졌다. 그후 후손들이 정선 전씨에서 분관하여 죽산을 본관으로 세계를 계승하고 있다.

〈행 렬 표〉

세	행렬자	세	행렬자	세	행렬자	세	행렬자
52	鐸탁	53	濟제	54	杓표	55	燦찬
56	宰재	57	商상	58	求구	59	桂계
60	休휴	61	珪규	62	兌태	63	瀚한
64	穆목	65	炯형	66	珣순	67	鏞용
68	濬준	69	樟장	70	燕도	71	珽정
72	鎰일	73	泓홍	74	桓환	75	爔희
76	璿선	77	鑂훈	78	洽흡	79	杞기

45	浩 호	46	桓 환	47	熙희 鎣형
48	雨 우				

天安全氏(천안전씨)

시조 및 본관의 유래

시조 전섭은 백제 온조왕이 개국할 때 개국 공신(십제공신)으로 환성(천안의 별호) 군에 봉해져 후손들이 본관을 천안으로 했다. 단소는 천월군 풍세면 삼태리에 있고 향사일은 음 10 월 1일.

〈 행 렬 표 〉

세	행렬자	세	행렬자	세	행렬자	세	행렬자
52	用 용	53	元 원	54	尙 상	55	來 래
56	茂 무	57	範 범	58	庠 상	59	宰 재
60	廷 정	61	沃 옥	62	胄 위	63	旭 욱
64	南 남	65	雨 우	66	晟 성	67	起 기
68	康 강	69	章 장				

八莒全氏(팔거전씨)

시조 및 본관의 유래

시조 전원태는 도시조 전섭(환성군)의 25세 손으로 고려 충렬왕 때 합단군이 침입하자 이를 물리친 공으로 팔거(칠곡의 고호) 군에 봉해졌다. 그리하여 그의 후손들이 본관을 팔거로 하여 세계를 계승하고 있다.

〈 행 렬 표 〉

세	행렬자	세	행렬자	세	행렬자
27	學 학	28	玉 옥	29	淳 순
30	胤 윤	31	守 수	32	建 건
33	舜 순	34	應 응	35	英 영
36	程 정	37	仁 인	38	天천弼필
39	性 성	40	宅 택	41	東동奉봉
42	相 상	43	基 기	44	錫 석

平康全氏(평강전씨)

시조 및 본관의 유래

시조 罋은 도시조 전섭(환성군)의 28세손이이다. 그는 고려 때 시중을 지냈으며 아들 빈은 공민왕 때 숙천부사 등을 역임하고 조선이 개국되자 보문각대제학으로 평강백에 봉해졌다. 그래서 후손들이 평강을 본관으로 해서 세계를 계승하고 있다.

〈 행 렬 표 〉

세	행렬자	세	행렬자	세	행렬자	세	행렬자
47	鎣 형	48	雨 우	49	寅 인	50	炳 병
51	瑛 영	52	鐸 탁	53	濟 제	54	杓 표
55	燦 찬	56	宰 재	57	商 상	58	求 구
59	桂 계	60	烋 휴	61	珪 규	62	兌 태
63	瀚 한	64	穆 목	65	炯 형	66	珣 순
67	鏞 용	68	濬 준	69	樟 장	70	燾 도
71	玭 정	72	鎰 일	73	泓 홍	74	桓 환
75	爔 희	76	璿 선	77	鑂 훈	78	洽 흡
79	杞 기	80	犒 고	81	培 배	82	鈺 옥

咸昌全氏(함창전씨)

시조 및 본관의 유래

시조 전살리는 전씨의 도시조 전섭(환성군)의 29세손이다. 그는 고려 충렬왕 때 문과에 급제 형부상서를 역임하고 좌리공신으로 함창군에 봉해졌다. 그래서 후손들이 정선에서 분관하여 함창을 본관으로 해서 세계를 계승하고 있다.

세	행렬자	세	행렬자	세	행렬자	세	행렬자
52	鐸탁	53	濟제	54	杓표	55	燦찬
56	宰재	57	商상	58	求구	59	桂계
60	烋휴	61	珪규	62	兌태	63	瀚한
64	穆목	65	炯형	66	洵순	67	鏞용
68	濬준	69	樟장	70	燾도	71	玟정
72	鎰일	73	泓홍	74	桓환	75	爔회
76	瑠선	77	鑂훈	78	洽흡	79	杞기

黃澗全氏 (황간전씨)

시조 및 본관의 유래

시조 전익은 백제 온조왕 때의 십제공신인 전섭의 26세손이다. 그는 고려조에 형부상서로 있으면서 몽고군이 침입할 때 형 전흥(성산군)과 함께 적을 토평한 공으로 황간군에 봉해짐으로써 후손들이 정선에서 분관 황간을 본관으로 하여 세계를 계승하고 있다.

〈 행 렬 표 〉

세	행렬자	세	행렬자	세	행렬자	세	행렬자
40	有유	41	水(변)	42	致치	43	圭규
44	鉉현	45	周주	46	圭규	47	星성

田氏 (전씨)

전씨는 문헌에 142본으로 나타나 있으나 5본을 제외한 나머지는 미고이다. 남양전씨는 중국에서 한림학사를 지내다가 옥책오서로 해동에 유배되어 고려조에서 남양군에 봉해진 전풍을 시조로 하고 있으며 담양전씨는 고려 때 문과에 급제하고 좌복사 참지정사에 이르러 담양군에 봉해진 전득시를 시조로 하고 있다. 연안하음전씨는 담양전씨에서 분적되었고 영광전씨는 고려 개국공신 전종회를 시조로 하고 있다. 남양전씨는 전흥, 전림, 전우치가 유명했고, 담양전씨에서는 전록생, 전우, 전유추, 전귀생, 전조생 등 훌륭한 인물들을 많이 배출했다.

南陽田氏 (남양전씨)

시조 및 본관의 유래

시조 전풍(田豊)은 원래 중국의 한림학사로서 송과 원의 제왕권쟁취기록을 잘못했다 하여 원제의 미움을 사 해동으로 적천되어 우리나라에 정착하게 되었다. 고려조에서 송나라에 대한 그의 충절을 가상히 여겨 남양군에 봉하고 우대하였다. 이로 인하여 후손들은 그를 시조로 하고 본관을 남양으로 하였다. 충남 부여군 석성면 파진산에 단소가 있고 매년 10월 1일에 향사한다.

〈 행 렬 표 〉

세	행 렬 자	세	행 렬 자
19	時시 遂수	20	必필 尙상 遇우
21	漢한	22	彬빈 采채 東동
23	煥환	24	基기
25	鎬호	26	永영
27	植식	28	炳병
29	培배	30	鍾종
31	洙수	32	相상
33	燦찬	34	在재
35	鎭진	36	濟제
37	根근	38	爀혁
39	喆철		

潭陽田氏 (담양전씨)

시조 및 본관의 유래

시조 전득시(시호 충원)는 고려 때 현양으로 천거되고 문과에 급제하여 벼슬이 좌복사참지정사에 이르고 담양군에 봉해졌다. 그래서 후손들이 담양을 본관으로 하여 세계를 계승하고 있다.

〈 행 렬 표 〉

(뾽은 파)

세	행렬자	세	행렬자	세	행렬자	세	행렬자
26	淇 기	27	桂계	28	熙 회	29	埈준
30	銖수	31	浩호	32	植식	33	房병
34	坤곤	35	鎬호	36	求구	37	相상
38	烈열	39	基기	40	鍾종	41	永영
42	根근	43	炯형	44	培배	45	鉉현

(耒은 파)

세	행렬자	세	행렬자	세	행렬자	세	행렬자
26	泳영	27	根근	28	炳병	29	均균
30	鍾종	31	泰태	32	桂계	33	煥환
34	載재	35	錫석	36	洪홍	37	植식
38	熙회	39	基기	40	鎬호		

(경 은 파)

세	행렬자	세	행렬자	세	행렬자
26	溶용	27	輝휘秀수	28	弼필炳병
29	茂무培배	30	康강鍾종	31	舒서浩호
32	九구楨정	33	行행悳덕	34	範범致치
35	宰재會회	36	揆규洛락	37	東동彬빈
38	師사魯노	39	盛성在재	40	唐당鐸타
41	琬완濟제	42	寬관桂계	43	術술烋휴
44	紀기載재	45	達달鉉현	46	登등洙수
47	業업				

延安田氏(연안전씨)

시조 및 본관의 유래

시조 전가식(田可植)의 선세계(9대조)는 담양군 전득시(시호 : 충원)이다. 그는 조선 정종 때에 문과에 급제하고 벼슬은 예조판서를 지냈으며 영의정에 추증되고 연안군에 봉해져 그의 후손들이 본관을 연안으로 하여 세계를 계승하고 있다.

〈 행 렬 표 〉

세	행렬자	세	행렬자	세	행렬자	세	행렬자
26	光광	27	圭규	28	錫석	29	泰태
30	相상						

靈光田氏(영광전씨)

시조 및 본관의 유래

시조 전종회(田宗會)는 고려 개국공신으로 별칭 운기장군으로 전하고 있다. 그러나 그후 세계가 실전되어 그의 후손들은 전개로부터 기1세하여 본관을 영광으로 하여 세계를 계승하고 있다.

河陰田氏(하음전씨)

시조 전균(田畇) 시호 : 충익은 1453년(단종1) 수양대군이 황보인, 김종서 둥을 주할 때 공을 세워 수충위사협찬정난2등공신에 책록되고 하음(강화속현)군에 봉해졌다. 그리하여 후손들은 담양전씨에서 분적 본관을 하음으로 하였으니 1930년 국세조사 당시 평남 중화군 수산면 전천리에 39가구가 살고 있다.

錢氏(聞慶)(문경전씨)

시조 및 본관의 유래

전씨의 선세계는 중국 팽성(현 강소성 서해도 서주) 출신으로 황제의 손자 전욱의 후손 전갱(팽조)의 「籛」의 「竹」을 떼고 「錢」으로 하였다 한다. 진나라 때 전서 전봉 5대 때 전류라는 사람이 기록에 전하고 있다. 우리나라의 전씨는 그 후손이 귀화한 것으로 보이며 본관은 문경 지례부계는 문경전씨의 분파로 알려지고 있다. 문경전씨는 전유겸이 사신으로 들어와서 최영의 매씨와 결혼하고 귀화하여 정당문학을 지냈고 조선 개국후에 벼슬을 버리고 판산(현문경)에 들어가 은거하게 됨으로써 본관을 문경으로 하게 되었고 후손에 세계상으로 몇 세인지 상고할 수 없으나 1928년 일본조도전대학 경제과를 졸업 대한민국초대 사회부장관을 지내고 1, 2, 3, 5, 6, 대 민의원에 당선된 전진한이 있다. 그리고 1960년 국세조사 통계에 의하면 인구는 1,600명이고, 전남, 나주, 화순, 충북, 괴산, 충주, 제천 등지에 거주하고 있다.

占氏 (점씨)

점씨는 본관이 한산과 괴산의 2본이 있는데 조선씨족 통보에 의하면 중국 진유(현 하남성 개봉도 현명) 출신이며 그중 괴산점씨는 일본인 투화인이라고 기록되어 있고 한국성씨 대관에는 정(丁)씨에서 점씨로 개성한 사람도 있는 것으로 되어 있다. 점씨는 전국적으로 극소수가 살고 있을 뿐이며 주로 김제, 옥구, 익산 등지에 산거하고 있다.

鄭氏 (정씨)

정씨는 문헌에 210본으로 나타나 있으나 30본을 제외한 나머지는 미고이다. 우리나라 정씨의 원조는 삼국유사에 전하는 신라 6촌중 자산 진지촌의 촌장인 지백호이다. 그리고 정씨는 서산 랑야를 제외하고는 모두 지백호의 후손이

며 경주정씨가 큰 집이라는 데는 반론이 없는 것 같다. 서산정씨는 중국금화부포강현절강인정응중의 증손 신보가 우리나라에 망명하여 서산에 정착세거 하였는데 그의 아들인 인경을 시조로 하고 있다. 정씨는 1930년 통계에 나타난 바에 의하면 106082세대로서 전국 성씨중 5위를 차지하는 대성이다.

慶州鄭氏 (경주정씨)

시조 및 본관의 유래

시조 지백호(낙랑후)는 경주 화산에 강임하여 부족국가이던 삼한시대의 진한 사로 6촌장중의 수장으로서 동남쪽에 위치한 진지부의 촌장이 되고 서기전 69년 3월에 박혁거세를 양육하여 서기전 57년(박혁거세1)에 박혁거세를 국왕으로 추재하고 나라 이름을 신라라고 하였다. 그는 건국좌명공신이 되고 서기 32년(유리왕9)에 진지부가 본피부라 개칭되면서 낙랑후에 봉해졌으며 정씨라는 성을 하사 받았다. 그리고 득관조 정진후(시호 문정)는 고려조에 문과에 급제하고 금자광록대부, 정당문학, 병부상서겸군기사윤, 평창사 등의 요직을 역임하고 월성(경주)군에 봉해졌다. 그리하여 후손들은 그를 득관조로 하고 본관을 경주로 하여 세계를 계승하고 있다. 묘소는 경북 월성군 내남면 로곡리에 있으며 음 10월 10일에 향사한다.

〈 행 렬 표 〉

(문 정 공 파)

세	행렬자	세	행렬자	세	행렬자
24	行행	25	海해	26	東동
27	薰壎煥환	28	坵지奎址載재	29	鎬호鉉현
30	澤택泰태	31	稙직	32	愿원
33	埰채	34	鎰일	35	求구
36	樂락				

(충장공파)

세	행렬자	세	행렬자	세	행렬자	세	행렬자
1	亨형	2	台태	3	慶경	4	漸구
5	相상	6	煥환	7	時시	8	鉉현
9	永영	10	朝조	11	炳병	12	均균
13	鍾종	14	洙수	15	樂락	16	燮섭
17	坰경						

固城鄭氏 (고성정씨)

시조 및 본관의 유래

시조 정가물(鄭可勿)은 고려 때의 인물로 사적과 행장이 모두 실전되어 미고이다. 선대로부터 철성(고성의 별호)에 토착한 호족으로 후손들이 본관을 고성으로 해서 세계를 계승하고 있다.

〈행렬표〉

세	행렬자	세	행렬자	세	행렬자	세	행렬자
23	憲헌	24	鍾종	25	泳영	26	來래
27	熙희	28	膺응	29	鎬호	30	溫온

昆陽鄭氏 (곤양정씨)

중시조 정기용(시호: 충의)의 선세계는 상고할 수 없으나 정철석의 증손이요 정의걸의 손자며 좌찬성 정호의 아들이다. 그는 1586년(선조19) 무과에 급제하고 병마절도사 신립의 휘하에 들어갔다. 그후 임진왜란과 정유재란 때 큰 공을 세우고 여러 관직을 거쳐 1610년(광해군2) 상호군에 승진하고 1617년 3도 통제사겸 경상우도수군절도사에 올라 통영의 진중에서 죽었다. 상주의 충렬사에 제향.

光州鄭氏 (광주정씨)

시조 및 본관의 유래

시조 정신호(鄭臣扈)는 광주에 세거한 사족으로 신라6부 촌장의 한 사람인 지백호(낭랑복)의 후예 극중의 후손이다. 극중은 고려조에서 금자광록대부참지정사를 지냈으며 신호는 고려 충숙왕 때 판도사사, 상호군 또는 봉은사 진전직으로 삼중대광문하찬성사에 추증되었다. 그리하여 후손들이 본관을 광주로 하여 세계를 계승하고 있다.

〈행렬표〉

세	행렬자	세	행렬자	세	행렬자	세	행렬자
23	思사	24	胤윤	25	雨우	26	寧녕
27	義의	28	熙희	29	庸용	30	宰재
31	憲헌	32	啓계					

錦城鄭氏 (금성정씨)

시조 및 본관의 유래

시조 정성(鄭盛)은 하동 정씨의 시조 손위의 2자 세유의 12세손으로 1330년(충숙왕17) 문과에 급제하여 대광보국숭록대부에 올랐으며 금성(나주의 별호)군에 봉해졌으므로 후손들이 하동 정씨로부터 분적 세계를 계승하고 있다.

〈행렬표〉

세	행렬자	세	행렬자	세	행렬자	세	행렬자
22	煥환	23	圭규	24	鍾종	25	永영
26	秉병	27	默묵	28	培배	29	鉉현
30	海해	31	模모	32	熙희	33	均균
34	鎬호	35	洙수	36	榮영	27	勳훈
38	埈준	39	纘진	40	淳순	41	

33	在재喜희	34	鎬호揆규	35	永영
36	植식	37	大대	38	奎규

金浦鄭氏 (김포정씨)

시조 및 본관의 유래

시조 정응문(鄭應文)은 김포 사람으로 1128년(인종 6) 어사대중승으로 있을 때 마침 남해안 일대에 떼도둑이 창궐하자 안무사로 나가 그들을 초무하였다. 해적 좌성동 820명이 귀순해 오자 합천삼기현에 기원, 취안, 진주 의령현에 화순창을 설치하여 그들을 수용하고 생활터.전을 마련해 주었다. 그리고 그의 증손 초가 이부상서에 이르는 등 후손들이 김포 호족의 일문을 이루고 본관을 김포로 하여 세계를 계승하고 있다.

〈 행 렬 표 〉

세	행렬자	세	행렬자	세	행렬자	세	행렬자
20	九구	21	光광	22	祚조	23	錫석
24	國국	25	煥환	26	鉉현		

羅州鄭氏 (나주정씨)

시조 및 본관의 유래

시조 정해(鄭諧)의 선세계는 고증이 없으므로 상고할 수 없다. 그는 고려 중엽 때의 사람으로 증손 가신이 고려 고종 때 문과에 급제하고 벽상삼한삼중대광수사도를 지냈으므로 그도 군기감에 추증되었다 한다. 그후 후손들이 나주에 정착세거하면서 가세가 번창해 지고 많은 명신현유를 배출하였으므로 정해를 시조로 하고 본관을 나주로 하여 세계를 계승하고 있다.

〈 행 렬 표 〉

세	행렬자	세	행렬자	세	행렬자
24	會회	25	遇우	26	勉면
27	光광炳병	28	均균衍연	29	鍾종茂무
30	洙수範범	31	相상廣광	32	烈열奇기

瑯琊鄭氏 (낭야정씨)

시조 및 본관의 유래

시조 정선갑(鄭先甲)은 본래 명나라 사람으로 진사로서 9의사의 한 사람이다. 그는 청군의 포로로 심양관에 구금되어 있을 때 마침 병자호란에 인질로 그곳에 집계되어 있던 봉림대군과 친교를 맺게 되어 소현 세자가 귀국할 때 배종하여 래조했다가 귀화하여 우리나라에 살게 된 후손들은 본향 랑야를 본관으로 하여 세계를 이어 오고 있다.

〈 행 렬 표 〉

세	행렬자	세	행렬자	세	행렬자	세	행렬자
7	淳순	8	植식	9	煥환	10	在재
11	鏞용						

東萊鄭氏 (동래정씨)

시조 및 본관의 유래

우리나라 정씨의 근원은 서기 32년(신라 유리왕 9) 6부중의 진지촌장인 지백호를 정씨로 사성한 ·데서 비롯되었다고 한다. 동래정씨 세보에 의하면 지백호와의 관계는 문헌이 없어 상고할 수가 없고 다만 시조 정지원은 회문의 원손으로 세계가 확실한 그로부터 기세 하였다고 한다. 지원은 고려에서 보윤호장을 지냈으며 후손들이 현달함에 따라 세거지인 동래를 본관으로 해서 세계를 계승하고 있다.

〈 행 렬 표 〉

세	행렬자	세	행렬자	세	행렬자	세	행렬자
33	愚우	34	鳳봉	35	會회	36	미가
37	茂무	38	紀기	39	庸용	40	鍾종

奉化鄭氏(봉화정씨)

시조 및 본관의 유래

시조 정공미는 고려 초기에 정의대부 호부령을 지내고 983년(성종2) 전국에 12목을 두게 되면서 호장이 되었다. 그의 5세손 도전(시호 문헌)은 창왕을 폐하고 공민왕을 추대하여 좌명공신이 되고 봉화현 충의군에 봉해졌으며 이태조의 조선 개국에 공이 커 다시 봉화백에 봉해졌다. 그리하여 후손들이 본관을 봉화로 하였다. 묘소는 경북 봉화군 다대기에 있다.

〈행렬표〉

세	행 렬 자	세	행 렬 자
21	應응	22	在재
23	鍾종	24	洙수淳순
25	炳병桃광	26	燮섭燾희然연
27	基기圭규	28	鎔용鉉 銑선
29	泰태洛락	30	榮영東동
31	思사翊익炫현	32	重중堯요培배
33	鎬호鍵건鏞용	34	濟제湜제
35	樂락根근宋송	36	熙희烈열熏훈
37	吉길五오孝효	38	錫석鎘우欽흠
39	求구海해		

西京鄭氏(서경정씨)

시조 지상의 선세계는 상고할 수 없으나 그는 1114년(고려예종9) 문과에 급제하고 좌정언, 지제고 등을 지냈으며 묘청의 난 때 김부식에 의해 참살당했다. 역학과 노장철학에 조예가 깊었고 시, 서, 화에 뛰어났다. 그의 후손

응린은 1510년(중종5) 식년문과에 병과로 급제하고 군수, 지평, 장령, 사간, 직제학 동부승지, 대사간 등을 역임하고 1527년 부평부사가 되었다.

瑞山鄭氏(서산정씨)

시조 및 본관의 유래

시조 인경(仁卿) 시호: 양열의 선세계는 중국 금화부포강현절강인 응충으로서 그는 송나라에서 판장작감을 지냈고 그의 증손 신보는 송나라에서 상서형부원외랑으로 있다가 나라가 망하자 바다를 건너 우리나라로 망명하여 서산에 정착세거하였다. 신보의 아들이 곧 인경인 바, 그는 1254년(고종41) 문과에 급제하고 충렬왕이 세자로 원나라에 머물 때 호종 했고, 1269년(원종10) 세자가 귀국하여 파사부에 이르렀을 때 임연이 원종을 폐하고 안경공 창을 옹립한 사실을 보고하여 세자로 하여금 다시 원나라에 가게 했다. 1274년 충렬왕이 즉위하자 2등공신에 오르고 고향 부성현이 서주군으로 승격되었다. 그후 1299년(충렬왕25) 판삼사가 되어 정조사로 원나라에 다녀오고 도첨의찬성사를 거쳐 중찬으로 은퇴 벽상삼한삼중대광추성정책안사공신이 되었으며 일찌기 원나라 황제로부터 무덕장군 정동성리문관에 임명되기도 했다. 그리하여 후손들이 시조의 정착지인 서산을 본관으로 하였다. 서산의 송곡사에 제향, 묘소는 충남 서산군에 있다.

〈행렬표〉

세	행렬자	세	행렬자	세	행렬자	세	행렬자
20	萬만	21	九구	22	昞병	23	永영
24	璣기	25	弼필	26	康강	27	章장
28	重중	29	采채	30	源원	31	相상
32	煥환	33	均균	34	柱주	35	熙희
36	圭규	37	鎭진	38	泓홍	39	植식

野城鄭氏 (야성정씨)

시조 및 본관의 유래

시조 가후(可侯)는 고려 희종 때 대사도가 되었으며 일본을 정벌할 때 많은 공을 세웠으므로 야성(영덕의 고호)군에 봉해졌다. 그러므로 후손들은 본관을 야성으로 하였다.

〈 행 렬 표 〉

세	행렬자	세	행렬자	세	행렬자
21	世세民민	22	仁인東동復복	23	象상
24	默묵應응	25	達달翼익	26	鉉현
27	永영	28	植식根근	29	輝휘榮영燦찬
30	在재喆철	31	鍾종鎬호	32	源원澈철
33	柱주杓표	34	炳병鼎정	35	中중培배
36	欽흠鎔용				

延日鄭氏 (연일정씨)

시조 및 본관의 유래

시조 습명(襲明) 시호 : 영양은 고려 의종때의 중신으로 추밀원지진사를 지냈으며 그의 선대에 의경이 연일호장을 지냈고 다시 연일현백에 봉해졌으므로 그 후손들이 본관을 연일로 하였다. 시조의 묘소는 경북 연일군 대송면 남성동 향사일은 10월 10일이다. 그러나 원래 연일정씨의 비조는 신라 6부시대의 지백호로서 서기 32년(유리왕9) 경주의 6촌지명을 개칭함과 동시에 각각 사성하였는데 당시 제4자 산진지부의 장이었던 지백호는 정씨로 사성 받았다고 한다. 그러나 연대가 멀고 고증이 없으므로 계대를 상고할 수 없어 지백호의 원손 종은을 도시조로 또 그 후손 습명을 1세 시조로 하여 세계를 계승하고 있다. 그리고 같은 혈손이면서 본관을 오천으로 하는 계통(정철계)이

있으나 분파 세계를 고증할 문헌이 없으므로 합보가 되지 못하고 있다.

〈 행 렬 표 〉

세	행 렬 자
23	夏하範범
24	休휴翰한玉(변)台태
25	裕유虔건采채
26	致치在재煥환顯현
27	鎭진基기九구
28	淵연海해源원鎔용載재
29	植식東동相상永영箕기
30	炳병容용熙희煥환和화華화
31	起기基기克극在재圭규培배然연
32	鉉현鍾종錫석鎬호教교喆철

盈德鄭氏 (영덕정씨)

시조 및 본관의 유래

시조 자영은 도의 아들로서 1434년(세종16) 알성문과에 을과 2등으로 급제하고 여러 관직을 거쳐 1467년(세조13) 공조판서에 이르렀다. 학문을 즐겼고 특히 역학에 밝았으며 예조판서에 추증되었다. 또한 그 후손 홍의 아들 영국은 1594년(선조27) 별시 문과에 병과로 급제하고 여러 관직을 역임했으며 춘추관기주관으로 임진왜란 때 소실된 역대실록 중간에 참여했고 1616년(광해군8) 좌통례로 춘추관편수관이 되어 선조실록의 편찬에 참여했다.

醴泉鄭氏 (예천정씨)

시조 소유는 고려 때 지면주사를 지냈고 그 후 병마사를 지낸 남진을 파조로 하는 일파가 있다. 그 후손들은 경기도 광주 일원에 수십 가

구가 살고 있다.

温陽鄭氏(온양정씨)

시조 및 본관의 유래

시조 보천(晋天)은 고려 때 은청광록대부호부상서를 지냈고 그의 선세계는 실전되어 상고할 수 없으나 전하는 바에 의하면 탕정(온양의 고호)군은 백제 땅으로 고려 태조가 유검필과 함께 이곳 탕정군에 왔을 때 고을 관리에 공이 있음을 보고 정씨에게 관을 제수하고 그 후손들은 그 군의 향직인 호장이 되게 했다고 한다. 그리하여 그 후손들이 온양을 본관으로 하여 세계를 계승하고 있다. 묘소는 충남 아산군 온양읍에 있다.

〈 행 렬 표 〉

세	행렬자	세	행렬자	세	행렬자	세	행렬자
32	在재	33	鎭진	34	海해	35	植식
36	榮영	37	均균	38	鍾종	39	淳순
40	東동	41	燮섭						

長鬐鄭氏(장기정씨)

시조 및 본관의 유래

시조 자여(子輿) 시호 : 문경은 고려 현종때의 추충진국공신이며 은청광록대부, 태자태사문하시랑평장사, 판추밀원사 등 요직을 역임하고 장기백에 봉해졌으며 식읍을 하사받아 그의 후손들이 그곳에 정착세거하면서 본관을 장기로 하였다. 묘소는 경기도 화성군에 있다.

〈 행 렬 표 〉

세	행렬자	세	행렬자	세	행렬자	세	행렬자
22	煥환	23	時시	24	釦구	25	一일
26	相상	27	必필	28	喆철	29	鎭진

30	澤택	31	彬빈	32	炯형	33	圭규
34	鍾종	35	淳순	36	權권		

全州鄭氏(전주정씨)

시조 및 본관의 유래

시조 원흥(元興)의 선세계는 연일 정씨로서 고려 때 예조 판서를 역임한 작의 3자이며 원철(이판) 원백(병판)의 아우이다. 그는 고려 예종 때 장례원판결사로 피견 전주로 유배되어 정착세거한 그의 후손들이 연일에서 분적하여 본관을 전주로 하고 있다.

〈 행 렬 표 〉

세	행렬자	세	행렬자	세	행렬자	세	행렬자
34	然연	35	在재	36	鎬호	37	淵연
38	桂계	39	煥환	40	城성	41	鐸탁
42	淳순	43	松송	44	炯형	45	壎훈
46	鉉현	47	洙수	48	相상	49	燦찬
50	址지	51	鏡경	52	海해	53	柱주
54	炅경	55	均균						

定山鄭氏(정산정씨)

시조 치형은 종아의 아들로서 1476년(성종 7) 별시문과에 병과로 급제하고 벼슬이 군수에 이르렀다. 그 후손들은 황해도 곡산에 수십가구 살고 있다.

貞州鄭氏(정주정씨)

시조 문청은 고려 현종 때 문과에 급제하고 여러 벼슬을 거쳐 랑장에 이르렀다. 장과 준을 파조로 여러 파가 있다. 정주는 풍덕의 별호이다.

晋陽(晋州)鄭氏(진양진주정씨)

시조 및 본관의 유래

진양(진주)정씨의 원유는 삼국유사에 전하는 신라 6촌중 자산 진지촌(본피부)의 촌장 지백호로부터 흐르고 있다. 그러나 그후 세계가 실전되고 각기 시조를 달리하는 진양정씨가 8파나 되어 진주 8정이라고들 일컫는다. 그러나 근일에 와서 영절공 정예를 진주정씨의 비조로 하여 대동보를 만들고자 하는 사람들이 있는데 오늘날의 8정이 모두 예의 후손인지는 알 수 없는 일인 것이다. 아뭏든 진양정씨의 소목계통은 밝힐 수 없고 이를 크게 분류하면 정예정자우, 정장, 정억을 시조로 하는 4파로 나눌 수 있다.

〈행렬표〉

(예 계)

세	행렬자	세	행렬자	세	행렬자
27	宅택	28	重중燦찬	29	奎규鑑감
30	鍾종一일	31	源원仁인	32	三삼休휴
33	憲헌壽수	34	五오吉길	35	鎭진
36	浩호	37	柱주	38	炳병
39	基기	40	錫석	41	泰태
42	相상				

(수 계)

세	행렬자	세	행렬자
23	漢한海해濟제	24	植식模모采채
25	然연炳병炯형	26	基기孝효達달
27	鍾종鎔용鎭진	28	泰태浩호洙수
29	相상秉병來래	30	炫현熹희爀혁
31	在재圭규埰채	32	錫석鎬호鎰일

33	永영淳순澤택	34	彬빈杓표根근
35	炅경爀영燦찬		

(자 우 계)

세	행렬자	세	행렬자	세	행렬자	세	행렬자
18	屋후	19	銘명	20	洙수	21	東동
22	煥환	23	載재	24	鎬호	25	源원
26	植식	27	然연	28	周주	29	鍾종
30	永영	31	秉병	32	惠덕	33	均균
34	欽흠	35	浩호	36	根근	37	熙희
38	培배	39	鎭진	40	淳순	41	柄병
42	烋휴	43	時시	44	鎔용	45	濟제

(중 공 계)

세	행렬자	세	행렬자	세	행렬자	세	행렬자
24	河하	25	柱주	26	炳병	27	基기
28	鎬호	29	泳영	30	植식	31	燮섭
32	在재	33	錫석	34	泰태		

(장 계)

세	행렬자	세	행렬자	세	행렬자	세	행렬자
21	運운	22	和화	23	容용	24	基기
25	鉉현	26	洙수	27	東동	28	煥환
29	教교	30	錫석	31	洛락	32	柱주
33	烋휴	34	圭규	35	鏞용		

(억 계)

세	행렬자	세	행렬자	세	행렬자
14	喜희	15	龍용	16	東동
17	魯노	18	象상	19	柱주
20	煥환默묵	21	圭규在재	22	鎬호鎔용
23	永영注주	24	炳병榮영	25	熙희烋휴
26	基기坤곤	27	錫석銓전	28	求구汝여

세	행렬자	세	행렬자	세	행렬자
29	根근桂계	30	炳원炫현	31	堯요均균
32	鎭진鍾종				

(택　계)

세	행렬자	세	행렬자	세	행렬자	세	행렬자
28	民민	29	愚우	30	東동	31	默묵
32	在재	33	鎭진				

세	행렬자	세	행렬자	세	행렬자
24	昌창	25	洛락	26	柱주
27	燮섭烈열	28	載재在재	29	鎭진鎬호
30	潤윤源원	31	寅인震진		

青山鄭氏 (청산정씨)

시조 및 본관의 유래

원조 금강은 고려말 문하시중평장사로 조선 개국공신으로 좌의정에 오르고 청산군에 봉해졌다. 그후 세계가 실전됨으로써 가선대부 사헌부대사헌으로 연산군에게 직간을 하다가 종성부교수로 좌천된 운결을 기 1 세 하고 본관을 청산으로 하였다.

〈 행렬표 〉

세	행렬자	세	행렬자	세	행렬자	세	행렬자
14	永영	15	和화	16	箕기	17	均균
18	鍾종	19	淳순	20	東동	21	煥환
22	敎교	23	鉉현	24	泰태	25	根근
26	炳병	27	圭규	28	鎬호	29	來쾌
30	相상	31	熙희				

清州鄭氏 (청주정씨)

시조 및 본관의 유래

시조 극경은 고려 의종 때 중랑장을 역임. 그의 6 세손 책은 충숙왕 때에 충주목사를 지냈으며 통헌대부판선공사, 삼중대광으로 청하(청주의 별호)군에 봉해졌다. 그리하여 후손들이 본관을 청주로 하여 세계를 계승하고 있다.

〈 행렬표 〉

草溪鄭氏 (초계정씨)

시조 및 본관의 유래

시조 배걸(시호 : 홍문)은 초계성산에 세거하였으나 그 선세계는 상고할 수 없다. 그는 1017 년(고려현종 8) 문과에 장원하고 문종 때 예부상서, 중추원사를 지냈으며 사학을 창시하여 홍문공도를 이루었는데 12 공도중 문헌공도와 함께 최성하여 유가의 대가요. 백세의 존사라 일컬었다. 홍문광학추성찬화공신으로 개부의 동삼사수태위문하시중상주국평우후에 이르고 초계군에 봉해졌으므로 후손들이 초계로 본관을 삼았다. 묘소는 경남 합천군 쌍책면 성산리 옥전자좌이며 향사일은 음 3 월 1 일과 10 월 1 일이다.

〈 행렬표 〉

(내 급 사 공 파)

세	행렬자	세	행렬자	세	행렬자
25	汝여	26	猷유	27	學학
28	善선	29	永영	30	寅인
31	憲헌	32	用용	33	九구
34	雨우	35	河하	36	晟성
37	起기	38	漢한		

(천 호 장 공 파 상 도 파)

세	행렬자	세	행렬자	세	행렬자
25	彦언周주	26	鎭진	27	承승
28	善선樂락	29	永영煥환	30	寅인秀수
31	憲헌燮섭	32	載재甲갑	33	九구鎬호

34	雨우丙병	35	河하		

（천호장공파 호남파）

세	행렬자	세	행렬자	세	행렬자
25	道도	26	國국	27	基기
28	時시	29	鎬호	30	徹철
31	秉병	32	煥환	33	喜희
34	錫석	35	海해		

（대제학공파 경산파）

세	행렬자	세	행렬자	세	행렬자
25	述구相상	26	變섭烈열	27	時기遠원
28	鉉현	29	洪홍鴻홍		

（대제학공파 진주파）

세	행렬자	세	행렬자
25	在재翰한	26	奎규和화
27	弼필顯현	28	時시
29	鎬호	30	永영徹철泓홍
31	相상秉병炳병	32	煥환熙희烈열
33	圭규基기均균	34	鎭진鉉현錫석
35	泰태浩호浚준	36	桂계根근
37	炳병煥영燛경		

（대제학공파 관동파）

세	행렬자	세	행렬자	세	행렬자
25	鴻홍	26	和화	27	顯현
28	時시	29	鎬호	30	徹철
31	秉병相상	32	煥환烈열	33	圭규在재
34	鉉현鍾종	35	海해浚준	36	植식根근
37	容용燦찬	38	遠원均균		

（박사공파 진정파）

세	행렬자	세	행렬자	세	행렬자
25	成성	26	猷유	27	學학
28	善선	29	永영	30	寅인
31	憲헌淳순	32	圭규	33	爀혁
34	基기	35	鎔용	36	泳영
37	穆목	38	炳병		

（박사공파 강동파）

세	행렬자	세	행렬자	세	행렬자
25	致치	26	弼필	27	相상
28	然연	29	均균	30	鍾종
31	燮섭	32	秀수	33	爀혁
34	鉉현	35	泰태	36	根근
37	烔경				

（대 사 성 공 파）

세	행렬자	세	행렬자	세	행렬자
25	邦방演연	26	圭규猷유	27	鉉현銖수
28	永영泰태	29	乘승相상	30	容용烈열
31	基기在재	32	鎬호錫석	33	淳순海해
34	根근植식	35	熙희然연	36	均균孝효
37	鎬기鍾추	38	銖수浩호		

河東鄭氏 (하동정 씨)

시조 및 본관의 유래

하동정씨는 본관을 같이 하면서 계통이 다른 3파가 있다. 그 중 한 계통은 삼한의 말기에 하동으로 향관하고 단련향병으로 그 지방을 지지키다가 고려초에 호장으로서 향병을 이끌고 귀복하여 평장사에 오른 정도정을 시조로 하고 그후 세계가 실전되어 고려 때 문하시중을 지낸 후손 석중을 1세조로 10세 정인지（시호 문정) 12세 정여창(시호 문헌)등으로 이어져 왔다. 다른 한 계통은 고려 개국초에 하동지방 의 장으로 민병을 주관하던 사족의 후손으로 고 려 덕종 때 문과에 급제금자광록대부, 도첨의 좌정승, 검교태자첨사등을 지낸 정응을 시조로 하고 본관을 하동으로 하여 6세 정회 7세 정 초(시호 문경)로 이어져 왔다. 또 다른 한 계 통은 지백호의 원손(40세)으로 고려 숙종,예 종, 인종, 의종, 명종 등 5조에 벼슬하여 정헌 대부,지례부사, 응양대장군, 문하시중을 지내고 하동백에 봉해진 정손위를 시조로 하고 본관을 하동으로 하여 세계를 이어오고 있다.

〈 행 렬 표 〉

(손 위 계)

세	행렬자	세	행렬자	세	행렬자	세	행렬자
25	文문	26	兢극	27	善선	28	雨우
29	相상	30	薰훈						

(응 계)

세	행렬자	세	행렬자	세	행렬자
24	徵징	25	鳳봉	26	昌창
27	胄위	28	德덕	29	麟인弘홍
30	利이壽수	31	泳영永영		

(도 정 계)

세	행렬자	세	행렬자	세	행렬자
24	植식采채	25	炳병燦찬	26	均균基기
27	鎭진會회	28	洙수永영	29	柄병集집
30	變섭	31	教교致치		

咸平鄭氏 (함평정씨)

시조 및 본관의 유래

시조 언겸은 신라 개국공신이며 6부 촌장의 한 사람인 지백호의 38세손이다. 그는 고려때 병부상서, 문하시중을 역임하였고, 1126년(인종 4) 탁준경난 때 모평(함평의 고호)에 퇴거하 여 후손들이 세거하면서 함평을 본관으로 하였 다.

〈 행 렬 표 〉

세	행렬자	세	행렬자	세	행렬자
23	會회軫진	24	源원	25	相상
26	煥환	27	在재	28	鎬호鈺옥
29	濟제	30	植식	31	容용
32	教교	33	鍾종	34	求구
35	東동	36	變섭	37	圭규

海州鄭氏 (해주정씨)

시조 및 본관의 유래

시조 숙의 선세계는 문헌이 실전되어 상고할 수 없고 다만 그의 조상이 해주 수양산 밑에서 세거했던 사족으로 고려 때 정씨를 사성 받았다 고 전 해온다. 그는 고려 신종 때 전법정랑을 지 내고 연면혈통을 이어 왔으나 병화로 문헌이 실 전되어 4,5대의 계대를 밝히지 못하고 고려 말 기에 숙의 후손 언, 초 형제를 1세조로 하고 2파로 분류 본관을 해주로 하고 각각 세계를 계승하고 있다.

〈 행 렬 표 〉

세	행렬자	세	행렬자	세	행렬자	세	행렬자
23	變섭	24	基기	25	鉉현	26	源원
27	秉병	28	默묵	29	圭규	30	鎬호
31	雲운	32	模모	33	顯현	34	準준
35	鎭진	36	永영	37	柱주	38	烈열
39	在재	40	鏞용	41	海해	42	杓표
43	魯노	44	吉길	45	會회	46	澤택
47	相상	48	勳훈	49	喜희	50	鍊련

丁氏(押海)(압해정 씨)

시조 및 본관의 유래

시조 덕성(德盛)은 원래 당나라 사람으로 당나라 문종 때 대승상을 지냈고 무종 때 대양군에 봉해졌다. 당나라 선종 때 군국사로 직소하다가 853년(신라문성왕15)에 압해도(현 무안군 압해면)에 적거되면서 부터 우리나라 정씨의 시조가 되었다. 압해는 곧 우리나라 정씨의 발상지가 되며 다음 각 파는 모두 대양군 덕성의 후손으로 정씨대동종안보에는 본관을 압해로 통일되어 있다.

〈행렬표〉

(영 광 파)

세	행 렬 자		
21	壽수永영	22	鍾종
23	海해炳병泰태	24	相상聲성
25	炳병煥환	26	均균澈철奎규
27	鏞용善선	28	洙수勳훈淳순
29	喜희	30	烈열鈺옥南남
31	洛락在재	32	柱주
33	埈준	34	圭규

(창 원 파)

세	행렬자	세	행렬자	세	행렬자
20	鍾종鉉현	21	洙수	22	相상
23	變섭勳훈	24	在재埰채	25	鎬호
26	承승	27	勳훈		

(나 주 파)

세	행렬자	세	행렬자	세	행렬자
26	變섭	27	奎규	28	鎭진
29	海해淳순	30	榮영植식	31	憙희愚우

32	培배均균	33	鎬호鉉현	34	洙수求구
35	相상東동	36	烈열杰걸	37	基기在재
38	鍾종鐸탁	39	泰태永영	40	杓포根근

(의 성 파)

세	행렬자	세	행렬자	세	행렬자
18	教교漢한	19	大대相상	20	變섭炳병
21	奎규均균	22	鎭진錫석	23	海해雨우
24	植식	25	勳훈	26	喜희
27	鈺옥	28	洛락	29	柱주

程氏(河南)(하남정 씨)

시조 및 본관의 유래

동래시조 정사조의 선세계는 아득히 중국 황제 헌원씨로 거슬러 올라간다. 황제의 후손 백부가 원조이며 백부의 45세손 원담은 신안정씨의 중시조이다. 그리고 원담의 31세손인 우가 하남정씨로 분적하였다. 우의 5세손에 명도(호), 이천(이)이 있었고 우의 18세손(원담의 48세손이며 황제로부터 138세손)인 사조는 노국공주가 입국할 때 공한린(소)등 20여인과 함께 우리나라에 들어와 고려 충정왕 때 전중시어사를 지내고 공민왕 원년에 추성보리공신벽상삼한삼중대광으로 한산군에 봉해졌으며 식읍을 하사받았다. 그 후손들은 사조를 동래시조로 하여 중국 하남정씨의 세계를 그대로 계승하고 있다.

〈행렬표〉

세	행렬자	세	행렬자	세	행렬자	세	행렬자
37	炫현	38	基기	39	鍾종	40	泰태
41	朱주	42	熙희	43	奎규	44	錡기
45	淳순	46	彬빈				

諸氏(漆原)(칠원제씨)

시조 및 본관의 유래

칠원제씨는 중국 제갈무후량의 증손 제갈충이 부형이 순절하자 13세에 신라로 들어왔는데 그때가 미추왕 시대이다. 대대로 지리산 밑에서 경전독서하고 살았는데 고려 현종조에 이르러 시조 제갈영의 34세손 제갈홍과 제갈형 형제가 탄생하였다. 현종은 형제를 불러 형 제갈홍은 제씨로 남양군에 봉하고 제 제갈형은 갈씨로 량양군에 봉하여 제씨와 갈씨가 분성되었다. 그리고 고려 충선왕 때 제갈영의 42세손(제홍의 8세손)인 제문유가 왕의 초청을 받아 벽상공신 1등평장사로 옥대를 하사받고 구산(칠원)부원군에 봉해졌다. 그리하여 본관을 칠원으로 하게 되었다. 중시조 문유의 자는 공화 호는 삼성이며 묘소는 경남 함안군 칠원면 우두산 자좌이다.

〈 행 렬 표 〉

세	행렬자	세	행렬자	세	행렬자
8	弘홍	9	汝여	10	命명
11	夏하	12	朝조	13	國국
14	寬관	15	漢한	16	東동
17	根근	18	廷정	19	鎬호秀수
20	海해永영	21	模모權권	22	煥환熙희
23	奎규吉길	24	鏞용鎭진	25	承승源원
26	榮영林임	27	顯현烈열	28	重중在재
29	鎰일鉉현	30	澈철淳순		

諸葛氏(南陽)(남양제갈씨)

시조 및 본관의 유래

시조 제갈규는 충갈량의 아버지이다. 그의 5세손 충이 우리나라에 망명하여 지리산 아래서 세거하였고 후손들이 중국 원향 남양을 본관으로 하였다. 그러나 규의 원손 공순이 우리나라에 귀화하여 토착하였다는 설도 있고 또 그후 고려 현종 때 복성을 각각 제씨와 갈씨로 분종했다가 구한말에 성씨 환원 운동이 일어나자 일부가 제갈씨로 복원 하였다고도 한다.

趙氏(조씨)

조씨는 문헌에 210본으로 나타나 있다. 조씨는 이조에 명성을 떨쳤으며 명문벌족으로 손꼽히고 있다. 그 중에서도 풍양, 한양, 양주, 평양, 임천, 백천, 함안, 옥천, 횡성조씨 등이 대본이다. 조씨는 동성동본은 말할 나위도 없거니와 동계혈족이 아닌 이본일지라도 통혼을 하지 않는 것이 관례로 되어있다. 조씨의 210본 중 조맹(고려조 문하시중 평장사)을 시조로 하는 풍양조씨를 비롯하여 15성씨를 제외한 나머지 195성씨에 대하여는 미고이다.

金堤趙氏(김제조씨)

시조 및 본관의 유래

시조 연벽의 선계는 중국에서 비롯되었으나 그 연원과 동래한 시기에 대하여는 상고할 수가 없다. 다만 황제의 8세손에 조숙이 있었다는 것 주나라 목왕 때 조부가 서언왕을 친 공으로 조성에 봉해져 조씨성이 비롯되었다는 것, 또 송나라 태조 조광윤이 있었다는 등의 사실이 단편적으로 전해올 뿐이다. 또 동래설에 의하여도 기자가 12인을 거느리고 왔을 때 그 가운데 조직이 있었다는 설, 그후 숙의 후손 세위가 중국에서 한림학사로 있다가 오계의 난을 피하여 등쇄하였다는 설이 있을 뿐 정확한 유래를 구명하기가 어렵다. 시조 연벽은 1231년(고려 고종18) 몽고의 원수 살리타이(샬례탑)가

침략하였을 때 왕명으로 대장군이 되어 처인 성에서 살례탑의 여적을 소탕한 공으로 상장군에 오르고 벽성(김제의 고호)군에 봉해졌고, 좌정승에 추증되었다. 후손들이 본관을 김제로 하여 세계를 계승하고 있다. 묘소는 전복 김제군 김제읍 입석리에 있고 음 3월 3일에 제향

〈행렬표〉

(대호군파)

세	행 렬 자	세	행 렬 자
16	奎규啓계	17	宅택鉉현
18	衍연祿록	19	東동相상
20	燮섭	21	在재周주
22	鍾종錫석	23	泳영淳순
24	模모秀수植식	25	性성炯형炳병
26	喆철燮선墩돈	27	鈏범鈗윤銀은
28	潤윤 求求구浩호	29	桂계柱주柄병榕용
30	熺희燉돈燁엽勳훈	31	基기袁원奎규坰경

(문량공파)

세	행렬자	세	행렬자	세	행렬자
16	震진禧희	17	福복廷정	18	重중
19	得득	20	鉉현	21	澈철漢한
22	植식根근	23	燦찬炳병	24	坤곤奎규
25	東동權권	26	錫석鎭진	27	洙수永영
28	烈열煥환	29	埈준在재	30	鎬호鏞용

密陽趙氏(밀양조씨)

시조는 조흥사이고 인물로는 1763년(영조 44) 문과에 급제한 언환(자 상여)과 1867 년(고종 2) 문과에 급제한 석갑이 있다. 1930 년 국세조사 통계에는 황해도 해주에 120호 거주하는 것으로 나타나 있다.

白川趙氏(백천조씨)

시조 및 본관의 유래

시조 지린(之遴) 시호 : 공화는 송나라 태조의 손자로 난을 피하여 동래하여 황해도 백천에 정착 세거하였고 고려 현종조에 좌복사 참지정사가 되었으며 그의 아들 양유는 고려 덕종과 정종 때 판위위사승을 지냈고 추의찬화익조공신, 문하시중으로 백천군에 봉해졌다. 그리하여 그 후손들이 본관을 백천으로 하여 세계를 계승하고 있다. 묘소는 황해도 연백군 운산면 도태리에 있고 향사일은 10월 1일이다.

〈행렬표〉

세	행렬자	세	행렬자	세	행렬자	세	행렬자
25	台태	26	金(변)	27	源원	28	根근
29	增증	30	鍾종	31	濬준	32	彙
33	煥환	34	在재	35	鎭진	36	浩호
37	植식相상	38	炳병	39	培배	40	錫석
41	淵연	42	模모				

楊州趙氏(양주조씨)

시조 및 본관의 유래

시조 잠(岑)의 선세계는 고려조의 양주호장봉으로 부터 시작되었다고 하나 연대가 요원할 뿐더러 1453년 계유정란 때 후예들이 멸문지 화를 입고 제고징이 소실되어 소목계통을 밝힐 수 없으므로 잠을 시조로 하고 본관을 양주로 하여 계대하고 있다.

〈행렬표〉

세	행렬자	세	행렬자	세	행렬자	세	행렬자
22	重중	23	鎬호	24	源원	25	植식
26	煥환	27	載재	28	鏞용	29	永영

玉川 趙氏(옥천조씨)

시조 및 본관의 유래

조씨는 본래 중국 전욱의 후예로 백익의 후손이 요제 때 우와 더불어 치수에 공이 컸다하여 순제로부터 영(嬴)씨를 하사받았고, 그후 주나라 목종이 서언을 치는데 전욱의 후손 조부가 공을 세워 조성에 봉해짐으로써 그때부터 나라 이름으로 인하여 조씨라 했다고 한다. 조씨가 언제 우리나라에 들어와서 살게 되었는지는 알려지지 않고 있으나 옥천조씨는 고려조에 광록대부검교대장군문하시중을 지낸 장율 1세로 삼고 그의 증손 원길(충헌공)이 공양왕 때 대광보국광록대부검교문하시중겸, 전공판서로 옥천 부원군에 봉해졌기 때문에 그 후손들이 옥천(순창의 별호)을 본관으로 삼았다.

〈 행 렬 표 〉

세	행렬자	세	행렬자	세	행렬자
20	孝효廷정	21	鉉현善선	22	淵연澤택
23	東동休휴	24	勳훈容용	25	翼익奎규
26	啓계鎔용	27	雲운雨우	28	權권秀수
29	愚우熙희	30	遠원周주	31	敏민敬경
32	洙수衍연	33	柱주述술	34	炅경烔경
35	重중在재	36	鈺옥鋼강	37	求구漢한
38	根근杞기				

林川 趙氏(임천조씨)

시조 및 본관의 유래

시조 조천혁은 송나라 태조의 손자 기왕(유길)의 제5자이다. 그는 진사시에 합격 서두공 봉관이 되었으나 979년(송태종 태평흥국4)에 위왕이 피화하므로 숙부 유고(백천조씨 시조)와 함께 화를 피해 동래하여 천혁으로 개명하고 호서지방(현 부여군 임천)에 정착세거하였다. 그후 고려 현종 때 강감찬과 함께 계단군을 대파하여 공을 세웠으므로 가림(임천의 고호)백에 봉해지고 문하시중평장사에 올랐다. 그래서 그 후손들이 그를 시조로 하고 본관을 임천이라 하여 세계를 계승하고 있다. 묘소는 충남 부여군 장엄면 상황리에 있고 매년 10월10일에 향사한다.

〈 행 렬 표 〉

세	행렬자	세	행렬지·	세	행렬자
15	希희	16	馨형	17	期기景경
18	正정	19	明명	20	德덕
21	學학	22	在재基기	23	鎬호
24	漢한	25	植식	26	容용
27	圭규英영	28	顯진	29	澤택
30	秀수	31	燦찬	32	埈준
33	錫석	34	潤윤	35	桓환
36	熙희	37	培배	38	鍾종

稷山 趙氏(직산조씨)

시조 및 본관의 유래

직산 조씨에는 시조를 달리하는 두 파가 있다. 그 하나는 조원우를 시조로 하는 직산조씨이다. 시조 원우는 고려조에 친어군 지휘사를 지냈으며 그의 손자 광보는 호부상서를 지냈고 후손들은 직산에 토착한 사족으로 본관을 직산으로 하여 세계를 이어오고 있다. 그리고 또 하나는 성을 시조로 하는 직산조씨인데 시조 조성은 고려말에 공훈이 있어 직백산에 봉해졌고 후손들은 직산에 세거하면서 사족으로서 일문을 이루고 있다. 그리하여 이 역시 본관을 직산으로 하여 계승하여 오고 있다.

眞寶趙氏(진보조씨)

시조 및 본관의 유래

시조 조용(시호 : 문정)은 1374년(고려 공민왕 23) 전시에 장원급제하고 벼슬은 정헌대부, 예의판서, 좌찬성겸수문전대제학을 역임했으며 1392년(조선 태조 원년) 유배되어 야주군(현 예천)에서 살았다. 조정에서는 그의 절의를 가상히 여겨 백천군을 진보군으로 이봉하였으므로 이로써 향관을 진보라 하였다. 그는 정포은의 문인으로서 문장과 학행이 탁월하였다. 그가 죽은 후 학문과 행의를 추모한 후학들이 예천에 향현사를 건립하여 그를 제향케 했으며 조정에서는 예문관 대제학을 증직하였다. 그리하여 후손들은 백천에서 분적하여 본관을 진보라 하고 세계를 계승하고 있다.

〈행렬표〉

세	행렬자	세	행렬자	세	행렬자	세	행렬자
28	植식	29	熙희	30	圭규	31	鉉현
32	求구	33	相상	34	炳병	35	均균
36	鎬호	37	漢한	38	秉병		

太原趙氏(태원조씨)

시조 및 본관의 유래

시조 만은 조선세조 때 장사랑으로 선계와 기타 그 일문에 대하여 알 수 없으나 족보에는 전란으로 함경도 북청에 가서 그곳에 정착세거하면서 태원조씨가 되었다고 한다. 묘소는 함남 북청군 신창읍 경안대리에 있다.

〈행렬표〉

세	행렬자	세	행렬자	세	행렬자	세	행렬자
13	珏각	14	尙상	15	宗종	16	冕원
17	喜희	18	夏하				

平山趙氏(평산조씨)

시조 및 본관의 유래

시조 웅선의 선세계와 연대에 대하여는 잘 알 수 없으나 전하는 바에 의하면 그는 대사간으로 재임중 국왕에게 직간하다가 평산에 유배되었다 한다. 그후 세계가 실전되어 후손인 충백(참봉)을 중시조 1세로 하여 세계를 계승고 있으며 유배지인 평산을 본관으로 하였다.

平壤趙氏(평양조씨)

시조 및 본관의 유래

시조 춘(椿)의 선세계는 은나라 사람으로 어느 시대에 동쇄했다는 사적은 없다. 그는 고려 때 금자광록대부로서 남송에 가서 금나라를 토평한 공으로 송나라 상장군이 되었다. 그의 5세손 인규(정숙)가 충숙왕 때 국구로 선충익재보조공신벽상삼중대광수태위태사상장군으로 평양부원군에 봉해져서 선대의 본관은 상원이라 했으나 충렬왕의 명에 따라 후손들은 본관을 평양이라 하였다.

〈행렬표〉

세	행렬자	세	행렬자	세	행렬자	세	행렬자
27	漢한	28	相상	29	恒항	30	基기
31	庚경	32	淳순	33	樂락	34	魯노
35	聖성	36	鐸탁	37	昶창	38	植직
39	愚우	40	珣순	41	鍾종	42	源원
43	秉병	44	憲헌	45	垣원	46	鎰일
47	海해	48	植식	49	悳덕	50	增증
51	鎭진	52	潭담	53	禎정	54	薰훈

豊壤趙氏(풍양조씨)

시조 및 본관의 유래

시조 맹(孟)의 초명은 바위였다. 풍양현의 천마산(현 양주군 진전면 송릉리) 밑에서 웅거하여 오더니 만년에야 고려 왕건태조와 제우하여 고려 건국에 공을 세워 통합삼한벽상개국공신이 되고 호위가 상주국삼광문하시중 평장사에 이르렀고 맹이란 이름을 하사받았다. 천마산하에 그가 왕건 태조를 만났다는 암굴이 있고 견성암이라는 절을 세워 수호하여 온다. 맹 이하의 세계는 실전되었는데 6세 실전한 전직공파는 천화사전직 지린을 1세로 하여 계대하고 몇대 실전인지 모르는 평장공파는 평장사공 신혁을 1세로 하여 계대하고 있다. 전직공파는 고려말엽의 인물을 기준하여 호군공(사충)파 회양공(신)파 금주공(임)파로 삼문하고 평장공파는 그의 증손 남원공(계팽)파로 칭하여 4파로 대분 되었으며 이 밖에도 수개파가 있다. 시조의 묘소는 경기도 양주군 진전면 송릉리산 54의 3에 있고 향사일은 음 9월 종정일이다.

〈 행 렬 표 〉

세	행렬자	세	행렬자	세	행렬자
20	載재	21	敦돈	22	默묵
23	柄병	24	紀기	25	康강
26	南남 揆규	27	衍연 演연	28	誠성 行행
29	熙희 振진	30	鏞용 東동	31	新신 淳순
32	重중 卿경	33	揆규		

漢陽趙氏(한양조씨)

시조 및 본관의 유래

사략에 의하면 주의 목왕이 서언왕을 정벌할 때 조부가 공을 세워 조성에 봉해졌으므로 나라 이름을 따서 조씨라 성하여 조씨의 연원을 이루었다 한다. 한양조씨의 시조 지수의 동래연대는 상고할 수 없고 그는 고려 때 조순대부첨의중서사를 지내고 용진에서 세거하였다. 그후 후손들이 조선 개국 때 한성으로 옮겨 가세가 크게 번영하였고 많은 명신 현유를 배출하였으므로 본관을 한양으로 하여 세계를 계승하고 있다.

〈 행 렬 표 〉

(판도공파 : 린재)

세	행렬자	세	행렬자	세	행렬자	세	행렬자
21	天천	22	善선	23	泰태	24	東동
25	容용	26	遠원	27	鍾종	28	漢한
29	秀수	30	熙희	31	圭규	32	鉉현
33	泳영	34	植식	35	炳병	36	敎교

(총관공파 : 휘)

세	행렬자
21	敎교廷정彦언養양觀관
22	鍾종載재秉병淵연
23	元원允윤容용榮영震진
24	炳병昺병基기煥환
25	行행衡형錫석鎬호
26	成성誠성泳영海해
27	熙희紀기東동
28	慶경庸용
29	新신章장
30	廷정聖성
31	揆규 規규
32	學학存존厚후
33	書서肅숙用용
34	演연寅인璜황
35	卿경邵소迎영
36	震진振진養양

咸安趙氏 (함안조씨)

시조 및 본관의 유래

시조 정(鼎) 시호 충장은 후당인으로 신라 말기에 두 아우 부와 당을 데리고 절강인 장길과 합께 동래하였다고 한다. 그는 고려개국공신 신숭겸, 배현경, 복지겸, 김선평, 권행 등과 교우가 두터웠다고 하며 왕건을 도와 협주에서 기의 931년(태조 14) 고창성에서 견원을 대파하고 동경 주현 대부분을 항복받아 고려통일에 큰 공을 세워 개국벽상공신으로 대장군이 되었다. 그래서 후손들이 그를 시조로 삼고 함안에 세거하면서 본관을 함안으로 하여 세계를 이어오고 있다. 안동의 칠현사 동수의 출렬사에 제향

〈 행 렬 표 〉

세	행렬자	세	행렬자	세	행렬자
26	性성	27	奎규	28	鏞용
29	濟제	30	來래	31	顯현熙희
32	在재埈준	33	欽흠	34	洙수
35	東동	36	煥환	37	培배

橫城趙氏 (횡성조씨)

시조 및 본관의 유래

조씨는 본래 중국성씨로서 전욱의 묘예라고 한다. 주나라 목왕때에 비염의 아들 계승이 있었고 계승의 아들에 조부가 있었다. 목왕이 항시 조부를 호종케 하여 천하를 주유 할때 곤륜산에 이르러 서왕모를 만나 요지에서 연회를 베풀었는데 선경에 도치되어 돌아갈 줄을 몰랐다. 그때 자리를 같이 한 김모가 목왕에게 너의 나라가 서언왕의 침범을 당하고 있으니 속히 귀국하라 하니 목왕은 그때서야 정신이 퍼뜩들어 급히 귀국 조부로 하여금 초나라 군사를 빌어 서언왕을 치게하였다. 그 공으로 조부는 한단왕에 봉해지고 그 나라를 조나라라고 칭하였다. 그로하여 조성의 연원이 이루어 졌다고 한다. 그후 6대왕 조삭이 재위시에 권신 도연가에게 멸망당했는데 유복자 조무가 고아로 성장하여 도연가를 주살하고 한단에 조국을 재건한 후 전위 11세 조혜왕에 이르러 진나라 안국군에게 망한바 되었다. 그 후예는 간신히 구명 동래하여 우리나라에 정착세거하게 되었고 그 후손중 956년(광종 9) 시설문과에 장원하고 한림학사에 이른 욱이 있어 횡성조씨의 시조가 되었으며 그가 청덕이 높아 횡성군에 봉해짐으로써 후손들이 본관을 횡성으로 하였다.

〈 행 렬 표 〉

〈 월 천 공 파 〉

세	행렬자	세	행렬자	세	행렬자	세	행렬자
31	植식	32	炳병	33	圭규	34	鎭진
35	淳순	36	東동	37	煥환	38	在재
39	錫석	40	洪홍	41	根근	42	炯형
43	均균	44	鏞용	45	洙수		

〈 직장공, 참봉공, 별제공, 은은당공파 〉

세	행렬자	세	행렬자	세	행렬자	세	행렬자
31	基기	32	鎭진	33	源원	34	植식
35	炯형	36	均균	37	鉉현	38	澈철
39	東동	40	熙희	41	垠은	42	鎰일
43	泰태	44	稷직	45	炳병		

曺氏 (昌寧) (창녕조씨)

시조 및 본관의 유래

시조 계용은 신라 진평왕의 여서이다. 그의 모친은 창녕현 고암촌에서 한림학사 이광옥의 딸로 태어났는데 그녀가 자라서 혼기에 이르렀을때 우연히 복중에 청용질을 얻어 백약이 무효하자 학사가 크게 염려하던중 어느 신승의 말에 따라 화

왕산 용담에 가서 목욕기도를 마치고 돌아온 후 신기하게 병은 완쾌되고 태기가 있었다. 어느날 밤 꿈에 금관을 쓰고 옥대를 두른 한 남자가 나타나 웃으며 말하기를 이 아이의 아버지는 동해 용왕의 아들이다. 이 아이를 잘 길러라 크면 공후가 될 것이며 자손도 번영할 것이다 라고 하며 떠났다. 그후 십삭이 지나서 진평왕48년에 생남하니 용모가 준수하고 겨드랑이 밑에 『曺』자가 붉게 씌어져 있었다. 이것을 본 학사는 크게 이상히 여겨 이 사실을 왕에게 알리자 왕도 신기하게 어기며 성은 조 이름은 계용 자는 린경이라 특사하고 뒤에 부마를 삼음으로써 창성부원군에 봉해지고 벼슬이 보국대장군상주국대도독총지휘제군사 금자광록대부태자태사에 이르렀다. 이리하여 그의 후손들은 계용을 시조로 하고 창녕은 그의 세거지이기 때문에 본관을 삼게 된 것이다. 시조의 묘소는 경북 안강읍 노당이리에 있다.

〈 행 렬 표 〉

세	행 렬 자	세	행 렬 자
40	承승	41	秉병
42	煥환 燮섭 烈열	43	圭규 喜희 基기
44	鉉현 鎬호 鍾종	45	永영 洙수 海해
46	根근 植식 穆목	47	容용 炯형 然연
48	載재 坤곤 塤훈	49	鎰일 鍵건 鏞용
50	泰태 淳순 淵연	51	東동 相상 榮영
52	燮섭 烈열 杰걸	53	均균 重중 垣원
54	鎔용 鎭진 錫석		

宗氏(종씨)

종씨는 중국 주나라 대부 종백의 후예로 전한다. 종씨는 주요 본관 임진, 통진, 이외에 모압 니파, 인의, 황원,등이 있고 1930년 국세조사때 황해도 서흥곡산 등지에 3가구가 살고 있다.

鍾氏(종씨)

종씨는 원래 중국의 성씨로서 송나라 환공이 아들을 종에 대하여 이루어진 성으로 전하는데 언제 우리나라에 들어왔는지 확실치 않다. 본관은 하음, 풍덕, 통진, 천안, 영암, 두원, 정의 등이 전하나 대종은 하음종씨이다.

左氏(濟州)(제주좌씨)

시조 및 본관의 유래

시조 형소의 선세계는 중국 노나라때의 태사 좌구명의 후손이다. 형소는 원나라 천관시랑으로 고려에 래조하여 침라(제주) 목마장감목관이 되면서 부터 그곳에 정착세거 하였다. 그래서 후손들이 본관을 제주로 해서 세계를 계승하고 있다.

〈 행 렬 표 〉

세	행렬자	세	행렬자	세	행렬자	세	행렬자
13	光광	14	鎭진	15	永영	16	澄징
17	彦언						

尚州周氏(상주주씨)

시조 및 본관의 유래

주씨는 고대 중국 헌원씨의 후예인 주나라 37대 난왕(BC 314-256)의 자손들이 주나라가 망한후 주씨성을 일컷게 되었다. 한다. 상주주씨의 시조 주이는 786년(신라원성왕2) 사신일행의 부사로 왔다가 우리나라에 귀화했다. 그가 그후 병부령, 상주총관을 지냈기 때문에 후손들이 그 지방에 세거하면서 본관을 상주로 하여 세계를 계승하고 있다. 상주주씨는 4파로 분파되어 있는데 18세손인 세후를 1세조로 하는 판서공파와 19세손 유를 1세조로 하는 도은공파 그의 동생인 선을 1세조로 하는 박사공파 19세손 僭을 1세조로 하는 시랑공파가 있다. 그리고 18세손 명용은 철원주씨로 분관했으며 중문을 중조로 하는 목천파가 초계로 속관하였고 판서공파 세후의 6세손 서는 안의주씨로 분관하였다. 경북 상주군 사벌면에 시조 주이의 유적비가 있다.

〈 행 렬 표 〉

세	행 렬 자	세	행 렬 자
17	時 시	18	會 회
19	永 영 海 해	20	植 식 根 근
21	煥 환 炫 현	22	載 재 圭 규
23	鎬 호 鍾 종 鉉 현	24	洙 수 浩 호 洛 락
25	穆 목 柄 병 東 동	26	燮 섭 熙 희 炳 병
27	中 중 埰 채 在 재	28	鈺 옥 錫 석 鎭 진
29	河 하 澤 택 源 원	30	來 래 桓 환 模 모

鐵原周氏(철원주씨)

시조 및 본관의 유래

시조 승광은 당나라 중종때 금자광록대부문하시중으로 있을때 천빈신의 화를 피해 신라로 왔다 한다. 그래서 효소왕이 상빈으로 예우하고 철원을 식읍으로 하사 했다. 후손들이 그곳에 정착 세거 하면서 본관을 철원으로 하여 세계를 계승하고 있다. 그러나 상주, 철원, 초계, 안의주씨의 세계를 보면 모두 동원으로 보이나 약간씩 다르다.

〈 행 렬 표 〉

세	행렬자	세	행렬자	세	행렬자	세	행렬자
40	鍾종鎬호	41	洙 수	42	東 동	43	煥 환
44	時 시	45	鉉 현	46	永 영	47	根 근
48	炳 병	49	珍 진	50	錫 석	51	洪 홍
52	桂 계						

安義周氏(안의주씨)

시조 및 본관의 유래

시조 서는 원래 상주주씨의 판서공파조 세후의 6세손으로 임진왜란때 안의에 피난 세거 하였다. 서의 아들 언수가 안변지방으로 가서 살면서 본향인 안의를 본관으로 해서 세계를 계승하고 있다. 묘소는 함남 안변군 배화면 신리에 있다.

〈 행 렬 표 〉

세	행렬자	세	행렬자	세	행렬세	세	행렬자
17	均 균	18	鏞 용	19	沃 옥	20	榮 영
21	煥 환	22	在 재	23	鉉 현	24	淳 순
25	根 근	26	炯 형				

草溪周氏(초계주씨)

시조 및 본관의 유래

주씨는 황제 헌원의 후예인 주나라의 왕손으로 주나라가 망한후에 후손들이 성을 주씨라고 하게 되었다. 한다. 후손 주황이 한림학사로서 당말(907)에 오계지란을 만나 변, 정 양학사와 동래하여 교남 초계지방에 와서 정착하였으므로 황을 시조로 본관을 초계로 하였다.

〈 행 렬 표 〉

세	행렬자	세	행렬자	세	행렬자
26	錫석	27	淳순	28	采채
29	應응	30	載재	31	鍾종
32	永영	33	植식林임	34	燦찬炳병

35	培배圭규	36	鉉현鏞용	37	溶용源원
38	相상東동	39	熙희憲헌	40	基기時시

朱氏 (新安) (신안주씨)

시조 및 본관의 유래

신안주씨는 원래 중국 전욱씨의 후예인 조협을 주무왕이 주국 (현산동성 제남부)에 봉하였던 바 그후 초국에 병합됨에 따라 『邾』자의 『阝』변을 떼고 『朱』로 성을 삼았다. 시조의 유래를 살펴보면 전욱씨의 후예인 주희 (주자)의 증손 잠 (호 청계)이 동래하여 우리나라 신안주씨의 시조가 되었고 본관에 있어서는 시조가 동래한 후 후손들이 700년간에 걸쳐 각지에 산거하는 동안 그 세거지를 본관으로 삼아 릉주 나주 전주 함흥 등 많은 본관을 써오다가 1902년 (고종 39) 문의에 의해 의정부찬정 석뇌을 대표로 상소를 하여 조칙을 받음으로 부터 잠의 후손들은 본관을 모두 신안으로 통합하게 되었다.

〈 행 렬 표 〉

세	행렬자	세	행렬자	세	행렬자
31	寧녕炯형	32	中중奎규	33	宰재鍾종
34	暾돈河하	35	東동尤우	36	㷱 煥환
37	基기址지	38	鎬호銓전	39	泳영洛락
40	植식華화	41	慎신性성	42	坤곤均균
43	鉉현鎔용	44	承승泰태	45	馨형

俊氏 (清州) (청주준씨)

준씨는 청주준씨 단본이며 936년 왕건이 후백제 신검과 결전할때 우익 장군이었던 준량과 제4대 광종때 대상에 오른 홍 제20대 신종때의 존비 등이 나타났는데 오늘날의 준씨와의 관련은 미상하다. 분포는 1930년 국세조사 자료에 의하면 충남 서천군 종천면 석촌리에 1가구가 살

고 있다.

池氏 (忠州) (충주지씨)

시조 및 본관의 유래

시조 경 (鏡) 시호 선의는 중국 홍농 사람으로 960년 (고려광종 11)에 태학사로 동래하여 금자광록대부태보 평장사에 이르렀고 그후 그의 6세손인 종해가 충주에 세거했으며 문하시랑평장사로 충원백에 봉해졌다. 그리하여 그 후손들이 본관을 충주로 하여 세계를 계승하고 있다.

〈 행 렬 표 〉

세	행렬자	세	행렬자	세	행렬자
36	載재大대	37	鉉현鎬호	38	求구永영
39	根근植식	40	煥환默묵	41	培배喆철
42	善선	43	泰태	44	秀수
45	烈열	46	均균		

智氏 (鳳州) (봉주지씨)

시조 및 본관의 유래

시조는 고려때의 명장 지채문이다. 그는 1010년 (현종 1) 계단군이 침입했을때 많은 공을 세웠으며 또 왕의 피난길을 호종하여 신변의 위기를 막았다. 난이 평정된후 그 공으로 전토 30결을 하사받았으며 동 7년 무관으로서 우상시를 겸했고 뒤에 상장군복사로 1등공신에 추록 되었으므로 후손들이 그를 시조로 하고 본관을 봉주로 하였다.

秦氏 (진씨)

진씨는 문헌에 47본으로 나타나 있다. 진씨는 공자의 제자로서 문묘에 배향된 상을 시조로 하고 진욱이 고려조에 박사로서 진주군에 봉해짐

으로써 본관을 진주로한 진주진씨와 신라의 원병으로 백제평정에 참가했다가 귀화한 필명을 시조로 하는 풍기진씨를 제외한 45본에 대하여는 미고이다.

晋州秦氏(진주진씨)

시조 및 본관의 유래

진씨는 전제의 후예이다. 백익이 순제로 부터 영씨를 사성받았고 그의 후손 비자가 진이라는 고을에 봉해졌으므로 이로써 성을 삼으니 이에 진성의 시조가 되었으며 시조 진상은 공자의 제자로서 우리나라 문묘에 배향되었다. 진상의 76세손인 옥이 고려조에 박사보리공신 이었으며 진주군에 봉해짐으로써 후손들이 진주로 본관을 삼았다. 옥의 제2자인 계백은 고려 공민왕조에 찬성사로서 홍윤, 최만성 등과 정사를 의존하다가 마침내 그들이 모반할 것을 알고 제주로 피거함으로써 진주진씨의 입향조가 되었다. 계백의 손 계순은 아들 셋을 두었는데 장은 인규 (판포파조) 중은 인한 (명월파조) 계는 의한 (납읍파조)이 있다. 그후 판포파와 납읍파는 본관을 풍기로 개관하고 있다. 그러나 명월파의 한 사람인 문종은 1637년에 출생하여 1719년 사망한 홍준의 묘비에 진주진씨라 한 고증이 발견되었고 또한 전고문헌권지구에 진계백은 진주진씨임이 분명하므로 양파가 복관할 것을 주장하고 있다.

豊基秦氏(풍기진씨)

시조 및 본관의 유래

당나라 태종때 복사를 지낸 진숙보의 가계에 따르면 황제의 후손 고신씨의 제4자 계중의 증손 麃는 하나라때 사람인데 그 麃의 16세손 희자가 주나라 선왕을 섬기면서 많은 공을 세워 웅주에 봉해지고 진씨로 사성받았다고 한다. 한편 송나라때 용도 각학사를 지낸 진관의 가계 서문에 의하면 진씨는 원래 황제의 후손으로서 고신씨의

제4자 계중은 요순때의 군자팔원의 한 사람으로 그의 아들 윤후는 하나라때 사도가 되었다고 한다. 윤후의 후손 겸은 웅주에 살면서 서하백이 되었으며 겸의 후손 상은 풍익후 단은 신식후조는 공자의 제자로서 화정후가 되었다. 또 조의 후손 진숙보는 아들 3형제를 두었는데 홍은 회해후 창은 청주후 옥은 채주후에 봉해졌다. 창의 후손인 진필명은 원래 당나라 태원사람으로 당나라 고종때 대사마대장군으로서 신라를 도우러 나와 백제평정에 참가 하였다가 그대로 이 땅에 머물러 살게 되었다. 풍기진씨는 그를 시조로 하고 풍기를 본관으로 하여 계대하고 있으며 그밖의 진씨는 풍기진씨의 분파라는 것이 통설로 되어 있다. 묘소는 안릉 태조산하에 있고 향사일은 음 10월 1일이다.

〈 행렬표 〉

세	행렬자	세	행렬자	세	행렬자	세	행렬자
24	基 기	25	鎭 진	26	洪 홍	27	東 동
28	容 용	29	在 재	30	鉉 현	31	準 준
32	柱 주	33	炯 형	34	教 교	35	欽 흠
36	雨 우	37	根 근	38	榮 영	39	均 균

陳氏(驪陽)(여양진씨)

시조 및 본관의 유래

진씨는 원래 중국의 성씨로서 송나라때 복주출신인 진수가 우윤 벼슬을 지내다 국난이 일어나자 우리나라에 건너와 려양현(현 충남 홍성군 장곡면) 덕양산 아래 정착세거 하였는데 그의 후손인 총후가 비로소 고려 예종때 벼슬이 신호위대장군에 이르고 인종때 이자겸의 난을 토벌한 공으로 려양군에 봉해짐으로써 그의 후손들이 총후를 시조로 하고 본관을 려양으로 하게 되었다. 그외에 삼척, 나주, 강릉을 본관으로 한 진씨가 있으나 이미 려양진씨 대동보에 환보하여 려양진씨로 일원화 되었고 진산 광동을 본관으로 한 진

씨는 려양진씨와는 아무런 관련이 없으며 고증할 만한 문헌이 없어 자세하게 알 수가 없다. 그 외에도 120 여 본관이 문헌상에 나타나 있으나 이 또한 미고이다.

< 행렬표 >

세	행렬자	세	행렬자	세	행렬자
24	夏하	25	成성	26	範범熙희
27	庸용廣광	28	章장彦언	29	壽수善선
30	奐호奐환	31	翼익遇우	32	元원九구
33	商상南난	34	寧녕殿전	35	載재茂무
36	勉면紀기	37	度도慶경	38	達달'후재
39	聖성延정	40	揆규發발	41	冀기用용
42	執집光광	43	周주同동	44	百백衡형
45	咸함義의	46	龍용選선	47	庠상廓곽

晋氏(南原)(남원진씨)

시조 및 본관의 유래

시조 함조는 10 여세에 이미 고경에 통달 하였고 년장하여 문장 도덕에 뛰어났으며 천문과 성수 또한 뛰어났다. 고려 현종이 이를 듣고 사부로서 에우하고 호부상서에 등용하여 뒤에 좌복사 겸도정상서 좌복사를 역임했다. 현종은 또한 진씨성과 이름을 함조라 하사하였으며 시호는 문경이다. 그의 후손 석이 고종때 게단을 크게 무찌른 공으로 남원군에 봉해지고 남원을 식읍으로 하사받았으므로 후손들이 본관을 남원으로 하게 되었다. 시조의 묘소는 전북 남원군 대산면 금성리 금강동에 있고 향사일은 음3월 3일이다. 그러나 시조함조와 광인과의 년대가 약170 년의 차가 있어 광인을 1세조로 하여 계대하고 있다.

< 행렬표 > ( )안은 임실파임)

세	행렬자	세	행렬자	세	행렬자
24	旭욱(必필)	25	炳병(煥환)	26	夏하(在재)

27	奎규(鎬호)	28	鐸탁(洪홍)	29	永영(植식)
30	模모	31	炯형		

眞氏 (西山)(서산진씨)

조선 씨족 통보에 의하면 진씨는 백제 8 대성의 하나였고 중국에서는 상곡이 진씨의 발상지이며 송나라 영종때에 진덕수라는 사람이 있었다고 한다. 또 삼국사기에 보면 신라에도 이미 진공(신문왕조 대아손) 진복(신문왕조 상대등)이 있고 백제에는 진가(고이왕조 좌평) 진무(아신왕국구 병관좌평) 등의 이름이 등장한다. 우리나라 진씨는 본관이 서산 하나 뿐이며 그 시조나 상계를 상고할 수가 었고 천여명 밖에 안된다.

車氏 (延安)(연안차씨)

시조 및 본관의 유래

시조 차효전은 차무일의 후손 유차달의 장자이다. 차효전의 7 세조 차승색이 애장왕때 좌상으로 있다가 809 년 왕의 서숙 언승(헌덕왕) 이 애장왕을 살해하고 왕위에 오르자 벼슬에서 물러나 전왕의 복권을 위해 아들 공숙과 같이 사냥가는 왕을 살해하려다 사전에 발각되었다. 그래서 체포령이 내려 부자가 함께 황해도 구월산 목방동으로 피해 조모의 성인 양(楊)씨를 모방하여 류씨로 변성하고 승색은 색으로 공숙은 숙으로 개명하여 류씨로 행세하면서 살았다. 그후 6 세손 류차달이 아들 형제와 함께 고려 태조를 도와 창업에 큰 공을 세워 차달은 승상에 임명되고 형제도 높은 벼슬이 주어졌는데 그제야 변성한 사실을 알게된 왕이 차씨의 큰 공도 잊을 수가 없고 류씨로 행세한지 이미 오래이니 역시 폐 할수없다 하고 장자 효전에게 대광백을 봉하고 연안을 식읍으로 하사하여 구성인 차씨를 계승토록 하였다. 그래서 후손들이 봉읍받아 세거한 연안을 본관으로 해서 세계를 계승하고 있다.

세	행렬자	세	행렬자	세	행렬자
37	燻훈	38	鏞용鍾종	39	淳순濟준
40	相상秉병	41	煥환烈열	42	載재在재
43	鉉현鎬호	44	永영泰태	45	秀수植식
46	光광容용	47	基기培배	48	會회善선
49	洙수承승	50	東동乘승		

昌氏 (창씨)

창씨는 본래 중국의 성씨로 황제의 아들 창혜의 후손이라 한다. 우리나라에는 공주, 아산, 려산 등 5본이 전하는데 1930년 국세조사 당시 전주, 진안, 익산 등지에 31가구 등 모두 50여 가구가 살고 있다.

倉氏 (창씨)

삼국사기에 창조란 인물이 전하는데 그가 현재 전하는 창씨와 관련이 있는지는 상고할 수 없다. 그는 294년 남부대사자로 있다가 국상이 되고 대주부에 올랐다. 296년 모용외의 난을 평정하였고 300년에 흉년이 들었는데도 왕이 사치에 빠지자 은퇴하여 은불(미천왕)을 세웠다 한다. 1930년 국세조사때 서울과 경기도에 11가구가 있었고 본관은 아산, 려산, 장성 3본이나 시조는 미고이다.

蔡氏 (채씨)

채씨는 문헌에 49본으로 나타나 있으나 고려 고종조에 중서시랑평장사를 지낸 경평공 채송년을 시조로 하는 평강채씨와 채선무를 시조로 하는 인천채씨를 제외하고는 미고이다.

仁川蔡氏 (인천채씨)

시조 및 본관의 유래

시조 채선무의 선계는 문헌이 없으므로 상고할 수 없다. 그는 고려 중기에 동지사를 지내고 동지추밀원사에 추증되었다. 그는 인천에 세거 채씨일문을 이루었다. 그래서 후손들이 그를 시조로 고려말에 호조전서를 지내다가 조선이 개국되자 절개를 지켜 두문동으로 들어가 은거한 채귀하를 중조로 하고 본관을 인천으로 하여 세계를 이어오고 있다.

〈 행 렬 표 〉

세	행렬자	세	행렬자	세	행렬자	세	행렬자
30	種종	31	泰태	32	敎교	33	植직
34	雲운	35	均균	36	和화	37	求구
38	奎규	39	秀수				

平康蔡氏 (평강채씨)

시조 및 본관의 유래

시조 채송년(시호 경평)의 선세계는 문헌이 실전되어 상고하기 어렵다. 채씨는 원래 중국 주나라 문왕이 아들에게 채후를 봉하였으므로 채씨로 창성하였다 한다. 우리나라에는 채씨가 어느 년대에 들어왔는지 알수 없고 다만 신라 내물왕의 부마로 채보한이 있었으나 채송년과의 혈연적 계보는 상고할 수 없다. 그는 고려 고종때 추밀승선이 되고 최항의 난때 병마사로 난을 평정한 공훈으로 대장군이 되었다. 그후 금자광록대부, 수태사, 문하시랑평장사, 상호군, 판이부사, 태자태사 능을 역임한 그를 시조로 하고 평강군에 봉해졌으므로 본관을 평강이라 하여 세계를 계승하고 있다.

〈 행 렬 표 〉

세	행렬자	세	행렬자	세	행렬자
31	源원洪홍	32	榮영相상	33	烈열煥환

34	建건起기	35	鎬호鉉현	36	淳순漢한
37	植식模모	38	炳병容용	39	均균在재
40	鎭진鎰일	41	濟제求구	42	秀수樂락

采氏 (채씨)

1930 년 국세조사때 광주시에 일가구가 살고 있었으나 조사해본 결과 려산송씨의 오기로 밝혀졌다.

菜氏 (채씨)

옛날에는 없던 성씨로 1930 년 국세조사 당시 경남 통영에 단 1 가구가 살고 있었는데 1960 년 국세조사때는 인구 50 명 이었으며 관향은 진주 단본이다.

天氏 (천씨)

문헌에 나타난 인물로는 조선 정조때 진사시에 합격한 천명익이 있다. 1930 년 국세조사때 황해도 본산, 서흥 지방에 12 가구 등 14 가구가 살고 있다. 본관은 연안, 우봉 2 본이 있다.

千氏 (潁陽)(영양천씨)

증보문헌 비고에 의하면 천씨가 97 본관으로 나타나 있으나 모두 영양천씨의 세거지명을 나타낸 것이다. 천씨는 원래 중국의 성씨로서 시조 천암은 명나라초에 조신을 지냈고 그 후손이 영양에서 세거하였다고 한다. 중시조 천만리 (시호:충장)는 명나라 말기에 문과에 장원 태청전수위 사겸 총독 오군수를 역임하고 1592 년 (선조 25) 임진왜란때 영량사겸 총독장으로 아들 상, 회 형제와 함께 우리나라에 와서 군량수송을 담당하였고 평양 곽산 동래 등지에서 대첩을 거두었다.

그후 정유재란 때도 직산, 울산 등지에서 전공을 세우고 우리나라에 귀화하니 조정에서 가상히 여겨 자헌대부봉조하로 화산군에 봉했고 숙종때 그의 전공을 길이 빛내기 위해 대보단을 설단하여 종향케 했고 전국 10 여개 서원에 향사되었다.

중시조 천만리의 묘소는 전북 남원군 금지면 방촌리 환봉계좌에 있고 경남 고성군 동해면 강좌리 호암서원에서 매년 음 8 월 1 일에 향사한다.

〈 행 렬 표 〉

세	행 렬 자	세	행 렬 자
12	桃광	13	冀기翼익愚우
14	鳳봉胤윤旭욱	15	昞병柄병禽금
16	宇우寧녕弼필	17	成성歲세璣기
18	熙회範범	19	庸용康강
20	宰재璧벽	21	廷정任임
22	揆규葵규	23	洪홍海해
24	林임植식	25	煐영炯형
26	均균基기		

楚氏 (巴陵)(파릉초씨)

시조 및 본관의 유래

시조 초해창은 명나라 파릉 사람으로 한림학사를 역임하다가 명나라가 망하고 청나라가 개국되자 청나라 신하가 될 것을 거부하고 1664 년 (현종 5) 우리나라로 망명하여 성산에 정착하고 성산백에 봉해졌다. 그리고 그의 아들 초수명은 명천으로 이주하여 세거하게 되어 후손들은 초해창을 시조로 하고 중국 원적지인 파릉을 본관으로 하여 세계를 계승하고 있다.

〈 행 렬 표 〉

세	행렬자	세	행렬자	세	행렬자	세	행렬자
15	燮섭	16	基기	17	錫석	18	洪홍
19	相상	20	億억						

肖氏 (濟州)(제주초씨)

시조 및 본관의 유래

시조 초고도에 대한 기록은 문헌이 없어 알 수 없으나 초씨는 원나라에서 동래하여 귀화한 성씨로 제주도에 정착세거 하면서 본관을 제주라 하고 있다. 일선에 의하면 『趙』씨였으나 『走』변을 떼고 『肖』로 개성했다고 한다.

崔氏 (최씨)

최씨는 문헌에 326본으로 나타나 있다. 최씨는 우리나라 성씨 가운데서도 가장 오랜 역사를 가진 씨족으로서 그 연원은 신라의 사노 (서라벌 기원전 50년경) 6부촌 중의 돌산 고허촌 (사량부)장 소벌도리를 범최씨의 원조로 하고 있는데 소벌도리의 24세손 최치원의 윗대에서 분파된 관향으로는 개성, 삭녕, 동주 (철원) 전주 (최군옥파) 최씨가 있고 최치원 이후에 분파된 관향으로는 함양, 청주, 영흥, 용강, 수원, 부안, 강릉, 강화 화순, 통천, 양천, 원주 등이 있다. 그외에도 해주 진주, 탐진, 전주 (최균파)가 그 지손에서 분관된 것으로 알려져 있다. 신라조에 응기한 최씨가 고려조에 등장하여 역사를 수놓고 있는 가운데서도 경주최씨가 주류를 이루고 있으며 해주 최씨와 우봉최씨도 숱한 인물을 배출하여 세력을 떨쳤다. 그밖에 전주와 동주최씨도 상당한 세력을 폈다. 최씨 인구는 현재 150만이 넘을 것으로 추산되며 김이, 박씨 다음가는 대성씨 이다. 문헌에 나타난 326본중 경주최씨를 비롯한 43본 외는 미고이다.

杆城崔氏 (간성최씨)

시조 및 본관의 유래

간성최씨의 원유는 강릉최씨이다. 고려 태조의 부마로 대경을 지낸 흔봉 (강릉최씨 시조)의

20세손 무동이 간성에서 살다가 은성으로 이주하였는데 그의 후손들은 조상이 간성에서 왔다고 하여 강릉최씨에서 분적 본관을 간성으로 사용하고 있다. 그러나 고려 태조때 경원부원군에 봉해진 필달의 15세손 지순 (강릉최씨 시조)이 조선 개국때 간성군에 봉해졌으므로 강릉최씨에서 분적 간성최씨로 세계를 이어오는 파도 있다.

〈 행 렬 표 〉

세	행렬자	세	행렬자	세	행렬자	세	행렬자
40	永 영	41	權 근	42	炳 병	43	基 기
44	鍾 종	45	浩 호	46	楨 정	47	炷 주

江陵崔氏 (강릉최씨)

시조 및 본관의 유래

시조 최필달의 상계는 문헌이 실전되어 상고할 수 없다. 우리나라 모든 최씨의 시조는 신라의 전신인 사노 6촌중의 돌산 고허촌 (사량부)장 소벌도리의 혈손이라는 일반적인 통념에 비추어 최필달 또한 소벌도리의 후예로 믿어지나 혈연적 계보와 분파 연원을 체계화할 방도가 없다. 그는 고려개국때 왕건 (태조)을 도와 삼중대광삼한 벽상개국찬화공신으로 영첨의좌정승이 되고 경원 (강릉의 별호) 부원군에 봉해짐으로써 본관을 강릉이라 하고 세계를 계승하고 있다. 한편 같은 강릉최씨이면서도 태조의 부마로 대경을 지낸 최흔봉을 시조로 하고 그의 12세손 입지가 고려말에 문하평리상호군을 지내면서 공을 세워 강릉군에 봉해짐으로써 본관을 강릉이라 하여 세계를 이어오는 계통이 있다.

〈 행 렬 표 〉 〈 최 필 달 계 〉

세	행렬자	세	행렬자	세	행렬자	세	행렬자
40	亨 형	41	重 중	42	貞 정	43	重 중
44	禄 록						

세	행렬자	세	행렬자	세	행렬자	세	행렬자
27	桂 계	28	炳 병	29	奎 규	30	弘 홍
31	根 근	32	澈 철	33	東 동		

20	斗 두	21	容 용	22	坤 곤	23	鍾 종
24	泰 태	25	東 동	26	熙 회	27	奎 규
28	錫 석	29	洛 락				

江華崔氏 (강화최씨)

시조 및 본관의 유래

시조 최익후는 최치원의 후손으로 분파연원은 상고 할 수 없다. 그는 고려 중엽에 상서우복사 정당문학을 지내고 강화에 세거하면서 사족의 기틀을 이루었으므로 후손들이 그를 시조로 하고 본관을 강화라 하여 세계를 계승하고 있다.

〈 행 렬 표 〉

세	행렬자	세	행렬자	세	행렬자	세	행렬자
30	燮 섭	31	在 재	32	欽 흠	33	彦 언
34	桂 주	35	炯 형	36	均 균	37	鎭 진
38	洙 수	39	相 상	40	煥 환	41	憲 헌
42	鎬 호	43	永 영	44	植 식	45	烈 열
46	達 달	47	鎔 용	48	漢 한	49	東 동
50	熙 희	51	塡 진	52	善 선	53	淙 종

開城崔氏 (개성최씨)

시조 및 본관의 유래

시조 최우달은 원래 토산현(현 평북 중화군) 사람으로 신라의 대상이 었다. 그의 아들 웅이 고려 태조를 도와 고려 전국에 공이 컸으며 누대 개성에 세거하면서 호족이 되었다. 그리하여 그 후손들이 우달을 시조로 하고 개성을 본관으로 하였다.

〈 행 렬 표 〉

세	행렬자	세	행렬자	세	행렬자	세	행렬자

慶州崔氏 (경주최씨)

시조 및 본관의 유래

시조 문창후 최치원은 신라의 전신인 사노(서라벌 기원전 50년경) 6촌중 돌산 고허촌 (사랑부)의 촌장 소벌도리의 24세손으로 전해지고 있다. 삼국유사에 의하면 6촌장은 모두 천강인으로 이, 최, 손, 정, 배, 설로 각각 사성 받았으니 소벌도리가 득성시조 이다. 그로부터 24세에 이르러 최치원이 869년(신라문경왕 9) 12살의 어린 나이로 당나라에 유학 5년후 17세에 과거에 급제하여 승무랑시어사 내공봉에 이르고 자금어의를 하사 받았으며 제도행영병마도총 고변의 종사관을 역임하고 환국 시독겸한림학사 수병부시랑지서서감이 되었으나 외직을 청원하여 대산, 천령, 부성 등지의 태수를 지내고 시무 10여조를 상소하여 시행케 하여 아손이 되었다. 그 후 난세를 비관하며 전국을 유랑하다가 해인사로 들어가 은거하면서 수도하고 63세로 여생을 마쳤다. 고려 현종이 그의 조업에 밀찬한 공을 가히 잊지 못할 것이라 하며 1020년(현종 11) 내사령을 추증하였고 1022년 5월에 문창후를 추봉하였다. 그리고 득성시조로 부터 대대로 경주(월성 계림)에 세거하였으므로 후손들이 본관을 경주로 하여 최치원을 시조로 하고 승습하였으며 그 후손으로 청(관가정공파) 단(광정공파) 호(정랑공파) 예(사성공파) 현우(화숙공파) 광위(충렬공파)등 6개 파가 주축을 이루고 있다.

〈 행 렬 표 〉

세	행렬자	세	행렬자	세	행렬자
32	模모圭규	33	柄병鎔용	34	鐸탁汶문
35	來래東동	36	時시先선	37	鏞용在재

38	洙수鐸탁	39	根근漢한	40	夏하敏민
41	聲성植식				

鷄林崔氏(계림최씨)

시조 및 본관의 유래

시조 최윤순은 본래 경주인으로 신라때에 계림 (경주의 별호) 부태수를 지냈다. 후손들은 그를 시조로 하여 경주에서 분적 본관을 계림이라 하여 세계를 계승하고 있다. 후손들의 분포 상황에 대하여는 상고할 길이 없다.

古阜崔氏(고부최씨)

시조 및 본관의 유래

시조 최 척은 최치원(문창후)의 후손으로 판봉 상사사를 지냈다. 그가 평북 구성에 세거하면서 그 후손들이 본관을 전 거주지인 고부로 하였다고 한다.

〈 행 렬 표 〉

세	행렬자	세	행렬자	세	행렬자	세	행렬자
20	鍾종	21	源원	22	相상	23	燮섭
24	載재						

曲江崔氏(곡강최씨)

시조 및 본관의 유래

시조 최호는 경주최씨에서 분적한 전주 최씨의 시조 순작의 증손 균의 11세 손이다. 그가 고려 때 곡강부원군에 봉해짐으로써 후손들이 본관을 곡강으로 그를 시조로 하였으나 그후 누대가 실전되었으므로 그의 후손 여실을 1세조로 하여 세계를 계승하고 있다. 이 외에 같은 최호를 시조로 하는 흥해최씨가 있으나 분파계대를 상고할 수 없다.

〈 행 렬 표 〉

세	행렬자	세	행렬자	세	행렬자	세	행렬자
11	大대	12	錫석	13	淳순	14	有유
15	翼익	16	鳴명				

廣州崔氏(광주최씨)

시조 및 본관의 유래

시조 최득보는 최치원(문창후)의 원손으로 상계는 상고 할 수 없으나 조선조에 장사랑 훈도를 지내고 평안도 안주로 이사하여 그곳에 정착 세거하면서 전 거주지인 광주를 본관으로 하였다.

〈 행 렬 표 〉

세	행렬자	세	행렬자	세	행렬자
15	尚상山산	16	耇구信신	18	善선基기
18	應응聖성	19	永영燁엽		

朗州崔氏(낭주최씨)

시조 및 본관의 유래

시조 최흔의 선계는 문헌이 실전되어 상고 할 수 없다. 그는 랑주(영암의 별호)에 토착한 사족의 후예로 신라 효공왕, 신덕왕, 양조에 걸쳐 원보상을 지내고 기틀을 잡아 가세가 크게 번성 하였으므로 후손들이 랑주에 세거하면서 본관을 랑주라 하고 세계를 세승하였다 한다.

〈 행 렬 표 〉

세	행 렬 자	세	행 렬 자
16	在재	17	鎭진
18	漢한	19	采채杓표
20	炳병燾도	21	基기琪기
22	鍾종錫석	23	淳순洙수澈천
24	相상東동采채	25	煥환燮섭燾도
26	重중	27	鎬호鎔용錫석
28	泳영浩호	29	秀수進진
30	炯형炫현		

東州崔氏(동주최씨)

시조 및 본관의 유래

시조 최준옹은 득성시조 소벌도리의 22세손 계양성의 증손으로 고려 태조를 도와 통합삼한공신, 삼중대광, 태사가 되었다. 그리고 그의 증손 석이 문종때 감수국사, 상수국, 판상서이부사를 지내고 동주(철원의 고호)에 세거하였으므로 후손들이 최준옹을 시조로 하고 본관을 동주로 하여 세계를 계승하고 있다.

〈 행 렬 표 〉

세	행렬자	세	행렬자	세	행렬자	세	행렬자
31	雲 운	32	桂 계	33	屹 흘	34	麟 린
35	根 근						

扶安崔氏(부안최씨)

시조 및 본관의 유래

시조 최창일은 고려말에 상호군 공조전서를 지내다가 조선이 개국되자 부안으로 낙향하였다. 아들 최도명이 세종때 호조좌랑으로 왕에게 직간을 하다가 길주의 명원으로 유배되었다. 그리하여 그곳에 정착세거하면서 본향인 부안을 본관으로 세계를 계승하고 있다. 선세계는 청주최씨에서 분적 되었다.

〈 행 렬 표 〉

세	행렬자	세	행렬자	세	행렬자	세	행렬자
22	鎰일鍾종	23	洙수泰태	24	榮영根근	25	謙 겸
26	載 재	27	鎭 진	28	浩 호	29	模 모
30	益 익	31	用 용	32	錫 석		

朔寧崔氏(삭녕최씨)

시조 및 본관의 유래

시조 최천로의 선계는 문헌이 실전되어 상고할 수 없다. 그는 고려때 평장사를 지냈고 그의 아들 유가 또한 평장사를 지냈다. 삭녕정언동을 평장동으로 개칭하여 세거하였으므로 후손들이 본관을 삭녕이라 하여 세계를 이어오고 있다.

〈 행 렬 표 〉

세	행렬자	세	행렬자	세	행렬자	세	행렬자
19	遇 우	20	九 구	21	炳 병	22	宇 우
23	成 성	24	範 범	25	康 강	26	新 신
27	聖 성	28	揆 규				

隋城崔氏(수성최씨)

시조 및 본관의 유래

시조 최영규(시호 문혜)의 본성은 김씨이다. 그는 신라 경순왕 김부의 17세손으로 1261년(원종 2) 문과에 급제 형조전서 남부전서겸 보문각 대경으로 있으면서 문학으로 교회하니 서경에서 명망이 높았다. 충렬왕때 수원 일대가 기강이 퇴폐하고 일륜을 지키지 않아 금수와 가까움을 왕이 개탄하고 군신 가운데 누가 다스려서 풍속을 순화 하겠느냐? 하니 그가 자청하여 호장장으로서 부사 안설과 함께 나아가서 효도로 인도하고 의리로 설복하니 1년이 못되어 효제지향으로 변했다. 왕이 가상히 여겨 1302년(충렬왕 28) 크게 포상하고 그 공이 최외와 같다 하여 최씨로 사성하고 수성백에 봉했다. 그래서 후손들이 그를 시조로하고 본관을 수성으로 하여 세계를 이어나가고 있다. 한편 같은 혈손이면서 상계가 실전되어 소목을 밝히지 못하고 고려때 봉렬대부서운부정을 지낸 거경을 1세조로 하여 계대하는 계통이 있다. 시조 최영규의 묘소는 경기도 화성군 매송면 어천리 병좌에 있다.

〈 행 렬 표 〉
〈 영 규 계 〉

세	행렬자	세	행렬자	세	행렬자	세	행렬자

20	淳 순	21	柄 병	22	爀 혁	23	重 중
24	鎔 용	25	源 원	26	根 근	27	顯 현
28	球 구	29	贊 찬	30	洙 수	31	寅 인
32	烈 열	33	廷 정	34	九 구	35	濬 준
36	彬 빈	37	然 연	38	珠 채	39	善 선
40	雨 우	41	東 동	42	性 성	43	燉 돈

세	행렬자	세	행렬자	세	행렬자	세	행렬자
31	洛 락	32	業 업	33	燦 찬	34	培 배
35	錫 석	36	冶 흡	37	相 상	38	煥 환
39	基 기	40	鉉 현				

〈 거 경 계 〉

세	행렬자	세	행렬자	세	행렬자	세	행렬자
15	其기廷정	16	鉉현模모	17	潤 윤	18	休 휴
19	炳 병	20	周 주	21	鍾 종	22	洙 수
23	根 근	24	煥 환	25	在 재	26	錫 석
27	漢 한	28	榮 영				

水原崔氏(수원최씨)

시조 및 본관의 유래

시조 최장저는 고려초(927) 수원의 호장이다. 아들 루백은 인종 때(1122) 정의대부 한림학사로서 아버지가 호랑이에 잡혀먹혀 원수를 갚음으로서 효숙공에 추서되었고 그 효행으로 고려삼강효행도에 수록되었다. 묘소는 봉담면에 있다.

〈행렬표〉

세	행렬자	세	행렬자	세	행렬자	세	행렬자
27	一部 一○	28	二部 ○祚	29	三部 庠○	30	四部 ○寧
31	五部 五○	32	六部 ○交	33	七部 虞○	34	八部 ○兌

牙山崔氏 (아산최씨)

시조 및 본관의 유래

아산최씨는 해주최씨에서 분적되었다. 시조는 사과를 역임한 최예림인데 선대는 누대 아산에 세거하다가 최예림이 정주지방으로 이주하면서

楊州崔氏(양주최씨)

시조 및 본관의 유래

시조 최억(시호 문경)은 학문과 덕행이 높아태사에 천거되었고 1353년(공민왕 2)에 호부상서로 양주군에 봉해짐으로써 그 후손들이 본관을 양주로 하였다. 묘소는 충북 청원군에 있다.

〈행렬표〉

〈 정 연 공 파 〉

세	행 렬 자	세	행 렬 자
20	秀수	21	默묵煥환
22	基기圭규用용	23	鍾종鐸탁錫석
24	淳순泳영準준	25	東동相상
26	爕섭烈열	27	在재聖성
28	鉉현善선	29	海해淇기
30	權권述술	31	熙회榮영
32	塾숙豊풍	33	銖수鉼선

〈 정 안 공 파 〉

세	행렬자	세	행렬자	세	행렬자	세	행렬자
19	世 세	20	王 왕	21	炳 병	22	士 사
23	鎬 호	24	永 영	25	東 동		

陽川崔氏 (양천최씨)

시조 및 본관의 유래

시조 최원은 고려조에 봉선대부 밀직부사로 유
공하여 양천백에 봉해졌다. 그리하여 후손들이
전주에서 분적하고 그를 시조로 본관을 양천이라
하여 세계를 계승하고 있다.

〈 행 렬 표 〉

세	행렬자	세	행렬자	세	행렬자	세	행렬자
21	燮 섭	22	益 익	23	鉉 현	24	濟 제
25	植 식						

延豊崔氏 (연풍최씨)

시조 및 본관의 유래

연풍최씨는 경주최씨에서 분적된 것이지만 상
계는 상고하기 어렵다. 시조 최지강은 고려때 진
사로 안화(연풍)에 세거하여 후손들이 본관을 연
풍으로 하고 있다.

〈 행 렬 표 〉

세	행렬자	세	행렬자	세	행렬자	세	행렬자
15	輔 보	16	國 국	17	鳳 봉	18	麟 린
19	義 의	20	文 문				

永川崔氏 (영천최씨)

시조 및 본관의 유래

영천최씨의 원유는 전주최씨이다. 문헌이 실전
되어 분파계대를 상고할 수 없고 최한이 고려 의
종 명종 양조에 벼슬하면서 공을 세워 연산(영천
의 별호) 부원군에 봉해짐으로써 후손들이 그를
시조로 하고 있다. 묘소는 경북 군위군 송현에 있
다.

〈 행 렬 표 〉

세	행렬자	세	행렬자	세	행렬자
22	翰한祥상	23	鳳봉圭규	23	基기一일
25	錫석鎭진	26	洙수源원	27	相상

永興崔氏 (영흥최씨)

시조 및 본관의 유래

시조 최지미의 자는 천보요 그의 손자 한기가
환조대왕(이태조의 아버지)의 빙부가 되어 영흥
백에 추봉되었다 그리하여 후손들은 최지미를
시조로 하고 경주에서 분적 본관을 영흥이라 하
고 세계를 계승하고 있다. 묘소는 영흥군 덕흥면
진동리에 있다.

〈 행 렬 표 〉

세	행렬자	세	행렬자	세	행렬자
28	鳳봉錫석	29	達달立입	30	基기
31	熙희鳳봉	32	泳 영		

完山崔氏 (완산최씨)

시조 및 본관의 유래

시조 최순작(시호 문열)은 고려조에 검교신호
위상장군으로 완산군에 봉해졌다. 그러나 그후
계대가 실전되었고 그 후손 최수강이 고려 말에
벼슬을 버리고 경상도로 낙향하여 그곳에 정착하
였다. 그리하여 그 후손들이 그를 중시조로 기 1
세하여 세계를 계승하고 본관을 완산이라 하였다.

〈 행 렬 표 〉

세	행렬자	세	행렬자	세	행렬자	세	행렬자
24	鎬 호	25	洛 락	26	林 임	27	然 연
28	喆 철	29	鎔 용	30	準 준	31	種 종

龍崗崔氏 (용강최씨)

시조 및 본관의 유래

시조 최지무는 고려때 무과에 급제 상호군 판선
공감사로 공이 있어 용강군에 봉해졌다. 그후손

자 최개산이 조선 세조때 문과에 급제 감무, 호조
판서로 직간을 하다가 북방으로 유배되면서 부터
후손들이 그곳에 정착 세거하게 되었고 청주최씨
에서 분적 최지무를 시조로 하고 본관을 용강으
로 하여 세계를 계승하고 있다.

〈 행 렬 표 〉

세	행렬자	세	행렬자	세	행렬자	세	행렬자
17	教 교	18	鎭 진	19	求 구	20	根 근
21	燮 섭	22	埈 준	23	善 선	24	泰 태
25	模 고	26	炫 현	27	均 균	28	鎔 용

龍宮崔氏 (용궁최씨)

시조 및 본관의 유래

시조 최현우 해주최씨에서 분적했다. 고려조에
평리부밀직사사를 역임하고 손자인 최유는 군부
판서로 충혜왕을 호종한 공으로 성근익재협찬보
정 1등 공신에 책록되고 취성군에 봉하여졌으며
공민왕 때에 삼사사 용성(용궁별호) 부원군에 봉
하여졌기 때문에 후손들이 본관을 용궁으로 하고
있다. 묘소는 경기도 개성에 있다.

〈 행 렬 표 〉

세	행렬자	세	행렬자	세	행렬자	세	행렬자
20	翼 익	21	鳳 봉	22	鎬 호	23	泰 태
24	植 식						

牛峰崔氏 (우봉최씨)

시조 및 본관의 유래

시조 최원호의 상계는 상고 할 길이 없다. 그
는 고려중엽에 우성공신으로 삼중대광문하시중
상장군을 지냈고 고려 희종때 문하시중으로 진강
군 개국후에 봉해진 최충헌, 고려 고종때 환도공
신으로 진양후에 봉해진 최우로 이어져 왔다. 후
손들이 최원호를 시조로 하고 우봉(김천의 고호)

에 세거하면서 본관을 우봉으로 하여 계대하고
있다.

原州崔氏 (원주최씨)

시조 및 본관의 유래

시조 최보은의 상계는 경주최씨에서 분적된 계
통이라고 하나 분파계대를 상고 할 길이 없다.
다만 그의 조상이 강원도 원주에 토착하였었고
그가 1434년(세종 16) 호용위사대호군으로 임
지인 함경도 명천에서 세거하였는데 후손들이 조
상의 연고지 원주를 본관으로 하여 세계를 이어
오고 있다.

〈 행 렬 표 〉

세	행렬자	세	행렬자	세	행렬자	세	행렬자
23	炯 형	24	基 기	25	鍾 종	26	洙 수
27	榮 영	28	煥 환	29	奎 규	30	鎰 일
31	潤 윤	32	極 극	33	燦 찬	34	培 배

全州崔氏 (전주최씨)

시조 및 본관의 유래

전주최씨는 경주최씨와 동원이다. 득성시조 소
벌도리의 후예로 고려초에 평장사를 지내고 완산
(전주의 고호) 백에 봉해진 최언휘의 혈손이라고
하나 소목이 확실치 않으므로 고려 정종때 문과
에 급제하고 문하시중으로 완주 개국백에 봉해진
순작(시호 문열)을 시조(1세)로 하고 본관을
전주로 하여 세계를 계승하고 있다. 이외에 본관
이 같으면서 계통이 다른 두파가 있으니 한 계통
은 고려때 동북로도지휘사가 되어 조이총의 난에
순절하고 완산군에 추봉된 균을 시조(1세)로 하
고 있으며 또 한 계통은 고려때 문하시랑평장사
를 지내고 완산 부원군에 봉해진 군옥(시호 문
충)을 시조로 하여 각각 세계를 계승하고 있다.
과거에는 순작파, 아파, 균파, 군옥파 4파로 분
류 세거하였으나 그중 아파는 아가 순작의 7세손

이라는 고증이 발견되었다.

<행 렬 표>

< 순 작 파 >

세	행렬자	세	행렬자	세	행렬자	세	행렬자
24	鎭 진	25	澈 철	26	植 식	27	炳 병
28	奎 규	29	鍾 종	30	洛 락	31	東 동
32	燮 섭	33	遠 원	34	鎬 호	35	承 승
36	根 근	37	容 용	38	敎 교	39	善 선
40	洙 수	41	相 상	42	陽 양	43	用 용

< 균   계 >

세	행렬자	세	행렬자	세	행렬자	세	행렬자
25	重 중	26	鍾 종	27	淳 순	28	秉 병
29	燮 섭	30	奎 규	31	鎭 진	32	源 원
33	植 식	34	炳 병	35	翼 익	36	錫 석
37	永 영	38	秀 수	39	烈 열	40	善 선
41	鉉 현	42	承 승	43	東 동	44	炯 형
45	基 기						

< 군 옥 계 >

세	행렬자	세	행렬자	세	행렬자	세	행렬자
26	植 식	27	炳 병	28	圭 규	29	鎔 용
30	漢 한	31	桓 환	32	燮 섭	33	周 주
34	鎬 호	35	海 해	36	東 동	37	熹 희
38	均 균	39					

< 아   계 >

세	행렬자	세	행렬자	세	행렬자	세	행렬자
20	洪 홍	21	秉 병	22	烈 열	23	圭 규
24	鎬 호	25	洛 락	26	林 임	27	然 연
28	喆 철	29	鎔 용	30	準 준	31	種 종

稷山崔氏 (직산최씨)

시조 최홍재는 고려 예종때 인물이며 시호는 양숙이다. 그는 여진정벌에 대훈을 세우고 우산기상시로 서북면 병마사가 되어 포주를 수복 의주성을 쌓은 공으로 동지추밀원사, 형부상서, 판삼사사, 참지정사, 문하시랑 평장사 등을 역임한때 순천에 유배되었다가 복관 판이부사로 좌리공신에 책록되고 그후 수사공우복사 평장사에 이르렀으며 후손들이 직산에 토착하면서 본관을 직산이라 하였다.

珍山崔氏 (진산최씨)

시조 최개의 자는 개지요 종한의 아들이다. 그는 1526년(중종 21) 별시문과에 급제하고 사예를 거처 부사를 지냈다. 후손들은 그를 시조로 하고 전주최씨에서 분적 본관을 진산으로 하여 세계를 계승하고 있다.

靑松崔氏 (청송최씨)

시조 및 본관의 유래

시조 최세걸은 최온(해주최씨의 시조)의 원손으로 통훈대부로 어회장군에 추증되었다. 그는 삭주의 대다동에 이사하여 정착 세거하면서 본관을 전 거주지인 청송으로 하였다. 묘소는 평북 삭주군 삭주면 대다동에 있다.

<행 렬 표>

세	행렬자	세	행렬자	세	행렬자
31	基기 載재	32	鋼강 銓전	33	汝여 永영
34	松송 杓표	35	炅경 熒형		

清州崔氏(청주최씨)

시조 및 본관의 유래

청주최씨는 경주최씨에서 분적한 계통이다. 시조 최치원의 15세손 단이 고려 예종때 문과에 급제 우정언, 좌사간 기거사인, 서해도 안찰사를 지냈고 인종때 권신 이자겸을 탄핵하다가 고성으로 유배되었다. 그 후 복관되어 이부시랑에 이르고 서원(청주의 고호)군에 봉해짐으로써 후손들이 그를 1세조로 하고 본관을 청주라 하여 세계를 이어오고 있다.

〈 행 렬 표 〉

세	행렬자	세	행렬자	세	행렬자	세	행렬자
24	模 모	25	炳 병	26	均 균	27	鍾 종
28	泳 영	29	樂 라	30	烈 열	31	載 재
32	欽 흠	33	溶 용	34	柱 주	35	光 광

草溪崔氏(초계최씨)

시조 및 본관의 유래

초계최씨는 경주최씨에서 분적한 전주최씨의 분파다. 전주최씨의 시조 순작의 8세손 용궁(시호 문숙)이 고려 충렬왕때 충익재보조공신판사참찬 삼중대광광록대부세자태부로 팔계(초계의 고호)군에 봉해졌으므로 후손들이 그를 1세조로 하고 본관을 초계라 하여 계승하고 있다.

〈 행 렬 표 〉

세	행 렬 자	세	행 렬 자
27	在 재	28	休휴植식
29	炳병炯형	30	基기均균圭규
31	鏽용鉉현鍾종	32	洪홍浩호
33	東동桓환	34	烈열燁엽
35	喆철堯요		

忠州崔氏(충주최씨)

시조 및 본관의 유래

시조 최승은 본래 당나라 장군으로 846년(신라 문성왕8) 신라에 기근이 들어 군도가 창궐하자 당나라 무종의 명으로 병마사가 되어 이를 토평 하였고 889년(진성여왕3) 신라에서 원종 애노 등이 반란을 일으키자 동벌 이를 평정하여 은청광록대부에 올랐고 그 후 충주에 머물러 세거하였다. 그리하여 후손들이 본관을 충주로 하였다.

〈 행 렬 표 〉

세	행렬자	세	행렬자	세	행렬자	세	행렬자
23	愚 우	24	勉 면	25	會 회	26	溶 용
27	林 임	28	炫 현	29	坤 곤	30	鍾 종
31	雲 운	32	桂 계	33	勳 훈	34	址 지

상潤윤熙희燦찬

耽津崔氏(탐진최씨)

시조 및 본관의 유래

탐진최씨는 경주최씨에서 분적한 해주최씨의 시조 최온의 증손 사전(시호 장경)을 시조로 하고 있다. 그는 1126년(인종4) 권신 이자겸이 궁궐을 범하고 권세를 부리자 인종과 협의하여 이자겸의 심복 탁준경을 설득 그로 하여금 이자겸을 제거케 했다. 그 공으로 병부상서에 추중위사공신이 되고 이듬해 이부상서지도성사로서 수사공좌복사가 더해졌으며 삼한후벽상공신으로 참지정사판 상서형부사를 거쳐 뒤에 수태위문하시랑평장사에 이르고 탐진(강진의 고호)백에 봉해졌다. 그리하여 후손늘이 본관을 탐신으로 하였으니 누차의 병화로 인하여 제고증과 문헌이 실전되어 소목계통을 밝힐수 없어 사전을 시조로 하고 그 후손중 응규, 준량, 효노, 윤덕, 총, 홍건 그리고 유각, 민상, 한홍, 해, 제노, 심충 계, 승태 장보 등을 중조로 기 1세하여 세계를 이어오고 있다. 시조 사전은 1147년(의종 1) 제접공신으로 인종묘정에 배향 묘소는 전남 강진군군동면나천리에 있고 향사일은 10월 15일이다.

〈행렬표〉

강진금천파

세	행렬자	세	행렬자	세	행렬자	세	행렬자
22	相 상	23	煥 환	24	基 기	25	錫 석
26	永 영	27	述 술	28	容 용	29	均 균
30	兌 태	31	洙 수	32	秉 병	33	杰 걸
34	在 재	35	鎭 진	36	淳 순	37	植 식
38	炯 형	39	坪 평				

청양예산판서공파

세	행렬자	세	행렬자	세	행렬자	세	행렬자
22	煥 환	23	在 재	24	鉀 갑	25	鳳 봉
26	炳 병	27	寧 녕	28	茂 무	29	起 기
30	康 강	31	新 신	32	任 임		

준 양 파

세	행 렬 자	세	행 렬 자
21	相상柄병榮영	22	煥환均균
23	基기在재錦금	24	錫석鉀갑洙수
25	永영鳳봉秉병	26	述술炳병炫현
27	寧녕基기	28	茂무鍾종
29	起기潤윤	30	康강
31	新신	32	任임

(효노파)

세	행렬자	세	행렬자	세	행렬자	세	행렬자
16	相 상	17	榮 영	18	奎 규	19	錫 석
20	洙 수	21	秉 병	22	在 재	23	鉉 현
24	潤 윤						

(종 파)

세	행렬자	세	행렬자	세	행렬자	세	행렬자
21	胃 위	22	旭 욱	23	丙 병	24	寧 녕
25	成 성	26	起 기	27	庸 용	28	宰 재
29	瑞 서	30	春 춘	31	洛 락	32	植 식
33	炯 형	34	均 균	35	鍾 종	36	浩 호
37	根 근	38	烈 열	39	堯 요	40	鎬 호

윤 덕 파

세	행렬자	세	행렬자	세	행렬자	세	행렬자
16	秉 병	17	燮 섭	18	時 시	19	鎭 진
20	洛 락	21	植 식	22	日 일	23	墩 돈
24	鎔 용	25	海 해	26	槿 근	27	烈 열

광 주 주 서 파

세	행렬자	세	행렬자	세	행렬자	세	행렬자
16	秉 병	17	鍾 종	18	衍 연	19	林 임
20	珏 각	21	岡 강	22	義 의	23	泰 태
24	東 동	25	明 명	26	重 중	27	鍊 련

광주주남급서남파

세	행 렬 자	세	행 렬 자
16	錫석鎭진銅동	17	泳영漢한淳순
18	柱주根근植식	19	熙희
20	喆철	21	鏞용	22	澈철	23	春춘
24	夏하	25	奎규	26	鎬호	27	河하

광 주 주 북 파

세	행렬자	세	행렬자	세	행렬자
16	相상	17	燮섭煥준	18	時시奎규
19	鎭진鍾종	20	洛락	21	植식
22	日일	23	墩돈	24	鎔용
25	海해	26	槿근	27	烈열

泰仁崔氏(태인최씨)

시조 및 본관의 유래

태인최씨는 경주최씨에서 분적하였다. 시조는 고려 충혜왕때 척불승유로 인하여 태산(태인의 고호)으로 낙향한 대 사성 최해의 6세손 최용전이다. 그는 연산군때 갑자사화로 관직(예빈사판

— 240 —

사)을 버리고 환향했다가 1530년(중종 25) 안릉(재령의 별호)에 정착세거하면서 본향인 태인을 본관으로 하였다.

〈 행 렬 표 〉

세	행렬자	세	행렬자	세	행렬자	세	행렬자
13	珪 규	14	仁 인	15	孫 손	16	曾 증
17	永 영						

通川崔氏 (통천최씨)

시조 및 본관의 유래

시조 최경헌은 고려조에 정의대부동판밀직사사 중서좌상시감찰어사를 역임했고 그의 8세손 최운해는 고려말에 밀직부사를 지냈고 조선조에 삭주병마사로서 통천에 출전하여 혁혁한 전과를 올리고 병조판서에 승진했다. 그리하여 이 공훈을 영원히 남기기 위하여 경주최씨로 부터 분적 통천을 본관으로 하였다.

〈 행 렬 표 〉

세	행렬자	세	행렬자	세	행렬자	세	행렬자
19	性 성	20	鎭 진	21	根 근	22	炳 병
23	圭 규						

漢南崔氏 (한남최씨)

시조는 고려조에서 합문지후를 지낸 최홍연 이다. 후손 계방은 수사공, 상서우복사, 참지정사 판삼사사를 지냈고 그의 아들 함(시호 문간)은 예종때 문과에 급제하여 1125년(인종 3) 우성연 지제고가 되고 다음해 이자겸의 난이 일어나자 국새를 가지고 왕의 행제소에 가서 시종 뒤에 예부시랑, 한림시독학사로 만수절사가 되어 금나라에 다녀왔고 병부상서 판삼사사를 거쳐 중서시랑 동중서문하평장사 호형부사를 지냈으며 문장에도 능했다. 그러나 한남최씨의 본관의 유래와 후손

들의 분포상항 등에 대해서는 상고 할 길이 없다. 한남은 수원의 별호이다.

海州崔氏 (해주최씨)

시조 및 본관의 유래

시조 최온은 해동공자로 널리 알려진 최충의 아버지로 일찌기 해주목민관으로서 인정을 베풀어 이름을 떨쳤으며 문명도 높았고 뒤에 판이부사를 지냈다. 이 모두 해주에서 이루어졌고 또 누대 해주에서 세거하였으므로 후손들이 본관을 해주로 하여 세계를 계승하고 있다.

〈 행 렬 표 〉

사 평 공 파

세	행렬자	세	행렬자	세	행렬자	세	행렬자
28	文 문	29	兢 긍	30	善 선	31	雨 우
32	相 상	33	薰 훈	34	圭 규	35	鎭 진
36	泳 영	37	桓 환	38	丙 병		

좌 랑 공 파

세	행렬자	세	행렬자	세	행렬자	세	행렬자
28	煥 환	29	載 재	30	鉉 현	31	承 승
32	植 식	33	光 광	34	壽 수	35	鎭 진
36	求 구	37	種 종	38	容 용		

전 한 공 파

세	행렬자	세	행렬자	세	행렬자	세	행렬자
28	玉 옥	29	錫 석	30	溥 부	31	秉 병
32	燮 섭	33	老 노	34	鎬 호	35	一 일

和順崔氏 (화순최씨)

시조 및 본관의 유래

시조 최세기는 고려조에 평장사를 지냈고 오산(화순의 별호)군에 봉해졌으므로 후손들이 본관을 화순으로 하였다. 묘소는 화순읍 일심리 마을에 있는데 묘소의 서방 5리 지점에 최씨우물과 팔판동의 한림정은 최씨가 세거했다는 유지로 남아 있다. 그러나 그후 세계가 실전되어 그 후손 최언을 기 1세하여 세계를 계승하고 있다. 이밖에 최윤의를 1세조로 하는 계통도 있다.

〈 행 렬 표 〉

세	행렬자	세	행렬자	세	행렬자	세	행렬자
23	在 재	24	鉉 현	25	源 원	26	植 식
27	憲 헌	28	喜 희	29	鍾 종	30	澤 택

黃州崔氏(황주최씨)

시조 및 본관의 유래

시조 최남혁의 상계는 전주최씨에서 분적한 계통인데 문헌이 없으므로 분파계대를 상고 할 길이 없다. 그는 조선 개국 초기에 벼슬이 좌상이었으나 직간하다가 황주목사로 좌천되고 그 후 평북 의주로 유배되어 그곳에서 정착하였다. 그래서 후손들이 그를 시조로 하고 전임지를 추모하며 본관을 황주라 하였다. 묘소는 의주군 송장면 금광동에 있다.

〈 행 렬 표 〉

세	행렬자	세	행렬자	세	행렬자
17	重중	18	碩석鵬응	19	廷정元원
20	載재基기	21	鳳봉鉉현	22	鍾종俊준
23	泰태				

興海崔氏(흥해최씨)

시조 및 본관의 유래

흥해최씨는 경주최씨와 동원 분파이다. 시조 최호는 최치원의 7세손 균의 11세손으로 그는 고려때 삼중대광문하시중 삼한벽상 공신 신호위 상장군으로 곡강(흥해의 별호) 부원군에 봉해졌다. 그래서 후손들이 경주최씨에서 분적 그를 1세조로 하고 본관을 흥해로 하여 세계를 이어오고 있다. 묘소는 경북 영일군 의창읍 송남동 간좌에 있다.

〈 행 렬 표 〉

세	행 렬 자
25	慶경潼동興흥翼익道도基기鉉현昌창世세龍용
26	致치熙희道도泳영根근軾식祐우植식泰태
27	俊준基기幹간南남百백毅의奎규祐우增증
28	翰한漢한炳병尙상昉병廷정壽수宅택
29	圭규鶴학坤곤斗두鎭진衡형炯형道도錫석植식
30	舜순煥환鎬호鳳봉達달茂무鶴학漢한
31	椿춘在재達달植식弘홍·權권
32	鍾종容용相상潤윤熙희燦찬
33	根근烈열洙수奎규在재
34	官관 在재

秋氏 (全州·秋溪)(전주추계추씨)

시조 및 본관의 유래

시조 推鹼은 송나라 고종때 사람으로 1141년(고종 11) 문과에 급제 벼슬이 문하시중에 이르렀고 고려 인종때 우리나라에 들어와 함흥에서 살았다. 그의 손자인 적(명심보감의 편자)은 충렬왕때 문과에 급제하여 벼슬이 예문각 대제학에 이르렀다. 鹼의 10세손인 수경이 명나라에 건너가 1591년(선조 24) 무강자사를 지내고 다음해 조선에 임진왜란이 일어나자 원병의 일원으로 제독 이여송의 부장이 되어 아들 형제(로, 추)와 함께 환국 괵산 동래 등지에서 많은 전공을 세웠고 뒤에 전주에서 살았다. 죽은 뒤 그곳에 안장되고 완산(전주고호) 부원군에 추봉됨으로써 본관을 전주로 하는 파와 같은 혈통이면서 문헌비고에 적의 본관이 추계(양지의 별호)로 되었으므로 본관을 추계로 하는 파가 있다. 시조의 묘소는 함남 함흥 연화도에 있으며 향사일은 매년 은 3월 3일과 9월 9일이다.

〈행렬표〉

세	행렬자	세	행렬자	세	행렬자	세	행렬자
19	鍾 종	20	淳 순	21	相 상	22	煥 환
23	圭 규	24	鉉 현	25	泳 영	26	柄 병
27	烈 열	28	在 재	29	錫 석	30	潤 윤
31	根 근	32	熙 희	33	基 기	34	鎔 용
35	澈 철	36	東 동	37	勳 훈	38	孝 효
39	鎭 진	40	汶 문	41	植 식	42	憲 헌
43	培 배	44	練 연	45	洙 수	46	秉 병
47	烋 휴	48	增 증				

鄒氏 (추씨)

삼국사기를 보면 고구려 대무신왕때 추발소란 부장이 있었으며 그 후에 견훤의 부하장수로 고려 태조에게 사로 잡힌 추허조란 인물이 보인다. 그러나 현재 전하는 추씨와의 관계는 알수 없다. 1930년 국세조사때 경북 상주에 1가구가 있는 것으로 밝혀져 있다.

卓氏 (光山) (광산탁씨)

시조 및 본관의 유래

탁씨는 문헌에 32본으로 나타나 있으나 현재 광산 단본으로 알려져 있다. 광산탁씨의 시조 탁지엽(시호 문성)은 고려 선종때 학행으로 천거되어 한림학사를 거쳐 태사·에 이르고 광산(광주)군에 봉해졌다. 그리하여 후손들은 본관을 광산으로 하였다. 묘소는 전남 광주시 지산동에 있다.

〈행렬표〉

세	행렬자	세	행렬자	세	행렬자

33	基기在재	34	銓전鉄수	35	永영泰태
36	根근柱주	37	炳병煜욱	38	培배均균
39	鍾종鎭진	40	洙수源원	41	楽락柔유
42	熙희燾도				

彈氏 (탄씨)

옛문헌에 보이지 않던 성씨로 1930년 국세조사에 처음으로 나타났다. 당시 경기도에 4가구 강원도에 3가구 등 모두 7가구가 살고 있는 것으로 집계되었으며 구한말 무관학교에 탄원기라는 교관이 있었다는 점으로 보아 오래된 성씨로 짐작된다. 본관은 해주와 전주 2본으로 전하나 시조는 미고이다.

永順太氏 (영순태씨)

시조 태금룡은 발해국 진왕의 원손으로 고려 고종때 김교에서 몽고군을 격퇴하고 전승한 공으로 대장군에 오르고 영순(상주고호)군에 추봉되었다. 그래서 후손들은 본관을 영순으로 하고 있다.

南原太氏 (남원태씨)

시조 및 본관의 유래

남원태씨는 협계태씨의 분파이다. 태집성의 9세손 맹례가 단종때 진사로 화를 입어 함북 길주로 유배되었는데 후손들이 그곳에 세거하면서 맹례를 시조로 하고 조상의 본향인 남원을 본관으로 하였다.

〈행렬표〉

세	행렬자	세	행렬자	세	행렬자	세	행렬자
25	相 상	26	煥 환	27	峻 준	28	錫 석
29	源 원	30	植 식	31	光 광	32	成 성

陝溪太氏 (협계태씨)

시조 및 본관의 유래

시조 중상은 속미하에서 출생 천문, 지리와 병법에 능통하였으며 696 년(신라효소왕 5) 고구려의 유민을 이끌고 요수를 건너 태백산 동쪽에 진국을 건국하였다. 그후 10세손인 태광현은 발해가 망한뒤 934 년(고려태조 14) 아우 지조와 함께 고려로 망명하니 태조는 그를 예우하고 태씨라 사성하였다. 그후 18세손 태집성은 고려 고종때 대장군으로 서북병마사가 되어 몽고군의 침입을 격퇴한 공으로 협계군에 봉해져서 후손들은 본관을 협계로 하고 있다. 묘소는 충북 옥천군 청성면 조천리에 있다.

〈행렬표〉

세	행렬자	세	행렬자	세	행렬자	세	행렬자
13	鎔 용	14	淵 연	15	東 동	16	燮 섭
17	基 기	18	鎬 호	19	泳 영	20	根 근
21	炳 병	22	奎 규	23	鍾 종	24	洙 수
25	相 상	26	煥 환	27	峻 준	28	錫 석
29	源 원	30	植 식	31	光 광	32	成 성

判氏 (판씨)

1930 년 국세조사때 처음으로 나타난 성씨로 서울과 고양군에 18 가구 이북에 2 가구등 모두 20 가구가 살고 있는 것으로 집계되고 있다.

彭氏 (팽씨)

팽씨는 문헌에 7 본으로 나타나 있으나 팽적을 시조로 하는 용강팽씨와 팽우덕을 시조로 하는 절강팽씨를 제외한 나머지 5 본에 대하여는 미고이다.

龍岡彭氏 (용강팽씨)

시조 및 본관의 유래

시조 팽적은 원래 중국 금릉인으로 1351 년(고려충정왕 3) 노국공주가 공민왕과 결혼 입국시 내각학사로 호종 동래하여 고려조에 용강백에 봉해져 시조가 되고 본관을 용강으로 하였다.

〈행렬표〉

세	행렬자	세	행렬자	세	행렬자	세	행렬자
16	潤 윤	17	根 근	18	爀 혁	19	周 주
20	軫 진	21	源 원	22	柱 주	23	熙 희

浙江彭氏 (절강팽씨)

시조 및 본관의 유래

시조 팽우덕은 본래 중국 절강인으로 1597 년(선조 30) 정유재란 때 중군 부총병서로서 동원장사로 뽑힌 아들 신고와 함께 우리나라에 나와 공을 세우고 귀국하였다. 그리고 아들 신고가 명나라 의종의 순사지복이었으므로 명나라가 망할 때 그의 손자 부산이 우리 나라로 망명 귀화하고 식읍이 없으므로 원향인 절강을 본관으로 하였다.

片氏 (浙江) (절강편씨)

시조 및 본관의 유래

시조 편석용은 명나라 신종 때 사람으로 1592 년 임진왜란이 일어나자 장군이 되어 래원했다. 그의 선세계는 절강사람으로 고조 편지는 명조에 태자태사를 역임했고 증조 편일은 절강백에 봉해졌다고 한다. 편석용은 그후 경주에 은거하여 세거하였다. 후손들이 원향인 절강을 본관으로 삼고 세계를 계승하고 있다.

〈행렬표〉

세	행렬자	세	행렬자	세	행렬자
16	在재茂무	17	鉉현範범	18	海해度도
19	植식章장	20	炳병聖성	21	埈준承승
22	鎬호甲갑	23	演연勉면		

扁氏(편씨)

1930년 국세조사때 충북 옥천에 1가구가 살고 있는 것으로 밝혀진 성씨이다.

平氏(忠州)(충주평씨)

시조 및 본관의 유래

평씨는 원래 중국성씨로서 한나라 성제때에 평당이라는 사람이 있어 처음으로 식읍명(평릉)으로 성을 삼아 평성이 생겼다고 한다. 평씨가 어느때 우리나라에 들어왔는지는 알 수 없으나 조선 씨족통보에는 충주를 비롯하여 선평, 인천, 예산, 가흥(진도속현) 평원(원주 별호) 등 6본이 나타나 있다. 그러나 현재는 충주 단본으로 알려져 있다. 충주평씨의 시조 평우성은 이조 선조때 사람으로 그의 사적에 대하여는 전하는 바가 없다. 그리고 931년(고려태조 14) 평환이라는 사람이 강덕진두가 되었는데 현재의 평씨와 어떤 관계인치 상고할 길이 없다. 충주 평씨의 시조 평우성의 묘소는 경기도 인천시 남구 서창동 앞산에 있다.

包氏(포씨)

중국에서 귀화한 성씨로 알려지고 있으며 1930년 국세조사시대 순천, 맹산, 성천등 20여가구가 모모두 이복에 살고 있는 것으로 나타났다. 본관은 풍덕 순천 둥이 있다.

鮑氏(포씨)

옛문헌에 나타나지 않던 성으로 1930년 국세조사때 경남에 1가구가 살고 있음이 밝혀졌다.

表氏(新昌)(신창표씨)

시조 및 본관의 유래

표씨는 문헌에는 37본으로 나타나 있으나 현재 신창 단본이다. 신창표씨의 시조 표대박은 오계시대에 후주의 이부상서로 있다가 장, 방, 위, 변, 윤, 진, 감 황보등 8성을 이끌고 황해를 건너 960년(광종 11) 고려에 들어와 귀화했다. 그러나 그후 실전되어 소목계통을 밝힐 수 없어 그 후손 인여를 중시조로 하고 중시조 인여가 고려 충숙왕때 합문기후를 지내고 좌리공신으로서 신창백에 봉해져 본관을 신창으로 하고 있다.

〈행렬표〉

세	행렬자	세	행렬자	세	행렬자	세	행렬자
11	道 도	12	萬 만	13	德 덕	14	碩 석
15	天 천	16	義 의	17	珍 진	18	淵 연
19	宗 종	20	鶴 학	21	在 재	22	鍾 종
23	永 영	24	植 식				

馮氏(臨朐)(입구풍씨)

시조 및 본관의 유래

시조 풍삼사는 중국 산동성 임구현인으로 선세계는 주나라 문공의 15자 필교가 진나라에서 벼슬을 하고 위나라 후가 되어 풍성을 식읍으로 받아 성을 풍씨라 하였다. 그는 명나라 태학으로 1645년(인조 23) 봉림대군(효종)과 같이 심양에서 명나라 광복을 도모하다 뜻을 이루지 못하고 9의사와 같이 래조하여 정착세거하면서 본향인 임구를 본관으로 하였다. 묘소는 양주군 구리면 양노리에 있다.

〈행렬표〉

세	행렬자	세	행렬자	세	행렬자	세	행렬자
13	鉉 현	14	永 영	15	杓 표	16	炳 병
17	均 균	18	鍾 종	19	洙 수	20	梡 관
21	熙 희	22	瑛 영	23	鏞 용	24	源 원
25	本 본	26	夏 하	27	培 배	28	鎔 용

29	求 구	30	華 화	31	煥 환	32	珖 광
33	鈺 옥	34	濟 제	35	彬 빈	36	容 용
37	基 기	38	鍊 련	39	浩 호	40	東 동

皮氏(피씨)

피씨는 문헌에 30본으로 나타나 있으나 피위종을 시조로 하는 홍천피씨와 피득창을 시조로 하는 괴산피씨 이외의 28본에 대하여는 미고이다.

槐山皮氏(괴산피씨)

시조 및 본관의 유래

괴산피씨는 홍천피씨에서 분적되었다. 따라서 시조 피득창 이전의 세계는 홍천피씨와 같다. 그는 조선개국 공신으로 병조판서, 전라감사를 역임하고 괴산에 세거하여 후손들이 괴산을 본관으로 하고 있다.

〈 행 렬 표 〉

세	행렬자	세	행렬자	세	행렬자	세	행렬자
16	景 경	17	礼 예	18	鳳 봉	19	浩 호
20	相 상	21	燦 찬				

洪川皮氏(홍천피씨)

시조 및 본관의 유래

피씨는 주나라때 경사인 번중피의 제일 아랫자인 피를 따서 성을 삼았다 한다. 그뒤 고려 충렬왕때 원나라에서 금오위상장을 역임한 피위종이 귀화 병부시랑을 역임하고 좌사의 대부에 추증되었다. 그의 아들 인선이 정당문학,좌복사를 지내고 홍천군에 봉해짐으로써 후손들이 홍천을 본관으로 하고 세계를 계승하고 있다.

弼氏(필씨)

대흥, 전주 두본으로 알려져 있는데 대흥필씨는 무과에 급제한 필몽량을 시조로 하고 있다. 그의 후손에 정조때 문과에 급제 성균관사성을 지낸 필성뢰가 있는데 대대로 함흥에 산 것으로 되어 있다. 1930년 국세조사때 모두 73가구가 살고 있었으며 그중 65가구가 함주, 영흥, 신흥 등 북한 지역에 분포되어 있다.

河氏 (晋州)(진주하씨)

시조 및 본관의 유래

진주하씨의 시조는 고려 현종때의 항사공신이며 문종때에 상서공부시랑동 평장사에 추증된 하공진으로 1010년(현종 1) 계단의 성종이 왕을 폐위한 강조를 문책한다는 핑계로 고려를 침범하자 강화교섭사로 적진에 들어갔다가 인질로 잡히게 되어 성종의 친국을 받을때 여러가지로 회유를 받았으나 완강히 거절하고 화를 입었다. 그런데 하연(문효공)이 1451년(문종 1) 처음으로 족보를 내면서 그 서문에 세계가 전합이 없고 고려사에 홀로 하시랑 공진이 있어 들기에 기쁘나 동원이면서 분파가 확실치 않다고 한것과 같이 진주하씨의 세계는 계통을 대지 못하는 세파로 갈려져 있다. 첫째는 하공진을 시조로하는 시랑공파요. 다음은 고려 정종때 사직을 지낸 하진을 시조로 하는 사직공파요 또 하나는 고려때 주부를 지낸 하성을 시조로 하는 단계공파이다. 단계는 그의 8세손으로 사육신인 하위지의 호이다. 본관을 진주로 한 연유는 본래 시조 하공진이 진주 태생이며 그의 11세손 하윤(문충공.)이 진산부원군에 추봉되었고 하진의 9세손 하접(원정공)이 진천부원군 10세손 하윤원이 진산 부원군에 봉해졌기 때문인 것으로 알려진다. 진산이나 진천은 모두 진주의 별호이다.

〈 행 렬 표 〉

세	행렬자	세	행렬자	세	행렬자
26	賢현秀수	27	運운圖도	28	載재致치
29	鎭진駿준	30	永영錫석	31	根근泰태濟제
32	根근				

夏氏 (達城)(달성하씨)

시조 및 본관의 유래

하씨는 달성 단본이다. 달성하씨의 시조 하흠은 본래 송나라에서 대도독을 역임한 사람으로 고려 인종때 우리나라에 귀화하여 대구 지방에 정착했다고 하며 그의 아들 용이 공이 있어 달성군에 봉해졌기 때문에 본관을 달성으로 하였다.

〈 행 렬 표 〉

세	행렬자	세	행렬자	세	행렬자	세	행렬자
18	雨 우	19	顯 현	20	尙 상	21	徵 징
22	時 시	23	弼 필	24	正 정	25	錫 석
26	洛 락	27	東 동	28	煥 환	29	在 재

韓氏 (한씨)

한씨는 문헌에 131본으로 나타나 있다. 한씨는 우리나라에서 가장 오래된 역사를 가진 이른바 삼한갑족이라 하겠다. 한씨는 중국 송나라 팔학사의 한사람으로 고려 희종 2년에 우리나라에 귀화하여 곡산 부원군에 봉해진 한예를 시조로 하는 곡산한씨와 기자의 후예로 알려진 정주한씨로 구분 할 수 있다. 청주한씨는 종전에는 여러 본으로 나뉘어져 있었으나 근세에 이르러서는 거의 환적되었고 나머지 몇본에 대하여는 중앙종친회에서 전체 연원을 찾아 단일화 할 것을 추진하고 있다. 131본중 이 두성 씨를 제외한 나머지 129본에 대하여는 미고이다.

谷山韓氏(곡산한씨)

시조 및 본관의 유래

시조 한예는 중국 송나라 8학사의 한 사람으로 1206년(고려희종 2) 우리나라에 와서 금자광록대부 문하시중 평장사로 곡산 부원군에 봉하여 졌으며 그 후손들이 곡산에 세거하면서 본관을 곡산으로 하였다.

〈 행 렬 표 〉

세	행렬자	세	행렬자	세	행렬자	세	행렬자
20	錫 석	21	浩 호	22	植 식	23	燮 섭
24	在 재	25	鎭 진	26	永 영	27	植 식
28	炳 병	29	基 기	30	鏡 경		

淸州韓氏(청주한씨)

시조 및 본관의 유래

시조 한란 (태위공)은 고려 태조가 견훤을 정벌하려고 군졸을 이끌고 그의 집앞을 지날때 칼을 차고 나아가 종군하여 용맹과 지혜로서 삼한 통합의 공을 세워 삼중대광문하태위가 되고 개국벽상공신에 서훈되었다. 한씨 세보에 따르면 그는 기자의 원손이라고 하였으며 한씨의 연원을 기자의 41세손 애왕 (준왕)이 위만에게 나라를 빼앗기고 남천하여 금마 (현 익산)군에 마한을 세우고 스스로 한왕이라 일컬었고 위만에게 양류된 준의 왕자 및 친족이 한이라 성한것으로 보아 준왕 이전에 한으로 창씨한 것이라 밝혔으며 마한 말기의 원왕에게 우평, 우성, 우경이란 아들 3형제가 있었는데 마한이 망하고 삼국시대가 되니 우평은 고구려에 사관하여 북원 선우씨가 되고 우성은 백제에 사관하여 덕양 (행주)기씨가 되고 우경은 신라에 사관하여 상당 (청주) 한씨를 습성하였다고 하며 우경의 31세손 지원에게 만, 간, 란, 영 이라는 네 아들이 있었는데 그 중 세째아

그 후 시조도 아여 기세승습하고 그가 살던 청
주의 지명을 본관으로 하였다 한다. 그리고 청
주한씨 분관 연원록에 의하면 후손들이 번연으로
세거지명 또는 작호를 본관으로 하여 5세 후저
(평산한씨) 6세 원서(한양한씨) 8세 임경 (홍
산한씨) 8세 란경(양주한씨) 9세 연(안변한씨
) 9세 자회(면천한씨) 9세 희유(가주한씨)10
세 공서(당진한씨) 11세 유충(대흥한씨) 10세
이(부안한씨) 14세 진(보안한씨) 15세 돈(금
산한씨) 9세악의 후손 승정(서원한씨) 9
세영의 후손 규지 (장단한씨) 익지(합흥
한씨) 혁지 (교하한씨) 시조란의 후손 총례
(단주한씨) 등을 중조로 하여 각각 분적하였
으며 그밖의 고증과 문헌이 유실되어 혈연계
보를 밝히지 못하고 란의 아버지 우경의 후손으
로 전하는 우신(신평) 세찬(탐진) 종회(대구)
예(곡산) 세침(보령) 등을 1세조로 하는 계통이
있으나 청주한씨 무진삼교보때 평산, 면천한씨
신사보때 안변한씨가 각각 환적했고 그후 수보때
마다 거의 환적했으며 나머지 한씨도 한할아
버지의 혈손이라는 신념으로 중앙종친회에서 계
대와 고증을 찾아 환적하려고 추진중이다.

〈 행 렬 표 〉　　경 신 대 동 보

세	행렬자	세	행렬자	세	행렬자	세	행렬자
27	用 용	28	履 이	29	教 교	30	錫 석
31	洙 수	32	相 상	33	悳 덕	34	載 재
35	鐸 탁	36	泰 태	37	植 식	38	炳 병
39	均 균	40	鍾 종				

양절공파 • 몽계공파

세	행렬자	세	행렬자	세	행렬자	세	행렬자
27	用 용	28	履 이	29	教 교	30	錫 석
31	洙 수	32	相 상	33	熙 회	34	奎 규
35	鎔 용	'36	泰 태	37	植 식	38	炳 병
39	均 균	40	鍾 종	41	浩 호	42	根 근

（ 문 정 공 파)

세	행렬자	세	행렬자	세	행렬자
27	鎭진應응	28	源원會회	29	東동百백
30	愚우澤택	31	基기喆석	32	萬만變섭
33	九구在재	34	丙병鏞용	35	寧녕承승
36	成성根근	37	熙희德덕	38	庚경壽수
39	宰재	40	廷정	41	揆규
42	鍾종				

충 간 공 파

세	행렬자	세	행렬자	세	행렬자
27	金김仁인	28	海해善선	29	根근永영
30	烈열相상	31	致치傳전	32	鉉현存존
33	求구心심	34	東동致치	35	煥환
36	在재				

충 성 공 파

세	행렬자	세	행렬자	세	행렬자	세	행렬자
27	鎭 진	28	浩 호	29	東 동	30	炫 현
31	基 기	32	欽 흠	33	永 영	34	根 근

안 양 공 파

세	행렬자	세	행렬자	세	행렬자	세	행렬자
28	容 용	29	圭 규	30	鎬 호	31	洙 수
32	秉 병	33	熙 회	34	在 재		

양 회 공 파

세	행렬자	세	행렬자	세	행렬자	세	행렬자
28	在 재	29	東 동	30	變 섭	31	基 기

영 흥 공 파

세	행렬자	세	행렬자	세	행렬자

28	會회鎬호	29	百백湜식	30	澤택東동
31	東동炳병	32	燮섭奎규	33	在재

삼 등 공 파

세	행렬자	세	행렬자	세	행렬자
28	宗종會회	29	鎭진百백	30	淳순澤택
31	相상東동	32	熙희愚우	33	基기
34	丙병在재	35	寧녕		

서 제 공 파

세	행렬자	세	행렬자	세	행렬자	세	행렬자
30	澤 택	31	晢 석	32	燮 섭	33	在 재
34	鎬 용	35	承 승	36	根 근	37	熙 회
38	壽 수	39	錫 석	40	澈 철	41	東 동
42	煥 환						

판 사 공 파

세	행렬자	세	행렬자	세	행렬자	세	행렬자
29	教 교	30	錫 석	31	洙 수	32	相 상
33	熙 회	34	奎 규	35	鐸 탁		

漢氏 (한씨)

시조 및 본관의 유래 등은 미고이고 1930년 국세조사때 처음으로 경북 영일군에 1가구 황해도 연백군에 1가구가 살았다.

咸氏 (江陵) (강릉함씨)

시조 및 본관의 유래

함씨는 문헌에 60본으로 나타나 있으나 현재는 강릉 단본으로 알려지고 있다. 강릉함씨의 시조 함규(시호 양후)는 고려의 통합삼한익찬개국 공신으로 광평시랑평장사를 지내고 몽고군 침입

시의 대사마대장군으로 당나라에서 병부상서 빙장사를 역임하고 동래(연대미상)한 함혁의 원손이다. 함혁은 익화(양근의 고호) 자사 재직시 선정을 베풀었고 그가 쌓은 석성의 둘레가 2만 9천 5십 8자이나 되었다고 한다. 그리고 그의 후손 신이 호부상서를 지내고 785년(신라원성왕 1) 강릉김씨의 시조(명주군왕) 김주원을 따라 강릉에 살게 됨으로써 본관을 강릉으로 하게 되었으며 그 사이의 세계가 실전되어 소목계통을 밝힐 수 없어 함규를 시조로 하고 있다.

〈 행 렬 표 〉

세	행렬자	세	행렬자	세	행렬자
32	達달泰태	33	宗종	34	澤택
35	楨정澈철	36	榮영根근	37	基기瀾란
38	鎭진基기				

海氏 (해씨)

중국 명나라 태조때 중국으로 부터 귀화한 성씨로서 1930년도 국세조사때 전남 령암에 김해 해씨 5가구가 살고 있었고 전남 목포 나주 등지에 두가구씩 살고 있었는데 본관은 미상이다. 주요본관은 김해, 녕해 2본이다.

許氏 (허씨)

허씨는 문헌에 59본으로 나타나 있다. 허씨는 48년 가락국 수로왕비 보주황태후 허씨가아유타국(현 인도지방) 군주의 공주로서 16세 때 대선에다 석탑을 싣고 지금의 경남 창원군 능동면 용원리에 있는 부인당으로 들어와 정박을 했는데 김수로왕이 의장을 갖추어 맞이하여 비로 삼았다. 수로왕이 10자를 두었는데 하루는 비가 수로왕에게 말하기를 첩은 동토의 객이니 첩이 사후에 오성을 전하지 못함을 슬퍼하나이다 하니 왕이 감동하여 둘째 아들을 모성에 따르게 하였다.

이로써 우리나라 허씨의 시초가 되었다. 그리하여 황태후의 35세손 허염의 후손은 김해33세손 허강안의 후손은 하양 30세손 허선문의 후손은 양천 30세손 허사문의 후손은 태인허씨로 각각 분관하였으나 동원이고 나머지 55본은 미고이다.

金海許氏(김해허씨)

시조 및 본관의 유래

시조 허염은 가락국 김수로의 비 보주황태후 허황옥의 35세손 이다. 그는 고려 문종때 출생하여 고려 중엽에 벼슬하면서 공을 세우고 삼중대광으로 가락군에 봉해졌으므로 후손들이 그를 시조로 하고 시조의 유재지인 김해를 본관으로 하여 세계를 계승하고 있다. 그리고 그후의 번연으로 인하여 가락군(인전)파 호은공(기)파 중승공(린)파 전직공(인부)파 증성군(구년)파, 판서공(언용)파 상서공(상)파로 크게 분파되었다.

〈 행 렬 표 〉

세	행렬자	세	행렬자	세	행렬자
26	遇우萬만	27	九구亮량	28	弼필南남
29	行행寧녕	30	成성盛성	31	紀기範범
32	庸용康강	33	新신宰재	34	廷정秉병
35	發발揆규	36	敦돈學학	37	建건肅숙
38	寅인演연	39	卿경欣흔	40	震진根근
41	龍용琓	42	寶보性성	43	業업洙수
44	東동重중	45	猷유遵준		

陽川許氏(양천허씨)

시조 및 본관의 유래

시조 허선문은 김수로왕의 30세손이며 고려조의 대광이었다. 그는 공암 세거하면서 농사에 힘써 많은 양곡을 비축 했는데 때마침 고려 태조 왕건이 후백제 견훤을 정벌할때 군량을 보급하여 사병들의 사기를 회복케 함으로서 견훤을 항복케 했다. 고려 태조가 그 공을 가상히 여겨 가부라 칭하고 공암을 식읍으로 하사하였다. 이로 인하여 공암(양천의 고호)을 본관으로 하였다.

〈 행 렬 표 〉

세	행렬자	세	행렬자	세	행렬자	세	행렬자
31	萬 만	32	旭 욱	33	會 회	34	行 행
35	茂 무	36	範 범	37	康 강	38	宰 재
39	廷 정	40	揆 규	41	學 학	42	秉 병
43	演 연	44	卿 경	45	振 진	46	龍 용
47	南 남	48	洙 수	49	暢 창	50	商 상
51	國 국	52	袞 곤						

泰仁許氏(태인허씨)

시조 및 본관의 유래

시조 허사문은 김수로왕의 30세손으로 고려태조 왕건의 부마이다. 시산군에 봉해졌는데 시산은 현 태인의 고호이므로 본관을 태인으로 하였다.

〈 행 렬 표 〉

세	행렬자	세	행렬자	세	행렬자	세	행렬자
31	萬 만	32	九 구	33	丙 병	34	成 성
35	鍾 종	36	洙 수	37	根 근	38	熙 회
39	在 재	40	鎭 진	41	永 영	42	植 식
43	炯 형	44	圻 척						

河陽許氏(하양허씨)

시조 및 본관의 유래

시조 허강안은 김수로왕은 33세손이며 가락국 김수로왕비 보주태후 허씨의 후예로 고려 현종때 호부랑장을 지냈었다. 당시 하주에 세거 하였으므로 본관을 하주라 하였는데 지명의 변경에 따라 한때는 화성으로 개관 하였고 지금은 현재의 지명인 하양으로 하고 있다.

〈 행 렬 표 〉

세	행렬자	세	행렬자	세	행렬자	세	행렬자
34	永 영	35	東 동	36	烈 열	37	在 재
38	鉉 현	39	源 원	40	植 식	41	炳 병
42	奎 규	43	鍾 종	44	浩 호	45	榮 영
46	煥 환	47	基 기	48	欽 흠	49	淳 순

玄氏 (현씨)

현씨는 문헌에는 106본이나 연주, 창원, 성주 순천을 제외한 나머지는 미고이다. 현씨는 모두 연주현씨 시조 현담윤의 후예로 창원현씨는 담윤의 아들 덕유를 성주현씨는 담윤의 7세손 규를 순천현씨는 담윤의 손 원고를 각각 시조로 하고 있다.

星州玄氏(성주현씨)

시조 및 본관의 유래

시조 현규의 선세계는 고려때 대장군 현담윤(시호 경헌)의 아들 덕수(병부상서, 팔여군, 성산부원군)의 8세손이다. 그는 조선 세종때에 문과에 오르고 벼슬이 군자감정과 고부군수를 역임했다. 후손들은 그를 시조로 하고 본관을 성주로 하여 세계를 계승하고 있다.

〈 행 렬 표 〉

세	행렬지	세	행렬자	세	행렬자	세	행렬자
25	鍾 종	26	涉 섭	27	柄 병	28	煥 환
29	在 재	30	鎔 용	31	泳 영	32	植 식
33	熙 희	34	培 배	35	錫 석	36	求 구
37	榮 영	38	輝 휘	39	奎 규		

順天玄氏 (순천현씨)

시조 및 본관의 유래

시조 현원고의 선세계는 고려 명종때의 현담윤(연안군)의 손자이며 그는 고려조에 벼슬이 령동정으로 순천 부원군에 봉해져 후손들은 그를 시조로 본관을 순천이라 하고 세계를 계승하고 있다.

〈 행 렬 표 〉

세	행렬자	세	행렬자	세	행렬자	세	행렬자
23	基 기	24	鍾 종	25	涉 섭	26	柄 병
27	煥 환	28	在 재	29	鎔 용	30	泳 영
31	植 식	32	熙 희	33	培 배	34	錫 석
35	求 구	36	榮 영	37	輝 휘	38	奎 규

시조 및 본관의 유래

延州玄氏 (연주현씨)

시조 및 본관의 유래

시조 현담윤(시호 경헌)은 원래 연주(영변)사람으로 고려 의종때 대장군을 역임한 후 명종때 조위총의 난을 토평한 공으로 문하시랑평장사가 되고 연안군에 봉해졌다. 그리하여 그의 후손들은 본관을 연주(또는 연안)로 하였다. 묘소는 평북 영변에 있다.

〈 행 렬 표 〉

세	행렬자	세	행렬자	세	행렬자	세	행렬자
25	基 기	26	鍾 종	27	涉 섭	28	柄 병
29	煥 환	30	在 재	31	鎔 용	32	泳 영
33	植 식	34	熙 희	35	培 배	36	錫 석
37	求 구	38	榮 영	39	輝 휘	40	奎 규

昌原玄氏 (창원현씨)

시조 및 본관의 유래

시조 현덕유(시호 정헌)는 대장군 현담윤 (시호 경헌)의 아들이다. 그는 1186년(고려 명종 16) 문과에 급제하고 벼슬은 예부시랑 서경유수 금자광록대부, 참지정사, 대사공 등의 요직을 역임했으며 회원(창원의 별호)군에 봉해졌다. 그래서 그의 후손들은 연주현씨에서 분적 그를 시조로 하고 본관을 창원으로 하여 세계를 계승하고 있다.

〈 행 렬 표 〉

세	행렬자	세	행렬자	세	행렬자	세	행렬자
25	基 기	26	鍾 종	27	涉 섭	28	柄 병
29	煥 환	30	在 재	31	鎔 용	32	泳 영
33	植 식	34	熙 회	35	培 배	36	錫 석
37	求 구	38	榮 영	39	輝 휘	40	奎 규

邢氏 (晋州) (진주형씨)

시조 및 본관의 유래

형씨는 진주, 반성 외에 시조 미고의 14본이 있는 것으로 문헌에 나타나 있으나(반성은 진주의 속현으로 진주와 동일) 현재는 진주 단본으로 알려지고 있다. 진주 형씨의 시조 형옹은 고구려 왕의 요청으로 당나라에서 파견한 8학사의 한사람으로 제4지열로 고구려에 들어와 삼중대광보국을 지냈으며 남양의 관적을 하사받았다. 그후 그의 15세손 공미가 1280년(충렬왕 6) 문하시중으로 도원수가 되어 왜구를 대파하고 진양군에 봉해져 본관을 진주로 하였다.

〈 행 렬 표 〉

세	행렬자	세	행렬자	세	행렬자
35	時시鍾종	36	九구旭욱	37	內 南남

保安扈氏 (보안호씨)

시조 및 본관의 유래

호씨의 도시조는 고려 창업의 원종공신 호의이다. 그는 927년(고려태조 10) 평장사로서 왕이 공산에서 후백제의 견훤군에게 포위되었을 때 신숭겸과 함께 전력고투 끝에 왕을 구출하고 전사했는데 죽은뒤 태사로 추증되고 신숭겸, 홍유 복지겸, 배현경, 유검필과 6태사로 불린다. 아들 호온설은 광익교절정난안사 공신으로 보안(부안별호)군에 봉해져 본관을 보안으로 하였다.

全州扈氏 (전주호씨)

시조 및 본관의 유래

시조 호준은 1592년(선조25) 임진왜란때 명장 이여송의 휘하에서 부장으로 참전하여 많은 전공을 세웠으며 조선에 귀화하였다. 그는 조선과 명의 두 임금을 섬길수 없다하여 전주에 내려가 거주하여 전주호씨의 시조가 되었고 그 후손들은 본관을 전주로 하였다.

〈 행 렬 표 〉

세	행렬자	세	행렬자	세	행렬자	세	행렬자
9	有 유	10	權 권	11	然 연	12	基 기
13	鎭 진	14	洙 수	15	秉 병	16	燮 섭
17	在 재	18	鉉 현				

胡氏 (巴陵) (파릉호씨)

시조 및 본관의 유래

호씨는 문헌에 8본으로 나타나 있으나 파릉외는 시조 미고이다. 파릉호씨의 시조 호극기는중국 전녕부인 호견의 원손으로 명나라 한림학사로서 사신으로 래조했다가 명나라가 망하자 귀국하지 않고 한때 가평에 살다가 함경도 북청에 가서 정착세거 했다. 후손들은 그를 시조로 하고 시조의 원향인 파릉을 본관으로 삼았다.

⟨ 행 렬 표 ⟩

세	행렬자	세	행렬자	세	행렬자	세	행렬자
8	純 순	9	明 명	10	翰 한	11	在 재
12	鎭 진	13	汶 문					

洪氏 (홍씨)

홍씨는 문헌에 59 본으로 나타나 있으나 남양 풍산, 부계, 홍주홍씨를 제외한 나머지 55 본에 대하여는 미고이다. 그리고 회인홍씨가 있으나 당홍과 합보하였다고 한다. 남양홍씨는 당홍과 토홍으로 구분되어 있는데 당홍은 고구려 영유왕 때 당나라에서 8 학사의 한사람으로 귀화 신라선덕여왕때 태자태사를 지내고 당성백에 봉해진 홍천하를 시조로 하고 있으며 토홍은 고려 고종때 금오위별장을 지낸 홍선행을 시조로 하고 있다. 그러나 당홍과 토홍 사이에는 각각 엇갈린 주장이 있다. 즉 당홍 측에서는 당홍이라고 하는 칭호는 당성 (남양의 고호) 홍씨를 약해서 칭하는 말로써 남양홍씨 (당홍과 토홍)를 구별하기 위해 당홍에 대칭되는 토홍이라는 칭호가 생긴 것이라고 주장하는 한편 당홍의 역사가 토홍에 비해 10 대나 앞서 있을뿐 아니라 홍학사가 오기 전에는 동무홍성이라고 하였으니 토홍도 역시 홍 학사의 후예가 아닌가 하고 조심스럽게 말하고 있으나 토홍 측에서는 전혀 혈통을 달리한 별개의 씨족임을 강조하고 있다. 아뭏든 이씨 500 년을 통해 많은 인물을 배출한 명문벌족으로서 손꼽히고 있다.

南陽洪氏 (唐洪系) (남양홍씨 당홍계)
시조 및 본관의 유래

시조 홍천하는 고구려 영유왕때 당나라에서 8 학사의 한사람으로 우리나라에 들어와 유학을 강명하고 문화를 혁신시켰다. 신라 선덕여왕때 유학발전에 공을 세워 당성백에 봉해졌고 태자태사가 되었으며 당성에 사관되었다. 그리고 고려개국 공신이며 광익교절헌양정란홍제분용량채보우경제공신 삼중대광태사인 홍은열을 중시조 1세로 하여 세계를 계승하고 있으며 당성이 남양으로 개칭됨에 따라 본관을 남양이라 하였다.

⟨ 행 렬 표 ⟩

세	행렬자	세	행렬자	세	행렬자
29	秉병	30	變섭	31	在재
32	鍾종	33	淳순	34	杓표植식
35	性성志지	36	基기義의	37	錫석鎭진
38	澤택洛락	39	根근柱주	40	煥환熙희
41	時시重중	42	鎔용銖수	43	演연洪홍
44	榮영東동	45	思사然연	46	均균喆철
47	庚경商상	48	泰태求구	49	禎정樂락
50	炯형煜욱	51	堯요赫혁	52	鎬호鍊련
53	洙수溶용	54	模모桓환	55	燦찬垣훤
56	增증培배	57	鈺옥銑선	58	潤윤準준
59	棟련栢백				

南陽洪氏 (土洪系) (남양홍씨 토홍계)
시조 및 본관의 유래

시조 홍선행의 선계는 고증과 문헌이 실전되어 상고힐 수 없다. 그는 남양 (구 당성)에 세거한 호족의 후예로 고려때 금오위별장동정을 지냈고 벌족의 기틀을 잡아 가세가 크게 번창해졌으므로 후손들이 그를 시조로 하고 본관을 남양이라 하여 세계를 계승하고 있다.

⟨ 행 렬 표 ⟩

세	행렬자	세	행렬자	세	행렬자	세	행렬자
23	士 사	24	厚 후	25	裕 유	26	思 사
27	善 선	28	承 승	29	和 화	30	容 용
31	教 교	32	鉉 현	33	源 원	34	柱 주
35	熙 희	36	世 세	37	鎭 진	38	漢 한
39	求 구	40	炳 병	41	圭 규		

缶渓洪氏 (부계홍씨)

시조 및 본관의 유래

시조 홍좌의 선세계는 시중을 지낸 홍란이며 한양에 세거하다가 부계 (의흥의 고호) 에 토착하였다. 그 후 세계가 실전되어 고려때 직장동정을 지낸 그를 시조 (1세) 로 하여 세계를 계승하고 있으며 본관을 부계로 하고 있다.

〈 행 렬 표 〉

세	행렬자	세	행렬자	세	행렬자	세	행렬자
20	龜 구	21	潤 윤	22	秉 병	23	煥 환
24	孝 효	25	鐵 철	26	永 영	27	相 상
28	燁 엽	29	基 기				

豊山洪氏 (풍산홍씨)

시조 및 본관의 유래

시조 홍지경은 1242 년 (고려고종 29) 문과에 장원하여 국학직학에 이르렀다. 그가 풍산 (안동 속현) 에 정착 세거 하였기 때문에 후손들이 본관을 풍산으로 쓰게 되었다. 묘소는 경북 안동군 풍천면 신성포 오산당에 있다.

〈 행 렬 표 〉

세	행렬자	세	행렬자	세	행렬자
25	錫석鍾종	26	永영淳순	27	根근思사
28	圭규	29	鉉현	30	洙수
31	秉병	32	思사		

洪州洪氏 (홍주홍씨)

시조 및 본관의 유래

시조 홍규는 고려 태조 왕건이 남벌 할때 홍주에서 처음으로 만나 계책을 세워 수원을 얻었고 견훤의 군대를 토평하는데 공을 세워 개국통·합삼한삼중대광벽상익찬공신으로「해풍 (홍주의 고호) 부원군에 봉해졌다. 그래서 후손들은 본관을 홍주라 하고 세계를 계승하고 있다.

〈 행 렬 표 〉

세	행렬자	세	행렬자	세	행렬자	세	행렬자
32	淳 순	33	植 식	34	熙 희	35	均 균
36	鉉 현	37	永 영	38	秉 병	39	烈 열
40	基 기	41	鎭 진	42	澤 택	43	根 근
44	炤 소	·45	圭 규				

化氏 (화씨)

조선 씨족 통보에 의하면 본관은 복용, 여황의 2본이 있으나 모두 나주의 지방명으로 사실상은 나주화씨 단본이다. 1930 년 국세조사에 진주, 의령 등지에 모두 3가구가 살고 있는 것으로 나타나 있다.

黃氏 (황씨)

황씨는 문헌에 163 본으로 나타나 있다. 우리나라 황씨의 원조는 후한때 유신이었다는 황락으로 전해진다. 그는 서기 28 년 (신라 유리왕 5 년) 에 평해구씨의 시조 대림장군과 함께 교지국 (현월남의 일부지방) 에 사신으로 가던 길에 풍랑을 만나 평해에 표착하여 그곳에 자리잡고 살게 되었는데 이것이 우리나라 황씨의 시조라고 전한다. 그리고 황락의 후손에 갑고, 을고, 병고, 3 형제가 있었는데 기성 (평해의 별호) 군, 장수군 창원백에 각각 봉해져 후에 관향을 삼게 되어 여

기서 평해, 장수, 창원황씨가 생겼다고 하며 오늘날에 전하는 본관은 모두 이들 3본에서 분파된 것으로 전한다. 이조에 4대 명신의 한사람으로 손꼽히는 유명한 황희를 낳은 장수 황씨를 비롯하여 11본의 성씨를 제외하고 나머지 52본의 성씨에 대하여는 미고이다.

德山黃氏(덕산황씨)

시조 및 본관의 유래

시조 황언필은 신라때 사람 황락의 후손이라 하며 그는 고려때 대광삼중대부도첨의정승으로 덕풍군에 봉해졌다. 그후 병화로 세계가 실전되어 장흥고사를 역임한 후손 황재로 기 1세하여 세계를 계승하고 본관을 덕산으로 하였다.

〈 행 렬 표 〉

세	행렬자	세	행렬자	세	행렬자	세	행렬자
17	德 덕	18	肅 숙	19	錫 석	20	源 원
21	相 상	22	夏 하	23	遠 원	24	鎭 진

尙州黃氏(상주황씨)

시조 및 본관의 유래

시조 황자신은 고려때 대장군을 지냈고 그의 5세손 황효원(시호 양평)은 공조참판을 지냈으며 성절겸천추사로 공이 있어 상산(상주의 고호)군에 봉해졌다. 그리하여 후손들이 본관을 상주로 하였다.

〈 행 렬 표 〉

세	행렬자	세	행렬자	세	행렬자	세	행렬자
15	奎 규	16	萬 만	17	浩 호	18	植 식
19	炯 형	20	在 재						

星州黃氏(성주황씨)

시조 및 본관의 유래

성주황씨는 고려 문신 대상공 황석주의 17세손인 황세득을 시조로 하고 후손이 성주에 세거하면서 부터 본관을 성주라 하였다. 황세득의 시호는 충장이다. 선조때 무과에 급제하여 장흥부사가 되고 1592년(선조25) 임진왜란이 일어나자 통제사 이순신 휘하에 종군 선봉이 되어 벽파정 고금도 싸움에서 많은 공을 세웠다. 1597년 정유란때 이순신 함대의 선봉으로 출전하여 많은 적을 죽이고 이듬해 예교 싸움에서 전사하였다. 호조참판에 추증되었고 직산에 정문을 세워 병자호란때 전사한 아들 박과 함께 제향되었다. 묘소는 충남 아산군 탕정면 용두리에 있으며 향사일은 10월 15일이다.

〈 행 렬 표 〉

세	행렬자	세	행렬자	세	행렬자	세	행렬자
9	永 영	10	植 식	11	熙 희	12	奎 규
13	錫 석						

紆州黃氏(우주황씨)

시조 및 본관의 유래

시조 황민보의 선세계는 우주에 세거하였으나 고증할바 없고 그의 10세손 황거중(시호문숙)이 조선개국 원종공신이며 공조전서를 역임하고 우주에 낙향 그곳에 세거하여 후손들이 황거중을 중시조로 하고 우주(전주의 속현)를 본관으로 하여 세계를 이어오고 있다.

〈 행 렬 표 〉

세	행렬자	세	행렬자	세	행렬자	세	행렬자
26	模 모	27	熙 희	28	奎 규	29	鎬 호
30	澤 택	31	秉 병	32	黙 묵	33	在 재

長水黃氏(장수황씨)

시조 및 본관의 유래

시조 황경은 신라 경순왕의 부마로 벼슬은 시

중을 지냈다. 그후 18세손에 해당하는 황석부에 이르기까지의 세계가 실전되어 상고 할 수 없으나 다만 10세손에 해당하는 황공유가 고려 명종조에 전중감으로 이의방의 난이 있은후 장수로 낙향하였고 15세손에 해당하는 황김평이 후학을 위해서 교훈을 남긴 덕망있는 학자 였음이 밝혀지고 있다. 중시조 황석부는 시조 황경의 18세손이며 황회의 중조부로 호조참의에 추증되었다. 그리하여 후손들은 황석부로 부터 기 1세하여 본관을 장수로 하였다.

〈행렬표〉

세	행렬자	세	행렬자	세	행렬자
17	周주	18	義의	19	淵연
20	示(변)仁인	21	士(변)夏하	22	水(수)圭규
23	人(변)商상	24	火(변)永영	25	土(변)震진

齊安黃氏(제안황씨)

시조 및 본관의 유래

비조 황보는 중국 노국인이다. 그의 아들 황석기는 고려 충혜왕때 덕령공주를 배종 래조하여 회산 부원군에 봉하여졌고 그의 고손인 황을구는 태종때에 제안(황주의 고호)군에 봉하여져 후손들은 황을구를 시조로 본관을 제안으로 하고 있다.

〈행렬표〉

세	행렬자	세	행렬자	세	행렬자	세	행렬자
20	柄병	21	燁엽	22	迪적	23	會회
24	浩호	25	植식	26	愚우	27	喜희
28	鉉현	29	潤윤	30	寅인	31	悅열

昌原黃氏(창원황씨)

시조 및 본관의 유래

창원황씨는 본관을 같이 하면서도 선조 또는 시조를 달리하는 8파가 있다고 한다. 즉 세칭 (토황)으로 불리는 시중공(충준)파와 (당황)으로 불리는 회산군 공회공(석기)파 그리고 호장공(량충)파 및 호장공(존우)파 예빈동정공(성찬)파 전서공(윤기)파 호장공(우용)파 규정공파 등이 그것이다. 시중공파의 시조 신의 원조는 고려조에서 문하시중을 지낸 충준인데 후세가 실전되었으나 선대가 창원황씨 였음이 분명하다고 하며 특히 이 파에서는 황자 황인검, 황인점의 3부자가 유명하다. 회산군 공회공파의 시조 석기는 고려 충혜왕비 덕령공주를 배종해 와서 충혜 충숙(복위) 충목, 충정, 공민등 5조에 걸쳐 많은 벼슬을 하였고 추성좌리공신으로 회산(창원의 별호)군에 봉해져 후손들이 본관을 창원으로 하였다. 특히 이 파에서는 황상, 황형, 신전 황기, 황일호, 황온조 등이 유명하다.

〈행렬표〉

(봉교공파)

세	행렬자	세	행렬자	세	행렬자	세	행렬자
18	淵연	19	秀수	20	性성	21	圭규
22	善선	23	淳순	24	東동	25	熙희
26	均균	27	鎭진	28	溶용	29	權권
30	燮섭	31	培배	32	鎬호	33	澤택
34	植식	35	魯로				

시 중 공 파

세	행렬자	세	행렬자	세	행렬자	세	행렬자
17	鍾종	18	淵연	19	秀수	20	煥환
21	奎규	22	鎭진				

회 산 군 파

세	행렬자	세	행렬자	세	행렬자	세	행렬자
22	寅인	23	煥환	24	敎교	25	鎭진
26	淳순	27	根근	28	思사	29	珪규
30	鎬호	31	澈철				

平海黃氏(평해황씨)

시조 및 본관의 유래

원조 황락(장군)은 중국 황제의 후예로 서기 28년 한나라로부터 동해안 평해의 월송사

안에 도착 세거하였고 그 후손 갑고, 을고, 병고 3 형제가 있었는데 그중 갑고가 기성 (평해별호) 군에 봉해져 평해 황씨의 시조가 되었다. 그후 누대가 실전되어 세계를 밝히지 못하고 그 후손으로 고려 때 금오위장군 태자검교를 지내고 평해에서 세거한 온인을 1세조로 하여 세계를 계승하고 본관을 평해로 하였다.

〈행 렬 표〉

세	행 렬 자	세	행 렬 자
28	燮섭潤윤九구	29	載재植식昞병
30	錫석燦찬範범	31	河하達달鉉현
32	柱주鍾종洙수	33	煥환永영來래
34	基기東동烈열	35	欽흠熙희在재
36	泰태奎규鎬호	37	植식鎬호淳순
38	炳병漢한植식	39	奎규樂락燦찬
40	鍾종景경培배	41	淳순基기鍊련

杭州黃氏 (항주황씨)

시조 및 본관의 유래

시조 황공의 선세계는 명나라 황주인이다. 그는 명나라 말기 진사로서 기산지휘사 중도유수를 지내고 1645 년 나라가 망한 후 심양에서 소현세자를 따라 명나라 9 의사의 한 사람으로 래조하여 토청북벌을 도모하다가 실패하고 우리나라에 귀화하였다. 후손들이 그를 시조로 하고 본관을 시조의 원향인 항주로 하였다.

〈행 렬 표〉

세	행렬자	세	행렬자	세	행렬자
7	宅택	8	漢한	9	機기
10	淡담	11	煥환	12	基기

黃州黃氏 (황주황씨)

시조 및 본관의 유래

시조 황웅성은 황주에 토착한 사족으로 부사를 역임했으며 선세계는 미상이고 후손들은 황주에 세거하면서 본관을 황주로 하였다.

〈행 렬 표〉

세	행렬자	세	행렬자	세	행렬자
14	晩만	15	有유	16	承승
17	東동	18	煥환	19	中중
20	兌태	21	春춘	22	朝조
23	源원				

懷德黃氏 (회덕황씨)

시조 및 본관의 유래

시조 황락은 한나라 유신으로 28 년 (신라유리왕 5) 사신으로 가다가 풍랑에 표류하여 신라 동해안에 상륙하여 귀화하게 되었고 그 후 세계가 실전되었다가 후손 황윤보가 고려때 지문성부사를 거쳐 호부전서에 이르렀고 좌명공신으로 회천군에 봉하여져 그를 1세조로 하고 본관을 회덕으로 하였다. 1세조의 묘소는 충남 대덕군 동면마산리 관동자좌이다.

〈행 렬 표〉

세	행 렬 자	세	행 렬 자	세	
21	泰태圭규相상	22	叙서鉉현鎭진		
23	修수漢한	26	式식植식	25	錫석炳병
26	洙수均균	27	秉병鍾종	28	勳훈
29	基기	30	九구	31	永영	32	根근
33	榮영	34	坤곤	35	善선		

皇甫氏(永川)(영천황보씨)

시조 및 본관의 유래

영천황보씨는 원조 황보경 후손인 금강성장군 황보능장이 영천부원군에 봉해져 그를 시조로 하고 본관을 영천이라 하였으나 그후 세계가 실전되었다가 황보안을 1세조로 계대하고 있다. 묘소는 경북 영천군 고경면에 있다.

〈 행 렬 표 〉

세	행렬자	세	행렬자	세	행렬자
21	鎭진鍾종	22	洙수洛락	23	東동柱주
24	煥환炳병	25	圭규培배	26	鎔용鉉현
27	泰태永영	28	根근模모	29	熙희燮섭
30	基기均균				

后氏(唐寅)(당인후씨)

시조 및 본관의 유래

후씨는 원래 중국성씨로서 하나라 때에 후예라는 사람이 있었고 또 노나라 때에 『郈』씨가 있었는데 그후 『邑』변을 떼고 『后』씨가 되었다고 한다.   우리나라에는 없던 성씨였으나 1930년 국세조사때 강원도 회양군 상북면 오랑리에 3가구가 살고 있는 것으로 나타났었다. 본관을 당인으로 하고 있으나 그 유래에 대해서는 고증할 길이 없다.

鴌氏 (궉씨)

지봉류설에 의하면 전북 순창에 궉씨가 있으나 내력은 미상이다. 1930년도 국세조사에는 경기도 용인과 충남, 보령, 청양, 예산, 천안 등지에 몇가구 살고 있다고 되어 있다. 주요 본관은 순창, 선산이다.

艾氏 (애씨)

1930년 국세조사에서 밝혀진 성씨로 안성 수원, 시흥 등지에 4가구가 있었다. 본관은 한양, 연풍, 전주등이다.

彊氏 (강씨)

1930년도 국세조사때 비로소 나타난 성씨로서 경남 통영군 광도면 우동리에 강선악 1가구가 살고 있었는데 그는 어려서 그곳에서 왔다고 할 뿐 내력은 미상이다. 본관은 진주로 쓰고 있다.

永同張氏 (영동장씨)

시조 沆은 일찌기 문과에 급제하고 사헌 두정을 거쳐 좌사의 대부에 이르러 충숙왕이 1-321년부터 5년동안 원나라에 양유되었을 때 시종한 공으로 귀국후 나주 목사가 되었다. 충혜왕 때 평양윤 등을 지낸 뒤 영산(영동별호)군에 봉해졌다. 영동의 화암서원에 제향 그의 선대나 후손의 분포상황은 미고이다.

姓氏別 가구수와 인구수

姓	가구(호)	인구(명)	姓	가구(호)	인구(명)	姓	가구(호)	인구(명)
金	2,080,852	8,785,554	嚴	27,557	116,002	龍	2,875	12,320
李	1,418,945	5,985,037	元	24,858	104,472	芮	2,754	10,937
朴	815,151	3,435,640	蔡	23,412	97,634	丘	2,665	10,859
崔	454,696	1,913,322	千	23,184	97,412	奉	2,469	10,547
鄭	422,220	1,780,648	方	19,317	81,416	庾	2,403	10,279
姜	227,093	958,163	楊	19,387	81,267	慶	2,418	10,069
趙	207,895	877,050	孔	17,207	72,382	程	2,174	9,243
尹	198,247	834,081	玄	17,297	72,148	晋	2,059	8,696
張	192,841	810,231	康	16,763	69,776	史	2,000	8,660
林	159,371	672,755	咸	15,685	65,186	夫	2,094	8,565
韓	149,511	628,388	卜	15,289	64,143	皇甫	2,101	8,529
申	147,708	620,950	魯	13,063	54,472	昔	1,932	7,959
吳	147,127	619,815	廉	12,807	54,445	賈	1,783	7,888
徐	144,320	611,148	邊	12,154	50,379	太	1,795	7,406
權	136,810	567,768	呂	11,714	48,914	卜	1,764	7,370
黃	134,347	564,265	秋	11,618	48,626	睦	1,721	7,088
宋	131,891	557,137	都	11,191	46,528	桂	1,501	5,945
安	131,850	556,391	愼	9,756	40,769	皮	1,339	5,440
柳	120,887	509,077	石	9,705	40,387	邢	1,291	5,430
洪	109,487	457,567	蘇	9,356	39,709	菜	1,159	5,241
全	103,059	430,055	薛	8,177	34,262	杜	1,210	5,076
高	91,384	384,012	宣	7,754	33,664	智	1,179	5,028
文	88,932	375,765	周	7,788	33,220	甘	1,227	5,012
孫	87,995	368,717	吉	7,360	30,930	董	1,095	4,644
梁	81,124	343,985	馬	7,404	30,864	陰	1,064	4,522
裵	77,574	323,004	延	6,451	27,852	溫	1,045	4,395
白	73,853	309,572	表	5,883	24,562	章	1,061	4,329
曹	73,196	304,810	魏	5,729	24,257	景	885	3,691
許	63,037	264,228	明	5,494	23,371	諸葛	867	3,652
南	53,011	222,246	奇	5,447	22,689	司空	915	3,634
沈	52,084	219,737	房	5,371	22,519	扈	818	3,529
劉	51,933	218,445	潘	5,149	21,548	左	785	3,046
盧	47,251	196,284	王	4,815	20,377	鮮于	756	3,032
河	44,053	184,621	琴	4,833	20,355	葛	737	3,021
俞	39,424	168,078	玉	4,912	20,194	范	714	3,028
丁	38,721	165,381	陸	4,516	18,837	夏	722	2,866
成	38,872	163,513	印	4,280	18,278	錢	663	2,748
郭	39,147	163,413	孟	4,192	17,635	賓	637	2,647
車	38,126	159,679	諸	4,128	17,392	彭	629	2,471
具	37,553	157,526	卓	4,044	16,938	西門	588	2,328
禹	37,322	155,456	秦	3,953	16,435	邵	514	2,300
朱	36,863	153,474	南宮	3,874	16,227	承	545	2,297
羅	35,392	150,008	蔣	3,937	16,106	施	526	2,203
任	34,669	147,694	牟	3,757	16,037	尙	510	2,117
田	35,129	146,662	鞠	3,721	15,527	簡	489	2,074
閔	33,706	141,328	魚	3,719	15,349	化	495	1,990
辛	33,047	137,839	余	3,555	14,733	甬	442	1,952
池	29,780	125,624	殷	3,293	13,626	公	427	1,881
陳	29,413	123,087	片	3,169	13,264	疆	425	1,861

姓	가구(호)	인구(명)	姓	가구(호)	인구(명)	姓	가구(호)	인구(명)
彬	426	1,856	莊	77	310	奈	13	68
柴	400	1,538	乃	71	308	扁	12	68
韋	366	1,527	邱	62	307	艾	12	66
眞	292	1,511	萬	62	282	襄	11	59
胡	386	1,487	采	55	275	星	16	56
路	312	1,484	海	80	270	後	10	55
于	299	1,381	倉	63	258	芸	10	52
班	340	1,364	伊	82	249	單	12	51
天	297	1,351	鴌	57	243	丕	9	51
段	306	1,265	包	91	238	榮	8	46
甄	235	990	判	59	238	順	6	37
國	210	978	楚	47	232	端	5	36
荀	246	956	梅	46	230	謝	4	30
陶	222	943	君	49	229	鄒	6	25
唐	206	932	姚	64	229	欒	5	17
强	224	901	粥	45	199	苗	4	16
毛	192	873	占	40	198	橋	5	14
邦	176	824	舜	54	196	郝	5	14
龐	215	794	曲	58	189	傳	6	13
昌	184	792	鳳	54	179	齊	3	9
樑	174	700	松	29	177	影	3	8
獨孤	215	695	東方	41	174	譚	2	5
邕	155	687	介	51	165	桓	2	5
平	178	648	米	42	156	候	2	5
昇	154	643	凡	36	154	網切	3	5
鍾	157	621	俊	38	154	辻	2	5
葉	152	604	淳	41	141	興	2	5
墨	171	567	洙	22	140	頭	2	3
麻	118	527	夜	43	137	鎬	1	3
弓	134	520	慈	24	136	椿	1	3
大	115	499	宗	26	133	賴	1	2
氷	117	464	西	20	129	樓	1	1
道	75	459	汝	26	122	邸	1	1
堅	99	452	水	26	113	岡田	1	1
斤	110	450	雲	25	110	小峰	1	1
馮	112	449	雷	29	106	長谷	1	1
箕	99	427	燕	26	104	初	1	1
袁	91	424	頓	22	100	미상	36	180
連	88	398	彈	21	94	기타	824	2,671
菊	109	381	肖	19	93			
永	82	359	剛	19	87			
異	91	359	舍	23	87			
浪	85	328	森	18	85			
漢	74	325	敦	16	83			
阿	70	315	雍	14	80			

僎氏는 虜氏와 같은 姓이고 미상은 姓이 없는 사람, 기타는 釰, 夵 등 옥편에도 없는 한자 姓氏임.

姓氏 本貫別 인구수

본관	인구수	본관	인구수	본관	인구수	본관	인구수	본관	인구수	본관	인구수
◇ 金 ◇		성산	11,690	태원	2,192	금평	768	강서	396	봉산	196
		풍산	11,374	회천	2,140	경기	766	영상	387	거창	196
김해		원주	9,334	온양	2,138	은율	755	부여	374	경남	195
①	3,767,061	밀양	8,888	파평	2,112	오천		남포	373	인천	195
경주	1,523,468	충주	8,342	성주	1,996	(연일)	753	청양	370	무송	195
광산	750,701	해풍	8,141	서산	1,970	김천	739	진장	365	유성	195
금녕	424,323	공주	7,542	선성	1,933	무안	735	등주	385	철성	189
안동		상주	7,492	풍천		원양	729	승평	360	초계	189
(구)	398,240	일성	7,357	(영유)	1,923	영해	726	철원	360	문경	183
의성	219,947	영양	6,850	금화	1,885	담양	715	춘양	359	연풍	179
강릉	150,576	정선	6,763	옥천	1,802	진산	697	결성	355	평강	174
김해		천안	6,491	영동	1,772	진영	661	봉화	349	용광	172
②	125,277	해주	6,278	화순	1,723	풍기	644	광천	344	대전	172
선산		강화	5,727	무주	1,691	인동	637	계림	344	홍해	163
(일선)	120,214	김제	5,294	해남	1,662	안노	633	보성	343	청평	156
청풍	82,882	경산	5,159	안악	1,654	광양	631	연산	342	안홍	154
삼척	71,764	양근	5,051	교하	1,569	하음	620	남평	339	전남	153
연안	68,939	사천	4,949	동래	1,555	옥산	603	해동	334	풍덕	151
청도	64,383	함영	4,586	함양	1,479	죽산	598	현풍	329	평창	149
상산	57,836	수안	4,567	백천	1,442	성선	595	완산	327	양금	148
전주	52,251	덕수	4,385	강남	1,387	정읍	572	승산	324	사창	143
부안		금릉	4,327	진위	1,378	황주	569	용담	324	성천	140
(부령)	47,696	해평	4,300	진도	1,363	진해	585	파주	322	신안	139
순천	45,622	낙안	4,299	영일	1,261	장연	558	연성	316	감천	132
나주	41,257	통천	4,128	성은	1,230	남해	539	순흥	305	함흥	131
월성	33,668	안성	3,763	평산	1,213	곤양	539	신성	281	우록	130
언양	33,473	당악		고산	1,173	청덕	534	순창	279	광명	129
울산	31,622	(남해)	3,752	영산		의주	533	온전	272	신평	127
영광	28,443	분성	3,732	(靈山)	1,134	은진	532	제주	270	고양	125
청주	26,524	광성	3,712	청송	1,117	당산	528	예산	246	상승	124
서흥	24,281	양주	3,416	문화	1,115	연주	512	용인	244	동양	123
함창	22,331	창원	3,319	홍주	1,091	장성	488	은성	241	양평	123
도강	21,981	영천	3,158	영월	1,075	영주	486	강원	238	충남	118
안동		야성		이천	1,014	한산	472	염포	235	한성	115
(신)	21,554	(영덕)	2,875	평양	991	평해	467	화성	226	장학	114
광주	20,815	강진	2,840	창평	988	웅천	461	평택	225	용산	113
개성	18,777	양산	2,773	창녕	949	황산	461	덕산	225	전의	104
진주	17,742	남양	2,720	함평	943	춘천	443	경북	219	의흥	103
안산	16,472	진천	2,545	합천	923	청산	441	강동	211	문산	100
고령	15,564	신천	2,505	도광	884	낙성	439	진신	211	경상	97
수원	15,483	우봉	2,504	능주	880	함안	436	안양	211	가평	93
영산		정주	2,499	의령	861	금정	426	강주	211	장수	93
(永山)	15,115	보령	2,474	김성	820	장흥	421	칠원	209	진성	90
고성	14,881	영암	2,469	영덕	817	중화	403	연기	208	대영	87
용궁	14,853	대구	2,355	남원	802	이양	401	홍천	206	수성	87
금산	14,107	무창	2,309	적성	801	여주	398	서울	202	구례	86
예안	12,632	설성	2,262	부평	789	예천	397	무송	197	곡성	84

본관	인구수	본관	인구수	본관	인구수	본관	인구수	본관	인구수	본관	인구수
괴산	81	용인	27,389	대흥	3,050	한양	872	인제	291	경성	94
용성	80	학성	18,869	영주	2,935	해남	859	김천	290	문화	89
토산	80	고부	18,623	상주	2,953	금구	830	풍천	283	경진	86
광해	69	가평	18,623	평산	2,929	남원	814	연산	281	증평	84
홍덕	65	안성	17,546	광평 (선산)	2,863	하음	811	광양	280	승평	82
성남	63	우봉	17,513	진안	2,861	부여	764	대전	275	장기	82
임파	61	선산	17,046	원주 ②	2,781	함양	710	남양	275	괴산	80
수주	60	단양	14,343	김해	2,666	용궁	653	예천	259	군위	78
성의	56	우계	14,191	동성 (사천)	2,538	서천	648	영월	254	임천	75
고부	47	수안	14,099	온양	2,475	백천	641	간성	247	문안	74
전북	43	홍양	13,829	교하	2,405	의령	600	평양	242	곡산	70
북실	25	진주	13,591	덕은	2,321	한성	600	황주	241	익계	69
별성	22	청안	12,801	단성	2,270	옥천	599	홍천	240	신풍	64
임진	16	하빈	12,627	공산	2,168	헌양	591	하동	238	익홍	60
한남	7	장수	12,421	해주	2,164	경기	568	평해	231	동령	55
진잠	6	홍주	11,435	장흥	2,117	성준	560	은진	227	고구	27
기타	11,071	예안	11,284	영해	2,042	연천	554	양평	226	가리	19
미상	11,655	아산	10,403	전원	2,003	거창	548	연일	223	덕홍	15
◇ 李 ◇		청해	10,012	칠성	1,970	기장		계령	218	문신	15
전주	2,379,537	나주	9,383	천안	1,968	계령		동평	217	연극	3
경주	1,217,279	영천 (永川)	8,663	안평	1,923	차성	539	삼척	216	기타	12,598
성주	153,146	안악	7,973	농성	1,904	태원	538	경북	204	◇ 朴 ◇	
광주	141,830	경산	7,909	전은	1,779	예산	525	진해	198	밀양	2,704,617
연안	126,569	덕산	7,355	선성	1,766	보성	508	충남	186	반남	118,838
한산	119,174	개성	7,212	안동	1,668	행주	501	금산	178	함양	103,220
전의	112,087	함풍	7,162	담양	1,643	계양	499	영춘	169	순천	75,888
함평	103,696	강진	6,998	덕순	1,630	요산	489	회양	167	무안	64,695
합천	98,595	봉산	6,599	익산	1,624	장성	457	고창	165	죽산 (죽수)	45,058
영천 (寧川)	95,473	수원	6,374	서림	1,504	홍성	454	하산	164	고령	35,527
벽진	80,662	결성	5,631	상산	1,378	제주	441	원산	157	충주	23,617
고성	71,910	부평	5,090	이천	1,373	창원	430	덕천	156	경주	21,814
성산	64,735	고령	5,062	남평	1,306	임강	421	동래	154	영해	21,299
여주	61,907	안산	4,973	청송	1,296	화평	420	경준	154	월성	20,506
월성	61,823	순천	4,644	양주	1,268	장천	418	통진	147	상주	20,246
인천	61,045	사천	4,560	완산	1,219	평택	394	오현	141	신원	19,982
진보 (진성)	58,877	양산	4,517	김포	1,137	청도	389	경남	140	울산	18,323
원주 ①	56,001	강양	4,476	화산	1,131	춘천	375	고양	135	강릉	14,643
평창	55,487	울산	4,433	영양	1,109	금성	383	서울	134	춘천	12,885
재령	45,417	정주	4,345	고흥	1,080	함흥	343	영일	134	음성	6,317
덕수	43,505	여강	4,267	의성	1,067	안양	342	강동	124	창원	6,000
양성	38,302	여흥	4,059	부안	1,048	해령	342	신령	122	영암	5,670
함안	31,938	창녕	4,029	차성 (기장)	1,038	회덕	338	당진	120	태안	4,498
광산	31,118	진위	4,018	양동	1,018	청평	336	계룡	116	고성	4,428
신평	29,281	철성	3,994	서산	978	농서	328	벽산	113	구산	4,297
청주	28,968	강화	3,739	강릉	946	토산	328	청양	109	면천	4,100
공주	28,674	태안	3,464	보은	923	우건	313	영준	108	삼척	4,000
		밀양	3,447			인주	307	마산	99	의홍	3,970
		충주	3,215			음죽	303	용천	99	나주	3,719
		정선	3,107			순흥	300	덕원	98		
						백성	296	함경	95		
						영광	292				

본관	인구	본관	인구	본관	인구수	본관	인구	본관	인구수	본관	인구수	본관	인구수
상산	3,377	연안	229	덕원	8	영암	1,036	해남	119	봉화	20,468	의령	237
문의	3,114	현풍	208	기타	6,293	영흥	1,021	여주	117	광주	14,922	남원	235
전주	3,080	영양	205	미상	3,914	완산	974	창원	114	서산	13,819	공주	232
비안	2,767	부산	198	◇ 崔 ◇		동근	929	천안	114	고성	10,853	원양	216
광주	2,219	남원	192	경주	876,729	정주	890	평양	108	금성	8,978	영주	205
진주	1,805	상영	192	전주	342,849	아산	850	함안	101	전주	6,957	파평	182
순창	1,783	달성	183	해주	161,782	연풍	810	보령	100	함평	6,425	정선	181
해명	1,752	천안	177	강릉	132,300	용궁	804	하동	99	광산	4,105	경기	177
함안	1,658	해남	170	탐진	61,841	상현	791	담양	94	청산	3,656	순흥	169
하명	1,634	난포	162	수성	44,004	죽산	725	순흥	90	정주	3,024	천안	162
군위	1,588	의형	158	삭녕	37,872	진산	684	합천	85	예천	2,931	연희	161
명성	1,478	언양	153	화순	27,517	화성	680	동래	83	팔계	2,886	보성	160
운봉	1,469	청송	151	초계	22,209	경기	660	용인	82	장기	2,795	제주	152
여주	1,433	공주	151	월성	17,514	김해	647	서화	80	김포	2,377	남평	146
함흥	1,408	광산	148	영천	15,862	광양	614	단양	79	영덕	2,212	원주	135
진흥	1,337	담양	147	수원	15,442	한남	612	정성	75	야성	1,976	거창	135
평산	1,274	문화	142	강화	12,553	상주	534	양평	74	창원	1,811	평산	133
평택	1,153	인천	138	충주	12,165	성주	525	김제	70	영광	1,641	성산	133
문주	1,128	순흥	128	낭주	11,723	쌍용	472	서울	62	안동	1,584	담양	132
노성	1,111	장성	123	동주		우풍	365	남평	57	곤양	1,581	단양	131
사천	1,110	현천	121	(철원)	10,562	삼진	363	백천	57	정산	1,315	수원	131
선산	1,021	평주	113	홍해	9,189	상원	360	대전	53	영성	1,102	대구	128
예천	1,018	남평	102	통천	7,751	평창	334	양산	50	연안	1,101	능성	122
청주	992	단양	101	간성	6,122	남원	319	장수	50	밀양	959	개성	118
부안	923	주계	101	양천	5,933	달성	313	하양	48	월성	949	장성	117
김해	697	장흥	100	광주	5,583	홍천	298	곡성	47	영월	924	순천	115
안동	642	안성	99	양주	4,370	항진	292	하음	45	김해	883	예산	110
증평	595	한산	97	진주	3,598	용강	280	장안	43	낭야	871	연흥	106
태인	588	고흥	96	개성	3,306	문경	273	고양	41	동해	749	연백	98
이산	514	봉산	96	나주	3,241	영주	255	삭주	38	풍기	693	봉래	98
한양	513	강남	89	청주	2,931	고성	245	강동	36	공산	652	경남	95
은풍	510	대천	82	곡강	2,465	제주	234	광해	34	관상	604	청송	94
인제	482	제주	71	밀양	1,843	파주	227	명천	23	강릉	599	부안	93
강진	482	영흥	60	원주	1,740	남양	214	기타	5,279	최계	536	평해	84
정선	461	정주	59	용주	1,684	동원	212	미상	3,331	충주	526	고령	80
의령	444	초계	52	강진	1,640	연안	206	◇ 鄭 ◇		진영	443	함창	79
해주	375	덕진	52	청송	1,584	평창	201	동래	414,782	함양	435	남포	77
우봉	371	평양	51	인천	1,506	예산	192	경주	300,731	합천	434	문화	77
의성	369	정승	40	부안	1,368	함평	190	연일	237,218	해남	433	학성	75
수원	364	강원	35	직산	1,366	순천	187	진양		영천	391	장흥	73
영천	348	상성	35	평상	1,360	창원	165	(진주)	231,289	옥천	366	최기	67
영월	342	싱신	35	황주	1,324	한양	164	하동	142,418	선산	343	강진	66
진안	325	야성	33	계림	1,301	강남	160	초계	83,311	서경	307	평택	62
창녕	312	미산	30	고부	1,286	괴산	150	나주	55,684	창녕	299	대전	59
함평	312	남주	29	안동	1,207	강윤	143	영일	46,922	현풍	290	보령	58
함열	297	설성	27	태인	1,193	경산	138	청주	36,308	남해	285	구례	49
일성	280	임실	25	창녕	1,165	공주	137	해주	34,736	삼척	262	영정	46
남양	269	삼화	17	당진	1,086	경북	123	온양	24,134	한양	261	동명	45
보성	263	압해	13	영양	1,039	선산	123	오천	22,033	인동	260	행주	44
성주	257	여수	12			봉천	120			남양	239	송강	42

본관	인구수	본관	인구수	본관	인구수	본관	인구수	본관	인구수	본관	인구수	본관	인구수
상극	38	한양	273,408	문화	43	순흥	35	연안	126	충주	1,581	해남	102
광양	36	함안	231,728	강진	40	고창	22	한양	125	진주	1,296	동래	102
죽산	33	풍양	109,433	파능	35	거제	21	장흥	117	단월	1,204	이안	100
양평	29	백천	58,593	남해	25	야성	19	대구	110	안의	1,096	고안	95
팔송	29	옥천	48,637	주천	16	경남	16	풍덕	115	해주	1,007	청송	84
문의	28	평양	35,025	강서	12	죽산	12	부여	112	익산	981	태평	82
옥구	23	김제	26,461	기타	4,998	기타	2,712	함평	107	옥야	844	청풍	75
의안	23	양주	23,221	미상	1,879	미상	1,122	고성	102	임천	776	풍산	74
옹진	21	밀양	14,183	◇ 尹 ◇		◇ 張 ◇		청주	84	청주	532	순풍	71
돌산	20	순창	12,419					백천	77	순창	500	성주	69
기타	8,660	임천	10,448	파평(파주)	846,632	인동	538,803	남양	76	파평	497	안성	69
미상	3,710	평산	5,543	해남	48,780	안동	64,814	충주	73	해진	489	원주	68
◇ 姜 ◇		횡성	4,461	칠원	44,874	홍성(흥덕)	37,691	영천	71	이천	424	춘천	66
		함양	3,900	남원	37,838	단양	30,521	순흥	59	광주	404	금산	55
진주(진양)	941,087	직산	3,498	해평(서산)	22,757	결성	19,431	대전	46	성산	368	횡성	54
전주	4,570	경주	1,072	무송	10,320	덕수	19,366	제주	45	보은	319	장수	53
경주	1,886	순천	949	함안	6,106	울진	17,684	순창	45	상주	311	온양	52
금천	760	진보	734	양주	2,315	나주	12,429	당진	44	담양	284	천안	52
제주	654	진주	561	태평	2,235	목천	10,822	춘천	38	영월	283	연일	48
충주	639	영산	359	예천	1,965	구례	10,670	해풍(풍덕)	32	교동	282	주안	47
안동	499	김해	351	영천	1,745	순천	9,399	평택	29	옥구(군산)	266	영홍	43
대전	417	연백	327	함평	910	옥구	4,927	홍해	20	김해	265	반월	36
광주	378	청주	299	전주	552	창녕	4,751	태원(충주)	19	단양	249	삼척	29
밀양	365	남원	270	해주	350	부안	3,288	천녕(여주)	13	임하	237	기타	4,287
보천	326	해주	269	가평	287	절강	3,120	기타	3,836	무안	232	미상	1,737
평양	297	나주	254	경주	265	진주	2,069	미상	1,490	평산	227	◇ 韓 ◇	
김해	209	창원	240	여주	263	옥산	2,024	◇ 林 ◇		수원	217	청주	597,596
강릉	163	태원	237	평산	197	전주	1,324			영천	209	곡산	21,194
나주	145	주암	232	밀양	191	예산	1,315	나주	262,862	월성	186	충주	1,829
순흥	125	영춘	210	강릉	141	영동	1,033	평택(팽성)	194,550	남원	171	경주	1,217
불갑	119	함평	203	남평	127	진천	983	예천	59,720	예산	157	전주	717
곡성	105	단양	203	김해	127	청송	887	부안	48,042	길안	149	금괴	646
남양	105	대천	191	분화	108	봉성	760	조양	23,688	울산	146	한양	543
성주	104	풍산	187	진주	101	진안	741	울진	10,539	정주	140	성주	437
시흥	84	광주	162	신영	93	밀양	727	선산	7,098	강릉	139	금산	322
백천	77	한산	161	팔판	92	경주	586	은진	6,859	순천	134	당진	200
여천	72	홍양	158	덕산	88	옥천	460	장흥	6,580	공주	132	부안	190
연일	70	대천	155	청주	85	봉산	438	안동	4,375	여주	128	창원	181
동래	64	충주	149	백천	82	시례	372	풍전	4,366	부여	128	나주	153
보주	63	상주	147	현풍	81	동래	268	회진	3,629	연안	122	진주	151
수산	59	남양	135	기계	65	홍양	226	상산	2,987	안산	121	제주	116
인동	56	동래	131	평창	63	광주	189	전주	2,825	대전	118	평산	116
원주	55	파평	130	광주	81	인덕	179	경주	2,777	한양	113	강릉	111
수원	44	풍년	103	고령	49	장수	177	밀양	2,607	옥천	110	한산	102
부산	39	분양	103	수원	48	담양	170	진천	1,890	남양	110	밀양	100
해미	24	하동	101	달성	47	안양	156	보성	1,708	장성	108	김해	84
기타	3,154	연일	87	기장	41	안성	143			임파	106	해주	82
미상	1,374	이천	64	대전	41	남원	136			대구	104	양주	70
◇ 趙 ◇		양평	62			해주	135			홍천	103	강화	68
		연백	48										

본관	인구수	본관	인구수	본관	인구	본관	인구수	본관	인구수	본관	인구수	본관	인구수
광주	65	고창	149	남양	166	달성	398,343	황산		청주	404	홍주	6,765
청풍	53	남양	141	의성	156	이천	144,204	(연산)	37	전주	377	문경	5,459
안동	51	전주	126	청주	150	대구	13,723	함평	36	평택	317	덕산	3,981
정주	50	진주	126	혜조	148	남양	13,644	가성	35	영천	288	야로	
수원	40	평해	116	남원	146	부여	13,041	경북	31	평안	286	(야성)	3,606
연안	37	정선	116	진주	133	장성	6,381	영성	31	남양	243	용성	3,334
파주	35	김해	114	김해	126	연산	6,305	군위	25	양주	187	양주	1,632
원주	30	해주	113	밀양	119	남평	5,298	원주	23	관성	186	서산	1,432
동래	30	강릉	112	동부	116	인천	1,071	광성	18	밀양	175	연산	916
여주	27	함평	108	해남	98	당성	760	의주	11	무주	167	밀양	851
남양	23	청주	105	창원	96	의령	721	용궁	3	나주	160	심평	799
면천	23	의령	102	파주	93	경주	480	기타	2,046	천안	157	회덕	778
신천	12	울산	100	함흥	89	밀양	407	미상	1,158	안동	136	남원	613
홍산	11	대전	83	광주	84	석강	404	◇ 權 ◇		청현	136	순흥	587
가주	4	이천	59	성주	80	평당	404	안동	558,574	김해	134	신평	
안변	3	신천	58	안동	78	(파주)	258	예천	5,275	장흥	131	①	542
단주	2	곡성	35	여주	78	진주	194	경주	300	광주	128	철원	522
기타	381	은풍	29	온양	78	전주	171	진주	199	장현	111	신안	414
미상	1,286	문화	25	대구	75	서산	131	밀양	164	풍산	101	은율	412
◇ 申 ◇		조종	23	능성	73	김해	130	대전	162	수원	99	광주	408
		거제	23	보령	64	예천	130	안성	143	의주	99	연안	
평산	460,238	창주	12	연안	63	안동	129	전주	97	강릉	95	②	378
고령	117,333	삭영	9	수원	51	서천	118	강릉	75	옥천	89	전주	375
아주	26,298	기타	2,561	금산	50	나주	102	광산	72	순흥	85	여주	347
영월	4,041	미상	1,357	서산	49	여주	102	청주	69	달성	75	은성	308
파평	567	◇ 吳 ◇		예안	47	함양	101	기타	1,894	평산	75	의성	287
청송	551			진원	46	달천	96	미상	744	평창	72	울진	246
경산	493	해주	377,005	강화	44	염주	93	◇ 黃 ◇		정해	67	치성	
연안	396	보성	52,543	성산	42	(연안)	93	창원	220,810	평원	63	(합천)	244
나주	387	동복	50,648	평택	41	서원	91	장수	126,744	충주	59	신평	
영해	365	고창	27,770	평산	39	안성	91	평해	124,072	제주	53	②	220
평창	352	나주	26,244	순흥	38	창녕	91	우주	18,603	부안	50	나주	197
영월	326	함양	22,158	동래	37	천천	86	덕산	18,436	동래	48	죽산	174
성산	326	군위	21,717	대전	35	해주	84	상주	17,751	강화	28	제주	173
청산	325	낙안	7,410	공주	28	충주	68	회덕	6,636	삼기	1	마산	166
고흥	296	금성	5,204	영광	28	진주	66	성주	5,157	기타	4,219	대전	94
보령	285	장흥	3,897	연주	27	청주	64	평양	3,551	미상	1,395	견주	
평강	266	함평	3,282	안성	25	연천	64	제안	2,352	◇ 宋 ◇		(양주)	94
천안	248	화순	2,888	영월	25	의성	56	황주	2,291			홍양	84
평양	237	울산	2,696	충주	25	봉성	53	청녕	1,473	여산	200,323	강음	75
밀양	219	전주	1,997	낭산	24	(파주)	53	해산	1,429	은진	179,247	안산	63
경주	219	홍양	1,730	전남	21	수원	52	장성	780	예산	28,965	상탁	
평안	216	평래	1,264	황해	20	대전	49	해주	692	진천	25,194	(수원)	62
의성	183	연일	1,166	덕미	18	단양	44	경주	653	남양	18,754	남평	53
황산	179	혜명	724	두원	18	담양	42	평화	633	김해	16,785	태안	29
광산	171	함영	719	삼가	8	복흥	41	항주	619	야성	10,605	복흥	27
안동	160	경주	475	기타	2,859	(순창)	41	황해	584	연안		태인	12
담양	160	고성	444	미상	1,350	남원	40	남원	503	①	10,271	옥구	9
신평	158	제주	345	◇ 徐 ◇		평택	40			회덕	8,056	기타	4,723
상갈	155	함안	185			울산	37			청주	7,290	미상	10,205

◇ 安 ◇

본관	인구수
순흥	417,591
죽산	53,522
광주	53,496
탐진	10,023
강진	5,925
죽산(신)	3,100
태원	1,710
평안	1,041
안동	720
경주	672
수원	542
충주	348
양산	271
정주	249
순천	193
밀양	179
보성	175
전주	173
천안	171
김해	159
청주	143
담양	128
대전	126
제천	125
안산	118
예산	112
남원	111
안성	103
해주	98
당진	88
평산	72
평택	72
파평	57
공산(구주)	35
주천	23
기타	3,485
미상	1,255

◇ 柳 ◇

본관	인구수
문화	255,632
진주	72,827
고흥	64,465
전주	47,383
풍산	11,657
서산	9,850
강릉	8,177
서령	7,866
문안	4,146
선산	2,423
하외	2,085
거창	1,669
하해	1,289
고령	1,225
경주	1,100
영광	964
육창	843
창원	811
인동	720
안동	463
나주	407
강남	397
연안	344
강진	336
호산	288
금산	280
광주(광산)	274
남원	265
파평	265
청주	250
밀양	239
백천	202
김해	160
성주	150
옥천	143
해주	143
대전	139
정주(풍덕)	129
진양	121
함평	121
부안	119
공주	101
천안	91
진천	90
순흥	82
진선	79
곡산	77
하동	77
수원	66
세령	55
약목(칠곡)	16
부평	13
홍양	11
기타	6,233
미상	1,713

◇ 洪 ◇

본관	인구수
남양(당홍계)	382,077
풍산	35,176
남양(토홍계)	13,069
부림	6,740
남영	5,155
부계	3,607
남해	2,419
홍주	1,749
남원	1,134
밀양	341
담양	312
홍산	226
나주	199
함안	188
의성	173
창원	165
전주	127
남평	122
경주	105
청주	91
진주	85
순흥	82
안동	82
단양	76
달성	75
장수	71
대전	70
김해	70
강릉	63
곡부	61
풍천	50
파평	49
예산	48
홍천	45
주	45
인동	44
충주	42
수원	41
개녕	37
악개(풍산)	21
회인	13
기타	2,325
미상	897

◇ 全 ◇

본관	인구수
정선	124,993
천안	114,016
옥천	37,380
용궁	22,375
나주	17,687
경주	14,884
옥산	14,322
성산	11,397
죽산	11,037
전주	10,445
경산	8,928
완산	6,811
김천	6,399
성주	5,469
평강	2,821
안동	2,171
김해	1,284
기장	1,128
함창	830
광산	650
선산	553
온양	324
팔기	323
청주	318
황간	301
진주	278
인왕	223
영월	223
진안	195
대구	175
강릉	172
의성	168
보성	150
창원	147
경성	141
부여	139
대전	137
예천	137
평산	130
해주	128
원주	121
금산	108
강원	105
금영	104
수원	104
고령	103
전의	87
고부	85
남원	83
부안	82
상주	80
거창	79
공주	78
함평	70
계림	69
안성	67
개성	66
여주	63
순천	63
한양	60
파평	56
평양	49
충주	48
청풍	45
서울	35
나성	26
기타	7,411
미상	1,320

◇ 高 ◇

본관	인구수
제주	317,967
장흥	41,641
개성	8,417
장택	3,510
횡성	3,413
창평	1,522
청주	1,250
안동	737
장안	350
장성	344
진주	233
고흥	224
해주	186
홍성	162
전주	147
경주	146
담양	135
영월	118
광주	112
강화	109
용담	108
강릉	101
고창	92
고령	78
연주	68
김해	61
고성	57
남양	50
대전	44
연안	34
영천	32
고봉(고양)	24
상당	23
의령	17
충주	16
옥구	11
금화	8
토산	6
기타	1,906
미상	553

◇ 文 ◇

본관	인구수
남평	343,655
감천	12,698
정선	8,366
강성	1,113
함평	848
파평	718
단성	502
양평	441
남양	435
태평	386
남원	289
경주	263
문평	175
남영	163
진주	162
남천	152
개령	150
나주	145
전주	141
장흥	124
밀양	111
평산	110
내평	108
문화	108
김해	104
광산	100
낙태	84
안동	84
강릉	78
평양	77
대전	75
제주	75
선산	70
청주	67
남해	55
평안	51
보령	47
능성	43
평택	41
장연	40
하양	36
영산	33
결성	15
기타	2,359
미상	868

◇ 孫 ◇

본관	인구수
밀양	243,461
경주	81,550
안동(일직)	22,214
평해	11,422
청주	2,712
구례	1,042
비안	593
나주	388
진주	332
보성	272
달성	184
전주	170
김해	137
해주	134
평양	130
창녕	118
평안	105
남원	98
광주	81
평택	64
부녕	62
충주	61
경기	35
기타	2,528
미상	824

◇ 梁 ◇

본관	인구수
남원	219,911
제주	113,419
남양	2,907
청주	1,532
전주	418
충주(구성)	405
남한	396
경주	274
청송	252

본관	인구수	본관	인구수	본관	인구수	본관	인구수	본관	인구수	본관	인구수	본관	인구수
나주	240	서산	201	직산	18	밀양	158	청주	331	광주	38,073	경주	1,381
해주	171	금성	185	경기	17	양구	144	정선	189	광산	34,281	전주	1,058
진주	146	의성	170	적성	16	영천	140	홍성	153	풍천	33,300	창녕	430
김해	145	청산	158	(순창)	16	한양	121	전주	104	장연	7,456	하충	336
명월	117	풍산	130	남해	15	전주	104	청풍	93	곡산	7,453	밀양	217
예성	117	개성	130	해미	8	광산	100	경주	92	만경	5,862	단계	158
양주	112	정주	118	문경	6	해주	92	남원	71	안동	4,531	대전	137
파주	81	온양	111	기타	1,693	청주	81	의령	50	경주	3,885	강하	80
단양	76	남원	90	미상	707	의성	73	밀양	49	해주	3,359	청주	79
대전	75	경남	89	◇ 曹 ◇		창녕	72	부유(순천)	45	신창	1,979	강릉	16
남홍	65	고양	85	창녕	299,642	대구	71	신안	44	강화	1,399	안음	9
남영	62	남양	84	청양	1,202	안동	66	기타	1,714	안강	739	기타	1,529
원주	59	창녕	83	창원	407	대전	65	미상	444	나주	675	미상	372
양천	59	해주	77	안동	285	남원	51	◇ 劉 ◇		창녕	580	◇ 俞 ◇	
문화	52	안성	72	화순	225	김천	44	강릉(한양)	161,634	연일	528	기계	97,382
삼척	47	고령	61	인천	211	제주	43	거창	32,790	전주	396	강진	15,805
고부	31	함흥	42	평창	153	남양	40	백천	8,910	함평	278	무안	12,696
군위	30	화순	41	영암	132	김제	29	충주	1,125	함양	276	창원	9,971
임천	25	대전	36	함평	125	수원	14	강남	1,054	진주	182	고령	8,743
예춘	22	협계	20	강릉	119	기타	1,548	진주	923	서하	176	경주	6,184
기타	2,067	아낙	15	장흥	115	미상	554	풍산	523	선산	154	인동	4,021
미상	672	금강	11	진주	84	◇ 南 ◇		청주	257	고성	153	금산	3,766
◇ 裵 ◇		기타	3,456	수성(대구)	83	의령	130,179	안동	231	남원(용성)	151	진주	2,149
경주	90,027	미상	647	광주	81	영양	62,761	창녕	159	청주	148	천영	967
성주	64,289	◇ 白 ◇		능성	74	고성	20,599	옥천	154	광진	123	풍산	474
달성	41,267	수원	295,640	창산	69	율영	1,447	공주	138	재현	111	하회	350
분성(김해)	40,385	남포	6,619	영광(옥주)	47	남양	1,416	영월	132	김해	104	고흥	280
성산	27,349	대흥	1,200	남평	41	함열	975	순흥	116	장인	99	달성	141
홍해	19,824	부여	780	가흥(진도)	30	밀양	434	강원	108	광성	91	파평	139
김해	12,936	태인	467	청도	25	남평	250	고부	88	조행	86	김해	121
대구	5,319	청도	391	기타	1,215	고령	228	무주	88	충주	76	밀양	120
선산	4,550	임천	317	미상	445	창녕	225	원주	84	서해	66	안성	115
곤양	3,494	경주	255	◇ 許 ◇		일흥	184	개성	76	수원	65	청주	99
곤산(고양)	1,386	밀양	151	김해	121,603	남원	168	파평	74	한양	55	광주	87
밀양	863	순흥	148	양천	114,863	선령	154	천안	58	청도	46	단양	84
청주	843	순천	144	하양	14,789	경주	115	강화	55	서산	44	상주	84
나주	809	전주	105	태인	5,955	보성	106	광주	52	산평	42	부안	79
풍성	508	진주	104	시산	1,881	안동	105	금성	50	달성	33	강원	65
안동	484	충주	100	양평	377	진주	93	해구	50	영광	28	예산	61
곡강	429	성주	99	양주(양산)	281	해밀	49	연백	48	용성	12	장사(무정)	59
상주	414	평산	93	경주	271	기타	2,247	남원	40	대전	12	해주	56
진주	354	백천	76	서산	229	미상	511	수원	35	동성(통진)	11	강화	55
남해	318	홍주	71	함창	186	◇ 沈 ◇		기타	8,561	기타	2,744	남원	49
수원	295	성산	62	진주	183	청송	186,382	미상	832	미상	610	공주	29
평산	267	나주	58			삼척	16,681	◇ 盧 ◇		◇ 河 ◇		기타	3,081
김해	265	원주	58			풍산	12,024	교하	45,812	진주	148,208	미상	766
전주	237	김해	54			충주	927			진양	30,631	◇ 丁 ◇	
		광주	51			청산	344						
		남원	49										

본관	인구수	본관	인구수	본관	인구수	본관	인구수	본관	인구수	본관	인구수	본관	인구수
나주	82,554	밀양	117	명성	194	강릉	46	대전	58	기타	1,764	삼척	5,699
압해	55,893	고흥	109	연성	160	해남	46	아선	51	미상	432	영양	4,005
영광	18,019	동래	81	신안	140	결성	29	보령	42	◇ 閔 ◇		나주	2,539
창원	14,786	진주	73	문성	120	태천	26	회덕	35	여흥	137,314	경주	1,522
영성	8,510	충주	71	달성	114	공주	20	과천	24	여주	1,103	강릉	1,211
의성	1,704	전주	64	전주	107	압해	4	기타	1,654	대전	258	광동	1,177
진주	588	연일	61	담양	68	기타	1,625	미상	641	해남	182	진산	572
해주	390	성주	58	강릉	44	미상	390	◇ 田 ◇		영운	140	양산	475
창녕	263	현량	49	제주	43	◇ 羅 ◇		담양	109,213	영원	135	신광	412
파주	253	봉산	18	기타	2,340	나주	99,089	남양	13,368	영인	105	전주	293
장성	248	여이	5	미상	420	금성	39,903	연안	7,091	청주	83	홍주	266
무안	191	기타	1,433	◇ 禹 ◇		안정	4,835	단양	3,305	경주	78	연안	258
영산	130	미상	327	단양	152,298	수성	3,547	영광	1,847	정선	50	온양	233
달성	66	◇ 車 ◇		안양	531	군위	489	대명	1,653	창원	30	밀양	219
삼옥	53	연안	154,641	안동	388	전주	243	의령	1,572	기타	1,530	홍덕	213
곡성	53	수원	610	한양	131	경주	141	하음	1,089	미상	320	여주	186
한일	52	평산	315	경주	96	안동	94	천안	812	◇ 辛 ◇		의령	151
기타	1,076	용성	228	달성	89	해주	75	전주	715	영산	56,301	진주	143
미상	552	문화	201	남양	88	진주	67	평택	419	영월	49,676	여흥	136
◇ 成 ◇		경주	172	해주	83	비안	63	밀양	412	영주	29,907	남해	118
창녕	158,335	해주	166	진양	71	김해	38	함양	355	양산	188	함양	114
강릉	1,980	대전	130	창녕	59	장성	25	남원	337	부안	152	청주	75
전주	226	밀양	118	강주(영천)	46	의성	22	해주	201	경주	141	김해	75
창원	219	진주	115	영주	44	정산	18	울진	194	영광	139	안동	73
달성	213	전주	110	예안	28	기타	1,083	정산	175	김해	71	임파	72
청양	107	영일	102	기타	1,176	미상	276	광명	171	평창	36	홍성	63
경주	87	고령	90	미상	328	◇ 任 ◇		추성	138	기타	869	해주	60
예산	85	광산	80	◇ 朱 ◇		풍천	103,108	태산(태인)	128	미상	361	부여	49
청주	78	정안	78	신안	142,590	장흥(정안)	34,141	온양	116	◇ 池 ◇		평산	41
달진	72	천안	57	능성	5,398	나주	2,391	개성	111	충주	118,410	충주	40
양근	68	송림	50	나주	1,100	곡성	1,957	진원(장성)	107	청주	2,990	죽산	38
나주	32	나주	47	웅천	531	관산	1,152	강화	103	청송	1,520	양주	26
청룡	23	안성	45	경주	292	진주	976	과천	98	단양	345	덕창	21
기타	1,640	영월	26	전주	169	홍천	243	영평	96	경주	204	복주	9
미상	348	평택	19	진주	126	안동	155	경성	88	전주	126	기타	1,928
◇ 郭 ◇		남해	16	연안	122	풍산	143	옥구	86	평산	110	미상	343
현풍	127,322	기타	1,888	함흥	119	광산	133	진주	69	진주	84	◇ 嚴 ◇	
청주	24,451	미상	375	신흥	117	함풍(함평)	116	안주	56	해주	57	영월	114,191
선산	4,151	◇ 具 ◇		청주	93	청풍	108	백천	54	광주	51	파주	153
포산	1,742	응성	111,747	밀양	90	부천	100	토산	50	충남	41	영천	77
해미	799	창원	22,126	해주	85	파평	95	순천	48	평창	40	창주	74
소래	665	능주	17,010	영주	82	해남	84	충주	42	충북	32	상주	63
의성	574	평해	959	창녕	81	충내	83	예산	42	기타	1,260	밀양	55
경주	380	영주	933	김해	81	수원	76	파평	39	미상	354	나주	44
청풍	365	창녕	280	남원	79	춘천	69	우봉	32	◇ 陳 ◇		하음	10
풍산	178	회산	256	안동	76	순천	59	원주	23	려양	100,232	기타	1,094
함평	173	승주	234	광주	57			교동	11			미상	241
성산	147	공주	231									◇ 元 ◇	

본관	인구수	본관	인구수	본관	인구수	본관	인구수	본관	인구수	본관	인구수	본관	인구수
원주	102,748	해남	84	곡부	68,951	재령		강화	13,282	기타	793	대구	164
대전	294	남양	82	창원	588	(안능)	1,997	광주	11,038	미상	164	상주	140
전주	134	수원	80	고산	240	평양	1,557	밀양	1,925	◇ 呂 ◇		경주	121
경주	89	전주	70	창녕	232	파주	247	경주	653	함양	25,103	성산	101
강원	70	나주	63	전주	107	진주	93	진주	279	성주	15,722	순천	52
청주	54	옥천	44	수원	84	강령	72	함종	167	성산	4,111	팔거(칠곡)	41
남원	31	김해	43	경주	76	함덕	62	충주	110	선산	905	파주	28
해주	24	강릉	34	대구	49	밀양	40	고환	99	함흥	654	밀양	28
영월	18	강화	10	기타	1,861	원주	22	규환	88	범중	368	의성	19
기타	755	기타	1,927	미상	194	상원	17	함흥	86	해영	211	사정(수원)	12
미상	255	미상	405	◇ 玄 ◇		충주	15	만경	85	함영	157	기타	613
◇ 蔡 ◇		◇ 方 ◇		연주	48,154	운남	11	광만	27	여주	90	미상	103
평강	59,953	온양	75,265	성주	12,297	임실	8	기타	898	단양	74	◇ 愼 ◇	
인천	34,826	군위	2,771	순천	3,393	용인	8	미상	153	해주	72	거창	40,013
경주	503	남원	838	창원	2,744	기타	730	◇ 廉 ◇		상주	67	서산	181
전주	321	진주	199	천연	485	미상	165	파주	51,143	청주	49	황산	120
평양	168	창성	163	전주	408	◇ 咸 ◇		용담	1,182	김해	35	진주	84
해주	122	안산	130	연안	243	강릉	54,973	파평	617	밀양	34	기타	244
강릉	110	상주	123	영주	227	양근	6,437	보성	127	안동	28	미상	127
평산	82	경주	116	청주	218	강남	1,314	창녕	117	성양	20	◇ 石 ◇	
평창	60	원영	94	함안	201	창녕	869	나주	107	함안	1	충주(홍주)	33,459
광주	47	나주	79	제주	184	함평	104	경주	75	기타	1,061	해주	2,664
음성	45	수원	66	경주	180	경주	74	심천	59	미상	152	청주	1,122
당진	18	김해	48	천영	178	담양	71	청주	55	◇ 秋 ◇		경주	961
기타	1,168	신창	42	현풍	174	강화	63	해주	44	전주	22,136	원주	310
미상	211	무안	39	신산	128	강원	53	진양	35	추계	21,416	화원(성주)	240
◇ 千 ◇		안성	39	진주	126	양주	48	광주	33	나주	1,000	결성	204
영양	83,990	양산	38	고성	115	영월	24	진주	32	양지	863	조주	152
예양	3,256	해남	28	상주	108	평택	17	개성	27	안동	500	밀양	98
언양	1,984	결성	26	창녕	97	기타	982	충주	23	경주	374	광주	95
화산	1,585	충주	26	연산	87	미상	157	양주	16	달성	256	전주	55
이양	785	기타	1,025	철령	81	◇ 卜 ◇		기타	623	밀양	188	대구	51
개성	343	미상	263	해주	77	초계	43,669	미상	130	진주	80	남원	41
안동	325	◇ 楊 ◇		밀양	73	밀양	17,288	◇ 邊 ◇		한양	68	개성	41
경주	299	남원	40,993	나주	55	원주	957	원주	39,604	해남	47	제천	37
밀양	253	청주	27,832	남원	29	팔개	198	황주	6,393	해주	27	파평	25
진주	249	밀양	5,188	보성	28	진주	142	장연	2,467	원주	27	양주	17
양평	240	중화	4,723	함흥	25	청주	98	장성	251	파주	22	기타	692
한양	209	안악	382	온양	21	경주	96	전주	188	개성	21	미상	123
남원	163	통주	179	여산	20	장성	83	가병	139	강화	5	◇ 蘇 ◇	
인천	143	충주	144	남평	16	남원	56	해주	110	기타	1,413	진주	38,854
온양	138	순창	130	은진	12	부용	41	나주	62	미상	183	남원	232
청주	121	인동	71	온평	9	백음	11	경주	58	◇ 都 ◇		기타	525
영천	107	진주	64	기타	1,705	기타	1,323	진주	51	성주	42,610		
단양	99	기타	1,218	미상	252	미상	183	제주	36	전주	1,262		
목천	94	미상	345	◇ 康 ◇		◇ 魯 ◇		청주	34	서제	1,058		
충주	94	◇ 孔 ◇		신천	50,712	함평	25,582	가은(문경)	29	청주	176		
광주	93			곡산	14,020								

본관	인구수	본관	인구수	본관	인구수	본관	인구수	본관	인구수	본관	인구수	본관	인구수
미상	98	서산	145	관산	566	◇ 王 ◇		기타	394	◇ 蔣 ◇		경주	633
◇ 薛 ◇		경주	75	광산	92			미상	62			나주	372
		남원	16	함흥	65	개성	18,774	◇ 孟 ◇		아산	16,004	통진	134
순창	24,181	부화	11	수령	59	제남	800			기타	72	양주	75
경주	7,689	기타	673	해남	54	이령	125	신창	16,452	미상	30	인천	74
순천	687	미상	80	전주	49	대전	41	온양	827	◇ 牟 ◇		해주	48
옥천	518	◇ 馬 ◇		고흥	17	혜주	32	기타	310			전주	41
개성	229			기타	559	거제	30	미상	46	평함	15,531	순천	24
진주	136	장흥	23,803	미상	72	강릉	19	◇ 諸 ◇		진주	128	대전	12
밀양	62	목천	5,233	◇ 明 ◇		기타	447			기타	330	김천	8
창원	47	의성	299			미상	109	칠원	16,420	미상	48	기타	894
기타	629	개성	220	서촉	11,837	◇ 琴 ◇		고성	100	◇ 鞠 ◇		미상	48
미상	84	장안	74	연안	10,625			보성	92			◇ 龍 ◇	
◇ 宣 ◇		기타	1,123	성도	147	봉화	19,681	남양	91	담양	14,858		
		미상	112	해주	36	보성	208	의성	19	복성		홍천	11,791
보성	33,077	◇ 延 ◇		황해	29	안동	74	기타	616	(보성)	40	개성	279
광주	50			기타	618	계양		미상	54	대구	22	수원	34
밀양	39	곡산	27,058	미상	79	(김포)	30	◇ 卓 ◇		부령	10	파주	7
전주	26	도안	140	◇ 奇 ◇		강화	16			진주	9	용인	6
이천	4	곡성	49			평해	3	광산	15,196	영광	8	광주	5
기타	406	옥산	41	행주	21,740	기타	301	광주	1,057	기타	556	양근	5
미상	62	연안	38	장성	446	미상	42	가평	187	미상	24	기타	158
◇ 周 ◇		대전	37	경주	104	◇ 玉 ◇		전주	37	◇ 魚 ◇		미상	35
		청주	23	기타	351			해주	26			◇ 芮 ◇	
상주	21,713	나주	19	미상	48	의령	18,900	기타	390	함종	10,952		
초계	6,331	경주	17	◇ 房 ◇		거제	235	미상	45	충주	3,503	의흥	5,076
철원	2,684	황해	17			개성	130	◇ 秦 ◇		함흥	272	부계	4,388
안의	446	개성	10	남양	15,971	진주	117			경흥	53	어령	540
능주	251	광주	6	남원	2,888	반성	88	풍기	9,856	기타	514	청도	362
함안	161	남양	6	온양	2,177	선영	49	진주	4,941	미상	55	정선	53
명주	126	기타	324	밀양	390	밀양	34	연안	291	◇ 余 ◇		담성	7
천안	92	미상	67	양산	110	의성	33	대원	258			기타	485
경주	85	◇ 表 ◇		수원	50	사천	31	남원	207	의령	14,110	미상	26
진주	55			서산	23	기타	543	삼척	141	하동	96	◇ 丘 ◇	
정주	46	신창	23,606	천영	12	미상	34	강화	68	남해	30		
장흥	44	죽산	118	포천	6	◇ 陸 ◇		해주	50	기타	459	평해	10,550
옥천	33	거창	95	기타	560			태원	45	미상	38	기타	270
풍기	32	경주	58	미상	332	옥천	18,023	영춘	43	◇ 殷 ◇		미상	39
삼계		진주	27	◇ 潘 ◇		관성	460	제주	35			◇ 奉 ◇	
(영산)	30	충주	23			기타	317	김해	23	행주	12,130		
충주	25	전주	21	거제	12,206	미상	37	평강	18	고부	770	하음	6,584
기타	856	양주	17	광주	5,415	◇ 印 ◇		용인	2	덕산	55	강화	3,148
미상	210	공주	7	기성	1,770			기타	373	태인	45	진주	222
◇ 吉 ◇		수원	7	남평	1,302	교동	17,556	미상	84	달성	32	풍기	78
		기타	513	음성	127	연안	120	◇ 南宮 ◇		기타	554	양성	60
해평	23,057	미상	70	결성	103	강화	57			미상	40	함흥	22
선산	5,913	◇ 魏 ◇		영평	82	함창	39	함열	15,900	◇ 片 ◇		기타	398
성산	655			기타	491	당진	28	기타	258			미상	35
금산	305	장흥	22,724	미상	52	해주	22	미상	69	절강	10,901	◇ 庚 ◇	

본관	인구수	본관	인구수	본관	인구	본관	인구	본관	인구	본관	인구	본관	인구	본관	인구
무송	9,473	기타	297	◇ 睦 ◇		◇ 甘 ◇		서원	3	단양	12	◇ 實 ◇		◇ 承 ◇	
평산	548	미상	24	사천	6,938	회산	3,164	거야	2	석전	10	달성	1,892	연일	1,506
기타	223	◇ 夫 ◇		기타	128	창원	1,433	평고	2	홍주	1	밀양	250	광산	648
미상	35	제주	8,474	미상	22	함포	57	진주	2	기타	430	수성(대구)	148	기타	135
◇ 慶 ◇		기타	79	◇ 桂 ◇		창녕	54	기타	152	미상	29	의성	62	미상	8
청주	9,926	미상	12	수안	5,703	충주	17	미상	11	◇ 左 ◇		영광(육창)	3	◇ 施 ◇	
기타	115	◇ 皇甫 ◇		기타	226	부령	8	◇ 章 ◇		청주	1,791	기타	242	석강	1,182
미상	28	영천	8,376	미상	16	거창	7	거창	4,223	제주	1,205	미상	50	절강	916
◇ 程 ◇		황주	18	◇ 皮 ◇		기타	253	기타	85	기타	44	◇ 彭 ◇		성주	28
하남	8,048	기타	119	괴산	2,413	미상	19	미상	21	미상	6	절강	1,275	기타	70
한산	797	미상	16	홍천	1,265	◇ 董 ◇		◇ 景 ◇		◇ 鮮于 ◇		용강	1,048	미상	7
부이(금산)	60	◇ 昔 ◇		단양	1,037	광천	3,850	태인	1,631	태원	2,927	영강(강령)	15	◇ 尚 ◇	
적성(순창)	50	경주	3,967	경주	106	광주	189	해주	1,251	기타	94	신평(홍주)	11	목천	2,054
사탄(춘천)	25	월성	3,748	충주	97	영천	183	시산	398	미상	11	영천	4	기타	53
양천	24	기타	193	안산	84	풍천	82	경주	224	◇ 葛 ◇		안악	1	미상	10
영풍(함평)	24	미상	51	공주	82	기타	321	충주	36	남양	1,773	기타	110	◇ 簡 ◇	
경주	18	◇ 賈 ◇		당진	72	미상	19	밀양	6	청주(서원)	486	미상	7	가평	1,937
광주	18	소주(소성)	7,617	광주	24	◇ 陰 ◇		능향	4	대구	385	◇ 西門 ◇		해주	15
강릉	10	기타	240	파주	4	죽산	2,943	장연	3	양주	15	안음(안의)	2,063	남양	10
동래	9	미상	31	기타	238	괴산	1,295	복흥(장수)	2	양성	6	기타	134	경주	4
유등	7	◇ 太 ◇		미상	18	백천	47	기타	123	청산	4	미상	131	서산	2
토산	3	영순	3,638	邢		음성	32	미상	13	청풍	1	◇ 邵 ◇		양양	2
기타	118	남원	1,511	진주(반성)	5,145	개성	32	◇ 諸葛 ◇		해남	1	평산	1,199	인동	2
미상	32	협계	1,124	장흥	69	경주	8	남양	3,473	죽장	1	익산	603	영광	1
◇ 晋 ◇		합천	286	대전	14	밀양	5	기타	158	비안곡	1	전주	191	기타	83
남원	7,868	양주	212	기타	183	용강	5	미상	21	기타	335	경주	96	미상	18
진주	622	인천	90	미상	19	운산	5	◇ 司空 ◇		미상	13	서촉	77	◇ 化 ◇	
기타	167	김천	29	◇ 菜 ◇		고산	4	효령	2,807	◇ 范 ◇		비안	10	진양	1,592
미상	39	순천	4	영양	5,045	충주	3	군위	730	금성	2,882	여양(안동)	10	나주	226
◇ 史 ◇		기타	486	진주	47	설성	2	기타	85	나주	100	안태(경주)	9	복용	41
청주	6,532	미상	26	기타	136	정주	2	미상	12	기타	52	밀양	9	여황	15
거창	1,116	◇ 卜 ◇		미상	13	고주	2	◇ 扈 ◇		미상	4	진주	8	기타	60
경주	182	면천	6,995	◇ 杜 ◇		광주	1	신평	1,362	◇ 夏 ◇		하남	8	미상	56
파주	158	청양	53	두릉	4,837	장연(풍기)	1	보안	712	달성	2,823	인주	7	◇ 傑(乬) ◇	
청송	128	전북	30	기타	224	풍천	1	전주	529	기타	34	청산	4	경주	1,886
충주	66	오천(연일)	22	미상	15	기타	120	밀양	117	미상	9	공주	3	기타	58
임강	58	평산	8	◇ 智 ◇		미상	14	해평	105	◇ 錢 ◇		남양	3	미상	8
수원	45	구성	8	봉산	2,894	◇ 溫 ◇		나주	61	문경	2,699	기타	54	◇ 公 ◇	
선산	23	연주	6	봉주	2,014	봉성	2,373	백천	40	악계	6	미상	9	김포	1,256
전주	21	홍주	2	기타	108	금구	1,397	삼산	38	지예	1			문천	502
진주	9	기타	224	미상	12	경주	237	충주	32	기타	32			기타	100
장사	1	미상	22			청주	155	의령	16	미상	10			미상	14
						온양	30	무장	16						
						전주	17	신창	13						
						나주	14								

본관	인구수
◇ 彊 ◇	
진주	1,840
기타	9
미상	13
◇ 彬 ◇	
대구	1,761
달성	33
기타	54
미상	8
◇ 柴 ◇	
태인	794
능향	544
금회	16
기타	159
미상	25
◇ 韋 ◇	
강화	1,442
기타	76
미상	8
◇ 眞 ◇	
서산	1,358
기타	144
미상	9
◇ 胡 ◇	
파능	767
승안	174
가평	120
악양	87
평산	84
아산	62
길주	42
기타	135
미상	16
◇ 路 ◇	
개성	1,307
태원(충주)	63
대원	13
북청	13
기타	71
미상	17
◇ 于 ◇	

본관	인구수
목천	1,270
기타	74
미상	37
◇ 班 ◇	
개성	1,208
광주	234
평해	9
고성	4
기타	84
미상	5
◇ 天 ◇	
연안	680
여양	255
충주	40
밀양	26
우봉	19
기타	203
미상	128
◇ 段 ◇	
강음(김천)	720
연안	345
강릉	48
서촉	33
황주	10
청주	10
고산	8
가음	6
전주	2
화산	1
기타	81
미상	3
◇ 甄 ◇	
전주	511
황간	405
경주	10
안주	8
청양	6
상주	1
기타	43
미상	6
◇ 國 ◇	
담양	625
대명	169
금성	31

본관	인구수
전주	13
풍천	8
현풍	4
영양	3
기타	99
미상	26
◇ 筍 ◇	
홍산	820
임천	26
연곡(강릉)	20
창원	3
기타	59
미상	28
◇ 陶 ◇	
순천	442
풍양	373
경주	28
청주	22
남양	11
양주	8
밀양	7
병영	1
기타	46
미상	5
◇ 唐 ◇	
밀양	868
기타	61
미상	3
◇ 强 ◇	
충주	840
괴산	24
기타	37
◇ 毛 ◇	
광주	720
공주(공산)	35
서산	4
김해	1
기타	105
미상	8
◇ 邦 ◇	
광주	630
무안	102

본관	인구수
파주	15
해주	11
수다(나주)	9
예천	6
영흥	6
풍기	5
철원	2
괴산	1
기타	34
미상	3
◇ 龐 ◇	
개성	673
태원	110
갈양	7
기타	3
미상	1
◇ 昌 ◇	
거창	292
창녕	133
공주	101
장성	98
강릉	12
여산	11
아산	7
기타	105
미상	33
◇ 樑 ◇	
남양	613
기타	66
미상	21
◇ 獨孤 ◇	
남원	674
광릉	7
의주	4
황주	1
나주	1
기타	6
미상	2
◇ 邕 ◇	
옥천	304
순창	269
기타	80
미상	34

본관	인구수
◇ 平 ◇	
충주	454
인천	145
가흥(진도)	6
인주	2
기타	37
미상	4
◇ 昇 ◇	
남원	295
창녕	144
기타	191
미상	13
◇ 鍾 ◇	
영암	431
하음	100
강화	17
정의	3
통진	1
풍덕	1
두원	1
기타	30
미상	37
◇ 葉 ◇	
경주	313
공촌(수원)	64
해평(선산)	8
수원	5
충주	4
미파산	2
처인(용인)	2
기타	171
미상	35
◇ 墨 ◇	
광녕	353
요동	171
기타	37
미상	6
◇ 麻 ◇	
영평	320
열산	

본관	인구수
(간성)	59
기타	132
미상	16
◇ 弓 ◇	
토산(상원)	479
기타	36
미상	5
◇ 大 ◇	
밀양	390
대산(김해)	81
기타	25
미상	3
◇ 氷 ◇	
경주	451
기타	10
미상	3
◇ 道 ◇	
고성	382
기타	63
미상	14
◇ 堅 ◇	
천영	221
여주	89
사양(수원)	6
김포	3
기타	131
미상	2
◇ 斤 ◇	
청주	420
기타	25
미상	5
◇ 馮 ◇	
임구	361
기타	87
미상	1
◇ 箕 ◇	
행주	400
기타	22
미상	5

본관	인구수
◇ 袁 ◇	
비옥	216
비안	180
기타	27
미상	1
◇ 連 ◇	
전주(나주)	366
기타	23
미상	9
◇ 菊 ◇	
영광	260
기타	93
미상	28
◇ 永 ◇	
평해	169
경주	131
강령	3
기타	39
미상	17
◇ 異 ◇	
밀양	321
동성(통진)	9
청양	3
남원	2
기타	19
미상	5
◇ 浪 ◇	
양주	245
기타	51
미상	32
◇ 漢 ◇	
충주	61
담양	39
옥천	19
기타	76
미상	65
◇ 阿 ◇	
양주	92
나주	88
진주	28

본관	인구	본관	인구	본관	인구	본관	인구	본관	인구	본관	인구
익산	4	◇伊◇		◇弼◇		◇米◇		니파(만경)	31	미상	5
기타	49	충주	209	대흥	181	재령	107	토율	17	◇頓◇	
미상	5	태원	13	전주	8	유성(공주)	14	임진(장단)	13	목천	91
◇莊◇		은천(백천)	5	기타	16	기타	16	기타	61	기타	7
아산	277	기타	21	미상	4	미상	4	미상	11	미상	2
장연	11	미상	1	◇占◇		◇凡◇		◇西◇		◇기타◇	
기타	10	◇喬◇		한산	46	안주	143	진주	30	4,122	
미상	12	청주	97	괴산	16	기타	10	충주	12	◇미상◇	
◇乃◇		순창	94	나주	15	미상	1	기타	38	180	
개성	283	선산	9	창원	4	◇俊◇		미상	19		
기타	24	기타	23	압해	2	청주	148	◇汝◇			
미상	1	미상	20	영광	1	기타	6	안산	55		
◇邱◇		◇包◇		기타	89	◇淳◇		기타	52		
은진	289	풍덕	183	미상	25	염천	99	미상	15		
기타	12	순천	12	◇舜◇		기타	36	◇水◇			
미상	5	기타	34	파주	94	미상	6	고산(운제)	84		
◇萬◇		미상	9	임천	20	◇洙◇		강릉	10		
강화	89	◇判◇		기타	60	달성	39	강남	5		
개성	63	해주	179	미상	22	밀양	34	김해	1		
강릉	18	기타	36	◇曲◇		기타	55	기타	7		
광주	4	미상	23	용궁(예천)	170	미상	12	미상	6		
영풍	3	◇楚◇		기타	18	◇夜◇		◇雲◇			
익곡(안변)	1	파릉	105	미상	1	원평(파평)	61	함흥	58		
기타	96	강릉	56	◇鳳◇		파평(파주)	15	장흥	9		
미상	8	성주	12	경주	173	개성	2	청주	4		
◇采◇		청주	8	기타	4	봉성	1	기타	19		
여산	148	기타	46	미상	2	기타	50	미상	1		
기타	97	미상	5	◇松◇		미상	3	◇雷◇			
미상	30	◇梅◇		화순	17	◇慈◇		교동	100		
◇海◇		충주	193	기타	80	요양	97	기타	5		
김해	150	기타	34	미상	30	중원	15	미상	1		
영암	80	미상	3	◇東方◇		해주	2	◇燕◇			
함양	10	◇君◇		진주	99	기타	21	정평	59		
기타	22	남원	158	청주	65	미상	1	곡산	7		
미상	8	기타	61	기타	9	◇宗◇		영평	7		
◇倉◇		미상	10	미상	1			전주	7		
아산	209	◇姚◇		◇介◇				덕원	2		
여산	30	수원	205	여주	160			평주(평산)	2		
장성	1	휘주	4	기타	4			기타	16		
기타	8	기타	15	미상	1						
미상	10	미상	5								

三綱(삼강)五倫(오륜)

父 爲 子 綱 (부위자강)
아들은 아버지를 섬기는 근본이고

君 爲 臣 綱 (군위신강)
신하는 임금을 섬기는 근본이고

夫 爲 婦 綱 (부위부강)
아내는 남편을 섬기는 근본이다.

君 臣 有 義 (군신유의)
임금과 신하는 의가 있어야 하고

父 子 有 親 (부자유친)
아버지와 아들은 친함이 있어야 하며

夫 婦 有 別 (부부유별)
남편과 아내는 분별이 있어야 하며

長 幼 有 序 (장유유서)
어른과 어린이는 차례가 있어야 하고

朋 友 有 信 (붕우유신)
벗과 벗은 믿음이 있어야 한다.